Du même auteur, chez le même éditeur

LES SCIENCES HUMAINES
ET LA PENSÉE OCCIDENTALE

En préparation :

LE SAVOIR
ROMANTIQUE
DE LA NATURE

BIBLIOTHÈQUE SCIENTIFIQUE

GEORGES GUSDORF

LES SCIENCES HUMAINES ET LA PENSÉE OCCIDENTALE

XII

LE SAVOIR ROMANTIQUE DE LA NATURE

Ouvrage publié avec le concours du Centre National des Lettres

PAYOT, PARIS
106, Boulevard Saint-Germain
—
1985

SOMMAIRE

INTRODUCTION

LA NATURPHILOSOPHIE, RESTAURATION
D'UNE SCIENCE TOTALE

L'*Encyclopaedia Britannica*, dans sa quinzième édition (1974), à l'article *Nature (Philosophy of)*, définit la philosophie de la nature comme une réflexion sur les données des sciences de la réalité extérieure ; l'article est subdivisé en deux sections, l'une concernant la « philosophie de la physique », l'autre la « philosophie de la biologie ». Ainsi comprise, la *philosophie de la nature* est la contrepartie de la *philosophie de l'esprit*, elle apparaît comme l'équivalent de l'*épistémologie*, méditation, en seconde lecture, sur l'activité scientifique, ses modalités et ses résultats dans les divers compartiments du savoir. En 1834 paraît à Paris, en traduction, le *Discours sur l'étude de la philosophie naturelle* (1830) du savant britannique sir John Frederick William Herschel (1792-1871), fils de l'illustre astronome, lui-même astronome et physicien, qui fut un temps le successeur de Newton à la tête de la Monnaie de Londres. Le Grand Œuvre de Newton s'était intitulé *Principes mathématiques de la philosophie naturelle* (1687) ; mais il s'agissait là d'un traité scientifique à proprement parler et non pas, comme dans le cas de Herschel, d'une analyse des voies et moyens du travail des physiciens : observation, induction, constitution des théories, « subdivision des sciences physiques en branches distinctes, et relations que celles-ci ont entre elles »... ([1]).

L'expression « philosophie naturelle », après avoir désigné la théorie scientifique en tant que mise en ordre rationnelle des phénomènes, en est venue à dénommer une philosophie à partir de la science, une « philosophie des sciences », selon la formule retenue dans l'usage français. Pareillement, lorsque Voltaire invente, en 1765, la formule « philosophie de l'histoire », il ne désigne pas par là

([1]) Trad. citée, p. VII.

la connaissance historique elle-même, mais une réflexion à partir de cette connaissance, dont les données deviennent la matière d'interprétations concernant le devenir de l'humanité. Le radical « philosophie de — » signifie que l'homme de science pure cède l'initiative à l'homme de raison ; la spéculation prend acte du savoir existant, et s'efforce de le mettre en perspective au sein de l'horizon d'une rationalité supérieure, ce qui ne manquera pas de susciter des conflits entre le savant proprement dit et le théoricien, soupçonné d'exercice illégal de l'activité scientifique, ou encore d'abus de confiance. Il s'agit de deux usages du discours ou de deux fonctions de la pensée, l'une tournée vers la singularité objective des faits, l'autre soucieuse de généralité. La division du travail intellectuel va de pair avec une division des compétences ; il arrive qu'un authentique savant soit aussi un philosophe de la science, comme c'était le cas pour J. F. W. Herschel, mathématicien, physicien, chimiste et astronome. Mais il ne suffit pas de savoir de quoi on parle pour philosopher génialement sur le sujet ; le petit traité de Herschel n'a pas marqué un moment décisif dans le devenir de la philosophie des sciences.

La formule « philosophie naturelle », ambiguë, semble tombée en désuétude, en particulier dans le domaine français. Le mot « philosophie » est marqué de suspicion, dans la mesure où il oppose l'usage spéculatif et l'usage scientifique de la connaissance. Surtout, le mot « nature », vicié par des équivoques multiples, paraît aujourd'hui démonétisé. Depuis les origines helléniques de la pensée occidentale, chargé de représentations animistes archaïques, il a fait cause commune avec l'aristotélisme scolastique. La révolution mécaniste a remis en question ses implications vitalistes, cependant que le terme glissait du domaine physique au domaine esthétique, se chargeant ainsi d'harmoniques nouvelles, génératrices de nouvelles confusions. Le « sentiment de la nature » dispute le terrain à la « philosophie de la nature ». Et Chateaubriand, romantique anti-romantique, prononce la parole fameuse : « Avec ce mot de nature, on a tout perdu... » [2].

Le concept germanique de *Naturphilosophie*, expression privilégiée du romantisme allemand, n'a pas d'équivalent linguistique en français ou en anglais. Les historiens préfèrent utiliser le terme original pour désigner une forme de spéculation qui n'a guère franchi les limites de l'aire culturelle dans laquelle elle a connu un développement rapide et fécond. Les romantismes, en dehors du romantisme allemand, furent des mouvements littéraires et artistiques, étrangers

---

[2] Sur l'histoire du concept de *Nature*, cf. G. GUSDORF, *Dieu, la nature, l'homme au siècle des Lumières*, Payot, 1972, pp. 299 sqq.

au domaine des sciences de la nature, romantismes limités par des résistances qui les ont empêchés de soumettre à leur contrôle la totalité de l'espace mental. La « philosophie naturelle » exposée par J. F. W. Herschel est exempte de toute trace de *Naturphilosophie*, en dépit des affiliations familiales de l'auteur, dont le savant père était orginaire du Hanovre, alors lié à la couronne d'Angleterre. Les classiques de l'épistémologie britannique au XIXᵉ siècle, parus peu après le *Preliminary Discourse on the study of natural Philosophy* (1830) : *The Philosophy of the inductive Sciences* de William Whewell (1840) et *A System of logic* de Stuart Mill (1843), sont également libres de tout choc en retour de la conscience romantique du monde. Tout autant, le *Cours de philosophie positive* d'Auguste Comte, paru de 1830 à 1842, traité de philosophie des sciences, sans complaisance pour les extravagances spéculatives d'Outre-Rhin. Le polytechnicien Auguste Comte est l'interprète de l'idéal français du savoir, dont le siège social est l'Institut national, création prestigieuse de la Révolution.

L'Allemagne est une île. Dans les années 1830-1840, la *Naturphilosophie*, apparue dès la fin du XVIIIᵉ siècle, est toujours vivante dans les universités germaniques, bien que sa suprématie de naguère se heurte à certaines oppositions. Bon nombre des inspirateurs du mouvement sont encore vivants ; Schelling, initiateur de cette pensée, dont il s'est ensuite désintéressé, a vécu jusqu'en 1854 ; son lieutenant et continuateur, Henrich Steffens, disparaît en 1845, fidèle à ses convictions premières. De nombreux naturalistes, biologistes, médecins, anthropologues et anthroposophes, perpétuent cette même inspiration dans des horizons divers du savoir pendant le second tiers du siècle, avec une audience suffisante pour que leurs œuvres soient rééditées en un temps même où positivisme et scientisme occupent le devant de la scène intellectuelle. Le naturaliste-médecin Treviranus, l'un des inventeurs du mot *biologie*, meurt en 1837 ; le penseur gnostique Franz von Baader en 1842, le théoricien organiciste Kielmeyer en 1844, l'historien et polémiste, inventeur de l'*organomie*, Joseph Görres, en 1848 ; le biologiste et morphologiste Lorenz Oken disparaît en 1851 et Gotthilf Heinrich Schubert, l'un des plus populaires parmi les porte-parole de la *Naturphilosophie*, en 1860. Carl Gustav Carus, autre champion de cette conception du monde, vit jusqu'en 1869, et le médecin bavarois Ringseis, fondateur de l'université de Munich en 1827, jusqu'en 1880.

D'autres noms pourraient être cités, réputés en leur temps, mais dont l'évocation ne dirait rien aux lecteurs d'aujourd'hui, même germaniques. Cette revue des morts met en évidence la singulière importance d'un courant de pensée à la fois discrédité et méconnu, face cachée du romantisme. Occultation regrettable : elle fait des aspects mieux connus de cette vision du monde, dans le domaine de la sensibilité et des arts, un ensemble de conséquences sans prémisses, résultat d'options irrationnelles ou de partis pris esthétiques. Le romantisme n'est pas une poétique seulement, mais un savoir du monde, une conception de l'économie universelle qui fait sa place à l'être humain dans l'épopée de la création, ainsi que devait le comprendre Michelet, *Naturphilosoph* à la française, lorsqu'il prolonge l'histoire historienne en une histoire naturelle. Une compréhension totale refuse de séparer l'homme, d'en faire un isolé au sein du Cosmos où il fait résidence. Il serait absurde de dissocier Goethe poète et Goethe savant, et d'admettre que l'auteur du *Faust* et de la *Farbenlehre* menait une existence en partie double, l'écrivain trouvant son délassement dans la recherche savante. L'art romantique a continué à bénéficier d'une actualité permanente, refusée à la science romantique, confinée dans l'injuste discrédit à quoi l'a réduite le triomphe du fanatisme positiviste. L'esthétique romantique expose la partie émergée d'un ensemble de significations qui mettent en cause l'univers dans sa totalité.

Il ne saurait être question de réhabiliter la *Naturphilosophie* dans ses divinations et divagations, dans ses essais, ses excès et ses erreurs. Le progrès des connaissances a mis en échec bon nombre de ses doctrines, et ridiculisé ses certitudes. Il n'y a pas de vérités premières, disait Bachelard, mais seulement des erreurs premières ; aussi bien la vérité d'aujourd'hui est-elle l'erreur, ou du moins l'inexactitude de demain. Le physicien Pierre Duhem, catholique de stricte observance, s'était mis en tête, au début de ce siècle, de sauver l'honneur de son Eglise, compromis, lui semblait-il, par la condamnation de Galilée. Historien des sciences de grande qualité, il soutenait que le savant florentin était bien dans l'erreur et que ses juges étaient meilleurs physiciens que lui. En effet, la théorie galiléenne est confinée dans l'horizon étriqué du système solaire, perdu dans une immensité que le pauvre Galilée, armé de sa lunette ridiculement impuissante, ne pouvait même pas pressentir. Il est absurde de soutenir que le soleil immobile est le centre du monde ; les « systèmes » de Ptolémée et de Copernic ne sont que de fragiles hypothèses sans autre fondement dans la réalité que quelques repères, d'ailleurs suspects [3]. La cosmologie scientifique d'aujourd'hui, après la nouvelle physique de la relativité, après la mise en œuvre de moyens d'observation et d'expérimentation sans commune mesure avec ceux du XVIIe siècle, peut considérer les conceptions de Galilée comme des représentations infantiles.

Duhem en concluait que Galilée raisonnait mal, et qu'il était

[3] Cf. Pierre DUHEM, *Sôzein ta phainomena, Essai sur la notion de théorie physique de Platon à Galilée*, Annales de philosophie chrétienne, 1908.

parvenu à des conclusions sans fondement. Il avait donc été justement condamné par des juges qui voyaient plus loin que lui ! Le même genre d'argumentation pourrait être repris en faveur du savoir romantique ; il ne manque pas de prolongements dans la culture scientifique — ou prétendue telle — de notre temps. Le positivisme, le scientisme, qui ont détruit les prestiges de la *Naturphilosophie*, se trouvent depuis longtemps dévalués ; la superstition de la « Science », nouvelle idole de la modernité, s'est effacée à son tour ; elle n'a pas tenu ce qu'elle promettait. Il ne s'agit pas de désigner le détenteur du dernier mot en matière de vérité scientifique, car il n'y a pas de dernier mot, les résultats acquis étant des jalons provisoires au long d'un cheminement imprévisible. Les données de fait solidement établies peuvent être remises en question par des méthodes nouvelles d'approximation, ou par un changement de perspective, une révolution épistémologique modifiant le schéma global de l'interprétation, l'échelle même du savoir. Le formidable développement des sciences dites exactes dans la période contemporaine a été acquis grâce à des péripéties de ce genre. Nul ne se hasarderait à prédire ce que sera la configuration des sciences de demain — ou d'après-demain. Le positiviste Auguste Comte prononça un interdit pontifical contre le calcul des probabilités et contre l'astrophysique. Cela ne doit pas nous empêcher de prendre au sérieux sa réflexion épistémologique.

Le discrédit que le triomphe des sciences positives a jeté sur la *Naturphilosophie* dans la deuxième moitié du XIXe siècle a entraîné la méconnaissance de ce savoir, considéré désormais comme un égarement de la raison. Un pan important du devenir de la pensée occidentale se trouve jeté aux poubelles de l'histoire en vertu d'une option contraire à l'esprit historique. L'histoire du savoir ne peut être conçue comme une histoire de la vérité, poursuivie selon la seule norme de la discrimination entre le vrai et le faux. A ce compte, la majeure partie de l'histoire des sciences devrait être considérée comme nulle et non avenue ; « les savants » de l'Antiquité, du Moyen Age et de la Renaissance admettaient toutes sortes de notions et de théories qui furent par la suite reconnues comme irrémédiablement erronées ; ils considéraient comme des réalités de fait les évidences d'un sens commun faussé par des superstitions et des mythologies, génératrices d'illusions grossières dans tous les domaines. La part de « vérité vraie » incluse dans le savoir d'un penseur romain ou d'un docteur scolastique du XIIe siècle est extrêmement restreinte. Ce qui n'empêche pas les historiens sérieux de s'intéresser aux travaux d'Aristote, d'Archimède et de Strabon, de Pline l'Ancien, de Vincent de Beauvais, de Roger Bacon ou d'Albert le Grand. Si d'ailleurs on prend pour critère la part de validité actuelle contenue dans l'œuvre d'un savant, Berzelius, Woehler ou Berthelot ne savaient pas grand-chose de ce que sait n'importe quel étudiant en chimie d'aujourd'hui. Quant à la science géographique de Christophe Colomb, elle était nulle, ou plutôt délirante.

Une histoire des sciences selon la norme du vrai et du faux commence par la fin, l'état présent de la connaissance faisant loi pour les âges précédents, en vertu d'une prédestination épistémologique à l'œuvre dans le cours des siècles, et discernant le bon grain de l'ivraie. Par ailleurs, la situation actuelle ne pouvant être considérée comme définitive, la vérité d'aujourd'hui peut se trouver disqualifiée demain ; les acquisitions nouvelles peuvent remettre en honneur des idées et des « faits » que l'on croyait à tout jamais périmés. La pratique historique oblige ceux qui se donnent pour tâche d'étudier la succession des âges de la connaissance à présenter solidairement les conceptions qui ont cours à un moment donné, sans se préoccuper de discriminer la vérité et l'erreur. L'astronomie ptoléméenne, la géométrie euclidienne, la zoologie d'Aristote, l'alchimie constituent des systèmes bien liés qu'il faut exposer dans leur ensemble, sous peine de les rendre incompréhensibles ; les parcelles de « vérité » qu'ils contiennent se trouvent agglomérées avec des éléments d' « erreur » au sein d'un espace mental solidaire. Et c'est cet ensemble bien lié de significations concourantes que l'historien a pour tâche de reconstituer, en leur rendant la vie. L'histoire du renouvellement des connaissances humaines au cours des temps, liée avec l'histoire des conceptions du monde et avec l'histoire des mentalités, développe un aspect majeur de la présence humaine sur la planète terre. La culture scientifique doit être étudiée en elle-même et pour elle-même, reconstituée avec le même respect des réalités anciennes que la culture religieuse, la culture littéraire ou artistique, ou encore la vie économique, dans le contexte d'un moment de la civilisation. L'histoire positiviste des sciences projette dans le passé les certitudes d'une époque postérieure, à la manière d'une histoire des religions qui imposerait à l'évocation des rites et croyances d'autrefois un jugement dernier conforme aux certitudes personnelles de l'historien.

On a le droit d'estimer que le cannibalisme est une pratique barbare et immorale, parce que contraire aux exigences de l'impératif catégorique et du Décalogue. Une histoire du cannibalisme doit faire abstraction de ces convictions puériles et honnêtes, qui auraient pour effet de déformer les faits et d'en rendre la compréhension impossible. Le cannibalisme est une institution, un ensemble de comportements correspondant à des structures mythiques et mentales dont on constate l'existence dans un certain nombre de groupes sociaux à travers la diversité des espaces et des temps. Ces pratiques, étrangères à nos mœurs présentes, relèveraient aujourd'hui d'une aliénation sadique et homicide. Mais l'historien n'a pas pour tâche de dénoncer l'indignité des populations sous-développées, à la manière des conquérants espagnols du XVI⁰ siècle qui tiraient argument de ces festins contre nature pour massacrer les intéressés (sans les manger ensuite). Avant d'affirmer que le cannibalisme est inhumain, il faut considérer qu'il a existé dans de très nombreux groupes humains, ce qui invite à une étude du phénomène en dehors de tout parti pris. Il n'appartient pas à l'historien de prononcer des condamnations ; sa tâche est de restituer la réalité du passé de la manière la plus exacte et complète possible. Au lecteur, ensuite, de juger, s'il le désire, en fonction des éléments qui lui sont fournis.

Dans le cas du cannibalisme, ce n'est pas son inhumanité qui présente intérêt, c'est au contraire son humanité ; il a été admis d'un consentement unanime au sein de nombreux groupes sociaux. Il doit donc répondre à certaines tendances inhérentes à la réalité humaine, qui justifiaient des comportements dont l'évocation aujourd'hui nous fait horreur. La compréhension historique nous permettrait de retrouver les évidences oubliées, les motivations archaïques suscitant des attitudes intolérables pour le sens commun de maintenant. Il ne s'agit pas là seulement d'une archéologie des valeurs ; les motivations perdues peuvent devenir l'objet de brusques réveils, ainsi que l'atteste la barbarie renaissante au XX⁰ siècle. La torture judiciaire avait fait l'objet de dénonciations en tous genres à l'âge des Lumières ; elle avait été abolie un peu partout au XVIII⁰ siècle. Mais si elle a disparu des codes de procédure, elle n'a pas cessé d'être en usage sous des formes diverses à l'heure actuelle. Les indignations vertueuses des bons esprits n'y peuvent rien. Et ce pourrait être là une invitation pour l'historien à étudier en profondeur les mobiles et les motifs qui, en dehors de toute référence à la morale puérile et honnête, sous-tendent à travers les siècles des pratiques dont la tenace récurrence défie notre sens commun. L'histoire du savoir est tributaire d'une psychologie des profondeurs, d'une analyse existentielle remontant jusqu'à ces confins mystérieux où s'articule notre présence au monde. L'archéologie de l'intelligibilité s'ouvre en abîme sur des régions peu explorées, où les évidences simplistes de notre entendement se trouvent mises en défaut et parfois prises au piège. L'espace clair de la science n'est pas si clair qu'il y paraît. *Lux seipsam et tenebras manifestat*, la manifestation de la lumière manifeste aussi les ténèbres, disait l'un des inspirateurs du romantisme allemand, Spinoza.

La *Naturphilosophie* est le fondement de la vision du monde romantique. La vision du monde n'est pas le regard de l'observateur qui glisse sur la surface des choses ; ce n'est pas non plus le regard de l'artiste, du poète, qui prend acte des significations latentes du paysage, consonances et dissonances, pour en opérer dans son œuvre la commutation et transmutation selon les affinités de son être avec la réalité globale. La vision du monde est présence au monde, conscience de l'homme et présence du monde dans le fait fondamental de l'établissement de la réalité humaine au sein de l'univers où elle fait résidence. Cette alliance originaire commémore une prise de terre et ensemble une prise d'être, à partir de laquelle divergeront les modalités diverses de la possession de l'univers. L'œuvre de poésie ou d'art exprime dans son ordre cette prise en charge ; elles ont pour corollaires l'œuvre de pensée, l'œuvre de raison qui, par-delà les apparences, recherche les justifications, en constituant un ensemble intelligible qui substitue à l'incohérence une coordination, un montage de mythes ou d'équations satisfaisant pour l'esprit.

Lorsque le jeune Frédéric Schlegel et son compagnon Novalis donnent pour objectif à leur commun enthousiasme la rédaction d'une « Bible », ils ont en vue un grand Livre de la Création, une Parole de la Vérité créatrice englobant l'univers physique et l'univers moral. Ce livre de la nouvelle alliance de l'homme et du monde, Novalis l'appelle aussi « Encyclopédie » ; ses papiers posthumes contiennent de nombreux fragments de l'ensemble qu'il projetait sous ce titre. L'Encyclopédie scellera l'alliance de tous les savoirs pour la manifestation de la vérité en sa plénitude. Il ne s'agit pas de poésie ou de religion, mais de science proprement dite, au sens d'une mise en lumière des relations qui président à l'organisation de la matière universelle ; Novalis, ingénieur des mines, a fait de sérieuses études à l'académie minière de Freiberg, un des hauts lieux de la science de ce temps. Le maître le plus en vue de cette école, Abraham Gottlob Werner (1750-1815) [4], bénéficie d'une réputation européenne, en tant que théoricien d'une science qu'il appelle géognosie ; sa doctrine, le neptunisme, accorde à l'action des océans un rôle prépondérant dans la constitution géologique de l'écorce terrestre. Il y a dans le roman initiatique de Novalis, *Heinrich von Ofterdingen*, un maître mineur plein de sagesse nommé Werner... A Freiberg, chez Werner ont étudié Henrich Steffens, théoricien de la *Naturphilosophie*, et le génial naturaliste, voyageur, géologue, géographe Alexandre de Humboldt. Un autre savant de grande qualité bénéficie d'un respect enthousiaste de la part des jeunes romantiques : Johann Wilhelm Ritter (1776-1810) [5], pionnier de l'électricité et de l'électrochimie, qui a mis en lumière l'électricité animale, découvert les rayons ultraviolets et inventé la batterie électrique. Self made man de

---

[4] Cf. Antoine FAIVRE, *Entre l'Aufklärung et le Romantisme, A. G. Werner ou la Géognosie*, Les Etudes philosophiques, n° 1, 1977.
[5] Cf. Ant. FAIVRE, *Physique et Métaphysique du Feu chez Johann Wilhelm Ritter*, Les Etudes philosophiques, n° 1, 1983.

la connaissance, bohême, alcoolique, Ritter, penseur inspiré, est une des figures représentatives de la science romantique.

Werner et Ritter, dans les « histoires des sciences » du modèle usuel, sont inscrits au tableau d'honneur avec leurs découvertes, les fragments de leurs recherches qui, vérifiés par la suite, ont été intégrés au patrimoine de la science. Mais ce traitement par dissociation dénature leur œuvre, dont on extrait tel ou tel élément mineur pour l'incorporer à l'ensemble d'une « science » dont ils ne pouvaient avoir la moindre idée. Werner et Ritter développaient, chacun pour son compte, une conception du monde, géognosie pour le premier, galvanisme universel pour le second. Penseurs cosmiques, ils donnaient à voir, ils donnaient à imaginer par-delà l'horizon de leurs travaux. Leur science, dépassant le domaine restreint de leurs investigations positives, fournissait un point d'ancrage pour les inspirations de la poésie et de la religion, auxquelles ils n'étaient nullement étrangers. Le romantisme littéraire et artistique propose une présence au monde limitée à la saisie esthétique de l'univers. La *Naturphilosophie* approfondit cette intuition en prise directe avec les apparences, non point pour la démentir, mais pour la justifier. La face de la terre cache la vérité aussi bien qu'elle la révèle ; elle montre l'arbre mais pas les racines, qui font aussi la vérité de l'arbre. Le visible s'enracine dans le non-visible ; la limite de pénétration du regard ne fait pas obstacle à la continuité du sens. L'horizon de la vue n'est qu'une membrane non perméable à des formes différentes d'intelligibilité. Notre présence au monde s'effectue par tous les sens à la fois, chacun d'entre eux pénétrant à sa manière au-delà de la limite du visible. Et la pensée aussi est une forme de pénétration, elle déchiffre en transparence les significations qui habitent l'univers et constituent l'âme de ce grand corps.

Les sciences, la raison, la poésie, la religion, les arts, tout comme les organes sensoriels, sont des voies d'approche vers une appréhension de l'univers dans sa totalité. La recherche de cette connaissance globale, de cette conscience unitive en laquelle communient le visible et le non-visible, l'évident et le caché, le dedans et le dehors, est la raison d'être de la *Naturphilosophie*, et ensemble son postulat initial. Ce postulat unitaire figure sur la page de titre de *Kosmos* (1844), maître livre d'Alexandre de Humboldt, qui pourtant, lié d'amitié avec les Idéologues français, gardait ses distances par rapport aux excès du savoir romantique. Humboldt emprunte son épigraphe à l'*Histoire naturelle* de Pline l'Ancien (VII, 1) : « La puissance majestueuse de la Nature en ses divers aspects ne se révèle que d'une manière douteuse à celui qui n'en perçoit que des parties au lieu de l'embrasser dans sa totalité. » Le savant antique protestait déjà contre l'émiettement du savoir, devenu le droit commun de l'épistémologie moderne sous le régime de la division du travail scientifique. La *Naturphilosophie* veut être la compréhension unitive, la Parole d'un univers saisi dans l'intégralité du sens qui l'anime.

Soit un œil. En quoi consiste exactement la connaissance de cet œil ? On peut imaginer un savant débarqué d'une autre planète et qui découvrirait, traînant sur le sol, un œil humain, séparé du corps, en bon état de conservation. L'examen de ce fragment de matière organique, l'étude objective et minutieuse, ne révélerait pas grand-chose à un observateur attentif, s'il ignore l'appartenance de l'œil à un vivant, la place et la fonction de cet appareil dans un ensemble intégré. L'œil est un organe au service d'un organisme ; le sens de la vue constitue une fonction qui se compose avec d'autres fonctions dans le fonctionnement global d'une individualité humaine, laquelle met en œuvre un ensemble complexe de perceptions et de réactions coordonnées entre elles pour assurer au profit d'un être humain, l'équilibre de la présence au monde. Autrement dit, l'observateur extra-terrestre ne pourrait se contenter d'une analyse matérielle, d'un déchiffrement anatomique du fragment organique découvert par hasard. L'œil lui demeurerait incompréhensible aussi longtemps qu'il n'aurait pas une idée du sens de la vue, et de son insertion dans la réalité humaine qui justifie l'anatomie et la physiologie de cet organe. C'est le *sens* de la vue qui est le *sens* de l'œil, sa signification immanente. L'œil n'est rien sans la vision, dont il constitue le moyen matériel ; la vision elle-même n'est possible que par la médiation de l'œil, mais, à partir des informations visuelles, elle suscite une réalité mentale, psychologique, esthétique et spirituelle, sans commune mesure avec les schémas organiques de l'appareil visuel. Il n'y a pas de rapport direct, intelligible, entre un ensemble de cellules nerveuses d'une part et la présence au monde développée à partir des données neurologiques d'autre part.

La *Naturphilosophie* refuse d'admettre le hiatus établi entre la matière et l'esprit, entre le corps et l'âme, entre le visible et l'invisible. La science positive jalonne des enchaînements de phénomènes repérés dans la réalité matérielle ; elle refuse de prendre en charge les faits mentaux immatériels, qui s'organisent par ailleurs selon leurs normes propres. Ainsi se développent deux intelligibilités incommensurables et néanmoins constamment liées dans l'expérience quotidienne, sans que les intéressés prennent garde au scandale d'une telle dissociation. Ne subsiste que l'option entre l'aliénation matérialiste et l'aliénation idéaliste, les deux attitudes ayant le même effet de dénaturer la nature et de déshumaniser l'homme. Le monisme, qui affirme l'unité de l'âme et du corps, est peut-être irréductible à une analyse physico-mathématique ou intellectuelle cohérente ; du moins est-il conforme aux évidences constantes de la vie. Le dualisme du physique et du mental, disloquant ce que l'expérience unit, n'est pas moins scandaleux et inintelligible. Mieux vaut encore, si scandale il y a de part et d'autre, accepter pour point de départ celui qui prend acte de l'usage constant de la vie humaine. La présence au monde d'un individu quelconque met en jeu les significations qui l'habitent, et qui entrent en composition avec les significations inhérentes au paysage du monde. Comprendre la vie de l'homme et la vie du monde, ce serait ressaisir le dessein qui anime leur développement et scelle leur alliance en chaque moment de leur commun devenir. L'homme n'affronte pas l'univers avec l'objectivité d'un observateur venu d'une autre planète ; être au monde c'est participer à la vie du monde, subir la régulation des rythmes vitaux, agir et réagir selon des modalités inscrites dans les structures constitutives de l'homme et du monde. Le poisson est prédestiné à l'eau, l'oiseau à l'atmosphère terrestre ; de même l'être humain présuppose des conditions d'existence, en fonction desquelles se développeront ses rapports avec l'environnement naturel.

Le moment inaugural d'une vie, ce n'est pas, comme l'imaginait Condillac, l'instant où la conscience d'un être déjà adulte s'éveille à des sensations, messagères d'une réalité extérieure constituée comme un jardin d'agrément. Le degré zéro de la connaissance doit être reporté jusqu'à ce commencement du commencement où la réalité universelle a commencé d'être, portant dans son sein les promesses de tous les développements à venir, parmi lesquels il faut compter l'espèce humaine, déjà comprise dans l'immense programme de ce chant du monde dont le déploiement retentit à travers les millénaires. L'homme n'est pas pensable en dehors du monde ; l'homme n'est pas dans le monde un accident, un étranger ; il est le fils de la Terre, lié à la terre par des liens d'appartenance, de sympathie et d'antipathie, dont il ne cesse de ressentir les effets tout au long de son existence. Réduire l'homme à la pensée, à la conscience claire, comme le font Condillac et les intellectualistes, c'est amputer la vie de tous les moments d'où la conscience est absente, le sommeil par exemple, ou la période embryonnaire et encore la petite enfance, au cours desquels l'être humain existe sans avoir de soi une notion claire et précise. Leibniz disait que nous sommes automates pendant la majeure partie de notre vie ; la présence d'esprit est l'exception plutôt que la règle. Descartes, selon son propre témoignage, avait atteint l'âge de 23 ans lorsqu'il eut le pressentiment du « je pense, donc je suis », et nous ne sommes pas obligés de le croire sur parole lorsqu'il prétend que son esprit était déjà en action alors qu'il se trouvait dans le ventre de sa mère. La *Naturphilosophie* englobe la philosophie de l'homme et la philosophie du monde, tous deux pris dans le dessein d'une même intelligibilité, non pas transcendante au réel, univers du discours superposé à l'univers réel à la manière d'un double fantasmatique, mais immanente à l'ordre des choses dont elle anime le devenir.

Un tel parti pris apparaît comme un outrage aux bonnes mœurs scientifiques et intellectuelles qui avaient prévalu depuis la révolution mécaniste, menée à bien par Galilée, Newton et leurs émules. Depuis un siècle et demi, la raison de l'homme s'est posée en arbitre souverain du vrai et du faux, en organisatrice de l'univers du discours, au sein duquel chaque entité doit trouver sa place fixée dans un réseau de relations correctement ordonnées. La nouvelle philosophie, à l'école de la science nouvelle, n'est plus une philosophie du point de vue de Dieu, mais une philosophie du point de vue de la raison humaine. L'homme s'est attribué la place naguère occupée par Dieu, lequel, s'il n'est pas nié purement et simplement, se trouve réduit à la fonction de roi fainéant, ou de clause de style.

La transmission des pouvoirs de la connaissance ne va pas sans une dénaturation du savoir. La science de l'homme substituée à la science divine, ne peut prétendre à la plénitude, à la perfection de ce qu'elle remplace. Dieu, qui a créé l'univers, le connaît dans l'intégralité de son essence ; le savant galiléen observe les phénomènes du dehors et se contente de rechercher, et d'établir si possible les lois qui régissent leurs enchaînements, sans en pénétrer les significations profondes. Chef-d'œuvre de cette science, l'attraction de Newton n'est qu'une formule mathématique, dont l'auteur des *Principia* proteste hautement qu'il ne faut pas chercher au-delà de l'équation proposée une intelligibilité refusée à la connaissance humaine. Le génie newtonien définit du même coup sa limite ; il propose l'investigation d'un dehors sans dedans ; il se referme sur une immense interrogation, à laquelle Newton ne trouvait de réponse que dans l'invocation du Dieu Pantocrator, retranché dans le mystère de sa divinité.

Un siècle après l'œuvre maîtresse de Newton, Emmanuel Kant publie les *Premiers principes métaphysiques de la science de la nature* (1786). Newtonien de stricte observance, Kant élabore le statut épistémologique d'une science susceptible de se présenter comme exacte et rigoureuse. Des conditions strictes président à l'attribution de cette qualification, qui désigne une parfaite réduction de tel ou tel secteur de la réalité à la discipline de l'intelligibilité radicale. « Une théorie rationnelle de la nature ne mérite le nom de science de la nature que si les lois naturelles sur lesquelles elle se fonde sont *a priori* et ne sont pas de simples lois d'expérience » [6]. L'histoire naturelle et même la chimie, disciplines d'observation et d'expérimentation, ne

---

[6] KANT, *Premiers principes métaphysiques de la science de la nature* (1786), trad. GIBELIN, Vrin, 1952, Préface, p. 9.

doivent pas être considérées comme des sciences proprement dites. « Dans toute théorie particulière de la nature, dit encore Kant, il n'y a de science *proprement dite* qu'autant qu'il s'y trouve de mathématique. (...) Et comme dans toute théorie de la nature, il ne se rencontre de science proprement dite qu'autant qu'il s'y trouve de connaissance *a priori*, la théorie de la nature ne renfermera de véritable science que dans la mesure où la mathématique peut s'y appliquer » ([7]). Moyennant quoi, la chimie — avant Lavoisier — ne se prêtant pas à la formalisation mathématique, se trouve discréditée ; elle « ne saurait devenir autre chose qu'un art systématique ou une théorie expérimentale, mais jamais une science à proprement parler, parce que ses principes purement empiriques n'admettent pas de représentation *a priori* dans l'intuition et ne rendent pas le moins du monde intelligibles les principes des phénomènes chimiques en ce qui concerne leur possibilité, car ils ne permettent pas l'emploi des mathématiques » ([8]). Pareillement frappée d'indignité se trouve la psychologie, « parce que les mathématiques ne peuvent s'appliquer aux phénomènes du sens interne et à leurs lois... » ([9]) ; la connaissance psychologique ne pourra prétendre qu'au rang inférieur d'une « théorie naturelle historique du sens interne » ([10]), ce qui demeure bien loin d'une véritable « science de l'âme » ([11]).

Kant a été mauvais prophète. La chimie du XIXᵉ siècle devait mettre en lumière des lois rigoureuses formulées mathématiquement. La psychologie elle-même, revue et corrigée par Johann Friedrich Herbart (1776-1841), l'un des successeurs de Kant à Koenigsberg, se révélera capable d'une mise en forme mathématique. Mais on ne doit pas tenir rigueur à Kant, pas plus qu'à Auguste Comte, d'avoir été de médiocres pronostiqueurs. Pour la philosophie kantienne de la nature, le domaine exclusif de l'intelligibilité scientifique paraît être la matière dans l'espace. L'étendue du dedans échappe à la formalisation scientifique, vide immense dans le territoire de la connaissance. Davantage, l'étude des mouvements de la matière dans l'espace n'est possible que moyennant certaines restrictions, dont Kant ne cherche pas à dissimuler la gravité. L'espace en question dans la science physique n'est pas la totalité de l'espace possible, mais un espace pur ; car « l'espace privé de matière n'est pas un objet perceptible ; toutefois c'est un concept rationnel nécessaire, donc rien de plus qu'une simple idée » ([12]). Cette idée d'un espace qui « ne peut être un

([7]) *Op. cit.*, pp. 11 et 12.
([8]) *Ibid.*, p. 12.
([9]) *Ibid.*
([10]) P. 13.
([11]) *Ibid.*
([12]) KANT, *op. cit.*, ch. IV, *Remarque générale sur la phénoménologie*, trad. citée, p. 154.

objet d'expérience » ([13]) condamne la science « proprement dite » à demeurer prisonnière de la relativité.

« Puisque la condition pour regarder quelque chose comme au repos ou en mouvement, est à son tour conditionnée à l'infini dans l'espace relatif, il est clair (...) que mouvement ou repos ne peuvent être que relatifs et aucunement absolus, c'est-à-dire que la matière ne peut être conçue comme en mouvement ou immobile que par rapport à la matière, mais jamais par rapport à l'espace pur, sans matière, par suite un mouvement absolu, c'est-à-dire un mouvement conçu sans un rapport de matière à matière, est parfaitement impossible » ([14]). L'idéal de la connaissance scientifique trouve en lui-même le principe de sa propre limitation ; sa perfection apparente va de pair avec son incapacité congénitale à embrasser la totalité de ce qui est.

Newton reconnaissait dans ses vieux jours l'étroitesse dérisoire de sa doctrine scientifique, galet ramassé aux plages de l'Océan du savoir. Kant, initiateur de la critique de la raison, affirme pareillement l'incapacité de l'ententement humain à escalader les grilles de la Chose en Soi. Le dernier paragraphe des *Premiers principes métaphysiques de la science de la nature* souligne le caractère limitatif de sa « métaphysique » de la science dont le dernier mot est l'interdiction de tout espoir de parvenir jamais à une « transphysique ». « Ainsi se termine, écrit Kant, la théorie métaphysique des corps, par le *vide* et, pour cette raison, par l'incompréhensible ; en quoi elle subit le même sort que toutes les autres tentatives de la raison quand elle fait effort pour remonter aux principes, fondements primitifs des choses ; sa nature est telle, en effet, qu'elle ne peut saisir que ce qui est déterminé sous certaines conditions données ; en conséquence, elle ne peut s'en tenir au conditionné ni comprendre l'inconditionné et si le désir de savoir l'invite à rechercher la totalité absolue de toutes les conditions, il ne lui reste qu'à se détourner des objets vers elle-même pour découvrir et déterminer, au lieu de la dernière limite des choses, la limite ultime de son pouvoir propre, abandonné à lui-même » ([15]).

On a pu faire honneur à Euclide, parce qu'il avait, dans le postulat des parallèles, marqué la limite de sa géométrie, d'avoir été le premier des non-euclidiens. Pareillement, les *Metaphysische Grundzüge der Naturwissenschaft* ouvrent la voie à la *Naturphilosophie* au moment même où Kant se préoccupe d'interdire ce chemin. Le programme du savoir romantique, c'est justement cet « effort pour remonter aux principes, fondements primitifs des choses », ce « désir de savoir » qui recherche « la totalité absolue de toutes les conditions. » La

---

([13]) *Ibid.*
([14]) P. 155.
([15]) KANT, *op. cit.*, p. 165 ; ce sont les dernières lignes du traité.

conscience romantique réalise la conversion vers l'intériorité ; elle tente de « se détourner des objets vers elle-même pour découvrir et déterminer » tout ensemble « la dernière limite des choses », en même temps que « la limite ultime de son pouvoir propre ». Kant est le premier des postkantiens ; le programme exposé dans la *Critique de la raison pure* lui fait défense de pénétrer dans la terre promise ; mais il l'a vue et contemplée de loin, tout en demeurant en deçà de la ligne de démarcation.

Le petit traité de Kant a paru en 1786. Le vieux maître sera encore bien vivant, une dizaine d'années plus tard, lorsqu'un brillant philosophe, âgé de 21 ans, Friedrich Wilhelm Schelling, formule les principes d'une révision des valeurs métaphysiques et physiques tout ensemble. « Je voudrais une bonne fois redonner des ailes *(einmal wieder Flügel geben)* à notre physique si lente, qui colle laborieusement aux expériences. Ainsi, la philosophie donnant les idées, et l'expérience les faits, nous pourrons disposer de cette physique en grand *(die Physik im grossen)* que j'attends des époques à venir. Il ne semble pas que la physique actuelle puisse satisfaire un esprit créateur, comme est le nôtre, ou comme il doit être » ([16]). L'année suivante, le même Schelling publie ses *Ideen zu einer Philosophie der Natur als Einleitung in das Studium dieser Wissenschaft ;* cette introduction à l'étude de la *Naturphilosophie* comme science ouvre l'ère du savoir romantique, appelé rapidement à de considérables développements. Nous sommes en 1797 ; la même année paraissent les *Effusions sentimentales d'un religieux ami de l'art,* dues à la collaboration fraternelle de Wackenroder et Tieck ; 1798 sera le millésime des *Lyrical Ballads* de Coleridge et Wordsworth, ainsi que du numéro inaugural de l'*Athenaeum* des frères Schlegel et de leurs amis. Cette même date de 1798 est celle d'un écrit de Baader, *Sur le Carré de Pythagore dans la nature,* et du retentissant essai de J. W. Ritter, *Démonstration de l'existence d'un galvanisme constant accompagnant le processus vital dans le règne animal.* En 1799 paraîtront les *Discours sur la religion,* de Schleiermacher. L'ère romantique s'annonce dans les dimensions majeures de l'expérience humaine. Les événements littéraires ne proposent qu'une face d'un événement global qui remet en question la compréhension de l'homme par lui-même et son insertion dans le monde où il fait résidence. Une appréciation objective du romantisme doit centrer son étude sur cette mutation de la science.

Retour de son grand voyage de découverte aux Amériques,

([16]) Texte du printemps 1796, publié par Rosenszweig dans les *Sitzungsberichte* de l'Académie de Heidelberg ; in Schelling, *Philosophie,* hgg. v. Otto Braun, Deutsche Bibliothek, Berlin, s.d., p. 52.

Alexandre de Humboldt écrit à Schelling, de Paris, en 1805 : « Je tiens la révolution que vous avez suscitée dans les sciences de la nature pour un des plus beaux moments de notre temps, où tout va si vite. Hésitant entre la doctrine chimique *(Chemismus)* et la théorie de l'excitation, j'ai toujours pressenti qu'il devait y avoir quelque chose de meilleur et de plus élevé, à quoi il devait être possible de tout ramener, et voici que, cette réalité supérieure, nous la devons à vos découvertes. » Schelling ne doit pas se laisser affecter par les critiques violentes dont il est l'objet. « La *Naturphilosophie* ne peut nuire en rien au progrès des sciences empiriques. Au contraire, elle ramène à des principes ce qui a été découvert, en même temps qu'elle fonde de nouvelles découvertes. » Humboldt ajoute une allusion au mauvais usage que certains font de la doctrine : « S'il existe aussi une catégorie d'individus qui trouvent plus commode de pratiquer la chimie à la force du cerveau plutôt que de se servir de leurs mains, ça n'est pas votre faute, pas plus que celle de la *Naturphilosophie* en général » ([17]). Hommage d'autant plus significatif que Humboldt, savant d'un immense savoir, observateur de génie, théoricien prudent, n'a jamais appartenu à l'école romantique. Selon lui, Schelling a restitué à des sciences réduites à des amoncellements de faits le souffle de la vie, la capacité visionnaire qui restitue l'unité perdue de la présence au monde.

En dépit de l'excuse absolutoire concédée par Humboldt, ceux qui ont volé l'outil ne sont pas les seuls à en faire un mauvais usage. Les spéculations de Schelling, de Baader, de Ritter, de Novalis et autres, y compris Hegel lorsqu'il s'aventure dans le domaine de la philosophie de la nature, nous apparaissent caractérisées par une extrême désinvolture, jusqu'à l'extravagance et au pur délire, à l'égard des codes de procédure de la science puérile et honnête ; n'importe lequel des exposés de la *Naturphilosophie* peut faire l'objet de poursuites pour outrage aux bonnes mœurs méthodologiques. De là le discrédit dans lequel devait tomber dès le milieu du xixᵉ siècle ce pseudo-savoir auprès de tous les braves gens qui peuplent les universités et les laboratoires. Une partie de ceux qui avaient été contaminés dans leur jeunesse surent se reconvertir à temps et rectifier la position. La science positive progressait par d'autres voies, et les derniers tenants erratiques d'un savoir périmé parlaient une langue que leurs contemporains ne comprenaient plus. C'est pourquoi la physique romantique, exclue du pedigree de la science officielle, ne figure plus que dans le catalogue des monstruosités épistémologiques.

Humboldt se trouve au-dessus de tout soupçon d'extravagance ;

([17]) Lettre citée dans E. HIRSCHFELD, *Romantische Medizin, Kyklos,* Jahrbuch für Geschichte der Medizin, III, Leipzig, 1930, p. 9.

son œuvre considérable conserve une place très honorable dans les archives des sciences naturelles, géographiques et cosmologiques, et son nom, attribué à toutes sortes de réalités géographiques, est un de ceux qui se trouvent le plus souvent commémorés sur la carte du monde. Humboldt s'est reconnu tributaire de Schelling et de la *Naturphilosophie ;* d'autres savants respectables et respectés se trouvent dans le même cas ; ce qui donne à penser que l'essentiel dans la science romantique de la nature ne se trouve pas dans des spéculations aventureuses ou dans des erreurs de fait. L'existence d'un sottisier, les déviations pathologiques de l'intelligence et de l'imagination proposent des séquelles pittoresques du grand renouvellement des valeurs épistémologiques suscité par l'avènement du romantisme. Après tout, la physique et la chimie « orthodoxes » et positives du XIXᵉ siècle, ce qu'on appelle aujourd'hui la « science classique », ne sont plus guère aujourd'hui que des curiosités archéologiques sans validité pratique et sans efficacité actuelle. A peine si on les enseigne encore aux enfants des écoles en manière de propédeutique aux études sérieuses. Au seuil du XXᵉ siècle, les théories de la relativité, les connaissances sur la structure de la matière, les découvertes atomiques, les nouvelles géométries et la transformation des mathématiques, ont complètement renouvelé le paysage de la science. Les dimensions de l'univers dans l'ordre du Grand et dans l'ordre du Petit se sont accrues dans des proportions qui excèdent les capacités de l'imagination ; les dimensions du réel se sont démultipliées en même temps que les échelles de lecture. L'appareillage conceptuel s'est accru dans des proportions considérables en même temps que se compliquaient les moyens d'approche techniques.

Les maîtres de la science objective au siècle dernier ne disposaient que d'un savoir grossièrement approximatif, aussi périmé que leurs instruments de laboratoire, relégués dans les musées de technologie. Le dialogue entre ces savants d'avant-hier et les savants de maintenant opposerait deux individus dont l'un serait armé d'un lance-pierres ou d'un fusil de chasse, et l'autre d'une bombe à neutrons. Les épistémologies concurrentes doivent être examinées en fonction des mentalités différentes qu'elles manifestent plutôt que selon leur validité matérielle, laquelle demeure en tout état de cause loin de compte. Les débats du siècle dernier autour du scientisme, ou encore le combat acharné entre partisans et adversaires de la théorie de Darwin mettent en œuvre de part et d'autre des arguments tellement démodés qu'on serait bien en peine, en toute objectivité, de donner raison ou tort à un camp plutôt qu'à l'autre. L'histoire n'a pas tranché entre les adversaires : la science a changé de lit, démentant les langages qui prétendaient se réclamer d'elle. L'avenir n'est à personne, y compris l'avenir de la science. Ce qui devrait inciter les champions des diverses certitudes à ne pas hypothéquer un futur dont nous savons seulement qu'il ne sera pas le simple écho de nos attentes. Aussi bien les vaillants prophètes de temps nouveaux aux couleurs de leurs espérances contradictoires se trouvent-ils générale- ment préservés de la déception, parce qu'ils avaient eu la prudence de prévoir une échéance assez éloignée pour être assurés de mourir avant.

Ces considérations autorisent la tentative de tirer la *Naturphiloso- phie* du purgatoire où elle se trouve reléguée. Elle intervient comme un moment de rupture dans l'histoire du savoir, comme une volonté de disqualifier le modèle en vigueur de la connaissance scientifique. En 1806, Baader écrit à Jacobi pour le rallier à la nouvelle vision du monde introduite par Schelling : « étant intervenu moi-même comme un des premiers augures de cette conception de la nature, écrit-il, il convient sans doute que je vous en dise un mot » ([18]). Philosophe et romancier, Jacobi fait le procès de l'intellectualisme à référence rationaliste, incapable de donner sens aux aspirations maîtresses de l'homme ; son irrationalisme prépare les voies du romantisme. Mais Jacobi n'a rien d'un homme de science ; Baader entreprend de lui montrer que la pensée de Schelling est conforme à ses vues. « Le mérite propre de cette *Naturphilosophie* consiste en ceci seulement qu'elle remet en évidence la nature elle-même, qui avait été complètement niée et oubliée sous l'amoncellement de la matière à l'époque récente depuis les temps de Descartes, de Newton et autres, et depuis que la conception chimique de la nature (*chemische Naturansicht*) avait été supplantée par la stupide théorie mécaniste- atomistique etc. Mais celui qui oublie et nie la Nature sous l'amoncellement de la matière, celui-là nie aussi d'autant plus facilement l'homme, et en lui Dieu — et réciproquement. » Baader allègue ici son maître Saint-Martin à propos des « hommes qui se font matière », avec ce commentaire : « à cette matérialisation volontaire de soi a largement contribué cette physique négatrice de la Nature, et donc stupide, que nous devons à Descartes et Newton, ainsi que le démontre l'aberration totale des Encyclopédistes français etc. Moyen- nant quoi les hommes sont devenus assez fous pour se mettre au service du Démon. (...) L'assertion kantienne selon laquelle la métaphysique d'une époque porte la marque de la physique de cette époque s'est vérifiée dans son propre cas. Car lui-même se trouvait maintenu dans les liens de plomb du système de l'atomisme et s'efforçait de construire sa dynamique par la voie du méca- nisme... » ([19]).

([18]) BAADER à JACOBI, 16 août 1806 ; *Sämtliche Werke*, Leipzig Bd. XV, p. 200.
([19]) *Ibid*, pp. 200-201.

Le crépuscule des idoles discrédite pêle-mêle Descartes, Newton, l'*Encyclopédie*, et même Kant, qui vient de disparaître. Une autre lettre de la même époque complète la mise en accusation de l'auteur des *Critiques* : « Ce Kant, celui-là ! (*Der Kant, der !*) Il en a gros sur la conscience ! Il a si bien dédoublé et excité l'un contre l'autre l'entendement et la raison, que l'on en concluait déjà à un divorce en bonne et due forme » ([20]). L'entendement est une puissance inférieure, la raison donne accès à la sphère supérieure, mais l'entendement prétend interdire cette communication. « Kant, et avec lui tous ses successeurs, ont porté à l'homme un coup mortel en lui interdisant l'effort pour connaître les vérités supérieures. Sans une mystique — quelle que soit sa forme — pas de morale » ([21]).

La rupture de continuité n'affecte pas seulement la représentation scientifique des phénomènes ; elle porte sur les conditions de possibilité de l'expérience humaine. L'appréhension des faits n'est pas seule en cause, mais aussi la conscience des valeurs qui soustendent la présence au monde. La *Naturphilosophie*, orientation ontologique, réunit dans une nouvelle synthèse des formes de pensée que les philosophes et les savants du xviiie siècle avaient disjointes : science, morale, religion, rassemblées dans une même intuition de caractère mystique. Cette implication des ordres de connaissance les uns dans les autres fait obstacle à une saine compréhension de la *Naturphilosophie*, jugée non pas dans l'ensemble de son affirmation, mais d'après tel ou tel résultat particulier des procédures qu'elle cautionne. Les présupposés de la pensée moderne se trouvent remis en question, en sorte que les esprits non prévenus sont tentés de crier au scandale avant d'avoir pris la peine de percevoir les motivations d'une attitude mentale et spirituelle qui les déroute.

Le sens commun qui préside à notre usage du monde est régi, tout comme celui de l'empirisme positiviste de l'âge des lumières, par un physicalisme sans doctrine, d'autant plus contraignant qu'il échappe à toute critique. L'espace mental au sein duquel se déploie l'expérience commune admet spontanément l'extériorité réciproque de l'homme et du monde, le monde se trouvant perçu et mis en place par le regard des êtres humains. L'homme intervient comme un objet au sein d'un monde d'objets, la réalité humaine bénéficiant d'une priorité sur les choses matérielles, du fait de la capacité qu'elle possède de se distinguer du reste en discernant, en définissant, en ordonnant les unes par rapport aux autres les entités qui constituent son environnement. Le réseau de l'intelligibilité universelle propose un espace pour le rangement des objets les uns à côté des autres selon

[20] Baader à Jacobi, 27 juin 1806, p. 203.
[21] *Ibid.*, p. 204.

des séries régulières offertes à l'inspection de l'esprit. Du fait d'une analogie imposée par le commerce du monde, les pensées tendent à se mettre en place les unes par rapport aux autres, en fonction de normes calquées sur celles qui prévalent dans le domaine extérieur. Toute métaphysique, enseigne Kant, cité par Baader, porte la marque d'une physique. Exemple privilégié : l'association des idées selon Hume, dont les lois sont calquées sur celles de l'attraction de Newton.

L'intelligibilité galiléenne offre au survol de la pensée un univers dont les éléments se composent dans l'espace, *partes extra partes,* sous le régime de l'extériorité réciproque. La réflexion opère à partir d'un point extérieur au monde ; l'esprit, ayant pris ses distances, arbitre les rapports entre les parties constituantes de l'univers physique et de l'univers mental. Le jeu de l'intelligence permet d'associer ce qui, dans l'expérience, paraît dissocié ; la mise en lumière de relations constantes opère des rapprochements entre des points apparemment opposés ; les lois scientifiques et logiques abrègent les distances, condensent la réalité en forme d'équations ou de principes qui donnent à l'esprit une sorte d'ubiquité, et la maîtrise de l'univers du discours. De là le triomphalisme apparent, qui transparaît dans la pseudo-physique de Descartes, ou même dans la respectable physique de Newton, ainsi que dans les théories de la science classique, reprises par Kant dans les *Premiers principes métaphysiques de la science de la Nature.*

L'espace mental galiléen se prête aux grandes manœuvres de la philosophie intellectualiste, dont les articulations sont calquées sur les structures géométriques du modèle euclidien. Le point origine de toute pensée est un observatoire situé en dehors du réel, d'où l'on découvre en perspective cavalière la totalité de l'univers du discours. L'homme, le monde et Dieu se mettent en place sous le regard de l'esprit, qui organise le fonctionnement conjugué de ces diverses entités. Une métaphysique ainsi conçue déploie la pensée de personne et de tout le monde, à partir d'un centre d'où l'on découvre la totalité du réel, réduite à un *no man's land* organisé en raison géométrique. Cette pensée objective et universelle, qu'elle l'admette ou non, prétend rejoindre la perspective absolue d'un Dieu mathématicien et technicien supérieur, prenant plaisir à faire marcher l'univers en vertu de quelques normes abstraites, dont le jeu pourrait être modifié par l'introduction de variables simples.

La *Naturphilosophie* procède à partir du désaveu de l'acosmisme intellectualiste qui, pour faire place nette à son axiomatisation, dénature la nature et déshumanise l'homme. La pensée par opposition et exclusion mutuelle des composantes du réel, conforme à l'évidence première du physicalisme irréfléchi de l'expérience banale, est démentie par les évidences secondes du sens intime. L'intelligibilité galiléenne ou newtonienne préside à un univers matériel, corpusculaire et mécanisé. La physique mathématique, descendue du ciel sur la terre, impose à l'espace vital humain le régime des relations qui règnent dans le vide céleste entre des corps matériels éloignés les uns des autres. Les savants de l'Antiquité et le grand Aristote, aux yeux desquels les planètes étaient des dieux faisant autorité sur la face de la terre, distinguaient de l'intelligibilité divine régissant les mouvements des êtres divins une autre intelligibilité, seconde et dégradée, à l'usage de la Terre et de ses approches. Entre les êtres sublunaires prévalent des relations approximatives, viciées par l'indignité congénitale caractéristique des êtres d'ici-bas. L'astronomie galiléenne a mis fin à cette dissociation entre une physique céleste et une physique terrestre. Les mêmes lois sont valables partout ; la lune tombe comme une pomme, enseigne Newton, et la pomme tombe comme une lune ; la gravitation universelle fait autorité en Haut et en Bas. Sauf le respect qu'on doit à Newton, il y avait dans la représentation des Anciens plus de sagesse qu'il n'y paraît. La pure mathématique ne permet pas de déchiffrer la réalité humaine ; celle-ci relève d'une intelligibilité spécifique, au sein de laquelle les équations de la science exacte ne possèdent plus qu'une validité approchée, sinon même nulle.

Goethe a consacré une partie de sa vie à des recherches scientifiques de caractère non galiléen. Son traité *Zur Farbenlehre* (1810) se propose de réfuter l'optique géométrique de Newton en montrant que la vision humaine réelle demeure irréductible aux normes de la physique géométrique. Il est absurde d'imaginer que notre œil fonctionne comme une chambre noire ou un appareil photographique ; les éléments géométriques de la perception visuelle s'inscrivent dans le contexte global de notre monde humain, perpétuellement sous-entendu, et qui réagit sur la donnée physique abstraite. La projection géométrique des objets sur le fond de l'œil en donne une image inversée ; or cette image géométriquement exacte demeure à l'état d'abstraction, car le monde que nous voyons et dans lequel nous vivons est un monde à l'endroit, retourné grâce à l'intervention d'instances neurobiologiques qui n'ont pas leur place dans l'optique mathématique. La fonction visuelle est une forme privilégiée de la présence au monde ; elle se constitue grâce à l'intervention de toutes les dimensions régulatrices de notre être qui viennent surcharger l'image objective [22]. Les couleurs, les formes, les dimensions de l'image concrète se réfèrent à l'ensemble de notre expérience

[22] Sur la *Farbenlehre* de GOETHE, cf. notre ouvrage : *Fondements du savoir romantique*, Payot, 1982, pp. 211-220.

sensorielle, affective, existentielle ; la fonction visuelle associe a l'impression du dehors des projections du dedans, mettant en cause le passé d'une vie. Les prétendues données des sens ont une signification symbolique plutôt que physique ; à la limite, on pourrait soutenir que l'image physique n'existe pas, sinon par abstraction et artifice. Même une photographie est une expression du photographe autant qu'un reflet du monde extérieur ; s'ajoute encore au cliché matériel l'apport personnel de celui qui déchiffre l'image une fois réalisée. Le regard du peintre sur le monde possède plus de validité, d'authenticité que la chambre noire de l'appareil photographique ; regard révélateur d'un monde habité par une présence humaine qui lui impose un sens à sa ressemblance. Si l'on parvenait à dépouiller une photographie des significations qui la surchargent et en font une « image », on se trouverait sans doute en présence de quelque chose qui ressemblerait à ces clichés transmis des lointains du cosmos par des fusées en croisière, et qui prétendent représenter la surface de Mars, ou de Vénus. Un œil non exercé n'y distingue rien que des ombres confuses, des clartés et des obscurités, dispersées sans ordre apparent sur une surface dont l'inspection ne « dit rien » à un esprit non prévenu.

La *Naturphilosophie*, comme Goethe dans la *Farbenlehre*, dénonce la mystification scientiste qui voudrait nous faire prendre l'ombre pour la proie. La critique romantique demeure plus que jamais d'actualité en notre temps où les progrès techniques multiplient les possibilités de falsification de l'expérience humaine. La fameuse doctrine des réflexes conditionnés, établie le plus scientifiquement du monde par le célèbre physiologiste Pavlov au début de notre siècle, a servi de point de départ à une anthropologie par extrapolation du chien à l'homme, grâce à un autre tour de prestidigitation théorique. Pavlov opérait sur un certain nombre d'animaux, captifs dans les cages de son laboratoire et soumis à des séries de manipulations impitoyables. Les malheureuses bêtes, brutalement soustraites à leur milieu naturel, emprisonnées dans les cellules d'un chenil, se trouvaient précipitées dans un univers abstrait où rien ne ressemblait à rien de leurs expériences antérieures ; elles étaient soumises à des traitements barbares, affamées et nourries selon les rythmes arbitraires imposés par les opérateurs. Angoissé, affolé, le chien de Pavlov, dès le principe, est un chien aliéné, que l'observateur prétend réduire à des mécanismes neurologiques, tout le reste de l'expérience canine se trouvant mis entre parenthèses. Non pas chien savant, mais chien persécuté et dénaturé, qui s'adapte comme il peut à une situation aberrante, au prix parfois de réactions catastrophiques. Autant vaudrait expérimenter sur les malheureux captifs d'un camp de concentration, terrorisés, mourant de faim et dégradés de toutes les façons, pour en tirer des conclusions concernant l'être humain normal et son comportement habituel. Le biographe de Pavlov raconte que le savant poursuivait imperturbablement ses travaux pendant la révolution soviétique, étranger à l'événement qui ne l'intéressait pas. Tout au plus protestait-il parce que cette révolution suscitait des difficultés pour la nourriture des animaux, et entraînait parfois des irrégularités dans l'assiduité du personnel du laboratoire. Pavlov, lui aussi, s'était enfermé dans une cage, celle de l'intelligibilité galiléenne ; il avait néantisé l'espace vital humain.

Le modèle physicaliste, épistémologie de la restriction mentale, évacue du domaine humain les significations humaines ; la présence de l'homme est perçue comme un empêchement à la vérité ; opinions et sentiments relèvent de l'ordre de la pensée confuse qui fausse le jugement et fait obstacle à la réalisation d'une intelligibilité universelle. Contre quoi proteste la *Naturphilosophie*, consciente de l'insuffisance d'une vision du monde désincarnée, oublieuse de la réalité concrète. La vérité doit reprendre terre pour retrouver un visage humain ; elle doit commémorer l'ancienne alliance de la pensée avec la terre des hommes, rompue par l'irruption de l'intelligibilité physico-mathématique. Jusqu'au XVIIe siècle, la tradition de la connaissance avait été régie par le modèle astrobiologique, principe d'un savoir unitaire dont l'intelligibilité se diffusait de proche en proche à travers la totalité du Cosmos, en vertu de normes à la fois axiologiques et esthétiques, sous les garanties protectrices des providences sidérales ; les liens des analogies, affinités et harmonies assurent l'unité des phénomènes proches et lointains, visibles et invisibles. Le microcosme humain se règle sur le macrosome cosmique ; il propose la cellule originaire d'où naîtra le savoir, l'œuf, le germe en lequel s'annonce, en puissance, la totalité. L'astrologie, l'alchimie, les sciences traditionnelles mettent en œuvre l'unité du dessein cosmique, d'où elles font dériver des technologies salutaires et fructueuses.

La science mécaniste dénonce l'arriération absurde des savoirs archaïques, superstitions incontrôlables, triomphe de la pensée confuse. La physique mathématique analyse l'univers comme un agrégat de particules matérielles dans l'espace, qui se composent selon des lois rigoureuses, perméables à la pensée. Le Cosmos éclaté, démembré, livre ses secrets aux expérimentateurs et calculateurs, dont les conclusions peuvent être vérifiées par tout un chacun. Triomphe chèrement payé ; le discours de l'univers n'est qu'un univers du discours. Les savants qui ont mis le monde en équations se sont exclus eux-mêmes, par hypothèse, du terrain de parcours de leur science. Celle-ci parle d'un monde de l'absence humaine. L'individu de chair et de sang découvre qu'il est de trop dans un univers où il n'a pas sa place.

La dispersion analytique des champs épistémologiques en vertu de la division du travail intellectuel est contraire à l'évidence. Le spécialiste doit se rendre aveugle et sourd, pour n'appréhender du réel que la face étroite à laquelle il consacre son attention exclusive. Or l'unité de la nature est le fondement de notre rapport au monde ; au départ et à l'arrivée de toute pensée, il y a l'insertion de l'homme dans l'univers où s'affirme sa présence. La nature n'est pas ce gros objet matériel, ou cet amoncellement d'objets, devant nos yeux ; la nature n'est pas l'impassible théâtre, le réceptacle de nos activités. Elle corrobore à tout instant nos sensations et nos mouvements, elle facilite ou elle fait obstacle. La science mécaniste rompt avec l'alliance élémentaire du poisson avec l'eau, de l'oiseau avec l'air. L'homme se trouve en suspension dans le milieu humain, en réciprocité d'action, en communauté de vie. Continuité rompue lorsque le sujet pur prend ses distances, manipule le monde en idées et prétend le soumettre à des normes abstraites, comme si le monde existait en dehors de lui, et lui en dehors du monde. L'homme est un indigène de la planète Terre. La première alliance de l'être humain avec l'environnement convoque l'anatomie et la physiologie, la mécanique de la motricité et du comportement, la chimie, la physique, la biologie, la psychologie — formes d'intelligibilité qui peuvent paraître non compatibles entre elles, et qui pourtant communient pour fonder à tout instant notre présence au monde.

L'obscurité, la confusion ne traduisent pas le dérèglement d'une pensée qui s'abandonne aux délices pathologiques de la subversion mentale, de la mystique ou de la poésie. L'obscurité, non perméable aux impératifs des axiomatiques intellectuelles, se trouve au principe de la nature des choses et de la nature de l'homme ; la réalité humaine poursuit au long de la vie le cheminement entre l'obscurité d'avant et l'obscurité d'après. L'erreur rationaliste a toujours été de prétendre assurer à l'homme, au niveau de l'entendement, une autonomie plénière qui contraste avec l'inachèvement, la dépendance de l'existence en condition humaine. Le système, qui se suffit à lui-même, est le miroir déformant, ou plutôt reformant, d'une réalité perpétuellement incomplète, puisque l'individu quelconque ne possède sur cette totalité du réel que des ouvertures latérales. Une vision du monde présuppose un monde, arrière-plan d'une présence qui prélève certains aspects, toujours partiels et fuyants, d'une irréductible et inapprochable immensité.

Aucune de nos pensées, en dépit de nos prétentions, n'est une pensée première, pensée de Dieu. Chaque pensée sourd du sein de la confusion vitale, en un point d'émergence qu'elle n'a pas choisi ; elle ne s'appartient pas à elle-même, mais perpétuellement s'échappe, se fuit, se cherche, sans pouvoir s'isoler du reste suffisamment pour en prendre une vue d'ensemble et comme en dresser la carte. Chaque pensée est à la fois portante et portée, engendrante et engendrée, naturante et naturée ; elle détruit sa signification dans le moment où elle renie le lien de solidarité qui assure sa dépendance vitale avec le Tout. Au triomphalisme des métaphysiques rationalistes, on peut opposer l'image de la bulle d'écume, à la surface de l'Océan, message fragile et furtif issu des profondeurs marines, parcelle de l'immensité où se mire la lumière au rythme cosmique de la houle. La *Naturphilosophie* se propose d'être la cellule germinative de la vérité du Monde, non pas l'équation du monde, mais le chant du monde. Car le monde est une parole divine, l'incarnation d'une Parole, une parole faite monde. Et la *Naturphilosophie*, plutôt qu'une transcription de ce langage sacré dans un autre langage désacralisé, propose comme une incantation, la vibration émanée de la présence totale, à la surface du monde, en cette surface de contact où s'échangent les intentions de la pensée et du monde. La *Naturphilosophie* voudrait dire le sens de la nature, comme la vision dit le sens de l'œil ; manifestation de la nature, dont l'homme est une part, et ensemble manifestation de la divinité qui se révèle en se cachant sous le voile des phénomènes.

Nos mœurs intellectuelles sont fascinées par l'assurance du discours scientifique, et tentées par l'agnosticisme positiviste. Pourtant, dans le domaine français, une lignée de penseurs mettent en œuvre une biologie cosmique apparentée aux inspirations romantiques. Ravaisson et Lachelier, au siècle dernier, suivaient la voie ouverte par Schelling ; après eux Bergson mit à la mode une *Naturphilosophie* nourrie d'informations scientifiques récentes, puis vint Edouard Le Roy (1870-1954), qui emprunta aux doctrines de l'évolution une épistémologie et une pensée religieuse résolument novatrices. Le Roy assure la liaison entre son maître Bergson et son ami Teilhard de Chardin (1881-1955), dont les audaces spéculatives, associant les données de la géognosie, de l'anthropologie et de la théologie dans une synthèse originale, font un *Naturphilosoph* à la française.

Merleau-Ponty lui-même, philosophe de tradition universitaire, parti de la phénoménologie, paraissait s'orienter, à la fin de sa vie, vers le dépassement de la philosophie de la conscience en direction d'une philosophie de la nature. « La nature n'est pas seulement l'objet, le partenaire de la conscience dans le tête-à-tête de la connaissance. C'est un objet d'où nous avons surgi, où nos préliminaires ont été peu à peu posés jusqu'à l'instant de se nouer en une existence, et qui continue de la soutenir et de lui fournir ses matériaux. Qu'il s'agisse du fait individuel de la naissance ou de la naissance des institutions et des sociétés, le rapport originaire de l'homme et de l'Etre n'est pas celui du pour soi à l'en soi. Or il

continue dans chaque homme qui perçoit. Si surchargée de significations historiques que puisse être sa perception, elle emprunte au
primordial sa matière de présenter la chose et son évidence ambiguë.
La nature (...) « est au premier jour ». Elle se donne toujours comme
déjà là avant nous, et cependant comme neuve sous notre regard.
Cette implication de l'immémorial dans le présent, cet appel en lui au
présent le plus neuf désoriente la pensée réflexive » [23]. Merleau-
Ponty, longtemps demeuré dans la voie sans issue de la phénoménologie, nouvel avatar de l'idéalisme, découvrait dans ses dernières années
la nécessité de rejeter l'alternative traditionnelle entre l'idéalisme et le
réalisme matérialiste. La nature est à la fois sujet et objet; et cette
fusion des opposés se retrouve dans l'homme au moment de cette
prise d'être constitutive de sa présence au monde. La référence au
« primordial », à « l'immémorial » manifeste que l'entendement
réfléchi n'est pas le maître du jeu; la compréhension de la condition
humaine doit remonter jusqu'à ces orientations originaires que la
conscience réfléchie ne connaît pas, et sur lesquelles elle n'a aucune
prise. Si l'on veut commencer par le commencement, il faut dépasser
le point abstrait et indéterminable où une conscience individuelle naît
à elle-même dans l'immense contexte du monde, bulle d'écume sur la
vague.

La *Naturphilosophie* ne veut être ni une philosophie de l'esprit, ni
une philosophie de la matière, ni une philosophie de la raison, ou de
Dieu, mais à la fois tout cela et autre chose que tout cela, pensée du
monde, mais non pas possession et réduction du monde par la pensée,
pensée dans le monde, en situation de monde, mal capable de se
fermer sur elle-même, en situation d'infériorité, obligée d'appeler le
pressentiment, la divination au secours de la raison. Celui qui parle et
qui pense se parle et se pense lui-même en même temps que le
monde, il parle de lui à lui-même et ensemble il est cette partie qui
prétend circonscrire et définir le tout, alors qu'elle ne peut sortir du
tout pour le mesurer de quelque façon que ce soit. Une telle pensée
s'échappe à elle-même; l'hétéronomie est de règle, puisque le projet
est d'avance voué à l'inaccomplissement. Nous ne pouvons avoir, en
ce qui concerne la réalité totale, que des aperçus fragmentaires, des
perspectives latérales; la divergence est de règle; l'idée même d'une
élucidation totale de la nature implique contradiction. Chaque
penseur n'en saisit que la part qui lui est accessible. Les concordances
sur des thèmes généraux sont plus significatives que les oppositions
subalternes.

[23] Maurice MERLEAU-PONTY, *Annuaire du Collège de France*, 1956-1957; cité
dans Claude LEFORT, *L'Idée d'Etre brut et d'Esprit sauvage*, Les Temps Modernes,
octobre 1961, p. 273.

La *Naturphilosophie* se présente comme une doctrine préalable, un corpus philosophique antérieur aux diverses sciences, une préintelligibilité avant toute intelligibilité, une méta-science et une métaphysique. Le champ mental du monde met en cause non pas seulement l'univers, mais aussi l'homme et même Dieu. Car la conscience du réel est elle-même incluse dans le réel. Dieu n'est pas pensable dans le monde ; notre langage est lié au monde ; tout ce que nous disons de Dieu présuppose un homme en situation de monde, qui parle du monde lors même qu'il parle de Dieu et de soi. L'unité en question dans la doctrine romantique de la nature s'étend bien à la totalité du réel, mais elle se trouve immergée dans cette réalité qu'elle évoque et invoque ; elle met en cause la réalité du dedans même de la réalité, ce qui représente, du point de vue d'une logique extensive de l'univers du discours, une position de faiblesse. L'épistémologie romantique pratique une logique de l'implication et de l'inclusion mutuelle des composantes de la réalité, logique intensive qui refuse de se plier aux réquisitions d'une intelligibilité discursive, calquée sur les articulations d'une matière inerte, déployée dans un espace à trois dimensions.

C'est pourquoi la *Naturphilosophie* ne doit pas être considérée seulement comme un savoir, ou un ensemble de savoirs, comme un système de philosophie ou comme une synthèse des sciences naturelles. A certains égards, elle est bien cela, mais elle est aussi autre chose ; elle se présente comme un ensemble doctrinal à plusieurs dimensions. Elle propose des voies d'approche vers la connaissance selon les modalités des procédures de l'observation et de l'expérimentation objectives ou de la théorie mathématique et rationnelle. Mais elle réserve la place de la divination, de la contemplation mystique sous les formes diverses de la gnose et de la poésie, ou encore de la religion. Cosmologie et anthropologie font alliance au niveau d'une surréalité secrète où s'annonce la transcendance du sens. La *Naturphilosophie* convoque les savants authentiques et les philosophes, mais aussi les mages et les poètes, assemblage surprenant qui déconcerte les esprits non prévenus et nuit à la respectabilité de la doctrine.

PREMIÈRE PARTIE

LES DOCTEURS

CHAPITRE PREMIER

SCHELLING LE FONDATEUR

Dans la grande avenue de l'histoire des sciences, chaque discipline creuse son sillon, au rythme des compléments à la discipline préexistante, chaque savant apportant sa pierre à l'édifice qui se construit d'addition en correction, d'extension en perfectionnement. La zoologie, la géométrie, l'astronomie, la chimie se perfectionnent au cours des temps, purifiant un discours qui traite toujours le même sujet. Les révolutions épistémologiques elles-mêmes, si elles paraissent introduire une discontinuité dans l'interprétation, sauvegardent la permanence de la matière étudiée. Les géométries non-euclidiennes préservent la géométrie euclidienne en la mettant en place dans un ensemble plus vaste. Lavoisier apporte à la chimie un nouveau langage ; mais la chimie postlavoisienne se propose toujours d'étudier les éléments de la matière ; les concepts se modifient, les procédures acquièrent une précision et une efficacité accrues, l'attitude scientifique demeure, l'application au réel, l'objectivité, la délimitation du champ opératoire, les mesures et les contrôles, etc.

La *Naturphilosophie* n'accepte pas le découpage du domaine épistémologique en provinces exclusives les unes des autres. De nouvelles attitudes mettent en œuvre un nouveau langage, en recherche d'une vérité unitive qui ne doit pas être masquée par des dissociations abusives. Le statut même de la science moderne se trouve mis en question ; l'esprit scientifique, lentement constitué depuis la révolution mécaniste dans les laboratoires de physique et de chimie, est dénoncé comme un facteur d'aberration. Il fixe l'attention de l'opérateur sur des vérités subalternes, sur le jeu apparent des phénomènes, au détriment de l'unique vérité dérobée au regard dans le recul de l'ontologie. Les savants spécialisés dans les diverses sciences limitent leur ambition à une tâche de fourmi, progressant lentement sur la circonférence immense de la sphère du savoir sans se soucier de s'avancer vers le centre, sans même se douter qu'il y ait un centre, un point de vue de tous les points de vue, d'où il serait possible de découvrir le *globus intellectualis* en sa totalité.

Schelling, dans une série de leçons, publiée en 1803, propose un remembrement de l'espace pédagogique conforme à la réforme du savoir, dans le traité intitulé *Studium generale, Vorlesungen ueber die Methode des Akademischen Studiums.* L'Université, encyclopédie enseignante, de par sa dénomination même implique une convergence de toutes les perspectives de la connaissance ; or le progrès des diverses disciplines, chacune pour elle-même, entraîne un démembrement de l'espace mental. Les spécialistes s'enferment dans leur spécialisation, qui les entraîne sur le chemin de l'ex-centricité ; ils perdent de vue la vocation d'interdisciplinarité qui détermine l'emplacement où doit se situer l'institution universitaire. Schelling tente de rappeler à l'ordre de l'interdisciplinarité, ou plutôt de la transdisciplinarité, ses collègues de Iéna et autres lieux, en leur désignant la place vide de cette unique Vérité, d'où devraient procéder leurs travaux.

Le phénoménisme empiriste de la science newtonienne erre à la surface d'une réalité morte ; la connaissance est abordée par le mauvais bout, sans espoir de parvenir à ses fins véritables. « Même si, du point de vue mécaniste, chaque phénomène était conçu de façon parfaite grâce à cette explication, il en irait à peu près comme si quelqu'un prétendait expliquer Homère ou quelque autre auteur en commençant par rendre intelligible la forme des caractères typographiques, pour montrer ensuite de quelle façon ils ont été assemblés et finalement imprimés, et comment enfin cette œuvre-ci en est résultée. Tel est plus ou moins le cas, surtout avec ce que l'on a fait passer jusqu'à présent, dans la doctrine de la nature, pour constructions mathématiques. Depuis longtemps déjà, on avait remarqué que les formes mathématiques n'y peuvent avoir qu'un usage tout à fait mécanique. Elles ne sont pas les fondements essentiels des phénomènes eux-mêmes, car ceux-ci résident plutôt dans quelque chose qui leur est tout à fait étranger. (...) Il est vrai que grâce à l'application des mathématiques, l'on a appris à déterminer avec précision la distance entre les planètes, le temps de leurs révolutions et de leurs réapparitions ; mais quant à l'essence ou l'en-soi de ces mouvements, le moindre éclaircissement n'en a toujours pas été proposé. La soidisant physique mathématique est donc restée jusqu'à aujourd'hui un formalisme vide, où l'on ne saurait rien trouver d'une véritable science de la nature » (*).

La science de Newton, en dépit de ses performances apparentes,

(*) SCHELLING, *Leçons sur la méthode des études académiques*, ch. XI (1803), trad. COURTINE et RIVELAYGUE, dans le recueil *Philosophies de l'Université*, Payot, 1979, pp. 136-137.

n'a rien « d'une véritable science de la nature ». La science des modernes est seulement une alliance occasionnelle entre l'écriture mathématique et un certain nombre de données empiriques, sans que cette conjonction puisse être justifiée en raison. L'exactitude apparente de la théorie déguise mal l'absence de la vérité réelle. Newton aurait accepté cette critique, puisqu'il affirme que la doctrine mathématique de l'attraction désigne le vide d'un non-savoir, dont l'auteur des *Principia,* esprit positif, reconnaît honnêtement qu'il est incapable de le combler. La physique newtonienne se situe en porte-à-faux sur un abîme insondable. La perspective vertigineuse ainsi découverte indique, selon Schelling, le lieu originaire de toute vérité, le point focal dont les axiomatiques mathématiques et les procédures empiriques proposent des aboutissements lointains et divergents. La physique des physiciens mécanistes ne développe qu'une science dérivée et secondaire. Schelling vise à constituer une science originaire, dont la doctrine embrasse l'Absolu.

« La science absolue de la nature, fondée en idées, est par conséquent le terme premier et l'unique condition selon laquelle la doctrine empirique de la nature peut d'abord remplacer son tâtonnement aveugle par un procédé méthodique orienté vers un but déterminé. Car l'histoire de la science montre qu'une semblable construction des phénomènes par le moyen de l'expérimentation (...) n'a jamais été réalisée comme par instinct, si ce n'est dans quelques cas isolés, et qu'ainsi pour rendre universellement valable cette méthode d'enquête sur la nature, le modèle que fournit la construction dans une science absolue est lui-même requis. (...) La science de la nature s'élève déjà en soi-même au-dessus des phénomènes et des produits singuliers jusqu'à leur idée, jusqu'en ce point où ils ne font plus qu'un et dont ils procèdent comme d'une source commune. La recherche empirique a d'ailleurs elle aussi une représentation obscure de la nature comme d'un ensemble dans lequel l'un est déterminé par le tout et le tout par l'un. Il ne sert donc à rien de connaître ce détail, si l'on ne possède aucun savoir du tout. Or, précisément, le point où unité et totalité ne font elles-mêmes qu'un n'est reconnu que par la philosophie, ou plutôt la connaissance de ce point est la philosophie même. Quant à elle, son premier et nécessaire dessein est de concevoir la naissance de toutes choses à partir de Dieu ou de l'absolu, et dans la mesure où la nature est l'ensemble du côté réal (*die ganze reale Seite*) dans l'acte éternel de subject-objectivation (*Subjekt-Objektivierung*), la philosophie de la nature (*Philosophie der Natur*) est le premier et nécessaire versant (*Seite*) de la philosophie en général »[1].

[1] *Ibid.,* pp.138-139; faute de pouvoir proposer une traduction adéquate, les traducteurs se contentent d'une transposition, d'un décalque de l'allemand en français.

Schelling parvient à formuler d'une manière à peu près intelligible l'exigence de la *Naturphilosophie* en tant que science des sciences, ramenée au principe ontologique du savoir. Le cercle vicieux de l'encyclopédie, où les savants poursuivent une fuite en avant sans espoir d'arriver jamais au terme de leur recherche, ne circonscrit que le vide. La recherche de la vérité ne peut trouver son accomplissement que dans le recours à la transcendance, où sujet et objet se réconcilient dans la communion de l'absolu. La philosophie a pour principe et pour « élément » l'idéalité absolue, « mais celle-ci resterait éternellement inconnaissable, voilée en elle-même, si, en tant que subjectivité, elle ne se convertissait pas en objectivité, conversion dont la nature phénoménale et finie est le symbole » (²). L'accès à une authentique philosophie de la nature passe donc par une déréalisation ou une irréalisation du réel. Les physiciens du type courant se contentent de déchiffrer le sens littéral des phénomènes ; or ceux-ci ne proposent qu'une métaphore de la vérité qui les justifie. Le préjugé de l'objectivité aveugle ceux qui se réclament de lui ; ils se laissent prendre à l'apparence, qui les détourne de l'essentiel, source commune de toute connaissance. « A travers toutes choses, il n'y a qu'une seule et même vie, la même puissance ontologique, la même liaison idéale. Il n'y a dans la nature aucune corporéité pure, mais partout de l'âme transmuée symboliquement en chair, et quant au phénomène, il ne s'y trouve jamais qu'une prépondérance de l'une ou de l'autre. C'est pour cette raison que la science de la nature ne peut être qu'une, et que les parties dans lesquelles la morcelle l'entendement ne sont que les différentes branches d'une même connaissance absolue » (³).

De son œil d'aigle, Schelling survole l'empire de l'Université, qu'il entend soumettre à la régence du philosophe, seul à détenir la clé qui donne accès à la possession de l'absolu. Les chapitres du *Studium generale* passent en revue les diverses disciplines, afin de les faire rentrer dans l'obéissance de l'intelligibilité suprême. La leçon consacrée à la Physique et à la Chimie pose en principe que l'étude empirique des particules de matière dénommées « atomes », sous peine d'être vide de sens, doit procéder à partir de « la connaissance de la première unité d'où provient et à laquelle retourne tout ce qui existe dans la nature. Pour parvenir à l'essence de la matière, il faut écarter complètement l'image de toutes les espèces particulières qu'elle revêt, par exemple la soi-disant forme organique ou inorganique, puisque cette essence n'est en elle-même rien d'autre que le germe commun de ces différentes formes. Considérée absolument,

(²) *Ibid.*, p. 139.
(³) *Ibid.*

elle est l'acte de l'éternelle auto-intuition de l'absolu, dans la mesure où il s'objective et se réalise en elle ; montrer cet en-soi de la matière, ainsi que la manière dont les choses particulières en procèdent selon les déterminations propres à la manifestation phénoménale, voilà qui ne peut être que l'affaire de la philosophie » (⁴).

Les physiciens et chimistes formés aux méthodes expérimentales — il en existait aux alentours de 1800 en Angleterre, en France et même en Allemagne — ne pouvaient que s'insurger devant la prétention du métaphysicien à réduire leurs disciplines au rôle d'humbles servantes de la métaphysique. Prétention d'autant plus révoltante que Schelling ne possédait aucune compétence directe dans le domaine des sciences qu'il prétendait soumettre à son contrôle, sauf peut-être en médecine. Et pourtant la philosophie de l'identité et sa filiale, la *Naturphilosophie*, devaient trouver bon nombre d'adeptes en Allemagne, dans les milieux scientifiques dignes de ce nom. Ce fait indiscutable donne à penser que l'affirmation de Schelling possède une valeur convaincante.

Les faits et les lois établis par les voies et moyens de la recherche expérimentale ne sont pas remis en question ; ce qui est en cause c'est l'interprétation de ces faits, leur mise en place dans l'économie générale du savoir. La *Naturphilosophie* se situe à un niveau d'intelligibilité différent de celui de la science empirique, mais qui ne fait pas double emploi avec elle, parce qu'il définit un niveau supérieur du savoir, auquel Schelling donne le nom de *physique spéculative*. Le savoir expérimental suit la mécanique des mouvements réels qui s'engendrent les uns les autres indéfiniment ; la physique spéculative se propose de rechercher « la cause absolue du mouvement sans laquelle la nature ne représenterait pas un tout fermé et achevé » (⁵). De ce point de vue, « tout mouvement mécanique est un mouvement secondaire, découlant d'un seul et unique mouvement primitif, surgi lui-même des premiers facteurs de construction d'une nature en général (forces primitives et fondamentales) » (⁶).

La *Naturphilosophie* remonte du relatif à l'absolu ; elle opère le passage de l'existence à l'essence, ce qui lui vaut d'être désigné par Schelling comme « le spinozisme de la physique » (⁷). L'ontologie reprend ses droits pour mettre en lumière les causes premières. La physique empirique, « qui ne remonte jamais à la source première des mouvements dans la nature, et n'envisage même les mouvements

(⁴) Leçon XII, p. 140.
(⁵) *Introduction à la première esquisse d'un système de la philosophie de la nature*, § 3, 1799 ; dans SCHELLING, *Essais*, trad. S. JANKELEVITCH, Aubier, 1946, p. 364.
(⁶) *Ibid.*, p. 365.
(⁷) *Op. cit.*, § 2, p. 363.

primitifs ou primaires que du point de vue mécanique (donc comme étant capables de construction mathématique); la physique spéculative s'intéresse aux impulsions internes de la nature, à son côté non objectif, tandis que la physique empirique ne tient compte que de ce qui se passe à la surface, que de son côté objectif, et pour ainsi dire extérieur » (8). La science empirique n'est qu'une science inférieure en dignité, tandis que la physique spéculative, au sens de la *Naturphilosophie*, mérite d'être considérée comme la « *science de la nature*, au sens le plus strict du mot » (9). Dans le langage des physiciens grecs, on pourrait dire que la science empirique élabore une analytique du multiple; Newton et Kant n'ont pas d'autre ambition. La « physique spéculative » de Schelling, seule science authentique de la nature, se propose de négocier les rapports du multiple et de l'Un, en remontant jusqu'aux sources ontologiques de l'empirie.

La révolution mécaniste, point de départ de la science moderne, avait imposé à l'épistémologie un régime de dissociation et de dispersion du savoir. Les progrès de la théorie n'avaient pu être acquis que moyennant une perte du sens de la profondeur ontologique du réel. La science est devenue rigoureuse en fixant son attention sur la surface du réel, en oubliant l'architectonique invisible qui préside à l'économie interne de l'univers, et en assure l'unité. La restriction volontaire de la pensée scientifique à l'horizon des apparences définit l'entreprise du positivisme, dont les préliminaires sont déjà établis chez Malebranche, Newton et Kant, pour ne citer que des esprits du premier rang. La *Naturphilosophie* ne se contente pas de ce phénoménisme sans épaisseur; il est permis de penser que Malebranche, Newton et Kant, chacun pour sa part, ne s'en contentaient pas non plus. La fascination de l'Unité perdue prenait, chez les deux premiers, la forme de la souveraine présence divine; quant à l'auteur des *Critiques*, il réservait la place de la Chose en soi, inaccessible et prochaine, comme une place d'honneur — mais vide. Cette absence de l'Etre, au cœur du système, ne cesse de s'imposer à la raison comme une hantise et comme une tentation. L'épistémologie de la science positive est une épistémologie négative, au sens où la théologie négative se refuse à parler de Dieu, parce qu'elle est consciente de l'inadéquation de son langage lorsqu'il s'agit de mettre en cause la réalité authentique de Dieu. Pareillement, la science des savants, prisonnière de ses axiomatiques restrictives, est incapable de dire quelque chose de la Nature en sa transcendante Unité.

La dispersion de la connaissance se trouve en contradiction

(8) *Op. cit.* § 3, p. 365.
(9) § 4, p. 365.

flagrante avec l'unité de la pensée personnelle, sous-entendue par chacune des pensées particulières d'un individu donné. Nous sommes convaincus que le monde est un, et donc que la connaissance du monde un doit être une, sous peine de n'être pas valable. Le même thème unitaire patronne l'entreprise de l'université, qui, de par sa vocation propre, ne peut se résigner à être une « multiversité » ([10]). Sous peine de n'être qu'un rassemblement erratique de spécialistes bornés, embarqués par hasard sur le même bateau, les maîtres de l'Université doivent communiquer entre eux sur la base d'un projet totalitaire de la connaissance. Ce projet, Schelling le définit comme une philosophie de l'Unité de la nature et de la pensée : la *Naturphilosophie*.

Les leçons d'Iéna sur les études académiques avaient été prononcées en 1802. Le thème unitaire est réaffirmé par Schelling en 1805 dans des *Aphorismes pour introduire à la philosophie de la nature*, manifeste de l'esprit nouveau, en tête d'un périodique médical, l'*Annuaire de la médecine scientifique* (*Jahrbücher der Medizin als Wissenschaft*, Tübingen). Schelling commence par l'affirmation de la prééminence du Tout sur les parties en matière de connaissance ; cette primauté est l'objet d'une révélation qui revêt un caractère sacré ; seule la conscience du Tout peut éviter les conflits intestins d'une science incomplète. « Ceux qui s'opposent à l'idée de l'unité ne combattent pour rien d'autre que pour le conflit même dont dépend leur existence. S'il est vrai que tous les faux systèmes, les dégénérescences dans l'art, les égarements dans la religion ne sont qu'autant de multiples conséquences de ces abstractions, alors, de même, la renaissance de toutes les sciences et de toutes les parties de la culture ne peut commencer que par la reconnaissance du Tout et de son unité éternelle » ([11]). Ce qui est en question, ce n'est pas seulement l'unité du savoir, le rassemblement fraternel des frères séparés que sont les savants dans les diverses sciences, c'est aussi l'unité de chaque individu. L'anarchie objective du savoir humain se reflète dans l'anarchie de chaque conscience.

La connaissance de l'unité éternelle, ajoute Schelling, « n'est pas une lumière seulement extérieure, mais une excitation intérieure qui meut la masse de la culture humaine ; il n'est rien de si grand ni de si petit qu'elle n'y soit efficace et, de même qu'elle agit dans l'espace

---

([10]) La fondation de l'Université de Berlin (1810) fut l'occasion d'une consultation philosophique sans précédent (et sans seconde) sur la vocation de l'Université. Les *Vorlesungen* de Schelling ont été groupées, à juste titre, avec les textes majeurs de cette consultation dans le recueil *Philosophies de l'Université*, Payot, 1979.

([11]) *Aphorismes pour introduire à la philosophie de la nature*, § 4 ; *Jahrbücher der Medizin als Wissenschaft*, Bd. I, Heft I, Tübingen 1805 ; trad. COURTINE et MARTINEAU, dans SCHELLING, *Œuvres métaphysiques*, N.R.F., 1980, pp. 23-24.

entier de la connaissance, de même aussi en chaque rameau singulier de celle-ci » ([12]). Qu'elle en ait ou non conscience, toute épistémologie est solidaire d'une ontologie ; le discours scientifique spécialisé dit plus qu'il ne dit ; privé de ses aboutissements normaux, il n'est qu'une caricature de vérité, détourné de sa destination authentique. « De même que tous les éléments et toutes les choses de la nature, en tant que simples abstractions du tout, retournent finalement à la vie totale de la nature, dont l'image nous est offerte par la terre et les astres, dont chacun porte divinement en soi toutes les formes et espèces de l'être, — de même il faut nécessairement que tous les éléments et créations de l'esprit passent en fin de compte à une vie commune, plus haute que la vie de chacun d'eux en particulier » ([13]). L'assurance impériale de Schelling choquera tous ceux qui, dans leur recherche scientifique, se contentent de « compter un grain de sable après l'autre pour édifier l'univers » ([14]). Et pourtant, le projet de la connaissance vise plus loin que son objet immédiat. Le chimiste, le botaniste, le philologue, qu'ils le veuillent ou non, contribuent à la construction d'un édifice plus vaste que l'enjeu direct de leur préoccupation. Les positivistes obtus, lorsqu'ils invoquent la primauté de la « science », rendent hommage à leur manière à cette réalité transcendante qu'ils font profession de refuser.

Mais la *Naturphilosophie* ne se présente pas comme un corpus des sciences de la nature ; elle ne propose pas une méta-science des réalités naturelles qui se conformerait encore aux exigences du savoir rigoureux. L'exigence unitaire embrasse l'activité scientifique parmi les autres activités humaines, l'investigation des faits est portée par une exigence de valeur et la valeur de vérité ne peut être dissociée, à son tour, des autres valeurs humaines. Le scientisme croira pouvoir isoler et privilégier d'une manière exclusive l'une des dimensions de la réalité humaine. La philosophie de l'unité commence par l'affirmation de l'unité et de l'identité des valeurs. Le premier des *Aphorismes pour introduire à la philosophie de la nature* prononce : « Il n'est pas de plus haute révélation, tant dans la science que dans la religion ou dans l'art, que celle de la divinité du Tout : bien plutôt, science et religion ne partent que de cette révélation et n'ont de sens que par elle » ([15]).

Ainsi la Science, communauté des savoirs spécialisés, ne forme pas un système qui pourrait se refermer sur ses certitudes propres. « Ce ne sont pas seulement les séparations des diverses sciences entre elles qui sont de simples abstractions, mais aussi celle de la science elle-

([12]) *Ibid.*, § 5, p. 24.
([13]) § 7, p. 24.
([14]) *Ibid.*, p. 23.
([15]) § 1, p. 23.

même à l'égard de la religion et de l'art » ([16]). Le mal de dissociation et d'anarchie atteint le savant qui voudrait se retrancher dans ses certitudes propres. Thèse capitale pour le romantisme : il n'y a pas de connaissance scientifique pure, une telle connaissance, pénétrée de sa propre suffisance, serait une connaissance insuffisante et impure. Il faut reconnaître « la vie d'ensemble de la science, de la religion et de l'art » ([17]). Les diverses fonctions axiologiques de la réalité humaine se corroborent mutuellement. Et, par exemple, « la science est la connaissance des lois du Tout, donc de l'universel ; mais la religion est la considération du particulier en sa liaison au Tout. C'est elle qui consacre prêtre l'explorateur de la nature par la piété avec laquelle il cultive le singulier » ([18]). Le foyer de la vérité unitive mobilise conjointement toutes les aspirations humaines. « C'est seulement grâce à la compénétration effective de la science avec la religion et l'art que la philosophie atteint la divinité conforme à son idée » ([19]).

Esquissée par Schelling avec une impériale brièveté, la *Naturphilosophie* n'est pas une philosophie des sciences, ni même une philosophie de la science, interprétant à sa manière les résultats obtenus par les hommes de science. Elle transgresse les limites de l'épistémologie proprement dite et les historiens de la pensée scientifique, déconcertés par un comportement qui ne respectait pas leurs règles du jeu, ont pris le parti de la passer sous silence. Du même coup se justifie la doctrine centrale du romantisme, en vertu de laquelle le poète se voit attribuer les pouvoirs du mage, du prophète ou du voyant. Celui qui par la voie de la science, de l'art, de la philosophie ou de la religion parvient à la « plus haute révélation », celle de la « divinité du Tout », celui-là dispose de la connaissance suprême, qu'il met en œuvre selon les voies et moyens de sa vocation spécifique. La *Naturphilosophie* propose la voie d'accès à la philosophie de la religion ou de l'art aussi bien qu'à la philosophie de la science.

« La philosophie est aussi poésie, mais souhaitons qu'elle ne soit point une poésie bavarde et platement subjective, mais une poésie intérieure, innée à l'objet même, tout comme la musique des sphères. Que la chose commence par être poétique avant que le mot ne le soit » ([20]). L'ouverture du sens multiplie les accès à l'unique vérité : « Assurément la religion n'est pas de la philosophie, et pourtant la philosophie qui n'unirait pas en un accord sacré la religion avec la science ne serait pas elle-même philosophie. Mais la religion du

([16]) § 6, p. 24
([17]) § 8, p. 24.
([18]) § 9, p. 24.
([19]) § 10, pp. 24-25.
([20]) § 23, p. 27.

philosophe a la couleur de la nature, elle est la religion puissante de celui qui, d'un cœur audacieux, descend dans les profondeurs de la nature, et non point cette contemplation de soi érémitique et oisive que l'on ne saurait en rien comparer avec cette philosophie tout entière fondée sur la totalité de la nature » ([21]). Schelling révèle ici l'essentiel de la pensée romantique, le lieu de la prise d'être, où peu même d'entre les maîtres ont eu accès. Ecrivains, artistes, musiciens, penseurs se sont tenus à une distance respectable de ce buisson ardent, où fulgurent des évidences dont ils n'avaient que le pressentiment. Une formule éclatante résume la rupture avec la philosophie telle qu'on la pratique ; « le je pense, je suis, depuis Descartes, est l'erreur fondamentale en toute connaissance » ([22]). Le mot d'ordre, désormais, doit être : « Dieu et le Tout, et sinon rien » ([23]). Les experts en ratiocinations doivent apprendre que « la raison n'est pas une faculté, un instrument, elle ne s'utilise pas ; d'une façon générale, il n'y a pas une raison que nous posséderions mais seulement une raison qui nous possède » ([24]), et qui se définit elle-même comme « un savoir de Dieu en Dieu » ([25]).

A travers Descartes et son « erreur », Schelling s'en prend ici à Fichte, confrère ennemi, qui prétend faire du philosophe le maître du sens. La vérité du romantisme ne s'accomplit pas dans la possession plénière d'une science de l'esprit ; le romantisme met en cause une vérité en forme de monde, une vérité devenue monde qui est ensemble la vérité de Dieu, à laquelle l'être humain ne peut participer que sous l'espèce d'une incantation, d'une communion incantatoire dans l'accomplissement de laquelle se révèle à lui le divin secret du monde en transparence sous le revêtement des phénomènes. La science de la nature orchestre une célébration des liturgies de la connaissance, dont le savant est l'opérateur en vertu d'une grâce reçue. La formation spécialisée, l'apprentissage des techniques de l'observation et de l'expérimentation ne suffisent pas, la fréquentation des universités, des bibliothèques et des laboratoires ne permet pas de qualifier un *Naturphilosoph* en tant que tel. La science romantique implique un engagement de l'être entier ; Lavoisier était un chimiste de grande valeur, mais non un savant au sens romantique. Lui manquaient le don de double vue, la sympathie cosmique et la voyance du devin, seule capable de lever le voile derrière lequel se dissimule le « savoir de Dieu en Dieu ».

([21]) § 22, p. 27.
([22]) § 44, p. 30.
([23]) § 43, ibid.
([24]) § 46, pp. 30-31.
([25]) § 47, p. 31.

La référence à l'ontologie par-delà les limites des champs opératoires vise le point à l'infini où les parallèles se rejoignent. L'expérience scientifique n'est pas son propre critère, elle doit s'ouvrir à des
inspirations et révélations extrinsèques ; la *Naturphilosophie* fait
violence à la science, elle prétend même imposer par voie d'autorité sa
suprématie à la totalité de la pensée. « La philosophie de la nature,
affirme Schelling, est, comme telle, la philosophie totale et indivise,
et, dans la mesure où la nature est le savoir *objectif,* et où l'expression
du point d'indifférence, pour autant que celui-ci est en elle, est *vérité*
(tout comme son expression, pour autant qu'il est dans le monde
idéel, est *beauté*), toute la philosophie considérée du côté théorique,
prend ses principes de la philosophie de la nature » ([26]). La *Naturphilosophie* possède le monopole de la vérité ; elle est parmi ses fidèles la
théorie de la nature, autre nom de la « physique spéculative » qui fait
autorité par rapport à la physique empirique, réduite à la fonction
subalterne d'exécutrice des basses œuvres.

Le *Naturphilosoph* détient le pouvoir des clefs ; maître des passages
qui conduisent à l'ontologie, il est l'augure, il est le devin. Ayant
brouillé les pistes de l'intelligibilité discursive, il parle un langage
incompréhensible à la plupart, ce qui a pour effet de rompre le
contrat collectif de la science, qui rassemblait les hommes de savoir
dans la communauté objective d'un langage accessible à tous.
Symbole de cette attitude, le parcours spirituel de Schelling : de plus
en plus il se retranche, s'enveloppe d'un silence qui s'approfondit
avec le temps, ne publie plus les œuvres qu'il écrit, et d'ailleurs ne
parvient plus à achever les œuvres qu'il entreprend, comme s'il
s'échappait à lui-même, otage de cette contemplation suprême qui le
fascine, prisonnier de ce « savoir de Dieu en Dieu » dont il a annoncé
la primauté.

Le génie de Schelling est hors de question ; mais la certitude qu'il
avait de ce génie cautionnait une attitude pontificale à l'égard des
disciplines scientifiques et de leurs promoteurs qui se contentent de
suivre le modeste cheminement d'investigations terre à terre. La
désinvolture à l'égard des réalités de fait commande une manière de
dédain pour la longue patience des chercheurs, ces gagne-petit de la
connaissance. « Je voudrais donner des ailes à notre lente physique
qui progresse péniblement à coup d'expériences. C'est quand la
philosophie fournira les idées de l'expérimentation des faits que nous
pourrons enfin avoir cette physique en grand que j'attends d'époques
ultérieures. Il ne semble pas que la physique actuelle puisse satisfaire

---

([26]) SCHELLING, *Sur la relation de la philosophie de la nature à la philosophie en général*
(1802), dans *Œuvres métaphysiques,* trad. COURTINE et MARTINEAU, N.R.F., 1980,
pp. 346-347.

un esprit créateur tel que l'est ou doit être le nôtre... » (²⁷). La philosophie de la science, que l'état actuel de la science ne satisfait pas, n'hésite pas à hypothéquer l'avenir, comme si elle se sentait dès à présent maîtresse de cet avenir. L'idée de cette « physique en grand », qui sera aussi la « physique spéculative » ou encore le « spinozisme de la physique », ne pouvait qu'épouvanter les serviteurs de la « physique en petit », de la physique au jour le jour. Schelling devait leur apparaître comme un paranoïaque de l'épistémologie. Et les essais d'une théorie physique *a priori*, à partir de quelques concepts prélevés sur le matériel des notions courantes risquent d'apparaître aux spécialistes comme une pure jonglerie intellectuelle.

(²⁷) Esquisse du *Programme systématique*, 1796 ; *Sämtliche Werke* 1856 sqq., Bd. III, p. 531 ; dans Roger AYRAULT, *La genèse du romantisme allemand*, t. 4, Aubier 1976, p. 14.

CHAPITRE II

LES PREMIERS ADEPTES

Les vues de Schelling font autorité dans le premier groupe romantique. Comme le disait Novalis : « Si la théorie devait attendre la confirmation de l'expérience, elle ne viendrait jamais à bonne fin » [1]. Assurance justifiée par l'harmonie préétablie entre la pensée et le réel, par l'identité entre l'une et l'autre. Pour la conscience romantique la vision du monde n'est pas indépendante du monde lui-même, elle est présence du monde à la pensée, inscription du monde dans la conscience, tout de même que les lumières et les ombres du paysage s'inscrivent directement sur la plaque photographique, sans passer par le détour d'un univers du discours interposé entre la réalité extérieure et sa figuration mentale. La co-naissance est co-existence, participation. La monstration du réel, chemin court, peut se passer de démonstration expérimentale, puisque le résultat est acquis d'avance.

Les jeunes théoriciens de l'*Athenaeum* partagent la foi de Schelling, adeptes de la science intégrale, science de sciences selon l'exigence d'une intelligibilité supérieure. « C'est faute de génie et de perspicacité que l'on sépare les sciences les unes des autres — pour l'entendement et la faiblesse d'esprit leurs relations sont trop complexes et elles sont trop éloignées les unes des autres. Nous devons les plus grandes vérités d'aujourd'hui à de telles combinaisons entre éléments, jusque-là séparés, de la science totale » [2]. La science totale selon Novalis définit le projet de l'*Encyclopédie,* dans son ambition *interdisciplinaire* de rassemblement des savoirs, mais aussi *transdisciplinaire* d'élévation du savoir total à une puissance supé-

[1] NOVALIS, *Werke,* hgg. MINOR, 1905, Bd. II, p. 116.
[2] NOVALIS, l'*Encyclopédie,* fragments, classement WASMUTH, § 16, trad. DE GANDILLAC, éd. de Minuit, 1946, p. 42.

rieure. L'Encyclopédie, dans la correspondance entre Novalis et Frédéric Schlegel, est désignée comme une Bible ; il ne s'agit pas d'un traité scientifique et technique, ni d'une collection de traités. Entre le domaine restreint d'une discipline particulière et l'espace spirituel de la Bible-Encyclopédie s'est opérée une mutation du sens.

Novalis, dans le même esprit que Schelling, souligne l' « aspect romantico-poétique des sciences »[3] ; il note que « toute science devient poésie — une fois devenue philosophie » [4]. Propos à rapprocher d'un autre fragment où il est dit que « le monde doit être romantisé. Ainsi on trouvera le sens originel. Romantiser, ce n'est pas autre chose qu'élever à une puissance qualitative supérieure » [5]. La vérité totale n'est pas un total de vérités, mais le ralliement, l'alliance ou même la coalescence des diverses composantes de la présence au monde, parmi lesquelles la religion, la poésie surchargent de leurs valeurs spécifiques les données objectives de l'investigation scientifique. Un autre fragment de Novalis, qui porte comme titre « physique supérieure » et propose des analogies musicales de l'ordre du monde, se termine par la formule : « voilà la systole et la diastole de la vie divine » [6]. Le physicien authentique s'élèvera jusqu'à l'intuition de cette vie divine, pressentie par-delà le déroulement monotone des phénomènes. Dès lors, « l'expérimentation réclame le *génie* de la nature, c'est-à-dire cette merveilleuse aptitude à saisir le sens de la nature — et à la traiter dans l'esprit de la nature. L'authentique observateur est un *artiste* — il pressent le *significatif* et, à travers l'étrange mixture des phénomènes qui passent, il flaire ceux qui sont importants » [7]. Artiste, poète, le savant est amoureux de cette réalité dont la beauté s'annonce à travers ses propres travaux, tel le peintre qui se laisse séduire par son modèle. « *Doctrine de l'art physique*. Bien rares sont les hommes qui aient le *génie* requis pour expérimenter. L'authentique expérimentateur possède nécessairement en lui un *obscur sentiment de la nature* qui, dans la mesure où ses dispositions sont parfaites, le conduit plus sûrement dans son opération, et lui permet avec plus d'exactitude de découvrir et de déterminer le phénomène caché qui est décisif. La nature *inspire* pour ainsi dire l'authentique amoureux et se révèle en lui avec d'autant plus de perfection que la *constitution* de cet amoureux s'harmonise mieux à la sienne. L'authentique amoureux de la nature se signale justement par son habileté à multiplier les expérimentations, à les simplifier, les combiner et les analyser, les romantiser et les polariser,

---

[3] *Ibid.*, § 40, p. 46.
[4] § 41, *ibid.*
[5] NOVALIS, *Œuvres complètes*, pp. Armel GUERNE, t. 2, N.R.F., 1975, p. 66.
[6] *L'Encyclopédie*, éd. citée, WASMUTH § 446, pp. 136-137.
[7] *Ibid.*, § 462, p. 141.

grâce à l'esprit d'invention qui lui en suggère de nouvelles. (...) Le génie seul est expérimentateur » ([8]).

L'organigramme du laboratoire n'a rien de commun avec la carte du Tendre. En deuxième analyse pourtant, il ne serait pas impossible de trouver chez de grands savants certaines effusions lyriques, célébrant la complicité entre le génie scientifique et les voies de la nature. La recherche met en œuvre toutes les facultés de l'être humain, y compris l'affectivité et un certain sens de l'harmonie interne du réel. Novalis a reçu à l'Académie de Freiberg une formation scientifique aussi sérieuse qu'il était possible en ce temps. Il a eu sous les yeux l'exemple de son maître Werner, savant de réputation européenne, dont le nom revient souvent dans les fragments de l'Encyclopédie. L'évocation est faite d'après nature. En dehors même de Werner, Novalis se réfère à un autre grand nom incontesté de la science romantique, Johann Wilhelm Ritter (1776-1810), avec lequel il est lié d'amitié. « Ritter explore de part en part la véritable âme cosmique de la nature. Il veut apprendre à lire les lettres visibles et pondérables et expliquer la position des forces spirituelles supérieures. Tous les processus extérieurs doivent devenir concevables comme symboles et ultimes effets de processus internes. L'imperfection des uns doit devenir l'organe des autres, et la nécessité d'une assomption du personnel comme motif ultime doit devenir le résultat de toute expérience » ([9]). Ainsi se trouvent affirmés le primat du dedans sur le dehors, de l'essence sur le noumène, et la liberté créatrice de la personnalité.

Ritter, physicien, chimiste, électro-physicien, est pour le premier romantisme une figuration du génie ; ses recherches ont mis en évidence l'existence d'un galvanisme universel qui fournira un point de départ réel aux audacieuses extrapolations de la *Naturphilosophie*. Ce bohème du savoir dont la personnalité évoque celle de E.T.A. Hoffmann, réalise l'unité du sens cosmique, porté jusqu'à une exaltation lyrique, et du flair expérimental le plus fécond en résultats positifs. William Herschel ayant découvert, en 1800, l'existence des radiations infra-rouges, Ritter en conclut, par analogie, l'existence, à l'autre extrémité du spectre, de radiations ultra-violettes, dont il parvient à mettre en évidence la réalité. Le principe de réalité lui sert de fil conducteur en matière de chimie, d'électricité, d'électro-

([8]) § 463, pp. 141-142.
([9]) *Ibid.*, § 457, p. 140. La fin de ce texte évoque le primat de la subjectivité dans l'expérimentation, cf. le fragment 472, p. 144 : « Une bonne expérimentation physique peut servir de modèle à une expérimentation intérieure et elle est *elle-même* en même temps une bonne expérimentation *intérieure* subjective (cf. les expériences de Ritter) ». Autrement dit, toute expérience scientifique est ensemble expérience sur soi ; espace du dedans et espace du dehors sont solidaires. Ici encore, les thèses romantiques contiennent un ferment de vérité.

magnétisme ; d'où procèdent toutes sortes d'intuitions sur l'économie énergétique et nerveuse de l'univers, au sein de laquelle s'établit l'insertion de l'homme dans le cosmos. Floraison hasardeuse d'hypothèses en tous sens, dont certaines s'inscrivent dans le droit fil du savoir le plus rigoureux — à supposer que le savoir progresse en droite ligne, ce qui paraît une hypothèse aventureuse ([10]).

Une lettre de Novalis à Caroline Schlegel, au début de 1799, exprime l'enthousiasme suscité dans le groupe de l'*Athenaeum* par ce personnage en qui s'incarne la science du moment, autodidacte pittoresque et alcoolique, voué à une mort prématurée. « Ecrivez-moi vite, demande Novalis, au sujet de Ritter et de Schelling. Ritter est Ritter, et nous ne sommes que des apprentis. Même Baader n'est que son poète. » Schelling et Ritter sont ici rapprochés, mais la prépondérance est reconnue au second. Baader lui-même, un aîné, puisque né en 1765, savant, puisqu'il a étudié à Freiberg et fait carrière dans les mines, théoricien de la physique, puisqu'il a débuté par un essai sur *Le Calorique* (*Vom Wärmestoff*, 1786), se voit ici attribuer la qualification de poète (*Dichter*), pour une fois légèrement péjorative. Expérimentateur aux prises avec les réalités de la physique et de l'électricité, Ritter l'emporte sur tous les autres. « Le meilleur de la nature, ces messieurs ne le voient pas clairement. Ici encore Fichte fera honte à ses amis, et Hemsterhuis pressentait assez lucidement cette voie sacrée vers la physique. Chez Spinoza aussi vit cette divine étincelle de l'intellection de la nature. Plotin le premier, peut-être inspiré par Platon, pénétra dans le sanctuaire avec l'esprit authentique et personne après lui ne s'y est avancé aussi loin. Dans beaucoup d'écrits anciens bat un pouls mystérieux, qui définit le point de contact avec le monde invisible — un devenir vivant (*ein Lebendigwerden*). Goethe doit devenir l'officiant de cette liturgie physique (*der Liturg dieser Physik*) — il connaît parfaitement le service dans le Temple. La *Théodicée* de Leibniz a toujours été dans ce domaine un magnifique essai. La physique à venir (*die künftige Physik*) sera quelque chose d'analogue, mais assurément dans un style supérieur. Dans ce qu'on appelle la physico-théologie, que n'a-t-on jusqu'ici substitué un autre terme à celui d'émerveillement (*Bewunderung*) » ([11]).

([10]) Sur Ritter et la physique romantique, cf. Walter D. WETZELS, *Natural science in German Romanticism, Studies in Romanticism,* Boston University, vol. X, 1971 ; H. A. M. SNELDERS, *Romanticism and Naturphilosophie and the Inorganic Natural Sciences 1797-1840* ; *Studies in Romanticism,* vol. IX, 1970 ; Ant. FAIVRE, *Physique et métaphysique du feu chez J. W. Ritter* (1776-1810), Les Etudes philosophiques, I, 1983.

([11]) NOVALIS à Caroline SCHLEGEL, 20 janvier 1799 ; *Schriften,* hgg. v. KLUCK-HOHN — SAMUEL, Bd. IV, Stuttgart, 1955, p. 275. A partir de « le meilleur de la nature » la trad. est celle de GANDILLAC, in *L'Encyclopédie,* éd. citée, § 452, p. 139. J'ai traduit *Bewunderung* par « émerveillement » au lieu de « admiration » employé par Gandillac.

Cette page propose une généalogie de la *Naturphilosophie* romantique ; les noms qui y figurent sont ceux de métaphysiciens et non de savants, à l'exception de Ritter, physicien au sens propre du terme, sous l'invocation duquel est placée la galerie des ancêtres. Goethe est un savant naturaliste, en même temps qu'un poète, à cette réserve près, nullement négligeable, que ses travaux majeurs dans le domaine de la théorie des couleurs et de la biologie sont postérieurs à 1799, ou du moins n'ont fait l'objet de publications que des années plus tard. Le patronage accordé par le poète à Schelling à ses débuts était de notoriété publique. La « physique de l'avenir » englobe la physique des physiciens et de Ritter, mais elle a partie liée avec l'ontologie, avec l'illuminisme platonicien, dont Hemsterhuis est pour Novalis l'un des derniers répétiteurs. Le ton religieux atteste que la connaissance revêt un caractère initiatique ; à travers les faits de la science, c'est le mystère de la Nature qui constitue le but ultime de la recherche, le foyer imaginaire, au-delà du miroir, en lequel se concentrent toutes les puissances de l'être, mobilisées pour le service de la cause sacrée de la connaissance. Le langage de Novalis ne possède pas le même degré de concentration spéculative que celui de Schelling, mais tous deux veulent dire la même chose, et tous deux s'expriment par aphorismes. Le roman posthume et inachevé, *Heinrich von Ofterdingen* est l'aboutissement de ses spéculations. Le jeune héros de ce roman de formation *(Bildungsroman)*, à la différence du Wilhelm Meister de Goethe, soucieux seulement de trouver sa place et de faire carrière dans la société des hommes, suit la voie mystérieuse des initiations qui doivent le mener à la science parfaite, à la maîtrise des significations de l'univers, au prix d'une progressive transmutation de sa personnalité.

Novalis s'oriente vers une synthèse de la connaissance, où la science est vraiment « poétisée » selon ses propres termes. Bien que ses notes contiennent de nombreuses spéculations sur les éléments et composés chimiques, sur les forces à l'œuvre dans la nature, ce ne sont jamais que des notes de lecture, des jeux d'esprit ou des fantaisies de seconde main. Novalis n'est pas, comme Ritter, un homme de laboratoire. Le schéma des initiations dans *Ofterdingen* évoque une odyssée de la personnalité, appelée à l'accomplissement dans la pénétration de l'intimité des phénomènes. Telle jadis la vérité en question dans les procédures des alchimistes, les opérations extrinsèques ont la valeur symbolique d'une élaboration intrinsèque, dont l'aboutissement est le salut éternel de l'opérateur. Cette pensée ne cesse d'habiter Novalis. « En physique, on a jusqu'à présent arraché constamment les phénomènes de l'ensemble avec quoi ils sont en cohérence, et jamais on ne les a scrutés ni poursuivis dans leurs rapports de compagnonnage. Chaque phénomène est un maillon dans une chaîne immense où tous les phénomènes sont compris comme autant de maillons. La science de la nature (la physique) ne doit plus être traitée par chapitres, section par section : il faut qu'elle soit une histoire unique (un *continuum*), une croissance organique, — le devenir d'*un* arbre ou d'*un* animal, ou d'*un* homme » ([12]).

Le projet de Novalis n'a pas seulement un caractère interdisciplinaire ; il ne se contente pas d'affirmer que la science est une ; il pose en même temps l'identité du physique et du moral. La formule selon laquelle la science doit se présenter comme l'histoire d'un homme évoque la progression du jeune Ofterdingen dans la connaissance, vers la connaissance. Le *Bildungsroman* esquisse la « romantisation » de la cosmologie. La dissociation du monde physique et du monde moral a perverti chez l'homme le sens du réel ; en se séparant du monde, en neutralisant le monde pour mieux s'opposer à lui, l'homme a réduit l'univers à un champ opératoire pour sa spéculation et son action. Ainsi est née la science moderne qui a engendré les techniques modernes. Mais, en devenant étranger au monde, l'homme est devenu étranger à lui-même ; il a perdu toute possibilité d'accomplir le vœu profond de sa nature. La *Naturphilosophie* développe la science conjointe de l'homme et du monde ; elle opère la réconciliation qui seule permettra la restauration de la plénitude du sens.

Cette doctrine maîtresse du corpus romantique justifie certains aspects parfois surprenants de la poétique romantique, non seulement chez les poètes d'Allemagne, mais chez Coleridge, Wordsworth ou Keats, chez Hugo ou Maurice de Guérin. Les écrivains, en dehors de toute compétence et de toute prétention en matière de science proprement dite, mirent en œuvre les présupposés de cette *Naturphilosophie*, bien qu'ils ne la connussent guère, ou même pas du tout. Il n'y a pas de vérité sans la participation du monde, sans la participation au monde, c'est-à-dire sans la connaissance scientifique ; donc la poésie, voie d'accès privilégiée à la vérité de l'homme et du monde, passe nécessairement par la physique. Thèse soutenue par l'un des personnages mis en scène dans l'*Entretien sur la poésie*, publié par Frédéric Schlegel dans l'*Athenaeum* en 1800, en concordance avec les opinions de Novalis : « je pense que les pouvoirs des divers arts et sciences se rencontrent en un point central, et j'attends des dieux qu'ils fournissent jusque dans les mathématiques un aliment à votre enthousiasme et enflamment votre esprit de leurs prodiges. Toutefois j'ai privilégié la physique (*die Physik*), parce que c'est là que la connexion est la plus visible. La physique ne peut faire aucune

_____

([12]) NOVALIS, *Œuvres complètes*, t. II, *Fragments*, pp. Armel GUERNE, N.R.F., 1975, p. 404.

expérience sans hypothèse ; toute hypothèse, même la plus limitée, si elle est pensée avec conséquence, mène à des hypothèses sur le Tout, et repose à vrai dire sur celles-ci, quand bien même celui qui les utilise n'en a pas conscience. En fait, c'est merveille de voir combien la physique sitôt qu'elle ne se préoccupe pas de buts techniques mais de résultats universels, verse à son insu dans la cosmologie, l'astronomie et la théosophie, appelez-la comme vous voudrez, bref dans une science mystique du tout » ([13]).

A la différence de son ami Novalis, Frédéric Schlegel ne possède pas de culture scientifique digne de ce nom ; ses propos évoquent un savoir par ouï-dire, de troisième main. Ils éclairent néanmoins la formule de Novalis, selon laquelle la physique est la doctrine de l'imagination. La « physique en grand », la « physique de l'avenir », déploie ses ailes selon l'ordre des hypothèses, où elle recouvre cette liberté qui lui est refusée dans les labeurs terre à terre de l'expérimentation au laboratoire. La vérité dont les jeunes romantiques se font les annonciateurs est une vérité sans restriction. « Tout art doit devenir science, et toute science art ; poésie et philosophie doivent être réunies » ([14]). Le romantisme de plein exercice propose une nouvelle synthèse culturelle ; mais bien entendu, en ce temps de l'*Athenaeum*, on est encore loin de compte. Frédéric ajoute : « Les Allemands, dit-on, sont pour la profondeur du sens artistique et de l'esprit scientifique le premier peuple du monde. Sans doute ; sauf qu'il y a très peu d'Allemands »... ([15]). A sa date, en 1798, la formule a quelque chose de prophétique : seul Schelling s'est prononcé pour la *Naturphilosophie* ; mais les années qui suivront verront se multiplier dans les Allemagnes les *Naturphilosophen*.

La nouvelle conjoncture, caractérisée par la jonction entre l'approche scientifique et l'approche esthétique de la réalité, se trouve en contradiction avec les usages établis. La référence à la doctrine de l'imagination dans les divers champs d'opération de la pensée n'est pourtant pas absurde, puisque c'est le même individu qui applique les seules facultés qu'il possède à des tâches différentes. Novalis se permet de rêver à une doctrine globale de l'imagination, qui régirait l'ensemble de nos activités spirituelles : « Si nous avions aussi une *fantastique*, comme nous avons une logique, on découvrirait — l'art de découvrir. A la fantastique appartient aussi dans une certaine mesure l'esthétique, comme à la logique la théorie de la raison » ([16]).

([13]) Fr. SCHLEGEL, *Entretien sur la poésie*, trad. LACOUE-LABARTHE et NANCY dans le recueil *L'Absolu littéraire*, Seuil, 1978, p. 319.
([14]) *Fragments* de l'*Athenaeum*, 1798, § 115, recueil cité à la note précédente, p. 95.
([15]) *Op. cit.*, § 116, *ibid.*
([16]) *L'Encyclopédie*, trad. GANDILLAC, § 1466 du classement WASMUTH, *op. cit.*, p. 328.

La séparation des pouvoirs de l'esprit suscitée par la doctrine des facultés a dissocié des comportements indissociables dans leur exercice réel. Il faudrait avoir l'audace, et c'est l'un des projets du romantisme, de définir une épistémologie des épistémologies, organe régulateur de l'ensemble des rapports que l'homme entretient avec le monde, dans leur diversité comme dans leur unité. L'évocation d'une doctrine de l'imagination, de la « fantastique », justifie le propos de Novalis : « Seul un artiste peut déchiffrer le sens de la vie » ([17]).

La référence à l'imagination esthétique peut se justifier au moyen d'une inversion du raisonnement. La question serait alors de savoir si un observateur, un expérimentateur en quelque domaine que ce soit, supposé complètement dépourvu de faculté imaginative et d'intuition, incapable de voir ou de penser autre chose que le contenu matériel et littéral de ce qu'il a sous les yeux, ne serait pas aveugle au sens et dépourvu de toute valeur scientifique réelle. Le génie le plus authentique, en matière de physique, de chimie, de biologie, voire même de mathématiques, ne va pas sans un don de divination, sans une capacité d'extrapoler à partir de ce qu'on sait, et donc de dépasser l'expérience afin d'instituer l'expérience. On ne s'est guère préoccupé d'approfondir cet aspect de l'activité scientifique ; l'épistémologie se contente trop souvent d'analyser la science déjà faite, et se détourne des modalités concrètes de la science se faisant, par crainte d'avoir à mettre en lumière certains aspects inavouables de l'invention chez les savants.

Selon Joseph Ennemoser, « lorsque l'expérience immédiate, et la science qui s'appuie sur elle, se trouve à bout de ressource, alors l'imagination affirme son droit. A sa manière, elle comble les lacunes et aplanit les voies du connu à l'inconnu, non sans risque d'induire en tentation d'erreur et d'imposture quand elle s'appuie sur des analogies et applique la lumière qu'elle tire de phénomènes connus aux relations internes de son objet. Ainsi sur le chemin des inductions, la liaison est rétablie entre la poésie et la science » ([18]). Le risque existe d'un mauvais usage de l'imagination, dont les exemples ne manquent pas à la date où écrit Ennemoser. Mais l'existence d'une pathologie ne condamne pas le recours à la faculté imaginative, dans les limites de la prudence indispensable.

L'imagination productive ainsi mise en œuvre n'est pas seulement une faculté esthétique. Les premiers romantiques lui attribuent une signification religieuse par le biais de l'idée de création ; l'artiste

---

([17]) NOVALIS, *Œuvres*, pp. A. GUERNE, t. 2, N.R.F., 1975, p. 82.
([18]) Joseph ENNEMOSER, *Der Geist des Menschen in der Natur oder die Psychologie in Ueberreinstimmung mit der Naturkunde* (*L'esprit de l'homme dans la nature, ou la psychologie mise en accord avec la science de la nature*), Stuttgart, 1849, § 98, pp. 230-231.

Hommage de l'auteur

créateur imite l'action du Créateur suprême. La conjonction des différents pouvoirs dans le même individu hante la conscience romantique comme la figuration même du génie ; elle définit le savant tel que le conçoit la *Naturphilosophie* : « Nombre des premiers fondateurs de la physique moderne, observe Frédéric Schlegel, ne doivent pas être considérés comme des philosophes, mais comme des artistes » ([19]). Le même Frédéric, ni grand poète, ni physicien, indique la voie du savoir : « Veux-tu pénétrer dans l'intimité de la physique, fais-toi initier aux mystères de la poésie » ([20]). Il y a d'ailleurs des précédents : « Signe favorable que même un physicien — le profond Baader — se soit élevé, depuis le cœur de la physique, pour pressentir la poésie, vénérer les éléments en tant qu'individus organiques et faire signe vers le divin au centre de la matière » ([21]).

A l'époque même où Frédéric rend hommage au physicien théosophe Baader, un autre physicien, Ritter, rédige lui aussi des fragments dont il publiera une partie, peu avant sa mort prématurée, précédée d'un document autobiographique. Dans cette préface, attribuée à un autre que lui-même, Ritter raconte comment, après avoir bénéficié de l'amitié bouleversante de Novalis, il a rencontré, le poète étant mort, son autre éducateur, Herder, qui devient bientôt son père spirituel. « C'est là qu'il a appris ce qu'est la Nature, ce qu'est l'homme en elle, ce qu'est la Physique au sens propre du terme, et comment elle est immédiatement religion » ([22]). Il ne s'agit plus ici de théorie, mais d'expérience directe ; le physicien Ritter découvre en transparence la présence de Dieu à l'œuvre dans la nature. Tout comme Schlegel, il affirme la polyvalence du génie : « Bon nombre d'artistes et de poètes du premier rang ont incliné avec le temps vers la physique. Ainsi, récemment encore, Winckelmann, Goethe et d'autres. Mais la Terre elle-même fut d'abord artiste et poète avant de devenir physicien, et l'individu ne fait que répéter l'histoire du Tout » ([23]).

La préoccupation dominante des *Naturphilosophen* est la restauration de l'unité perdue. Le langage esthético-religieux exprime dans son ordre une réaction contre la prolifération de l'épistémologie analytique au XVIIIe siècle, qui a dissocié la réalité de la valeur, séparé la matière de la vie et désintégré l'univers en une poussière de

([19]) Fragments de l'*Athenaeum*, in l'*Absolu littéraire*, *op. cit.*, p. 161.
([20]) *Idées*, Fragments, *Athenaeum*, 1800, § 99, recueil cité, p. 216.
([21]) *Loc. cit.*, § 97, *ibid.*
([22]) (J. W. RITTER), *Fragmente aus dem Nachlasse eines jungen Physikers*, Heidelberg, 1810, t. 1, Vorwort, p. XXXIV.
([23]) *Op. cit.*, Bd. II, § 625 ; C. G. CARUS, *Symbolik des menschlichen Gestalt*, Leipzig (1853), 2e éd., 1858, p. 386 : « J'ai souvent insisté sur l'exemple de Goethe, et montré comment chez lui le haut don poétique avait été suscité par une exigence de science profondément ressentie et menée jusqu'à son accomplissement. »

particules qui tourbillonnent dans l'espace. Une connaissance digne de ce nom a ensemble une valeur morale et spirituelle ; la réalité humaine ne se partage pas. Toute procédure épistémologique doit respecter la solidarité du sens ; mais la science moderne se développe dans l'oubli de ses origines et de ses aboutissements. Science inhumaine, science sans conscience, elle ne peut être, en dépit de ses succès apparents, qu'une demi-science mise en œuvre par de demi-savants.

Un disciple de Baader a conservé les propos que tenait le vieux maître dans les derniers temps de sa vie, vers 1840-41, à propos du *Traité d'Histoire naturelle* (1812-1827), publié par Lorenz Oken (1779-1851), lui aussi théoricien de la *Naturphilosophie :* « Si seulement l'esprit de vérité *(der wahre Geist)* pouvait s'introduire maintenant dans la science de la nature ! Ces messieurs les savants ont été jusqu'à présent de purs anatomistes ; ils prétendent tout élucider au moyen du bistouri ; ce qu'ils nous proposent dans ces conditions se réduit à des comptes rendus de dissection. Nous sommes de plus en plus riches en collections d'histoire naturelle, mais de plus en plus pauvres en fait de science réelle. Un jour, j'ai dit à un botaniste qui me parlait de plantes récemment découvertes : « Voilà encore une nouvelle accumulation d'ignorance *(Unwissenheit)*. Donnez-moi plutôt, à la place de plantes nouvelles, une explication qui me permette de mieux les comprendre. A quoi me sert de recopier un livre, si je n'y comprends rien » [24] ! »

Des faits, même observés avec application et rigueur, ne suffisent pas pour constituer une science digne de ce nom. Les arbres ne doivent pas cacher la forêt ; le savant authentique déchiffre la teneur littérale des phénomènes pour l'interpréter en fonction de l'unité de signification qui s'affirme à travers eux, en eux. Tout grand savant est un visionnaire du sens, ou alors il demeure un bricoleur qui se contente de collectionner des « faits » comme d'autres collectionnent des timbres-poste. Alexandre de Humboldt, esprit indépendant, jacobin *in partibus infidelium,* déploie son immense activité intellectuelle entre l'Allemagne et la France, entre l'inspiration des Idéologues de Paris et celle des savants romantiques d'Allemagne. Son témoignage n'en est que plus significatif. « Les circonstances extérieures de ma vie et un désir irrépressible d'acquérir des connaissances variées m'avaient entraîné pendant des années à m'occuper, exclusivement, semblait-il, de quelques disciplines isolées : botani-

---

[24] *Aus Gesprächen Fr.* BAADERS *mit einigen jüngeren Freunden* (1840-1841) ; BAADER, *Sämtliche Werke* (Lpz, 1857, Bd. XV, p. 160). Le fait que ces propos sont destinés à honorer l'œuvre de Oken atteste que celui-ci est reconnu par Baader comme un authentique *Naturphilosoph,* contrairement à l'opinion de certains historiens selon lesquels Oken ferait partie de la génération post-romantique, d'esprit positif.

que descriptive, géognosie, chimie, détermination de positions astronomiques et magnétisme terrestre, en vue de préparer un grand voyage de découverte. Néanmoins l'objectif véritable de mes études était plus élevé. Mon impulsion fondamentale était l'effort pour embrasser les phénomènes concernant les corps matériels dans ce qui les réunit en un ensemble général, la Nature, considérée comme une totalité mue et animée par des forces immanentes (*die Natur als ein durch inneren Kräfte bewegtes und belebtes Ganzes aufzufassen*). La fréquentation d'hommes supérieurement doués m'avait de bonne heure donné à voir que sans un premier mouvement vers la connaissance du particulier, une grande et globale vision du monde ne serait qu'un édifice de nuées » ([25])... L'analyse et la synthèse doivent se cautionner mutuellement ; la pratique exclusive de l'une ou de l'autre ne produira jamais qu'un demi-savant, qui ne serait pas un savant du tout.

Carl Gustav Carus (1789-1869) fut l'initiateur d'une Société allemande des naturalistes et des médecins, milieu de culture pour la biologie romantique, dont le premier congrès eut lieu en 1822. Devant cette assemblée, Carus prononça un discours « Sur la nécessité d'une future élaboration des sciences de la nature ». L'idée de science, affirma-t-il, présuppose une détermination du sens de la vie. La vocation de l'homme et du savant est de s'imprégner de la vie divine, dont il doit devenir une incarnation terrestre ; tous nos efforts doivent tendre à manifester le Vrai, le Beau et le Bien, présents dans le développement des formes naturelles et qui doivent également inspirer la vie de chaque individu en tant que membre de l'ensemble. Une double recherche se trouve ainsi proposée à l'homme désireux du véritable savoir, recherche parallèle portant d'une part sur le monde extérieur tel qu'il s'offre à nos sens, et d'autre part sur l'intimité du monde, en nous et hors de nous, l'ensemble de la nature exposant l'unité de l'essence divine » ([26]). L'activité scientifique ainsi conçue présuppose une véritable ascèse, une purification spirituelle. « Alors seulement nous pouvons percevoir la nature et notre propre moi, avec un contentement véritable et une satisfaction plénière, comme des émanations (*Emanationen*) équivalentes de l'essence la plus haute. L'étude de la nature et les études spéculatives ne peuvent pas et ne doivent pas être séparées » ([27]). Le but de la science « est de

---

([25]) Alexander von HUMBOLDT, *Kosmos, Entwurf einer physischen Weltbeschreibung*, Stuttgart und Augsburg, Bd. I, 1845, Vorrede, pp. V-VI.
([26]) Carl Gustav CARUS, *Von den Anforderungen an eine künftige Bearbeitung der Naturwissenschaften*, 19 septembre 1822, Zusammenkunft deutscher Naturforscher und Aerzte, dans *Romantische Wissenschaft*, hgg. v. W. BIETAK, Darmstadt, Wissenschaftliche Buchgesellschaft, 1966, p. 257.
([27]) *Ibid.*, p. 258.

permettre qu'en elle et à travers elle l'homme aperçoive clairement dans la totalité du monde comment un développement harmonieux de lois de la raison et de formations naturelles selon la vérité intérieure, la beauté et la bonté constitue le fondement essentiel de toute existence » [28].

Face au rassemblement des savants et médecins d'Allemagne, le discours de Carus revêt un caractère inaugural et officiel à la fois. L'inspiration théosophique est la marque d'une pensée sans équivalent concevable dans les milieux scientifiques d'Angleterre ou de France à la même époque. L'effet de contraste est considérable entre les propos de Carus et ceux, plus mesurés, de Humboldt, qui aurait refusé de se laisser entraîner dans les perspectives où s'aventurait celui qui était pourtant le disciple et parfois le porte-parole de Goethe. La harangue de Carus s'achève par des considérations sur les progrès récents de la biologie, de la physiologie, de la zoologie. Les jeunes savants sont invités à se former aux rigoureuses disciplines mathématiques. Les programmes d'études à venir doivent porter sur les organismes animaux, du point de vue anatomique et aussi dans l'ordre de l'analyse chimique des éléments constituants des composés organiques. On s'efforcera de mettre en évidence des lois mathématiques valables de l'ensemble du domaine animal. Carus n'est pas un illuminé ; il souligne l'absurdité de certaines interprétations de caractère mythique, et conclut sur l'importance des tâches qui restent à accomplir.

Ce modèle de science est corrélatif d'une figure du savant peu en accord avec le profil que dessine la déontologie actuelle. Une lettre de J. W. Ritter à Baader, en date de 1807, esquisse le portrait d'un *Naturphilosoph* célèbre, professeur à Tübingen, Karl Friedrich Kielmeyer (1765-1844), que Cuvier considérait comme son premier maître ; chimiste, botaniste, zoologiste, médecin, il est avant tout un biologiste, inventeur d'une « loi générale des fonctions vitales ». « J'ai fait connaissance avec Kielmeyer, écrit Ritter (...). On peut le considérer sans détour comme la nature parvenue à la conscience d'elle-même. Ses paroles sont des actes ; elles en sont pour lui. Il n'en fabrique certainement aucune. Je doute avoir éprouvé cette impression avec quelqu'un d'autre comme avec lui dans le feu de la conversation. Ce n'est pas Kepler, ce n'est pas Newton, c'est la nature en personne qui parle à travers lui, avec lui. Conduisez-le dans les recoins de la nature, et il les fait parler ; il a vécu partout et tout fait vivre. Un oracle peu compris, voilà ce qu'il est. Et toujours il répond à la question posée ; même dans un domaine pour lui tout nouveau, il en parle en vieille connaissance. L'extérieur correspond

[28] *Ibid.*, p. 256.

tout à fait à l'intérieur. Il se tient dans la vie quotidienne comme un somnambule. Il répond à toutes les questions, mais son nom l'épouvante. Il ne se connaît plus lui-même. Je suis resté avec lui pendant cinq jours ; nous étions ensemble tout le temps. (...) C'est la première fois de ma vie que j'éprouve une impression pareille » [29].

Ritter lui-même est pour sa part une autre incarnation du génie romantique dans l'ordre du savoir. Goethe est frappé par la transcendance de cette personnalité de savant. « J'ai eu hier la visite de Ritter, écrit-il à Schiller ; cet homme est stupéfiant, un véritable empyrée de science sur terre » [30]. Dorothée, la future épouse de Frédéric Schlegel, le compare à une machine électrique, capable de produire une belle flamme à la moindre pression ; « par ailleurs, (...) il est aussi un mélange de friponnerie et de recueillement, de gloutonnerie et de prière, le tout en même temps » [31]. Brentano écrit à Arnim que Ritter est « le plus grand homme de notre temps », bien supérieur à Schelling et à Goethe [32]. Ailleurs encore, Brentano évoque « le charmant Ritter » qui, tel Moïse, frappe de sa baguette le dur rocher de la science, dont jaillit la source cristalline de la sagesse, et celui qui ose y remplir son gobelet, celui-là sera tout imprégné de la grandeur de cet homme immortel [33]. L'immortel Ritter devait d'ailleurs bientôt mourir prématurément, imprégné d'eau de vie, après une existence désordonnée et malheureuse, ce qui complète son signalement de génie romantique. L'alcool et l'opium font partie des accessoires de la génialité de ce temps.

Un autre visiteur du physicien décrit la misère de cette grandeur : « Je connaissais Ritter d'après ses écrits pleins de génie et riches de grands pressentiments, et j'étais avide de le connaître personnellement. Mais je frissonne encore rétrospectivement à la pensée de cette visite. Je rencontrai Ritter dans une pièce obscure et informe, jonchée en désordre de toutes sortes de choses : livres, instruments, bouteilles de vin. Lui-même se trouvait dans un état d'exaltation indescriptible, plein d'une hostilité agressive. Sans interruption, il engloutissait, oui, il engloutissait du vin, du café, de la bière et toutes sortes de boissons, comme s'il voulait éteindre un feu brûlant au-dedans de lui. Dans cet

---

[29] J. W. Ritter à Baader, 16 novembre 1807 ; Baader, *Sämtliche Werke*, Bd. XV, Leipzig, 1857, p. 216.

[30] Goethe à Schiller, 28 septembre 1800 ; *Correspondance entre SCHILLER et GOETHE*, pp. L. Herr, t. 4, Plon, 1923, p. 106. Schiller n'avait pas apprécié l'essai de Ritter sur le galvanisme dans le règne animal, jugé pédant par lui, et obscur par Goethe (cf. les lettres des 23 et 25 juillet 1798, dans la même *Correspondance*, t. 3, pp. 178 et 180).

[31] Dorothee Veit à Schleiermacher, 17 novembre 1800 ; dans P. Kluckhohn, *Charakteristiken*, Deutsche Literatur, Reihe. Romantik, Bd. I, Stuttgart, Ph. Reclam, 1950, p. 162.

[32] Brentano à Arnim, 11 janvier 1802, p. 163.

[33] Brentano, *Frühlingskranz*, cité dans Kluckhohn, recueil cité, p. 163.

état, il me fit part de quelques morceaux de son dernier écrit plein d'amertume qui venait de paraître. Cette visite déprimante eut lieu peu de temps avant la mort de Ritter » (34).

Le *Naturphilosoph*, comme le poète romantique, est un voleur de feu ; sa vie est l'enjeu de son œuvre ; il lui faut parfois payer le prix de la partie perdue. Tous les témoins du romantisme profond ne sont pas morts comme Ritter ou Nerval, mais on découvrirait sans doute chez les plus équilibrés quelques réminiscences maîtrisées de leurs expériences aux limites de la condition humaine. Ces marques de démesure peuvent être perçues dans la forme de l'expression et dans le style de la pensée. Sans doute peut-on compter au nombre de ces travers le recours fréquent au *fragment*, caractéristique de la démarche intellectuelle de Schelling, de Novalis, de Ritter, de Troxler, d'Oken, comme plus tard de Nietzsche. L'aphorisme condense la lumière fugitive d'une étincelle de pensée. La *Naturphilosophie* est une philosophie de la Totalité, mais la Totalité ne se laisse pas embrasser par un esprit qui n'est lui-même qu'un moment ou un aspect de ce Tout qu'il voudrait maîtriser. La démesure de l'entreprise suscite le jaillissement d'une vérité volée à la masse, furtivement libérée, dont la radiation évoque certaines particules atomiques à la durée de vie infinitésimale. Le génie romantique n'est pas une longue patience, mais une impatience brève, offerte à ceux-là seuls qui sont en mesure de pressentir un sens si brûlant qu'il s'épuise aussitôt que manifesté. L'expression fragmentaire est ensemble répétitive, comme pour multiplier les chances de l'intelligibilité ; elle met en œuvre une politique du détour, dans l'espoir de mieux saisir cette vérité qui se dérobe en multipliant les approches et les jalons.

De là la parenté entre le fragment et le *Witz*, l'ironie romantique, elle aussi souvent comparée à une étincelle dans l'obscurité, éteinte aussitôt qu'apparue. Ainsi en est-il de la génialité du savant comme de celle du poète ; Frédéric Schlegel, comme Ritter, donnait à ses interlocuteurs l'impression qu'ils avaient à faire à une machine électrique sous tension, dont jaillissaient des langues de feu. Ritter apparaît comme un condensateur qui porte à une plus haute puissance la révélation du savoir immanent au réel. Un autre visiteur raconte : « J'ai dû entendre de lui des propos si grands, si extraordinaires, sa proximité m'a élevé à une telle ardeur scientifique, que je me figurais que ce genre de nourriture m'était entièrement destiné ; mais je me rends compte maintenant qu'il y a beaucoup de choses que mon suc gastrique ne peut pas digérer ; cela a produit sur mes nerfs un effet d'excitation, comme un poison, mais c'est seulement la plus

(34) Karl von RAUMERS, *Leben von ihm selbst erzählt* (1810), 1866, p. 101, dans KLUCCKHOHN, p. 164.

petite partie, et la plus grossière qui peut me servir d'aliment » ([35]).
Ritter, ce « géant physicien », comme dit le jeune étudiant, est à ses
yeux une force de la nature, et le bienfait d'une rencontre avec lui est
aussi important qu'un cours de six mois sur le galvanisme universel.
Tout se passe comme si le génie scientifique était lui-même un
phénomène de galvanisme agissant directement, sans la médiation du
discours, à travers les mots, malgré les mots. Le fragment, le *Witz*
expriment à leur manière l'impuissance de l'expression discursive qui
croit pouvoir, en l'exposant en long et en large, transcrire dans le
langage usuel une vérité irréductible aux disciplines de l'expression
humaine.

Ritter est un cas extrême, significatif du projet de la *Naturphilosophie*, qui prétend parvenir à la manifestation eschatologique de la
vérité. A la limite, la vérité se montrerait elle-même dans une
épiphanie plénière, rendue impossible par la routine des phénomènes
qui masquent l'essentiel.

Les savants d'aujourd'hui ont renoncé à l'idée d'une vérité totale et
englobante de la nature, en laquelle se totaliseraient les innombrables
vérités de détail moissonnées à travers les champs épistémologiques.
La Nature des naturalistes n'est qu'une clause de style ; il est exclu
que l'accumulation des résultats recueillis de jour en jour par les
« chercheurs » puisse jamais aboutir à une totalisation intelligible. On
prétend que le nombre des « savants » actuellement vivants est plus
élevé que celui de leurs confrères de tous les temps, depuis les
origines. Le propos ne signifie pas grand-chose, car, s'il y a en effet
de plus en plus de « savants », ou prétendus tels, on peut estimer
qu'il y a de moins en moins de science. Les laboratoires se
multiplient, la « recherche scientifique » mobilise des bataillons de
plus en plus épais, les techniques se perfectionnent, les résultats
s'entassent, et certains d'entre eux ne manquent pas d'intérêt. Mais la
« Science » et la « Nature » sont réduites au statut d'entités mythologiques dans la confusion mentale de la culture contemporaine ;
l'audace croissante des appareillages va de pair avec une considérable
restriction du champ mental des opérateurs qui, selon le mot de
Chesterton, en savent de plus en plus sur un objet de plus en plus
restreint, en attendant le moment du triomphe, où ils sauront tout sur
rien.

Pour les *Naturphilosophen*, le détail du savoir n'avait de sens que
rapporté à l'ensemble. Le présupposé de Totalité, affirmé par
Schelling, s'impose au savant qui, dans ses investigations de fait, ne
doit jamais oublier la corrélation et l'interdépendance entre la
« physique en grand » et cette micro-physique élaborée par les

([35]) Adolph MULLER, 14 octobre 1804, cité dans le recueil de KLUCKHOHN, p. 164.

naturalistes et les expérimentateurs. La *Naturphilosophie* embrasse d'un regard d'aigle l'ensemble du champ de la connaissance, où s'affairent les gagne-petit des laboratoires, qui ne savent pas ce qu'ils font. La science romantique ne se résigne pas à l'agnosticisme, qui devait triompher par la suite, avec le positivisme, et qui s'est imposé aujourd'hui. La théorie scientifique a rompu avec la littérature ; elle se contente du langage des équations pour formuler ses résultats. D'ailleurs, la nature, si nature il y a, serait incommensurable avec la réalité humaine, suspendue entre les échelles de lecture du Grand et du Petit, dont la parole ne peut donner la moindre idée. Si l'expression mathématique est la plus adéquate, c'est justement qu'elle est intraduisible en images, en évocations concrètes ; elle dit ce qu'elle dit sans induire en tentation de représentations figurées ou d'évocations émotionnelles. Du point de vue de la réalité quotidienne, le savoir scientifique est un non-savoir ; il évoque des ordres de grandeur dépourvus de signification. La catégorie du *centre,* à laquelle se réfèrent si souvent les écrivains et les savants romantiques, a perdu pour nous toute signification cosmologique. Valable à l'échelle humaine, cette notion ne correspond à rien dans l'espace stellaire.

CHAPITRE III

GOETHE, HERDER ET LA NATURPHILOSOPHIE

On trouve dans les écrits scientifiques de Goethe un memorandum, rédigé en vue d'exposés qu'il prépare, et communique à Humboldt en 1806. Goethe commente un petit traité de Henrich Steffens qui vient de paraître, les *Grundzüge der philosophischen Naturwissenschaft.* Steffens est le suppléant de Schelling à la tête de l'école des *Naturphilosophen.* Goethe lui-même, passionné de biologie, hésite devant l'aventure spéculative et se tient dans une prudente réserve. Son jugement n'en est que plus significatif de certaines configurations de cette forme de pensée.

Il qualifie Steffens d' « excellent esprit *(trefflichen Kopf)* » ; son petit livre mérite considération, « mais je dois avouer que je n'ai pu le lire sans hochement de tête. Il suit le chemin de la *Naturphilosophie,* et cela est à mon avis bel et bon ; mais sans que je sache pourquoi, ce sont justement les idées les plus hautes qui, une fois formulées expressément, produisent une impression quelque peu grotesque. On peut se réjouir de se voir fixer un objectif tout à fait désirable : que, toute dissociation supprimée, ce qui est séparé ne soit plus considéré comme tel, mais que la totalité soit embrassée dans l'unité d'une même origine et d'un même concept. Mais, quand on en vient à la réalisation, il me semble que ces Messieurs ressemblent aux chrétiens qui, pour nous assurer une vie après la mort, font de la vie avant la mort une mort. Je suis bien persuadé que, par le moyen de l'action, de l'art, de l'amour, les contradictions majeures peuvent être surmontées, mais comment la science y parviendra, c'est une question qui pour moi demeure posée » (¹). Steffens et les siens prétendent que la paix de Dieu les habite, qu'ils portent en eux en

(¹) GOETHE, 22 août 1806 ; *Die Schriften zur Naturwissenschaft,* Abteilung II, Bd. IV, *Zur Farbenlehre,* Weimar, 1973, p. 80.

parfaite harmonie le jour et la nuit, l'absolu et le conditionné, la nécessité et la liberté, le passé, l'avenir, l'infini, le fini, etc. Goethe refuse une telle prétention, qui était déjà celle de Novalis lorsqu'il réclamait l'abolition du principe de contradiction ([2]). Trop de passages, dans le traité de Steffens, poursuit Goethe, sont obscurs, ambigus, incompréhensibles ; le ton prophétique est insupportable ; mais l'écriture, dans les passages les plus généraux, est remarquable, et l'on y perçoit l'influence de Schleiermacher.

Goethe souligne le caractère symbolique du langage utilisé. Ce symbolisme, « je ne le blâme nullement, mais il porte en soi quelque chose de très merveilleux et tout ensemble de dangereux. Les formules de la mathématique pure et appliquée, de l'astronomie, de la cosmologie, de la géologie, de la physique, de la chimie, de l'histoire naturelle, de la moralité, de la religion et de la mystique, sont toutes ensemble pétries dans la masse de la langue mathématique en un sens valable et grandiose ; mais l'aspect général demeure toujours barbare » ([3]). Ce langage artificiel a l'inconvénient de substituer le symbole approximatif à la chose elle-même ; de là une nouvelle rhétorique, génératrice de confusion. « Je répète, poursuit Goethe, que je ne suis nullement hostile à l'usage d'une telle symbolique ; même, je me sens souvent obligé d'y recourir ; mais ces Messieurs dépassent de beaucoup mes propres convictions ; et il est désagréable de ne pouvoir suivre ceux-là même que l'on se plaisait à accompagner » ([4]).

Goethe ne prononce pas une condamnation sans appel ; il est tenté par cette forme de pensée, et sa résistance à ce qu'il considère comme des excès est à la mesure de la sympathie de principe ressentie à son égard. Le sage de Weimar a été le protecteur de Schelling dans les débuts de sa carrière universitaire ; il a seulement regretté que le fondateur de la *Naturphilosophie* n'ait pas donné plus d'importance aux études de fait qui auraient tempéré son ardeur spéculative. Goethe a été lié avec Carl Gustav Carus, qui s'est fait l'évangéliste de son génie esthétique et scientifique ; il s'est querellé avec Lorenz Oken, autre *Naturphilosoph* d'envergure, mais pour des questions de priorité en matière de recherche ; querelle de savants. Le rapport de Goethe avec la *Naturphilosophie* n'est pas très différent de son rapport avec le romantisme en général. Il a prononcé des jugements sévères

---

([2]) NOVALIS, *Grains de Pollen (Blütenstaub)*, § 26 : « Si l'on a la passion de l'absolu et que l'on n'en puisse guérir, il ne restera d'autre issue que de se contredire sans cesse et de concilier les extrêmes opposés. Le principe de contradiction se trouvera inévitablement aboli » (trad. G. BIANQUIS, in NOVALIS, *Petits Ecrits*, Aubier, 1947, p. 41).

([3]) GOETHE, *op. cit.*, p. 81.

([4]) *Ibid.*

contre les excès, les aberrations, mais il sympathise avec une attitude qui, en substance, s'apparente à la sienne. Non sans juste raison, il a le sentiment d'être l'initiateur de cette mutation spirituelle, dont il s'est efforcé pour sa part de maîtriser les égarements.

Le jugement de Goethe sur Steffens peut être mis en parallèle avec celui de Steffens sur Goethe. Le jeune Norvégien, âgé de 26 ans, a rendu visite à Goethe à Weimar en 1799. Ses mémoires évoquent cette rencontre avec le maître dont il admire également le génie poétique et le génie scientifique. « Ces quelques jours s'écoulèrent dans un entretien sans fin concernant la science de la nature. Je fis connaissance avec un aspect de Goethe qui m'était inconnu jusque-là. » Le sens de la nature qui se manifestait dans les œuvres du poète semblait ainsi ramené à sa source, « non pas dans une unité consciente ; mais c'était un instinct spirituel plus profond qui embrassait l'ensemble de ses créations. Celui a qui suivi avec quelque sympathie le récit de ma vie et de ma vocation apercevra l'importance qu'eut pour moi ce moment. Ce que je m'efforçais d'acquérir, toutes les perspectives de mon existence, il semblait les connaître, et le trésor que je recherchais avec inquiétude semblait être pour lui le cadeau d'une Nature favorable (...). Toute ma vie antérieure me semblait être une obscure prophétie dont l'accomplissement se trouvait proche. Plein d'enthousiasme, je me hâtai de rentrer à Iéna, afin de faire part à Schelling de ce que je croyais avoir découvert. Mais il était alors déjà mieux au courant que moi de tout cela... » [5].

Cette rencontre, vécue par Steffens « comme dans un état d'ivresse » [6], se situe à une époque où Schelling, né en 1775, et donc de deux ans plus jeune que Steffens, mais plus précoce que lui, a déjà publié les *Idées pour une philosophie de la Nature, Introduction à cette discipline* (1797), texte qui lui a valu l'attention de Goethe, et, grâce à sa protection, un poste de professeur extraordinaire à Iéna en 1798. Au même moment, Schelling, qui vient de publier *L'Ame du monde (Von der Weltseele)*, se lie d'amitié avec le groupe des fondateurs de l'*Athenaeum*. Steffens sera, lui aussi, nommé professeur à Iéna, en 1804. Et lorsque Schelling, vers 1808-1809, se désintéressera de la philosophie de la nature, Steffens se considéra comme son légitime continuateur [7]. La *Naturphilosophie* s'affirme donc à la haute époque du solstice romantique, et Goethe se trouve intimement associé à son avènement. Les désenchantements ultérieurs, les réserves critiques ne peuvent rien là contre ; Goethe a toujours

[5] Henrich STEFFENS, *Was ich erlebte*, Bd. IV, Breslau, 1841, pp. 102-103.
[6] *Ibid.*, p. 103.
[7] Cf. STEFFENS, *Was ich erlebte*, Bd. VI, Breslau, 1842, p. 36 : « Dans les années 1808 et 1809, Schelling (...) avait laissé à moi seul l'élaboration ultérieure de la *Naturphilosophie.* »

maintenu autour de lui une certaine distance, une réserve indispensable au maintien de sa singularité. Mais l'histoire de la *Naturphilosophie* ne saurait être menée à bien sans tenir compte de sa présence
agissante et de ses propres recherches.

Cette position centrale — et pourtant indépendante — de Goethe
par rapport à la *Naturphilosophie* est attestée par une lettre à Steffens
en 1801, où sont précisés certains thèmes essentiels : « Tout le monde
est d'accord pour admettre que la contemplation de la nature nous
incite à la pensée, et que sa plénitude nous oblige à mettre en œuvre
toutes sortes de méthodes pour parvenir à la maîtriser dans une
certaine mesure seulement. Mais seul un petit groupe de gens, me
semble-t-il, s'entend pour reconnaître que la contemplation de la
nature éveille en nous des idées auxquelles nous attribuons une
certitude égale et même supérieure à celle de la réalité même ; nous
pouvons nous laisser guider par ces idées aussi bien dans la recherche
que dans l'ordonnancement des résultats » [8]. La vision de la nature
nous impose non seulement des données de fait, mais des intuitions
de valeur ; il existe une appréhension directe de l'organisation
immanente aux phénomènes, en vertu d'une grâce révélante, expression de la communauté d'essence qui nous lie à la réalité.

Goethe répudie le phénoménisme de la science positive ; il s'efforce
de mettre en évidence l'essence de l'être. Cette exigence ontologique
le rapproche des jeunes *Naturphilosophen ;* il en a conscience, comme
l'atteste la suite de sa lettre : « A l'époque où je m'engageais dans ce
qui était pour moi la seule voie d'accès à l'étude de la nature, je me
trouvais seul dans le vaste monde. Maintenant, dans un âge plus
avancé, c'est pour moi une récompense d'autant plus agréable que de
trouver une compagnie parmi des hommes plus jeunes qui se
meuvent avec alacrité dans les mêmes parages ; je dois avoir une
confiance d'autant plus pure dans la concordance de leurs vues qu'ils
viennent de régions tout à fait étrangères, riches de trésors inattendus
et se rencontrent avec moi d'une manière inopinée » [9]. Goethe n'est
pas un chef d'école, et ne prétend pas l'être ; il accepte avec
satisfaction le juste tribut des mages venus d'Orient, mais tient à
marquer sa priorité par rapport à eux, tout en refusant une
quelconque responsabilité dans la suite de leurs travaux. L'indépendance de son jugement devait d'ailleurs lui permettre de suivre avec
beaucoup d'intérêt l'actualité scientifique hors d'Allemagne, et
particulièrement en France. En 1830 encore, il se passionna pour le
débat fameux qui opposa Geoffroy Saint-Hilaire et Cuvier à l'Institut

---

[8] GOETHE à Steffens, 29 mai 1801 ; dans GOETHE, *Die Schriften zur Naturwissenschaft*, Zweite Abteilung, Bd. IV, Weimar, 1973, p. 239.
[9] *Ibid.*

de France ; la sympathie qu'il éprouve pour les vues de Geoffroy procède des principes mêmes qu'il exprime dans la première partie de la lettre de mai 1801 à Henrich Steffens (*).

Si l'on veut préciser les origines de la *Naturphilosophie*, il faut donc remonter au moins jusqu'à Goethe. Carl Siegel, dans son *Histoire de la Naturphilosophie allemande*, parue en 1913, met en parallèle la position de Goethe avec celle de Fichte par rapport au romantisme ; bien qu'ils s'en soient démarqués, le mouvement romantique, sans eux, n'aurait pas été ce qu'il fut. « On a l'habitude de ne pas compter Goethe, tout comme Fichte, au nombre des romantiques au sens étroit du terme. Pourtant l'œuvre de Goethe atteste, en particulier dans sa conception de la nature, certains traits caractéristiques de l'esprit romantique, par exemple la tendance à l'unité et à la totalité, le sens de la vie dans la nature et l'assurance de pouvoir mettre à jour au profond de sa propre intimité le noyau de la nature. Si nous considérons le concept de romantisme au sens large, comme il convient dans le cas d'une histoire de la *Naturphilosophie*, alors nous devons compter au nombre des adhérents Goethe, et pas seulement Goethe, mais aussi Herder, au moins comme précurseur. Nous avons ainsi une chaîne aux maillons serrés de penseurs tout à fait d'accord entre eux sur les principes d'une conception philosophique de la nature. Cette chaîne commence avec Herder et conduit par Goethe à Schelling et Schopenhauer » ([10]).

Herder (1744-1803), de cinq ans plus âgé que Goethe, a été son compagnon et un peu son mentor pendant sa période strasbourgeoise (1770-1771), et c'est Goethe qui lui permet, en 1776, d'obtenir un poste ecclésiastique à Weimar, où il passera le reste de son existence. Herder, comme Goethe, est un esprit universel ; tous deux marqués par le renouveau des valeurs de la période du *Sturm und Drang* dans les années 1770. La pensée de la nature, chez l'un et chez l'autre, s'inscrit dans le contexte de cette fermentation annonciatrice du romantisme. Les initiateurs de la *Naturphilosophie* ne sont pas des spécialistes de la science militante, mais des écrivains, amateurs de poésie et d'histoire, riches d'une énorme culture. Le théologien Herder, le romancier, dramaturge et poète Goethe prennent la parole en fonction d'une vision du monde qui remet en question le statut de l'homme dans l'univers ; la doctrine scientifique procède d'une

---

(*) Dans le fonds Cuvier de l'Institut de France figure une lettre écrite par GOETHE le 15 mars 1832, huit jours avant sa mort, à un diplomate allemand, pour le prier de transmettre au savant français l'expression de son admiration. Cf. Marc KLEIN, *Goethe et les naturalistes français*, dans les Actes du Colloque *Goethe et l'esprit français*, Belles Lettres, 1958, p. 177.

([10]) Carl SIEGEL, *Geschichte der Deutschen Naturphilosophie*, Leipzig, 1913, p. 1913.

exigence fondamentale qui déborde le champ mental des savants de profession.

Comme l'a noté Dilthey, « l'horizon spirituel de Goethe et de Herder (der Goethe-Herdersche Anschauungskreis) s'élargissait en forme de panthéisme poétique » ([11]). La formule Hen kai Pan (l'Un et le Tout), mise à la mode par Lessing, devenait un des mots d'ordre de l'époque ; « cette même formule court à travers toutes les pages du William Lovell, le roman de Tieck. Partout l'homme apparaît comme la plus haute réalisation de la nature » ([12]). Les Idées sur la philosophie de l'histoire de l'humanité (1784-1791), le grand ouvrage de Herder, proposent une perspective intellectuelle et spirituelle au sein de laquelle se renoue l'alliance de l'anthropologie et de la cosmologie ; une liaison en continuité est établie entre l'histoire de la nature et l'histoire de l'humanité, en passant par cette péripétie majeure qu'est l'apparition de l'être humain, maillon fondamental de la chaîne des êtres, sur la terre des vivants. Voltaire, le grand ennemi de Herder, lorsqu'il avait inventé l'expression « philosophie de l'histoire », en 1765, proposait sous ce titre des réflexions sur les civilisations successivement apparues et disparues, exposant et critiquant les mœurs et les institutions selon l'esprit de l'intellectualisme des Lumières. Ces réflexions disparates et d'un médiocre intérêt, furent récupérées en guise de préface pour l'Essai sur les Mœurs ; Voltaire avait inventé une formule appelée à un grand avenir, pas plus, pas moins. Herder oppose à Voltaire Une autre philosophie de l'histoire pour l'éducation de l'humanité (1774) ; l'évocation des grandes époques de l'histoire ne remonte pas jusqu'aux origines naturelles de l'espèce humaine, comme le feront, dix ans plus tard, les Ideen.

Il y avait eu, en Angleterre et en France, de vastes études sur les origines de l'humanité. Henri Home, lord Kames (1696-1782), dans ses Sketches of the History of Man (1774), et James Burnet, lord Monboddo (1714-1799), dans son traité Ancient Metaphysics (1784), ou encore Buffon dans le cadre de son Histoire naturelle, ou même Diderot, dans quelques aperçus géniaux, avaient esquissé des reconstitutions de l'anthropogénèse. Leurs analyses, même si elles revêtaient par la force des choses un caractère hypothétique, s'efforçaient de tenir compte des connaissances acquises, de mettre en ordre ce que l'on pouvait savoir des premiers temps de l'humanité. Tout autre est l'esprit de Herder. Sans doute, il a fait de grandes lectures en matière d'histoire naturelle, d'ethnologie et d'histoire, mais l'intention de son ouvrage n'est pas scientifique ; elle mobilise les données des sciences

---

([11]) Wilhelm DILTHEY, Leben Schleiermachers, 2. Auflage, Berlin, Leipzig, 1922, p. 293.
([12]) Ibid.

dans le grand dessein d'une épopée de l'humanité animée par un souffle religieux. Le pasteur Herder propose une apologétique différente du finalisme ingénu, inspirateur des traités de physico-théologie si nombreux au XVIIIe siècle, et jusqu'à Bernardin de Saint-Pierre. Il ne s'agit pas de s'absorber dans la contemplation de certains êtres : fleurs, fruits ou légumes, insectes, coquillages, etc., de s'extasier sur l'ajustement réciproque des parties, sur les harmonies extérieures et intérieures, ou sur la convenance de ces réalités avec les utilités de l'homme. Ce providentialisme terre à terre a fait son temps.

Herder situe résolument son étude à l'échelle de l'univers. Le chapitre I du livre premier s'intitule : « Notre terre est une étoile parmi des étoiles. » Ce qui se trouve en question, c'est l'ordre cosmique de la Création, ainsi que cela est affirmé dès l'abord. « C'est du ciel que doit partir notre philosophie de l'histoire du genre humain, si elle doit dans une certaine mesure mériter ce nom. Car comme notre séjour, la terre, n'est rien par elle-même, mais reçoit de forces célestes s'étendant à travers toute notre vie sa façon d'être et sa forme, son aptitude à organiser et conserver les créatures, il faut tout d'abord la considérer non pas seule et solitaire, mais dans le cœur des mondes parmi lesquels elle est placée. Des liens invisibles, éternels l'attachent à son centre, le soleil, dont elle reçoit lumière, chaleur, vie et développement... » ([13]). Dès le début se trouve ainsi posé le principe de Totalité, qui jouera un rôle capital dans l'épistémologie romantique de la *Naturphilosophie*. La « physique en grand », dont rêvent Schelling et les jeunes romantiques, est une science du Tout, horizon d'une pensée cohérente. Un propos de Goethe souligne qu' « un siècle qui se consacre exclusivement à l'analyse et qui redoute la synthèse, ne se trouve pas sur la bonne voie ; car c'est seulement le concours de l'un et de l'autre, comme celui de l'expiration et de l'inspiration, qui assure la vie de la science » ([14]). Herder n'appartient plus au siècle de l'analyse, visé par la remarque de Goethe. Schelling, dans les *Aphorismes sur la philosophie de la nature* (1805), évoque d'entrée la « révélation suprême (...) de la divinité du Tout : science et religion ne partent que de cette révélation, et n'ont de sens que par elle » ([15]) ; un peu plus loin, il définit la science comme « la connaissance des lois du Tout, donc de l'universel » ([16]). La « divinité du Tout » ainsi reconnue en principe

---

([13]) HERDER, *Idées pour la philosophie de l'histoire de l'humanité*, livre I, début ; trad. Max ROUCHÉ, Aubier, 1962, p. 85 ; *Werke*, éd. Suphan, Bd. XIII, p. 13.
([14]) GOETHE, *Analyse und Synthese*, fragment cité dans W. DILTHEY, *Leben Schleiermachers*, 2. Auflage, Leipzig, 1922, p. 392.
([15]) SCHELLING, in *Œuvres métaphysiques*, trad. COURTINE et MARTINEAU, N.R.F., 1980, p. 23.
([16]) *Ibid.*, § 9, p. 24.

est le fruit d'une donation originaire, de cette appréhension intuitive que Goethe a souvent célébrée. L'ordre divin immanent au Tout lui confère une beauté souveraine. L'art ne fait qu'un avec la science et la religion ; la poétique romantique a partie liée avec l'épistémologie. La révolution mécaniste avait dénoncé cette alliance traditionnelle qui remontait au platonisme et au néoplatonisme et s'affirmait encore chez Kepler. Les romantiques situent leur recherche dans l'horizon majestueux des harmonies célestes.

Galilée avait, à force de science exacte, détruit le cosmos esthético-religieux au sein duquel la culture occidentale avait élu domicile depuis des millénaires. L'univers s'analysait comme un ensemble de blocs de matière en mouvement, selon des lois mathématiques, dans un espace immense. Le caractère impie et destructeur de la science galiléenne avait compté pour beaucoup dans les motivations des juges lors du procès de 1633. La *Naturphilosophie* rétablit le paradigme du Cosmos, horizon d'une intelligibilité unitaire. L'esprit humain avait perdu la maîtrise d'un univers dont les éléments avaient divergé chacun dans sa direction particulière. Herder réagit contre cette perspective d'anarchie où l'être humain se sent pris de vertige et d'angoisse devant « le silence éternel » des espaces infinis. « Nous nous contentons la plupart du temps de considérer la terre comme un grain de poussière flottant dans ce grand abîme où, dans les espaces dispersés du ciel, des planètes accomplissent leur orbite autour du soleil, où ce soleil avec mille autres accomplit son orbite autour de son centre, ainsi peut-être que plusieurs systèmes solaires analogues, jusqu'à ce qu'enfin l'imagination aussi bien que l'intelligence se perde dans cet océan d'immensité et d'éternelle grandeur, et ne trouve nulle issue, nulle fin... » ([17]).

Une telle vision du monde ferait de l'espace le domaine de l'errance, de l'absence du sens. Un principe commun fonde la cohérence de cette immensité que notre esprit découvre. L'unité de notre conscience présuppose une intelligibilité unitaire ; la correspondance, vérifiée par l'expérience, entre la pensée et le réel atteste que cette pensée doit avoir un fondement dans le réel ; elle ne peut être une spéculation de hasard, sans assise ontologique. L'accord entre notre vision du monde et le monde lui-même renvoie à une unité originaire, harmonie préétablie. « C'est une seule et même force qui créa le brillant soleil et qui maintient à lui mon grain de poussière ; une seule et même force qui fait peut-être se mouvoir autour de Sirius une voie lactée de soleils et qui, sous forme de lois de la pesanteur, agit à la surface de ma planète terrestre (...) La force qui pense et agit en moi est par nature aussi éternelle que celle qui maintient assemblés

---

([17]) HERDER, *Idées*, éd. citée, *ibid.*, p. 87.

les soleils et les étoiles. (...) Leur nature est éternelle, comme l'intelligence de Dieu, et les soutiens de mon existence (non de mon apparence corporelle) sont aussi solides que les piliers de l'univers. (...) La structure du monde assure donc ce qui est au centre de mon existence, ma vie intérieure, pour des éternités. Où et quel que je puisse être un jour, je serai celui que je suis présentement, une force dans le système de toutes les forces, un être dans l'immense harmonie d'un monde de Dieu... » ([18]).

Ce texte de 1784, animé d'un grand souffle cosmologique, évoque par avance les fameuses formules kantiennes qui figurent dans la conclusion de la *Critique de la Raison pratique*, parue trois ans plus tard, en 1787. Kant, aussi, mettra en parallèle « le ciel étoilé au-dessus de moi et la loi morale en moi », deux notions que « je rattache immédiatement à la conscience de mon existence ». Mais le point de vue de Kant ne coïncide nullement avec celui de son ancien étudiant de Königsberg ; il refuse toute correspondance entre l'espace du dehors et l'espace du dedans. L'être humain trouve en soi une origine de valeur irréductible aux déterminismes physiques, et transcendante. L'impératif catégorique est un absolu supérieur à toutes les contingences de l'environnement cosmologique. « La loi morale me manifeste une vie indépendante à l'égard de l'animalité et même du monde sensible en entier, tout au moins autant qu'on peut l'inférer de la finalité que cette loi donne à la destination de mon existence, qui ne se borne pas aux conditions et aux limites de cette vie, mais qui s'étend à l'infini » ([19]).

Les premiers principes métaphysiques de la science de la nature ne communiquent pas avec les principes métaphysiques de l'ordre moral. Kant met en œuvre un séparatisme rigoureux entre les deux domaines ; son criticisme engendre un agnosticisme quant à l'eschatologie des valeurs qui s'annonce dans la cosmologie romantique. Le modèle cosmique s'impose à la *Naturphilosophie* ; Schelling rejoint Herder : « De même que tous les éléments et toutes les choses de la nature, en tant que simples abstractions du tout, retournent finalement dans la vie totale de la nature, dont l'image nous est offerte par la terre et les astres, dont chacun porte divinement en soi toutes les formes et espèces de l'être, — de même, il faut nécessairement que tous les éléments et créations de l'esprit passent en fin de compte à une vie commune, plus haute que la vie de chacun d'eux en

---

([18]) *Ibid.*
([19]) *Critique de la Raison pratique* (1787), conclusion, début ; trad. GIBELIN, Vrin, 1945, p. 208 ; Kant ayant publié dès 1785 une recension critique des *Idées pour une philosophie de l'histoire*, il est permis de se demander s'il n'y a pas dans cette page un écho direct ou indirect des *Ideen* de Herder.

particulier » ([20]). Ainsi se trouve rétabli dans ses droits, par Herder et Schelling, l'archétype de la correspondance entre microcosme et macrocosme, article de foi du romantisme.

Chez les Anciens, la représentation astrobiologique était descendue du ciel sur la terre, imposant aux événements humains le déterminisme divin du monde supralunaire. Les Modernes n'admettent plus le polythéisme de la religion astrale. Le monothéisme judéo-chrétien engendre un monisme épistémologique ; un seul principe doit justifier l'ordre et l'enchaînement des phénomènes à travers la totalité du monde. Herder développe sa vision du monde, opposée au mécanisme analytique de la physique classique, comme un pandynamisme, un règne universel de forces qui animent la nature et se manifestent déjà dans les plus humbles des êtres organisés. L'observation nous pousse « à admettre un règne de forces invisibles qui a la même exacte liaison et la même continuité que nous percevons dans les formes extérieures. Plus nous apprenons à connaître la nature, plus nous remarquons ces forces internes, même dans les créatures infimes, les mousses, les champignons (...). Tout est plein d'une toute-puissance qui agit organiquement. Nous ne savons ni où elle commence ni où elle finit ; car, dans la création, où est un effet, là est une force ; où la vie se manifeste extérieurement, là est une vie intérieure. Il règne donc dans le règne invisible de la création non seulement une liaison, mais même une série ascendante de forces, puisque, dans son règne visible, nous les voyons agir devant nous dans les formes organisées » ([21]).

Herder affirme ici certaines des intuitions maîtresses de la *Naturphilosophie ;* l'identité du dehors et du dedans *(was innen ist, ist aussen),* le primat du dynamisme sur le mécanisme, l'organicisme universel ; la référence aux mousses et aux champignons a une valeur quasi prophétique ; les formes les plus humbles de la vie seront l'objet, de la part des naturalistes romantiques, d'une attention privilégiée, riche en découvertes réelles. La « nature divine » est « éternellement active », poursuit Herder : « ce que l'être qui vivifie les mondes a appelé à la vie, est vivant, et ce qui agit, agit éternellement dans une liaison éternelle avec les êtres » ([22]). Telle sera la nature des *Naturphilosophen,* en son activité infinie au sein de laquelle nous nous mouvons et nous sommes, notre existence finie n'étant qu'un moment dans le développement infini de l'être total. « Dans les plus profonds abîmes du devenir, là où nous ne voyons

---

([20]) *Aphorismes pour introduire à la philosophie de la nature,* § 7, trad. citée, p. 24.
([21]) *Idées,* livre V, ch. I ; trad. BRÉHIER, dans *Herder,* Renaissance du Livre, 1925, p. 84.
([22]) *Op. cit.,* trad. citée, p. 85.

aucune vie en germe, nous trouvons l'élément mystérieux et si actif, pour lequel nous n'avons que les noms imparfaits de *lumière, éther, chaleur vitale;* c'est peut-être le sensorium du Créateur de toutes choses, par lequel il vivifie et réchauffe tout. S'épandant en des milliers et des millions d'organes, ce céleste courant igné s'épure et s'affine toujours plus; véhiculées par lui, toutes les forces agissent peut-être ici-bas, et le miracle de la création terrestre, la génération, est inséparable de lui » ([23]).

La première partie des *Ideen* développe le schéma d'ensemble d'une évolution de la vie dans le Cosmos jusqu'à l'apparition de l'espèce humaine. Le reste de l'ouvrage esquissera une histoire de l'humanité, articulée avec l'histoire naturelle, à travers les civilisations qui se sont succédé sur la face de la terre. L'odyssée de la vie dans les espèces atteste une progression depuis les formes organiques frustes, par le règne végétal et le règne animal, jusqu'à cette forme supérieure d'existence que constitue l'être humain. « Si nous considérons la marche de la nature dans les espèces inférieures, si nous considérons comment l'artiste divin rejette pas à pas les éléments moins nobles et adoucit la rigueur des besoins, comment au contraire il façonne l'élément spirituel, raffine encore ce qui est raffiné, donne une vie plus belle à ce qui est beau, nous pouvons certainement avoir confiance en cette main invisible d'artiste, et croire que la *floraison de notre bourgeon d'humanité* apparaîtra certainement dans l'existence de l'au-delà, sous une forme qui est proprement la véritable *forme divine de l'homme*, telle que nul sens terrestre ne pourrait l'imaginer dans sa maîtrise et sa beauté » ([24]).

Le lyrisme cosmique de Herder intègre à l'histoire de la nature le thème esthétique et le thème religieux dans le mouvement d'un progrès continu. La dynamique ascensionnelle de la vie n'évoque pas ici le progrès matériel, intellectuel et technologique, célébré par les maîtres de l'*Aufklärung*. La perspective herderienne est organique et spirituelle à la fois. « De la pierre au cristal, du cristal aux métaux, des métaux au règne végétal, nous avons vu s'élever la forme de l'organisation, et en même temps s'élever et se diversifier les forces et les penchants de la créature, qui s'unissent tous finalement dans la forme humaine autant que celle-ci peut les contenir. A l'homme, la série s'arrête; (...) il paraît être le terme suprême des formes que pouvait atteindre l'organisation sur la terre... » ([25]). La célébration de l'homme est conforme au mythe de la Genèse, qui révèle en Adam le régisseur de toutes les espèces. « Comme la plante s'élève et dans sa

[23] Livre V, ch. II, *ibid.*, p. 90.
[24] *Ibid.*, livre V, ch. V, pp. 110-111.
[25] Livre V, ch. I, p. 81.

forme droite termine le règne de la création souterraine encore sans vie, pour jouir de la première vie à la lumière du soleil, ainsi l'homme se dresse au-dessus de toutes les créatures courbées vers la terre. Les yeux levés, les mains étendues, il est là comme un fils de la famille attendant l'appel de son père » ([26]).

Rien ne dit que l'espèce humaine marque un point d'arrêt définitif dans cette progression divinement orientée. Herder ouvre la perspective eschatologique d'un accomplissement de la nature dans un ordre supérieur, proprement transhumain. L'homme est l'enfant de la promesse, mais la promesse n'est pas encore accomplie. Le chapitre V du livre 5 s'intitule « notre humanité n'est qu'une préparation, le bouton d'une fleur à venir », et le chapitre 6 : « l'état actuel de l'homme est vraisemblablement le terme intermédiaire qui unit deux mondes ». Le pandynamisme appliqué au schéma de la Création ne s'achève pas avec le repos du septième jour, mais prolonge le mythe de la Genèse en une doctrine de l'incarnation continuée, qui promet à l'homme, par-delà les limitations illusoires de la mort, un avenir glorieux dans l'amitié de la divinité. Le thème de l'évangile éternel, renouvelé, est identifié avec la flèche du temps organique ; l'histoire du salut, transférée dans l'ordre de la cosmologie par le théologien Herder, ne mentionne pas les épisodes de la Chute et de la Rédemption, qui jouent un rôle majeur dans la révélation biblique.

Les *Idées pour la philosophie de l'histoire de l'humanité*, œuvre d'un homme d'église, n'ont rien à voir avec le *Discours* de Bossuet *sur l'Histoire universelle*. L'évêque de Meaux s'efforçait, conformément aux exigences de l'orthodoxie, de faire entrer l'histoire du monde dans le développement du schéma judéo-chrétien. Herder consacre les quinze derniers livres de son ouvrage à une esquisse de l'histoire des civilisations ; le peuple juif et la révélation chrétienne prennent rang à leur emplacement chronologique dans la revue des peuples et des époques. Bossuet avait dû s'arrêter en route ; parti pour décrire l'avènement universel de l'église catholique, apostolique et romaine, détentrice du monopole de la vérité chrétienne, il s'était heurté au triomphe de l'Islam, impossible à inscrire au crédit d'un Dieu catholique romain ; la Réformation du xvie siècle paraissait elle aussi impossible à assimiler. Herder n'est pas prisonnier de la Révélation biblique, ni d'une quelconque orthodoxie ; il expose les origines humaines, le peuplement de la planète Terre par les différents rameaux de l'humanité, sans se croire obligé de passer par Adam et le déluge de Noé ; la tradition biblique fait partie des traditions de l'humanité. La révélation s'est généralisée ; Dieu s'est adressé par de multiples voies aux peuples de la terre ; Moïse interprète les

([26]) Livre V, ch. VI, p. 120.

anciennes légendes asiatiques dont il a eu connaissance; la Chine, l'Egypte, l'Inde ont eu leur part de vérité. Ainsi s'affirme déjà chez Herder le syncrétisme romantique; la vérité est le patrimoine commun des traditions de l'humanité, à travers la variété des formes et des rites s'annonce un même sens du divin. L'avenir reste ouvert; la religion authentique progresse à travers la succession des formes vers le moment où l'homme futur aura acquis cette « forme divine » inscrite dans la prédestination de sa nature.

Depuis le *Discours* de Bossuet (1681) jusqu'aux *Ideen* de Herder (1784 sqq), un siècle s'est écoulé; la culture occidentale s'est prodigieusement enrichie. Le particularisme chrétien, massé autour du lac méditerranéen, n'est plus à l'échelle du nouveau *globus intellectualis*. Herder fait le point, riche des acquisitions conjuguées des sciences naturelles et des sciences historiques; théologien en quête d'un christianisme des temps nouveaux, il propose hardiment une nouvelle synthèse qui ne se voile pas la face devant les richesses du savoir. L'église catholique a chèrement payé l'erreur d'avoir condamné Galilée. Herder affronte la nouvelle astronomie; il fait à sa manière le procès du savant florentin, non pas au nom d'idées périmées, mais en vertu d'une synthèse neuve, d'une espérance eschatologique intégrant les données de la science dans une cosmologie de la totalité, au sein de laquelle la créature humaine retrouve son emplacement privilégié et sa mission d'éducateur de la terre. Au moment où paraissent les *Ideen,* Hegel est âgé d'une dizaine d'années, Hegel qui dira que, si la Terre a cessé d'être le centre du monde physique, elle demeure le centre du monde métaphysique. Herder, avant Hegel, en avait fait la démonstration.

Reste pourtant que Herder n'est pas un homme de science (Hegel non plus, d'ailleurs). Pour les besoins de sa cause, au moment voulu, Herder s'est donné une certaine culture générale en matière d'histoire naturelle. Son puissant esprit a mis au point une synthèse originale. Mais la partie proprement historique des *Ideen* n'est même pas achevée; les derniers livres prévus, sur la Renaissance, la Réformation et le monde moderne n'ont pas été écrits. Sans doute appelé à des tâches plus urgentes, Herder a interrompu sa rédaction. Tel quel, l'ouvrage a connu un grand retentissement en Allemagne et à travers l'Europe; il y eut en France au XIXᵉ siècle deux traductions, la première par les soins d'Edgar Quinet, idéologue romantique sensible aux inspirations herderiennes qui, grâce à lui, se diffuseront en France. Herder, pour sa part, après les *Ideen,* reviendra à la théologie, à la métaphysique, à la critique littéraire. Il n'a jamais pratiqué la science de ses propres mains; il s'est référé aux travaux des autres pour donner à sa spéculation une grandiose assise cosmologique. Un siècle plus tard, Bergson devait procéder de la même manière, avec un succès qui devait influencer le grand public, mais aussi un certain nombre d'authentiques hommes de science.

Herder met en œuvre bon nombre des éléments qui seront utilisés par les *Naturphilosophen* à venir. D'abord l'idée d'une Nature conçue comme un immense organisme en mouvement sous l'impulsion d'une force vitale qui anime la réalité du dedans. Cette force est désignée comme *lumière, éther, chaleur vitale, électricité, magnétisme,* toutes dénominations qui joueront un rôle dans l'épistémologie à venir. Mais ce matériel explicatif est difficile à déterminer en rigueur, et l'on peut se demander s'il a plus de sens positif que l'*attraction* newtonienne, réduite par son inventeur à un *flatus vocis.* Chez Herder, ces mots clefs, apparemment hypothétiques, sont validés par la connexion établie entre l'espace du dehors et l'espace du dedans.

Newton fait la théorie d'un monde qu'il a sous les yeux et qu'il maîtrise par la puissance de l'esprit ; les phénomènes qu'il analyse ne sont pas la réalité en chair et en os — la pomme et le pommier, la lune comme une assiette de vermeil accrochée au plafond —, mais des abstractions, des signes mathématiques et des systèmes de signes sans rapport avec les apparences concrètes, maîtresses d'illusion parce que leur récurrence risquerait de trouber les calculs. Newton — comme d'ailleurs la cosmologie actuelle — met en équations un monde qui exclut toute vision du monde, un univers en l'absence de toute réalité humaine.

Il en va tout autrement pour Herder, dont le champ mental embrasse une réalité à l'échelle humaine, même lorsque l'horizon s'élargit jusqu'aux lointains de la cosmologie. Le ciel de Herder est le ciel de la présence divine, le ciel du Psalmiste : *coeli enarrant gloriam Dei.* Le pandynamisme herderien englobe celui-là même qui pose la question, non pas calculateur impassible, mais être de chair qui ressent dans sa propre vie les pulsations du Cosmos. Comme le dit Carl Siegel, « ce qui devait, plus que tout, peser dans la balance, et imposer le concept de force, c'était que ce concept, dont l'expérience extérieure donnait au moins une proche approximation, et que la science de la nature imposait, trouvait dans l'expérience intérieure sa confirmation. Ainsi l'ordre physique et l'ordre psychique paraissaient ramenés à un dénominateur commun, ainsi la réalité spirituelle dans l'homme, fondement de l'histoire et de la culture, paraissait prendre place dans l'ensemble de la nature. Davantage, la possibilité s'offrait d'utiliser l'expérience continue comme clef pour l'interprétation de la nature extérieure. (...) Dans l'intimité de son moi, il sentait la présence de la divinité comme la puissance originaire (*Urkraft*) qui s'extériorise partout, et grâce à une identification sympathique (*Einfühlung*), il était capable de projeter partout hors de lui la présence de cette puissance. C'est ainsi que la nature, ou du moins son noyau authentique, devient pour lui un champ de forces, cependant que le reste n'est plus que superficie, moyen ou illusion. Puisque la force est une expérience intime, elle s'identifie avec la vie, et avec sa forme supérieure, l'esprit; en conséquence, il n'y a pas pour Herder de nature inanimée, et toute force a son organe. Là où se trouve une force, là elle se manifeste en effet. Aucune force ne peut disparaître, de sorte qu'il n'existe pas d'immobilité, pas de mort, seulement des transformations partout. Et comme en fin de compte la puissance originaire *(Urkraft)* est ensemble la plus sage et la meilleure qui soit, l'orientation de la série des métamorphoses ne peut mener, sans ambiguïté, que dans le sens du progrès » ([27]).

La cosmologie et l'histoire naturelle selon Herder ne sont pas des théories physiques élaborées à partir de données matérielles; elles proposent une extrapolation de l'espace du dedans en forme de psychologie cosmique. L'apologétique de Herder est une célébration de la vie divine dont la présence anime l'univers; non pas philosophie naturelle, mais théologie naturelle; le sentiment de la nature, jusque là ressenti comme le déploiement d'une effusion lyrique, s'enracine au cœur de la réalité; il rejoint les enchaînements secrets des déterminismes naturels. La série ordonnée des formes vitales, dès le niveau des réalités les plus humbles, à travers la hiérarchie des espèces, du cristal à la mousse, de la plante à l'animal et jusqu'à l'homme, expose la marche ascendante des forces vitales. Par-delà l'humanité dans sa forme présente, l'épopée de la vie fera apparaître des êtres plus parfaits, plus proches de la plénitude divine. Théologien et poète plus qu'homme de science, Herder a mis en place le cadre général de la *Naturphilosophie* romantique, telle qu'elle se déploiera jusqu'au milieu du XIXe siècle au moins. La priorité de Herder par rapport à Goethe, à Schelling et à tous les autres est indiscutable. Quant aux prédécesseurs dans l'histoire de la pensée, des théoriciens de l'astrobiologie jusqu'à Leibniz, ils ont pu entrevoir cette perspective du dynamisme universel, mais l'intervention de Herder marque une rupture, et un seuil. Herder esquisse un cadre, propose un langage; de plus savants que lui s'engageront sur la voie qu'il a ouverte.

On peut s'étonner qu'il ait été réservé à un théologien, à un poète d'inaugurer un nouveau savoir scientifique. Pourquoi pas un vrai savant ? Parce que le vrai savant ne sait que ce qu'il sait; sa science lui est un empêchement à la pensée. Les habitudes mentales qui imposent la fidélité au réel, le respect des prudences méthodologiques obligent l'homme de science à toujours regarder en arrière; la science acquise est un obstacle au progrès de la science. Parce que théologien,

---

([27]) Carl SIEGEL, *Geschichte der Deutschen Naturphilosophie*, Leipzig, 1913, p. 139.

parce que poète, Herder a été le prophète d'un nouvel espace mental,
où d'autres procèderont à des investigations qu'il était incapable de
concevoir. On a prétendu dépouiller Francis Bacon, patriarche de la
recherche inductive, d'une gloire prétenduement usurpée, sous
prétexte qu'on ne peut mettre à son actif aucune découverte réelle et
que ses écrits fourmillent d'erreurs de fait et de données illusoires. Il
y a dans les laboratoires de chimie organique, aujourd'hui, bon
nombre de « chercheurs » dont l'un ou l'autre découvre un jour un
composé chimique inédit, ajoutant ainsi un grain de plus au tas de
sable des connaissances acquises. Francis Bacon, qui n'a pas découvert le moindre composé, a ouvert les passages vers des horizons
épistémologiques inconnus, prophétisant une mutation du savoir. La
croisière de Christophe Colomb est erronée de bout en bout, et
scientifiquement nulle. Parti en fonction de faux présupposés, il n'est
pas arrivé là où il voulait aller, et d'ailleurs s'est trompé dans la
localisation géographique des Terres Neuves qu'il avait découvertes.
La géographie positive lui a pardonné, elle lui a donné raison,
puisqu'elle a appelé Indes Occidentales ces parages où, parti pour
les Indes, il était arrivé, sans savoir que ce n'étaient pas les
Indes véritables.

La différence entre Goethe et Herder, dans le domaine qui nous
occupe, est d'abord que Herder, disparu en 1803, n'a pu connaître le
considérable développement de cette forme de pensée philosophico-
scientifique jusqu'au milieu du XIXe siècle. Goethe a vécu jusqu'en
1832, assez longtemps pour être témoin des essais, des erreurs et des
réussites des membres de l'école, avec lesquels il a entretenu des
dialogues parfois amicaux, parfois critiques et polémiques. D'autre
part, Goethe est véritablement un homme de science, dans la théorie
et dans la pratique. Pendant toute sa vie, il a consacré une partie de
son temps à des recherches concrètes, en particulier dans le domaine
de l'optique, avec sa *Théorie des Couleurs* (*Farbenlehre*, 1810), et dans
le domaine de la biologie, où ses contributions à la morphologie des
plantes et des animaux ne sont nullement négligeables. L'information
de Goethe n'est pas de seconde main ; sa pensée théorique se nourrit
de l'œuvre de ses mains et du regard de ses yeux. Expérience directe
et irremplaçable qui manquait au théologien Herder. La pensée
goethéenne s'affirme sur l'arrière-plan d'un certain nombre d'intuitions directes, d'appréhensions de la réalité naturelle.

Dans les mémoires où il raconte la formation de sa pensée, Goethe
souligne l'importance du séjour qu'il fit à Strasbourg en 1770-1771,
âgé alors de 21-22 ans, et où il eut pour compagnon, pour mentor
aussi, Herder. Dans cette époque décisive pour la formation de sa
personnalité, l'auteur futur du *Faust* découvrit la culture française,
alors prépondérante en Europe. Le jeune Francfortois, s'il avoue

quelque sympathie pour Rousseau et pour Diderot, ne se laissa pas séduire par l'intellectualisme régnant. Le « formidable ouvrage » des Encyclopédistes produisit sur lui « l'effet qu'on ressent à marcher entre les innombrables bobines et métiers en mouvement d'une grande usine » ([28]). Cette réaction instinctive exprime une profonde incompatibilité d'humeur avec la pensée de style mécaniste et matérialiste qui prédomine dans une partie non négligeable de l'opinion philosophique de cette époque. Un peu plus loin, Goethe note que « des livres défendus, condamnés au feu, qui faisaient alors grand bruit, n'exerçaient sur nous aucun effet. Je rappellerai, pour prendre un seul exemple, le *Système de la Nature*, que nous ouvrîmes par curiosité. Il nous parut si pâle, si nébuleux, si cadavérique, que nous avions peine à en soutenir la vue et qu'il nous faisait peur comme un fantôme » ([29]). L'ouvrage de d'Holbach venait de paraître ; ce manifeste de l'athéisme militant paraît à Goethe « une quintessence de la vieillesse », parfaitement « insipide ». A cette sagesse de vieillard, Goethe, et sans doute Herder, opposent des slogans tels que : « Le goût des cerises et des groseilles, c'est aux enfants et aux moineaux qu'il faut le demander... » Propos qui par avance évoquent la parole de Méphistophélès dans le premier Faust (vers 2038-2039) : « grise est toute théorie et vert l'arbre d'or de la vie ».

Cette année 1770 jalonne le point de divergence où s'affirme la vision goethéenne du monde. « On annonçait un système de la nature, et nous espérions par conséquent apprendre quelque chose sur la nature, notre idole. La physique et la chimie, l'astronomie et la géographie, l'histoire naturelle et l'anatomie, et bien d'autres connaissances encore, nous avaient depuis des années et jusqu'à ce jour, montré le vaste univers tout paré, et nous aurions recueilli avec joie des détails et des généralités sur les soleils et les astres, sur les planètes et les satellites, sur les montagnes, les vallées, les fleuves et les mers et sur tout ce qui y vit et y respire. (...) Mais que tout nous semblait creux et vide dans cette triste demi-obscurité de l'athéisme, où disparaissaient la terre avec tous ses produits, le ciel avec toutes ses étoiles ! Une matière aurait existé de toute éternité, et, de toute éternité, en mouvement ; et par ce mouvement, à droite, à gauche, elle aurait tout simplement produit les phénomènes infinis de l'être. Tout ceci, nous nous en serions, à la rigueur, contentés, si l'auteur, à partir de sa matière en mouvement, avait en effet construit le monde devant nos yeux. Mais il paraissait en savoir aussi peu que nous sur la

---

([28]) GOETHE, *Souvenirs de ma vie, Poésie et Vérité*, livre XI, trad. P. DU COLOMBIER, Aubier, 1941, p. 313.
([29]) *Op. cit.*, p. 315.

nature. Car après avoir planté comme des jalons quelques idées générales, il les abandonne aussitôt pour transformer ce qui apparaît comme plus élevé que la nature, ou du moins comme une nature supérieure dans la nature, en une nature matérielle, pesante, qui se meut, il est vrai, mais sans direction et sans forme » [30].

La critique du système de d'Holbach n'est pas seulement une manière de prendre congé de l'*Aufklärung* et de ses mesquineries intellectualistes, qui aboutissent à faire de l'homme, dans son monde, un étranger, fantôme égaré dans une immense machine, robot dans une usine. La contrepartie est présente, au moins en puissance. Car la conclusion provisoire de cette désillusion est prononcée en ces termes : « nous nous jetâmes avec d'autant plus de vivacité et d'ardeur sur la science vivante, l'expérience, l'action et la poésie » [31]. Programme de vie dont on sait quels développements il devait avoir bientôt dans l'existence de Goethe. On doit relever l'interpénétration des thèmes religieux, poétique et scientifique. Le livre de d'Holbach est un manifeste d'athéisme. « Tout devait être nécessairement, et par conséquent il n'y avait point de Dieu. Mais est-ce qu'il ne pourrait pas y avoir aussi nécessairement un Dieu ? demandions-nous. » Sans doute, l'homme est soumis à des déterminismes physiques, « cependant, nous sentions quelque chose en nous qui apparaissait comme une spontanéité parfaite et quelque chose encore qui cherchait à se mettre en équilibre avec cette spontanéité » [32].

Goethe, à Strasbourg, a devant lui soixante années d'une vie prodigieusement active, riche en chefs-d'œuvre littéraires et en découvertes scientifiques. La critique du *Système de la nature*, de la nature réduite en système, dépouillée de toute vie, de toute animation interne, de toute beauté, esquisse, par contraste, ce que sera la pensée goethéenne de la maturité. La rédaction des mémoires se situe dans une période tardive de la vie de l'écrivain, mais des textes de jeunesse permettent de penser que le rapport au monde goethéen s'affirme dès cette période privilégiée d'adolescence spirituelle, dans le contexte de l'extraordinaire fermentation du *Sturm und Drang* (1770-1780). Goethe et ses amis prennent congé de la culture des lumières, et de l'*Aufklärung* frédéricienne : incapables de lire jusqu'au bout le traité de d'Holbach, ils se plaisent à jouir de la nature non dénaturée par le regard désolant du physicien ; ils étudient avec passion les œuvres de Shakespeare et la cathédrale de Strasbourg, livres de vie où rayonne une plénitude d'humanité. C'est l'époque où le jeune étudiant voit son existence transfigurée par l'idylle de Sesenheim.

[30] *Ibid.*
[31] *Op. cit.*, p. 316.
[32] *Ibid.*, p. 315.

Le sentiment de la nature, la relation spontanée avec la Nature vivante a précédé chez Goethe l'étude réfléchie de la nature et la réflexion sur la nature, qui demeurera pour lui toujours autre chose, et bien davantage qu'un concept. De cette intuition fondamentale — qui peut être opposée à celle de d'Holbach — un témoignage nous a été conservé par des pages publiées dans une gazette confidentielle, le *Tiefurter Journal*, à la fin de l'année 1782 ou au début de 1783. Ce texte, oublié par Goethe lui-même, a été retrouvé beaucoup plus tard, en 1828. Le vieil homme, alors, n'est plus tout à fait sûr d'en être l'auteur ; peut-être ces réflexions ont-elles été notées par l'un de ses familiers du moment, « mais, ajoute-t-il, elles sont en effet en parfait accord avec les idées auxquelles mon esprit s'était alors élevé » ([33]). Ces pages se présentent comme un poème en prose, comme un hymne à la nature créatrice, animé d'un souffle lyrique. Les commentateurs de ce texte célèbre lui ont trouvé des précédents jusque dans l'Antiquité, où Ernst Robert Curtius a signalé l'existence d'une source possible dans un hymne orphique à la déesse Physis. Les inspirateurs du romantisme au XVIIIᵉ siècle, Shaftesbury d'abord, puis Diderot, ont eux aussi exalté le dynamisme créateur immanent à la prodigieuse floraison des formes de la nature. Ces similitudes, significatives d'une affinité spirituelle, n'enlèvent rien aux pages goethéennes, rédigées dans un moment d'exaltation, et qui jalonnent l'une des perspectives maîtresses de la *Naturphilosophie*.

« La Nature ! Elle nous environne et nous tient de partout, sans qu'il soit en notre pouvoir de mettre le pied hors de ses limites ou d'entrer en elle un pas plus avant. Sans que nous l'ayons demandé et sans qu'elle nous ait avertis, elle nous reçoit dans son tourbillon, nous entraîne dans sa danse, jusqu'à ce que nous prenne la lassitude et que nous lui glissions des bras. Eternellement elle engendre des formes nouvelles ; les formes qui sont n'avaient jamais encore été ; les choses qui furent jamais ne reviendront : tout est nouveau et pourtant tout demeure pareil. Nous vivons au milieu d'elle et lui sommes des étrangers... » ([34]). Le rapport de l'homme avec la nature revêt la signification d'une relation à la fois vitale et esthétique dont le dynamisme évoque celui d'une danse ; « elle est l'actrice d'un spectacle », est-il dit plus loin, mais rien ne dit qu'elle ait « des yeux pour le voir ». Elle affirme un génie créateur toujours renouvelé : « Artiste unique, de la matière simple, de l'élément, elle tire les

---

([33]) Lettre à von Müller, 24 mai 1828 ; dans E. R. CURTIUS, *La littérature occidentale et le Moyen Age latin*, trad. BRÉJOUX, P.U.F., 1956 ; on trouvera dans le livre de CURTIUS des indications complémentaires. Le texte lui-même figure dans les œuvres de GOETHE, Edition de Weimar, Abt. II, Bd. XI, pp. 5 sqq.

([34]) Traduction Pierre BERTAUX, parue dans la *Nouvelle Revue Française*, 1928, p. 393.

contrastes les plus marqués; sans apparence d'effort, elle obtient la perfection la plus haute, les formes les plus certaines (...). Chacune de ses œuvres a une personnalité; tous les phénomènes en elle viennent d'autant de conceptions distinctes, et cependant le tout ne fait qu'un » [35].

L'intuition de la nature évoque la poétique d'une création permanente, à la prodigieuse fécondité. « Sa vie est un prolifique enchantement. (...) La vie qu'on lui voit est éternel devenir, mouvement, et pourtant, elle n'avance pas. Eternellement, elle se métamorphose et elle ne connaît pas les arrêts » [36]. Ce pandynamisme est orienté par un principe qui indique le sens de la marche : « A sa cîme, elle a mis l'amour; ce n'est que par l'amour qu'elle se laisse approcher. Entre tous les êtres, elle met des abîmes, et tous se veulent enlacer. Elle a isolé tout, pour tout conjoindre » [37]. Une certaine finalité immanente obéit à une inspiration en valeur, ce qui évite l'anarchie, la cancérisation des formes.

Dans l'immense renouvellement des êtres naturels, l'être humain ne saurait prétendre à une position privilégiée, à un point de vue, hors du Tout, d'où il pourrait contempler le Tout et le mettre à la raison, comme faisait d'Holbach. Chaque individu n'est qu'un fétu balloté par la mer; il n'a pas accès à l'intelligibilité suprême. La nature « fait jaillir les êtres du néant et ne leur dit point d'où ils viennent ni où ils vont. Eux n'ont qu'à courir; elle connaît le chemin » [38]. La conscience individuelle ne forme pas un tout dans le Tout, mais une parcelle prise dans le mouvement de la masse; le sens la traverse, mais elle ne peut le ressaisir. La Nature « s'est pensée et elle ne cesse de se penser, pourtant elle ne pense point en tant qu'homme, mais en tant que nature. Elle a gardé aux choses un sens qui les explique toutes, mais à elle réservé, et que nul ne peut surprendre. La nature contient l'homme entier, et tout le contenu de l'homme est nature. (..) Son jeu est mystérieux : pour plus d'un partenaire, la partie est finie avant qu'il se soit aperçu qu'il jouait » [39]. Une ambiguïté dernière persiste dans cette analyse des tenants et des aboutissants de la présence au monde; l'absence du sens est-elle provisoire ou définitive? est-ce seulement à l'échelle de l'homme que s'affirme le mystère, ou bien faut-il admettre que la nature en travail ne met en œuvre aucun projet? « Elle semble avoir tout disposé en vue de l'individuel et elle ne tient nul compte des individus. Toujours elle construit, toujours elle détruit; et le chantier

[35] *Op. cit.*, p. 394.
[36] *Ibid.*
[37] P. 396.
[38] P. 395.
[39] P. 394.

demeure inaccessible » ([40]). Une indication obscure réserve la possibilité d'une finalité, qui pourrait ouvrir une perspective de salut : « Elle enveloppe l'homme dans un monde opaque et met en lui une aspiration sans fin vers la lumière. Elle fait qu'il est attaché à la terre, indolent et pesant, et toujours elle le secoue, le tire de son inertie » ([41]).

La référence à l'amour peut indiquer une orientation du dynamisme vital. Mais l'impression dominante demeure celle d'une immanence sans transcendance, du moins au niveau de réalité où se déploie l'existence humaine. La Nature se réserve la connaissance de ses fins, à supposer qu'elle en ait. Les poètes romantiques orchestreront ce sentiment d'isolement de l'individu au sein d'une réalité qui l'embrasse dans sa vitalité puissante et insondable, sans se soucier de ses souffrances et de ses joies. La Nature de Goethe est un sujet, alors que la nature de d'Holbach n'en était pas un, mais ce sujet, invoqué sur un mode lyrique, est un sujet qui se refuse à nos prises. Le propos de Goethe, transféré de l'ordre de la poésie dans celui du savoir, expose un agnosticisme épistémologique. Le labeur de la connaissance, en accord avec cette vision du monde, pourrait être une étude du renouvellement des formes vivantes dans leur genèse infiniment variée. Le mot de « métamorphose », dans ce texte, désigne une notion fondamentale de la biologie goethéenne, et de la *Naturphilosophie* romantique en général. L'attention se porte non sur la stabilité des êtres et des choses, ainsi que le veut l'attitude mécaniste, soucieuse d'établir la permanence du Même, mais sur le renouvellement des formes en vertu du dynamisme universel. L'évolutionnisme romantique, conséquence directe du vitalisme, suppose une réalité en constante mutation. Goethe savant se laissera guider par cette intuition du devenir universel, qui suscitera certaines de ses découvertes originales.

L'hymne de 1782 met en œuvre, sur le mode lyrique, un sens de la nature plus élaboré que les pressentiments de la période strasbourgeoise, une dizaine d'années plus tôt. La lettre de mai 1828 à von Müller, où Goethe reconnaît dans les fragments sur la nature le reflet d'un état antérieur de sa pensée, ajoute à ce texte deux compléments qu'il désigne comme « les deux principes moteurs que comporte la Nature ». Le premier de ces principes est la *polarité*, qui a joué un grand rôle dans la pensée de Goethe et dans la biologie romantique, le second est l'*intensification*, la « continuelle aspiration vers quelque chose de plus haut », à l'œuvre au sein de la matière : « comme la matière ne peut ni exister ni agir sans l'esprit, pas plus que l'esprit

([40]) P. 394.
([41]) P. 395.

sans la matière, la matière est aussi capable d'un degré plus grand d'intensité, et l'esprit ne laisse pas non plus d'exercer une attraction et une répulsion ; pareillement, celui-là seul est capable de penser, qui a suffisamment dissocié pour réunir, et réuni suffisamment pour à nouveau pouvoir dissocier » ([42]).

Le post-scriptum de 1828 au texte de 1782 majore la part de l'animation de l'esprit au sein de la matière ; l'intensification est une croissance en valeur, une sublimation ordonnant le dynamisme interne de la nature. La fécondité proliférante de l'Hymne à la Nature se contente d'engendrer à l'infini des formes quelconques ; au dynamisme aveugle se surimpose un mouvement vers le meilleur, en vertu d'une finalité interne. Entre-temps, Goethe a édifié son œuvre littéraire et scientifique au prix de quarante années de labeur, et son propos revêt le caractère d'une conclusion rétrospective. Sa vision du monde demeurera dominée par le thème d'une Nature en état de création permanente, milieu fécond où les formes apparaissent et disparaissent, en constante métamorphose. Un texte de 1821 reprend le thème de la jeunesse, *L'un et le Tout (Eins und Alles)* : « Ame du monde, viens nous pénétrer. (...) Et à transformer tout ce qui est formé, afin qu'il ne se fige pas dans une rigidité hostile, s'emploie une activité éternelle et vivante. Et ce qui n'était pas aspire à devenir, à s'épanouir en purs soleils, en terres diaprées ; en aucun cas, il ne lui est permis de se reposer. Il faut qu'il se meuve, agisse et crée, prenant forme d'abord, se transformant ensuite ; s'il semble se reposer un instant, ce n'est qu'une apparence. L'essence éternelle se meut en toutes les choses ; car tout doit s'anéantir, s'il veut persévérer dans l'être » ([43]). Propos que complètent d'autres formules du même recueil : « Aucun être ne peut s'anéantir ! L'essence éternelle évolue en tous ; attache-toi à l'être avec bonheur ! L'être est éternel ; car des lois conservent les trésors vivants dont s'est paré l'univers » ([44]).

La nature goethéenne porte la marque du numineux, comme sacralisée par une présence qui s'annonce à travers elle. Goethe a formé sa pensée dans la fréquentation de Giordano Bruno et de Spinoza ; mais ses mémoires font remonter jusqu'à l'enfance la conscience d'une étroite association entre Dieu et la nature. Le protestantisme libéral et moralisant dans lequel on prétendait l'élever ne le satisfaisait pas ; l'enfant Goethe « en vient à la pensée d'entrer en

---

([42]) Lettre à von Müller, 24 mai 1828, trad. P. BERTAUX, *Nouvelle Revue Française*, 1928, p. 397.

([43]) Dans *Dieu et le Monde* (1827-1828), trad. H. LICHTENBERGER, in *La Sagesse de Goethe*, La Renaissance du Livre, 1930, p. 147.

([44]) *Testament (Vermächtnis)*, 1829 ; dans *La Sagesse de Goethe*, recueil cité, p. 148. La formule grecque ἕν καὶ πᾶν avait été l'un des mots de passe du romantisme naissant.

communication directe avec le grand Dieu de la nature, le créateur et conservateur du ciel et de la terre, dont les anciennes manifestations de colère étaient bien oubliées devant la beauté de l'univers et les biens de toute sorte qui nous y sont dispensés (…). Le Dieu qui est en relation directe avec la nature, qui la reconnaît et qui l'aime comme son ouvrage, c'est celui-là qui lui paraissait le Dieu véritable, qui peut entrer en rapport plus intime avec l'homme, comme avec tout le reste, et qui veillera sur lui comme sur le mouvement des étoiles, sur les heures du jour et les saisons de l'année, sur les plantes et les animaux » [45]. L'enfant avait imaginé de rendre un culte à ce Dieu de la nature sur une sorte d'autel paré d'une collection d'histoire naturelle, selon une liturgie célébrée au lever du soleil dans la maison paternelle.

Ces dévotions infantiles ne sont pas le fruit d'une élaboration rétrospective du souvenir. L'enfant Wolfgang invente un culte païen, « à la manière tout à fait de l'Ancien Testament » [46], est-il dit. La loi juive célèbre l'offrande des prémices, traces subsistantes d'une religion agraire. Mais le schéma chrétien de l'histoire du salut est complètement absent de ces pratiques ; le Christ est étranger à la pensée de Goethe, qui met en œuvre une vision profondément religieuse de l'univers. Dieu et l'univers ne sont pas séparables ; l'univers sans Dieu de d'Holbach livre l'homme à un désespoir sans issue ; mais un Dieu en dehors de l'univers ne serait pas un meilleur recours spirituel ; on en reviendrait au cas de figure précédent, qui était en fait celui d'Epicure : un univers abandonné à lui-même, cependant que les dieux mènent joyeuse vie dans les marges. « Que serait un Dieu qui s'annoncerait du dehors ? qui de son doigt ferait tourner l'univers ? Il lui convient d'animer du dedans l'univers, de porter en soi la nature et de se laisser porter par elle » [47].

Carl Siegel observe que cette étroite association de Dieu et de la nature ne doit pas masquer le fait qu' « il ne s'agit pas seulement d'une naturalisation de la divinité, mais aussi d'une divinisation et spiritualisation de la nature » [48]. La question posée est celle du panthéisme, dont la suspicion a toujours été opposée aux poètes et penseurs romantiques, aux yeux desquels le monde annonce la présence de Dieu [49]. « Ce que nous pouvons savoir de plus haut sur Dieu et la Nature, écrit Goethe, c'est la vie, le mouvement tournant de la monade sur elle-même, sans relâche ni repos. L'impulsion à prendre soin de la vie est innée, irréductiblement, en chacun d'entre

[45] Poésie et Vérité, trad. DU COLOMBIER, édition citée, livre I, p. 34.
[46] Ibid.
[47] Proëmion, édition de Weimar, Abt. I, Bd. III, p. 73.
[48] Carl SIEGEL, Geschichte der Deutschen Naturphilosophie, Leipzig, 1913, p. 171.
[49] Cf. G. GUSDORF, Le Néant, l'Etre, Dieu dans le savoir romantique, Payot, 1983, pp. 176 sqq.

nous ; mais le sens spécifique de la vie demeure pour les uns et les autres un mystère » ([50]). Dieu et la Nature se révèlent à nous dans le mystérieux sens de la vie ; *Deus sive Natura*, disait Spinoza ; la vie est la révélation mystérieuse du surnaturel au cœur de notre existence.

La question de savoir si Goethe fut en effet un panthéiste ou un païen, du point de vue d'une orthodoxie chrétienne conséquente, ne présente qu'un médiocre intérêt. L'historien, le critique ont tort de se poser en dispensateurs des choses divines. Si l'on veut simplement tenter de comprendre, d'expliciter la position de Goethe, on doit reconnaître que les hommes ne peuvent pressentir Dieu, et tenter de l'approcher, qu'en condition d'humanité, à partir du statut qui est le leur. Cette évidence banale signifie que nous ne pouvons parler de Dieu dans le langage de Dieu, à supposer que Dieu ait un langage — mais lequel ? La parole de l'homme est mondaine de part en part, même lorsqu'elle n'évoque pas directement les objets du monde. Directes ou indirectes, toutes les références de notre parler renvoient aux conditions de notre existence dans le monde sublunaire. Même les concepts philosophiques et théologiques les plus éthérés portent la marque de cette gravitaton universelle qui nous colle au sol de la planète Terre. Les révélations surnaturelles ne sont accessibles à l'homme que par la médiation des données matérielles de l'existence ; lorsque Jésus enseigne à ses disciples les paraboles du Royaume, il utilise des images familières pour évoquer la plus haute spiritualité : la brebis égarée, la drachme perdue, la perle de grand prix, le fils prodigue... Le sens du divin s'annonce à l'homme du sein même de la nature. « Car voici, le Royaume de Dieu est au milieu de vous » (Luc XVII, 21).

L'entreprise serait absurde de récupérer Goethe au profit d'un christianisme de telle ou telle observance. La catégorie du religieux définit l'une des orientations maîtresses de la pensée goethéenne. Par ailleurs si, pour nous, la connaissance de Dieu est liée indissolublement à celle de la Nature, le territoire de la nature n'épuise pas la réalité du divin. L'agnosticisme de Goethe signifie qu'il existe une réserve de significations, par-delà les limites de notre conscience, immergée dans les choses. Dieu, présent dans le monde, n'est pas identique au monde, prisonnier du monde, comme serait une âme du monde, prisonnière du corps. Le mystère du divin consiste en ceci justement qu'il excède la mesure de notre connaissance, liée à un univers en dehors duquel il n'existe pour elle qu'un néant de sens. Tel est l'enseignement de la pensée négative, dont Goethe admet, ou réinvente, certaines implications.

L'auteur de *Faust* a connu les tentations du surnaturel et les

---

([50]) *Aus den Heften zur Morphologie*, I, 4, 1822 ; dans GOETHE, *Maximen und Reflexionen*, hgg. Max HECKER, Insel-Taschenbuch, 1976, p. 81.

fascinations de l'occultisme sous toutes ses formes ([51]). Mais le sage de Weimar, le biologiste de la *Farbenlehre* et de la morphologie, a su réfréner l'ambition du contact direct avec la divinité ; seule est légitime la longue patience de la recherche scientifique ou de la création artistique, voies d'approche de la présence providentielle immanente à la réalité des choses et des êtres. D'où l'aphorisme des *Xénies :* « Celui qui a la Science et l'Art a aussi de la Religion. Celui qui n'a ni l'un ni l'autre, qu'il ait de la religion » ([52]). La religion supérieure du savant, de l'artiste, propose un accès privilégié ; les pauvres d'esprit se contenteront de la religion offerte à tout le monde sous ses formes banales ; tandis que les autres bénéficieront par surcroît de la révélation du sens.

La théologie naturelle de Goethe est solidaire d'une épistémologie. Si l'auteur de l'*Hymne à la Nature* de 1782 s'était contenté de composer quelques fragments sur l'ordre des choses, il serait difficile de voir en lui un des fondateurs de la *Naturphilosophie*. Ce qui fait de Goethe un initiateur, c'est qu'il a défini et expérimenté une voie d'accès à une nature irréductible au modèle galiléo-newtonien. La physique des modernes, fondée sur le présupposé mécaniste d'une nature composée de fragments de matière inerte diversement agencés, combine des éléments simples préalablement dissociés, soit par une analyse réelle, comme en chimie, soit par une analyse abstraite opérée par la pensée. La théorie reconstruit un modèle qui fonctionne en simulant les opérations physiques en cours dans le milieu extérieur. Une telle expérimentation, estime Goethe, commence par détruire son objet ; après quoi elle s'imagine qu'elle pourra le rappeler à la vie. Ainsi d'un anatomiste qui, après avoir disséqué un être vivant, s'imaginerait qu'il suffit de remettre en place les morceaux pour le faire revivre.

Si la Nature est un Etre immense, animé par la circulation d'une vie unitaire, l'opposition entre l'expérimentateur et l'objet de l'expérience fausse la réalité. L'homme et les êtres sont liés entre eux par une solidarité organique ; l'observation scientifique établit une liaison entre deux moments ou deux aspects de la totalité. « Si notre œil n'était pas apparenté au soleil, il ne pourrait jamais regarder le ciel ; si la force même de Dieu ne résidait pas en nous, comment le Divin pourrait-il nous ravir ([53]) ? » Cette loi régit le territoire entier du savoir ; seul le Même peut connaître le Même ; le microcosme peut espérer mener à bien l'inventaire du macrocosme parce qu'il est d'avance assuré de l'analogie fondamentale qui les unit. Le moment

---

([51]) Cf. Christian LEPINTE, *Goethe et l'Occultisme*, Belles Lettres, 1957.
([52]) *Xénies apprivoisées*, classement LOEPER n° 490 in *La Sagesse de Goethe*, recueil cité, p. 142.
([53]) *Xénies*, LOEPER 152, recueil cité, p. 141 ; la formule est une réminiscence de Plotin.

inaugural d'une expérience n'est pas celui où le physicien met en œuvre son matériel de laboratoire, ni même celui où l'idée lui vient d'instituer telle ou telle recherche ; il faut reculer l'origine jusqu'à l'instant de la création dans le contexte duquel se noue l'alliance entre tous les êtres créés, prélude à toutes les rencontres à venir entre l'être observant et l'être observé.

Toute connaissance du monde est ensemble connaissance de soi. Le savoir a un caractère projectif ; l'homme se cherche dans les êtres, et les êtres, en lui manifestant leur propre identité, lui révèlent la sienne. « Tout ce que nous appelons invention ou découverte, au sens le plus fort du terme, n'est que l'exercice significatif, la mise en œuvre d'un sentiment original de la vérité, longuement mûri dans le secret, il nous conduit brusquement avec la rapidité de l'éclair à quelque fructueuse connaissance. Il s'agit là d'une révélation procédant du dedans au dehors, laissant pressentir à l'homme son affinité avec la divinité. C'est une synthèse du monde et de l'esprit qui nous fournit la plus heureuse assurance de l'éternelle harmonie de l'existence » [54]. La correspondance entre l'espace du dedans et l'espace du dehors cautionne un savoir qui ne nous est pas étranger ; les significations constitutives de l'univers se prononcent au principe de notre être. La présence au monde exprime, au niveau de l'homme capable d'interpréter les apparences, une sorte de théocosmomorphisme, foyer eschatologique en fonction duquel se définissent les orientations maîtresses de la réalité humaine. Dans l'espace galiléen, le sujet construit l'objet selon des déterminations géométriques, au sein d'un univers préalablement neutralisé, vidé de toute présence. Le monde gothéen, au contraire, et le monde romantique, sont habités par le sens d'une nature vivante qui assure la cohérence, la consistance de l'ensemble. Le sujet observant et l'être observé ne s'opposent plus dans le langage de la construction stéréométrique, ou dans le style des emblèmes maçonniques, dominés par un œil en forme de triangle qui, du haut de la composition, bénéficie d'une perspective cavalière. Sujet et objet s'inscrivent dans le réseau préexistant des sympathies qui unissent les êtres de l'univers. Le monde et l'esprit ne se rencontrent pas, comme deux étrangers mis par hasard en présence l'un de l'autre. Toute connaissance est prédestinée, toute connaissance est une reconnaissance. « L'homme ne se connaît lui-même que dans la mesure où il connaît le monde. Chaque objet nouveau, convenablement intuitionné, dévoile en nous un nouvel organe » [55].

Notre œil est apparenté au soleil, *sonnenhaft*, c'est-à-dire capable du soleil et comme prédestiné à la lumière. L'œil est pour Goethe,

[54] *Werke*, Weimarer Ausgabe, 2. Abt. XI, 128.
[55] *Ibid.*, XI, 59.

poète et savant, un moyen d'accès privilégié à la réalité du monde ; il se dit un *Augenmensch*, un homme du regard. Il a consacré une partie de sa vie à l'édification de sa *Farbenlehre*, doctrine des couleurs, qui est surtout une théorie de la vision. Le regard est un instrument de recherche privilégié ; encore faut-il qu'il mette en œuvre une démarche à double entrée, la sollicitation extérieure rejoignant une préoccupation de la pensée. N'importe qui ne découvre pas n'importe quoi ; ce que Francis Bacon appelait la chasse de Pan, l'attente indéterminée de n'importe quelle trouvaille offerte au premier venu, n'a jamais enrichi personne, à commencer par Bacon lui-même, qui n'a jamais rien trouvé. Goethe, lui, cherchait ce qu'il avait déjà trouvé, le point dans la réalité où s'effectuerait la coïncidence entre telle ou telle exigence de son univers spirituel et tel ou tel aspect, tel ou tel objet dans le paysage du monde réel. Seul celui qui est en attente peut être comblé, lorsque se noue cette alliance entre la raison intime qui anime sa pensée et cette autre raison qui habite l'ordre des choses.

De septembre 1786 à juin 1788, Goethe visite l'Italie ; ce retour aux sources culturelles, le plus grand voyage — sinon le seul — de sa longue vie, consacre l'un des moments privilégiés de sa carrière spirituelle. Dans l'ordre de l'art et de la pensée va prendre forme cette sagesse esthétique harmonieusement équilibrée, en laquelle on a voulu voir une affirmation du classicisme ; mais cette vision poétique du monde a pour corollaire une perception des structures du réel, un nouveau savoir de la nature. Sur la plage déserte du Lido de Venise, un crâne de mouton suggère au voyageur l'idée que la boîte crânienne est constituée par le développement des vertèbres supérieures du squelette. A Palerme, visitant le jardin botanique en mai 1787, Goethe est frappé par une autre idée neuve, qui sera elle aussi l'un des thèmes majeurs de sa morphologie. Ces découvertes, propres, selon leur auteur, à révolutionner l'histoire naturelle, sont bien des découvertes du regard ; une épave au bord de la mer, une plante parmi toutes les autres, s'animent subitement d'un sens décisif ; mais la découverte doit être comprise comme une réverbération d'une pensée en attente dans un esprit prodigieusement actif. L'illumination éclaire d'un coup le champ unitaire de la nature et de la pensée. « Comme toutes choses dans la nature, mais tout spécialement les forces générales et les éléments premiers, sont impliquées dans un ensemble d'actions et de réactions continuelles, on peut dire de chaque phénomène qu'il est en relation avec un nombre infini d'autres phénomènes, comme on peut dire d'un point lumineux libre dans l'espace qu'il émet des rayons dans toutes les directions » [56].

---

[56] *De l'expérience considérée comme médiatrice entre le sujet et l'objet* (1792), trad. H. LICHTENBERGER, in *La Sagesse de Goethe*, Renaissance du Livre, 1930, p. 103.

Ce qui est en dehors est aussi dedans ; la perception d'un phénomène privilégié peut transformer dans sa totalité l'intelligibilité de la conscience. *Le Voyage en Italie* conserve une lettre en date du 17 mai 1787, où Goethe fait part, depuis Naples, à son ami Herder de son intuition fondamentale en matière de botanique. « Je suis tout près du secret de la génération et de l'organisation des plantes, et c'est ce qu'on peut imaginer de plus simple. Sous ce ciel, on peut faire les plus belles observations. J'ai trouvé très clairement et indubitablement les points essentiels où réside le germe ; je vois aussi déjà tout le reste dans son ensemble et seulement quelques points encore demandent à être déterminés plus exactement. La plante primordiale *(Urpflanze)* sera la plus étrange créature du monde, que la nature elle-même m'enviera. Avec ce modèle et la clef qui l'explique, on peut inventer encore à l'infini des plantes qui seront forcément consé-quentes, c'est-à-dire qui, même si elles n'existent pas, pourraient pourtant exister, et qui ne sont pas seulement des ombres et des apparences picturales ou poétiques, mais qui ont une vérité et une nécessité intérieure. La même loi pourra s'appliquer à toutes les autres créatures vivantes » [57].

Et Goethe précise l'intuition génératrice de sa morphologie. « Je me suis rendu compte que l'organe de la plante que nous avons l'habitude de nommer la feuille recèle le vrai Protée, qui peut se cacher et se manifester sous toutes ses formes. A tous les degrés de son développement, la plante n'est toujours que feuille, unie d'une manière si indissoluble au germe futur qu'on ne peut se figurer l'un sans l'autre. Saisir une idée pareille, la trouver dans la nature, est une tâche qui nous met dans un état à la fois pénible et doux » [58]. Cette page, frémissante de la découverte récente, donne à comprendre le fonctionnement de la pensée goethéenne. Le point de départ, ainsi que l'atteste le vocabulaire, est l'appréhension directe d'une réalité naturelle. Le regard de l'*Augenmensch* Goethe a élu, dans le jardin de Palerme, une plante entre toutes les plantes. Quelque chose soudain s'est mis à vibrer, une feuille parmi les autres, irradiant une révélation qui, de proche en proche, a illuminé la plante elle-même, puis tout le jardin et la nature entière.

Pour qu'une seule intuition puisse ainsi prendre valeur de révéla-tion, il faut que le phénomène ne soit pas isolé. La Nature s'offre comme cette unité vivante en constant renouvellement, évoquée par l'Hymne à la Nature de 1782. Les formes naissent et meurent, elles s'engendrent les unes les autres, dans l'immense prolifération qui embrasse la totalité des êtres. La continuité universelle permet la

---

[57] GOETHE, *Voyage en Italie*, trad. MUTTERER, Champion, 1931, p. 375.
[58] *Ibid.*

diffusion d'une seule et même intelligibilité, rassemblant dans une communauté épistémologique les phénomènes les plus différents en apparence. L'intuition de Goethe, par-delà la proposition sensible, perçoit en transparence une essence. La feuille, telle feuille de telle plante, s'universalise ; elle devient un porte-parole, un porte-sens possédant la procuration de toutes les feuilles possibles, dont la forme se met à bouger, s'illimite jusqu'à perdre sa figure pour en acquérir une autre. Un troisième regard approfondit encore la vision ; la feuille ne se dit plus elle-même, elle ne dit plus toutes les feuilles de toutes les plantes ; elle évoque les divers organes des êtres vivants perçus à travers l'organe végétal qu'est la feuille.

Le traité de *La métamorphose des plantes* expose cette liquéfaction et commutation des phénomènes à partir de la vision du jardin de Palerme, sous l'invocation de la catégorie nouvelle de la métamorphose. « Quiconque examine avec tant soit peu d'attention le développement des plantes, observera sans peine que certaines de leurs parties extérieures se transforment parfois et prennent tantôt entièrement, tantôt partiellement la forme de la partie immédiatement avoisinante » ([59]). L'exposé logique prend du recul par rapport au phénomène, mais il se réfère à une observation de type visuel concernant la mutation des formes ; le règne végétal se trouve en perpétuel devenir. « L'affinité secrète des diverses parties de la plante, telles que les feuilles, le calice, la corolle, les étamines, qui se développent les unes après les autres et en quelque sorte les unes des autres, est connue en gros depuis longtemps déjà par les naturalistes et même étudiée de façon spéciale ; et l'on a dénommé *métamorphose des plantes* le phénomène en vertu duquel un seul et même organe se présente ainsi à nous si diversement modifié » ([60]).

Le traité de 1790, plus modeste que la lettre à Herder de 1787, n'attribue pas à Goethe seul le mérite de sa découverte, « connue en gros depuis longtemps » ; vraie ou fausse, cette modestie n'empêche pas que la conjonction entre le thème de la *métamorphose* et celui de l'*Urpflanze*, forme particulière de l'*Urphaenomen*, engendre une épistémologie à laquelle Goethe a attaché son destin scientifique. Le phénomène originaire est un fait irréductible de la nature, saisi par appréhension intuitive, et générateur d'une intelligibilité qui se diffuse à travers un vaste domaine du savoir. On peut voir en lui un axiome de l'intuition, point d'arrivée et point de départ de la recherche, en deçà duquel il n'est pas question de remonter ; ainsi de la feuille, génératrice de la plante, de la vertèbre, génératrice du

---

([59]) *La métamorphose des plantes*, 1790, Introduction, § 1 ; dans *La Sagesse de Goethe*, recueil cité, p. 84.
([60]) *Ibid.*, § 4 ; loc. cit., p. 85.

crâne, ou encore de l'os intermaxillaire, dont Goethe estime qu'il atteste dans l'ordre de l'ostéologie l'unité de la série animale. Dans les trois cas, il s'agit bien de données du regard. En proposant ces informations originales aux hommes de science de son temps, l'auteur du *Faust* et de l'*Hymne à la Nature* apporte sa contribution à l'édification des sciences naturelles ; la *Naturphilosophie* telle qu'il la conçoit est compatible avec la connaissance positive, à laquelle elle fournit la caution d'une intelligibilité transcendante.

Ainsi fondée dans l'expérience réelle, la doctrine goethéenne développe une conception du devenir de la nature, en un langage qui n'est pas celui de la poésie ou de la religion, mais celui de la réflexion rationnelle. Les recherches analytiques de la chimie ou de l'anatomie, si utiles qu'elles soient, souffrent d'un vice fondamental : « on sépare les êtres vivants en éléments, mais on ne peut les reconstruire ni les animer ». A cette procédure, Goethe oppose la sienne, modestement présentée sous le couvert d'une société en nom collectif : « Aussi les savants ont-ils senti de tout temps le besoin de considérer les végétaux et les animaux comme des organismes vivants ; d'embrasser l'ensemble de leurs parties extérieures, qui sont visibles et tangibles, pour en déduire leur structure intérieure, et dominer pour ainsi dire le tout par l'intuition (...) « Cette tendance scientifique est en harmonie avec l'instinct artistique », ce que les « savants » allégués plus haut n'avaient sans doute pas relevé. « L'histoire de l'art, du savoir et de la science nous a conservé plus d'un essai entrepris pour fonder et perfectionner cette doctrine que j'appellerai *Morphologie* » ([61]). Parti de la spéculation, enrichi d'informations de fait, Goethe revient à la spéculation, tout lyrisme mis à part, mais non sans référence à l'ordre esthétique. La *forme* est en effet le lieu propre des harmonies maîtresses de l'art. « J'ai été ce matin (...) à l'Académie de France, où les moulages des meilleures statues antiques sont réunis, note le voyageur d'Italie (...). Même quand on est préparé, on est là comme anéanti. J'avais pourtant cherché à me faire une idée quelque peu éclairée de la proportion de l'anatomie, de la régularité des mouvements, mais ici je n'ai été que trop frappé du fait qu'en dernier ressort la forme comprend tout, l'utilité des membres, leurs rapports, leur caractère et leur beauté » ([62]).

Nature et art communient dans la forme ; mais Goethe oppose à la forme en son actualisation vivante la forme morte (*Gestalt*), figée dans l'immobilité. Or, « si nous examinons toutes les formes, et en

([61]) But de l'Auteur (1807), dans le recueil *Anatomie philosophique de Goethe*, pp. Ch. MARTINS, Paris-Genève, 1839, p. 15.
([62]) GOETHE, *Voyage en Italie*, à la date du 11 avril 1788, trad. MUTTERER, Champion 1931, p. 534.

particulier les formes organiques, nous trouvons bientôt qu'il n'y a rien de fixe, d'immobile ni d'absolu, mais que toutes sont entraînées par un mouvement continuel ; voilà pourquoi notre langue a le mot formation (*Bildung*), qui se dit aussi bien de ce qui a été déjà produit que de ce qui le sera par la suite. (...) Ce qui vient d'être formé se transforme à l'instant, et pour avoir une idée vivante et vraie de la nature, nous devons la considérer comme toujours mobile et changeante, en prenant pour exemple la manière dont elle procède avec nous-même » [63]. La forme vivante met en œuvre une pluralité d'éléments dissemblables, qu'elle coordonne dans le jeu de son dynamisme ; un organisme vivant, végétal, animal, humain, est une forme de formes.

Les divers règnes de la nature, et la nature elle-même comme totalité de ces règnes, s'offrent ainsi au regard de la pensée comme un agencement complexe de formes vivantes en état d'animation perpétuelle, coordonnées les unes avec les autres, surordonnées ou subordonnées selon l'exigence de la nature qui s'affirme à travers eux. Un dynamisme ascensionnel jalonne le devenir de l'ensemble, à partir des formes rudimentaires. « Lorsqu'on observe des plantes et des animaux inférieurs, on peut à peine les distinguer. Un point vital immobile, ou doué de mouvements souvent à peine sensibles, voilà tout ce que nous apercevons. Je n'oserais affirmer que ce point peut devenir l'un ou l'autre suivant les circonstances ; plante sous l'influence de la lumière, animal par celle de l'obscurité, quoique l'observation et l'analogie semblent l'indiquer. Mais ce qu'on peut dire, c'est que les êtres issus de ce principe intermédiaire entre les deux règnes se perfectionnent suivant deux directions contraires, la plante devient un arbre durable et résistant, l'animal s'élève dans l'homme au plus haut point de liberté et de mobilité » [64].

Un esprit exercé à percevoir les articulations du réel en devenir parviendra à saisir des configurations, des schémas dynamiques stables au sein du devenir des formes. L'intuition de ces signalements partiels servira de fil conducteur pour la recherche de l'ordre immanent à la nature. L'intuition des métamorphoses de la feuille, au jardin de Palerme, avait conduit Goethe jusqu'au type général de la plante, dont le schéma global s'appliquerait à toutes les plantes réelles, et même à d'autres qui n'existent pas. De même pour le squelette animal, à partir des observations qu'il lui a été donné de relever, Goethe conclut à la possibilité « d'établir un type anatomique, un modèle universel contenant, autant que possible, les os de tous les animaux, pour servir de règle en les décrivant d'après un

[63] But de l'Auteur, *op. cit.*, p. 16.
[64] *Op. cit.*, p. 18.

ordre établi d'avance. Ce type devrait être établi en ayant égard, autant que possible, aux fonctions physiologiques ». L'animal modèle, le modèle d'animal, qui ne correspond à aucun animal réel, mais s'applique à tous les animaux possibles, pourra servir de point de départ à de fructueuses investigations en matière d'anatomie comparée. L'observation nous apprend quelles sont les parties communes à tous les animaux, et en quoi ces parties diffèrent entre elles ; l'esprit doit embrasser cet ensemble et en déduire par abstraction un type général dont la création lui appartienne. Après avoir essayé ce type, « on peut le considérer comme provisoire, et l'essayer au moyen des méthodes de comparaison ordinaires. (...) Le ty.,e une fois construit, ces comparaisons toujours possibles n'en seront que plus logiques, et exerceront une influence heureuse sur l'ensemble de la science, en servant de contrôle aux observations déjà faites et en leur assignant leur véritable place » ([65]).

Le « type général », le modèle de la plante ou de l'animal saisis par le regard du poète ouvrent à travers les formes réelles une perspective de fuite qui découvre à l'horizon la structure abstraite en laquelle communient toutes les formes possibles. L'idée n'est pas nouvelle ; depuis un certain temps, des esprits non médiocres avaient formé le schéma d'un plan d'organisation des êtres vivants, se réalisant à travers les essais et les erreurs du dynamisme naturel. Buffon, traitant de la famille du cheval avec ses variantes, avait évoqué au passage l'idée d'un prototype de l'animalité. Diderot, dès 1753, avait joué avec l'hypothèse d'un « premier animal, prototype de tous les animaux, dont la nature n'a fait qu'allonger, raccourcir, transformer, multiplier, oblitérer certains organes » ([66]). Le théoricien vitaliste J. B. Robinet avait développé des spéculations hardies sur le thème de l' « organisme universel » ; le principe de l'*unité de composition* est dans l'air dans la seconde moitié du XVIIIᵉ siècle. Ce schéma sera à l'arrière-plan de la doctrine évolutionniste en biologie, de Lamarck à Darwin en passant par Cuvier et Geoffroy Saint-Hilaire. Lorsque Goethe, en 1795, médite sur l'ostéologie comparée, il orchestre un thème présent depuis longtemps dans l'ambiance culturelle. Non qu'il se soit approprié le bien d'autrui ; il a suivi, en tout cas, depuis 1787, son propre chemin et travaillé sur des données qu'il avait lui-même recueillies. Ses suggestions n'ayant pas été bien accueillies par les hommes de science contemporains, dont il souhaitait avant tout l'approbation, Goethe garde en réserve son *Introduction générale à*

([65]) *Introduction générale à l'anatomie comparée basée sur l'ostéologie* (1795), publié en 1820, dans *Anatomie philosophique* de GOETHE, édition citée, 1839, p. 26.
([66]) DIDEROT, *De l'interprétation de la nature*, XII, 1753 ; in *Œuvres philosophiques*, p.p. P. VERNIÈRE, Garnier, 1961, p. 187 ; sur ce thème cf. G. GUSDORF, *Dieu, la nature, l'homme au siècle des Lumières*, Payot, 1972, pp. 350 sqq.

l'anatomie comparée rédigée dès 1795. Il ne publiera ce texte qu'en 1820, lorsque Geoffroy Saint-Hilaire, zoologiste de renom, aura fait valoir en France sa théorie de l'unité du plan de composition organique, appuyée sur des recherches considérables en matière d'anatomie comparée.

Tout au fond de lui-même, Goethe a conscience de n'être dans ce domaine qu'un amateur ; si sûr qu'il s'affirme de la validité de son intuition, il préfère s'effacer devant le professionnel, se couvrir de son autorité. Ainsi en est-il des fondateurs de la *Naturphilosophie*, tels Herder et Schelling, qui n'accèdent à la nature que par personne interposée. Le savant, au contact de l'expérience, affronte la diversité du réel ; et le plus souvent les faits dans leur variété font obstacle à l'éclosion des idées, de sorte que l'homme de science se contentera de rassembler des données qu'il ne domine guère, de les cataloguer sans sortir du règne de l'empirie. Seul un esprit supérieur, comme Geoffroy Saint-Hilaire, peut, sur certains points, s'élever jusqu'à des conceptions d'ensemble. Le *Naturphilosoph* ne part pas des faits, mais de la théorie, condensée en intuition, en vision du monde. Pour Goethe le premier regard est déjà donateur de sens ; c'est à travers la théorie que nous accédons au réel (*Alles Faktische ist schon Theorie*). Le propos s'applique à la nature elle-même, perçue comme l'ensemble des ensembles, la théorie des théories, dont l'auteur de la *Farbenlehre* possède une vision globale au sein de laquelle les informations successives viennent spontanément se ranger.

L'imagination de Goethe voit la nature artiste produire les formes vivantes par l'action conjuguée de la force vitale immanente à la nature et des résistances de l'environnement. La vie toute nue requiert un vêtement, un revêtement, dont les caractéristiques, variables en fonction du milieu, contribueront à diversifier la face de la terre. « La force vitale a besoin d'une enveloppe qui la protège contre l'action trop énergique des éléments extérieurs, de l'air, de l'eau, de la lumière, afin qu'elle puisse accomplir une tâche déterminée. Que cette enveloppe se montre sous la forme d'une écorce, d'une peau, d'une coquille, peu importe ; tout ce qui a vie, tout ce qui agit comme doué de vie, est muni d'une enveloppe ; aussi la surface extérieure appartient-elle de bonne heure à la mort, à la destruction » ([67]). D'où la perspective d'une sorte de dialectique des formes, dont les revêtements superficiels, en réaction les uns contre les autres, se sculptent mutuellement, se polissent et se corrodent par le fait d'une érosion continuelle. L'observation la plus banale donne à voir le constant renouvellement des écorces, poils, plumes, peaux,

---

([67]) But de l'Auteur (1807) ; in *Anatomie philosophique* de GOETHE, édition citée, p. 19.

dont l'enveloppe protectrice se détruit sans cesse pour se former à nouveau. Partout « des téguments qui se mortifient, se séparent, se détruisent sans cesse ; mais derrière eux se forment d'autres enveloppes sous lesquelles la vie, siégeant à une profondeur variable, tisse sa trame merveilleuse » [68].

L'ordre du visible apparaît comme une projection de la nature en travail dans les profondeurs ; la surface du réel représente la zone d'équilibre, perpétuellement mouvante, entre les pulsions du dedans et les résistances du dehors. A travers cet équilibre précaire se poursuit l'incessant labeur de la nature selon le dynamisme ascensionnel d'une sublimation, dont l'homme est provisoirement le produit le plus achevé. « Une forme définie est en quelque sorte le noyau interne qui prend des formes variées sous l'action d'un élément ambiant extérieur. Un animal est adapté à l'ambiance précisément parce qu'il a été formé aussi bien du dehors que du dedans et parce que, en outre, l'élément extérieur est plus apte à façonner à son modèle la forme extérieure qu'à modifier la structure interne » [69]. La problématique de l'évolutionnisme, dont l'affirmation et la discussion vont occuper le xixᵉ siècle, se trouve en germe dans les lignes rédigées par Goethe en 1792, l'année qui précède la création par la Convention, à Paris, du Museum National, où Lamarck (1744-1829) aura à s'occuper de l'enseignement des Insectes et des Vers. Lamarck, en 1792, n'est encore qu'un botaniste ; ses recherches ultérieures, en dépit de leur incontestable génialité, ne parviendront pas à forcer l'attention des doctes, ni d'ailleurs celle de Goethe, son contemporain.

Le maître du Museum appuiera sa doctrine sur un immense labeur qui lui permettra de constituer de toutes pièces et d'ordonner la multitude immense des animaux sans vertèbres. En face de l'auteur de la *Philosophie zoologique,* biologiste à temps complet, Goethe fait figure de botaniste et de zoologiste du dimanche. Cela n'enlève rien aux mérites de son génie, qui conçoit la Nature entière comme un organisme englobant tous les organismes secondaires dans le dynamisme ascensionnel des métamorphoses. Chaque être particulier bénéficie de la présence de tous les autres, s'appuie sur tous les autres, pour contribuer à la promotion des formes vitales. L'inspiration de l'*Hymne à la Nature* de 1782, transférée dans l'ordre de la connaissance du réel, devient un cadre épistémologique pour l'analyse des phénomènes. « De même qu'on vient de regarder les éléments organisés et non déterminés comme les causes détermi-

---

[68] *Ibid.,* pp. 19-20.
[69] *Essai d'une méthode générale de comparaison,* 1792 ; dans *La Sagesse de Goethe,* pp. H. LICHTENBERGER, Renaissance du Livre, 1930, p. 92.

nantes des êtres organisés, on se haussera maintenant à un point de vue plus élevé et l'on considérera le monde organique à son tour comme un ensemble d'éléments liés les uns aux autres. Le règne végétal tout entier, par exemple, nous apparaîtra comme un immense océan, aussi indispensable comme condition d'existence des insectes que l'océan maritime et les fleuves le sont pour l'existence des poissons ; et nous verrons qu'un nombre immense de créatures vivantes naissent et se nourrissent dans cet océan végétal ; bien plus, nous en viendrons à considérer finalement tout le monde animal aussi comme un vaste élément où une espèce prend naissance ou, en tout cas, se maintient *sur* une autre et *par* une autre... » ([70]).

Goethe appartient bien à la *Naturphilosophie*, dont il définit le cadre et met en œuvre les présupposés majeurs, y compris celui de la polarité et celui de la hiérarchie croissante des formes *(Steigerung)*. L'immense prestige de Goethe confère à ses idées une autorité exemplaire au sein de la culture romantique. Cela dit, la confrontation de Goethe avec Lamarck, ou encore avec les grands biologistes du XIXe siècle : Cuvier, Geoffroy Saint-Hilaire ou Darwin, présente un grand intérêt, surtout si l'on se propose de déterminer qui a tort ou raison, dans la perspective d'une histoire de la vérité. Chaque homme de science prend la parole en fonction de son savoir, et le savoir s'accroît avec le temps, en proportion des recherches effectuées par le théoricien, mais aussi avec l'apport des résultats obtenus par les contemporains. Cinquante ans se sont écoulés entre la *Philosophie zoologique* et l'*Evolution des espèces* (1859) et Darwin a bénéficié de la croisière du *Beagle* autour du monde, de la géologie de Lyell, etc. Au surplus la « vérité » en question pour Cuvier, Lamarck et Darwin n'est plus celle d'aujourd'hui. La biologie a changé d'échelle de lecture ; les recherches sur la descendance, l'hérédité, les mutations se situent à un niveau microscopique et moléculaire, dont les savants du siècle dernier ne pouvaient avoir la moindre idée ; la génétique est une science neuve. On peut même se demander si, au point de haute technicité où sont parvenues les recherches, le thème de la « vision du monde » a encore un sens. Ce qui ne veut pas dire que Goethe, Lamarck ou Darwin étaient dans l'erreur, qu'ils avançaient des conclusions fausses. On ne peut pas les juger en fonction de connaissances qu'ils ne possédaient pas, parce qu'elles n'étaient pas disponibles. Les hommes de science actuels eux-mêmes ne sont détenteurs que d'une vérité provisoire, à laquelle nous conférons, par une illusion inévitable, une validité privilégiée.

Le jugement sur une doctrine scientifique du passé en termes de vérité et d'erreur est toujours entaché d'anachronisme. Il paraît plus

([70]) *Ibid.*, p. 94.

équitable de fonder l'appréciation sur le rapport existant entre les données dont disposait le théoricien et la masse d'intelligibilité à laquelle il est parvenu. L'important, c'est l'élargissement du champ de la connaissance, la perception de faits nouveaux et la mise en relation d'un ensemble d'éléments séparés les uns des autres, qui, une fois rapprochés, s'éclairent mutuellement. Goethe ne s'est pas contenté d'être un écrivain qui décrit les apparences ; son regard a percé les apparences pour en ressaisir l'économie intime. Le sentiment de la nature, au lieu de se borner à une sympathie diffuse avec le paysage, s'enracine dans un sens cosmique en vertu duquel l'homme s'inscrit à sa place dans l'univers auquel il appartient. On a tiré argument de quelques boutades de Goethe, excédé par l'anarchie mentale et morale de certains jeunes écrivains à la mode, pour faire de lui un adversaire du romantisme, comme si l'on pouvait situer quelqu'un en fonction de ses humeurs. La *Naturphilosophie* qui inspire l'auteur de la *Métamorphose des plantes* est significative d'un romantisme profond ; le sens cosmique est l'assise ontologique sur laquelle s'édifient les œuvres du poète. L'œuvre de Goethe *contient*, sous ses formes diverses, le romantisme, dans tous les sens du terme : Goethe le porte en soi et il le surmonte. Le romantisme est la face cachée de Goethe pour ceux qui ne connaissent de lui que l'homme de lettres ; les romans, les poèmes, les drames exposent des affleurements des assises profondes représentées par le pandynamisme et le panvitalisme goethéens.

Alexandre de Humboldt (1769-1859) a présenté la synthèse d'une existence scientifique consacrée à la recherche et illustration du sens de la Terre, dans l'ouvrage de sa maturité (1845-1862) : *Kosmos, Essai d'une description du monde physique*. Humboldt, génie du premier rang, ne se contente pas de décrire l'état présent du globe terrestre, dans ses structures géologiques et ses configurations géographiques ; il fait entrer dans la réalisation de son dessein l'histoire de la découverte de la terre et l'histoire de la représentation du monde à travers les âges de la culture ([71]). L'historisme romantique donne à comprendre, comme l'avait dit Frédéric Schlegel et comme Goethe le dit à son tour, que « l'histoire de l'homme est

---

([71]) ECKERMANN a conservé le témoignage de GOETHE sur A. de Humboldt : « j'ai trouvé Geothe ému d'une douce joie : « Alexandre de Humboldt, me dit-il avec une grande animation, a passé quelques heures, ce matin, avec moi. Quel homme ! Je le connais depuis fort longtemps et de nouveau cependant il m'étonne ! En fait de savoir et de connaissance de la vie, on peut dire qu'il n'a pas son pareil. Avec cela, une science encyclopédique comme je n'en ai vu aucune. D'où qu'on l'aborde, on le voit partout chez lui et prêt à vous combler des trésors de son esprit. C'est comme une fontaine aux bouches nombreuses : il suffit de mettre dessous un récipient, et la fontaine continue à verser son flot rafraîchissant, inépuisable » » (*Conversations avec Goethe*, 11 décembre 1826, trad. CHUZEVILLE, Jonquières, 1930, t. I, pp. 190-191).

un exposant de l'homme (*dass die Geschichte des Menschen den Menschen darstelle*)» et que, en conséquence, «l'histoire de la science est la science elle-même (*dass die Geschichte der Wissenschaft die Wissenschaft selbst sei*)»[72]. C'est pourquoi la *Farbenlehre* de Goethe comporte une partie historique, tout comme le *Kosmos* de Humboldt.

L'histoire de la connaissance de l'univers ne doit pas être confondue avec l'histoire des sciences de la nature et de leurs perfectionnements successifs, estime Humboldt. « L'intuition du jeu coordonné des forces à l'œuvre dans l'univers doit être considérée comme le fruit le plus noble de la culture humaine, comme l'effort pour atteindre le plus haut sommet où puisse atteindre le perfectionnement de l'exercice de l'intelligence. » Une histoire globale de la vision du monde doit respecter la représentation propre aux hommes du passé, sans la surcharger de corrections rétrospectives ; « il importe surtout de distinguer avec soin un pressentiment précoce d'un savoir scientifique véritable. Le progrès de la culture humaine permet à bon nombre d'éléments de la première catégorie de passer dans la seconde, mais ce transfert obscurcit l'histoire des découvertes » [73]. Une discrimination se trouve réalisée rétrospectivement entre ce qui sera vérifié et ce qui ne le sera pas, dans les temps à venir ; du coup, la conscience, au sein de laquelle l'image du monde forme un bloc solidaire, se trouve disloquée en vertu de normes qui lui sont étrangères. L'histoire positive, ou prétendue telle, fausse la compréhension historique. Il faut respecter le rôle épistémologique de l'imagination, première à occuper le terrain du savoir par ses pressentiments et ses spéculations aventurées, avant que la recherche critique ne vienne dissocier ce qui est vrai de ce qui ne l'est pas. « L'activité d'un esprit capable d'une animation universelle, à l'œuvre chez un Platon, un Colomb, un Kepler, ne doit pas être mise en accusation, comme si elle était demeurée stérile dans le domaine de la science, comme si, par essence, elle devrait être exclue de l'approfondissement du réel proprement dit » [74].

Humboldt définit l'histoire de la représentation du monde physique (*Geschichte der physischen Weltanschauung*) comme « l'histoire de la connaissance d'une totalité de la nature, en tant qu'histoire de la pensée de l'unité dans les représentations et de la coopération des

---

[72] GOETHE, *Die Schriften zur Naturwissenschaft*, hgg von der Deutschen Akademie der Naturforscher zu Halle, Erste Abt., Bd. IV, Weimar 1955 : *Zur Farbenlehre, Didaktischer Teil*, Vorwort, p. 7.

[73] Alexander VON HUMBOLDT, *Kosmos, Entwurf einer physischen Weltbeschreibung*, Bd. II, Stuttgart Augsburg, 1847, p. 137.

[74] *Ibid.*, p. 138.

forces dans l'univers » ([75]). L'idée d'une histoire de la vérité est absurde, car la vérité n'a pas d'histoire, elle est vraie de tout temps. « L'histoire de la vision du monde, telle que je la conçois, dit encore Humboldt, n'expose pas les oscillations souvent recommencées entre la vérité et l'erreur, mais plutôt les principaux moments de la démarche progressive vers la vérité, vers la représentation juste des forces terrestres et du système des planètes » ([76]). Du point de vue de la science rigoureuse, il n'y aurait pas grand-chose à dire des conceptions du monde propres aux Indiens d'Asie, aux Egyptiens et aux Pythagoriciens ; même les cosmologies de l'Antiquité classique et du Moyen Age ne contiennent que de très modestes parcelles de « vérité scientifique ». L'historien du savoir, estime Humboldt, doit pourtant s'intéresser à ces systèmes de représentation, et tenter de les reconstituer dans leur unité intrinsèque. L'idée d'une comptabilité en partie double, où le vrai et le faux seraient dissociés et inscrits séparément, serait aberrante. Une vision du monde, horizon culturel pour une époque donnée, expose, à défaut de la vérité scientifique de notre temps, une vérité humaine, valide et valable en tant que telle, puisqu'elle a servi de cadre, ou de décor, à l'établissement d'une partie de l'humanité dans l'univers qui était le sien.

La conception romantique du monde mérite autant d'égards que la cosmologie des Aztèques, auxquels nul ne songe à reprocher leur ignorance complète des données scientifiques élémentaires. Herder, Goethe et Schelling ont été les pères fondateurs d'une présence au monde originale, qui ne se contentait pas de mettre en place certains faits nouveaux, mais fondait sur l'ordre dans le monde l'ordre des valeurs constitutif du sens religieux et du sens esthétique propres au romantisme européen. La doctrine, en tant qu'expression d'un moment culturel, d'un *Zeitgeist,* fut l'œuvre conjointe d'esprits exceptionnels, proches les uns des autres non seulement par la pensée, mais aussi et surtout par l'espace. Goethe et Herder vivent à Weimar, le jeune Schelling se trouve dans la voisine Iéna, où séjourne aussi Schiller. Humboldt, le voyageur, n'appartient pas à ce cercle de coexistence ; non pas *Naturphilosoph* à proprement parler, mais plutôt compagnon de route, objet du plus grand respect. Les historiens ont trop tendance à relever les différences, les oppositions entre les théoriciens, ne fût-ce que pour marquer ce qui revient à chacun dans le mouvement de la pensée. Pratique nécessaire à certains égards ; mais les dissentiments de détail ne doivent pas faire oublier le consentement fondamental, l'accord sur un sens du réel inspiré par une sensibilité intellectuelle qui est celle du romantisme même. Cette

---

([75]) *Ibid.*
([76]) P. 139.

mutualité évoque entre les *Naturphilosophen* ce que le jeune Frédéric Schlegel souhaitait voir s'établir entre les membres de son groupe sous le nom de *Symphilosophie* ou de *Sympoesie*. La vision romantique de la nature est une communauté de ce genre, par-delà les divergences d'interprétation.

Un tel exemple de cette pensée en commun est fourni par Goethe lui-même, évoquant la genèse de ses réflexions d'anatomie comparée sur le thème de l'ostéologie. Il raconte qu'à la fin de l'année 1795, les frères Guillaume et Alexandre de Humboldt séjournèrent à Iéna. « Tous deux s'intéressaient vivement, à ce moment-là, aux sciences naturelles, et je ne pus me retenir, au cours de la conversation, de leur faire part de mes idées sur l'anatomie comparée et la manière de la traiter méthodiquement. Mon exposé obtint une attention générale et complète, si bien que je fus mis en demeure de le mettre par écrit ; ce que je fis sur-le-champ, en dictant à Max Jacobi l'esquisse d'une ostéologie comparée, telle que je l'avais présente à l'esprit ; ainsi je donnai satisfaction à mes amis, et j'y gagnai de fixer mes idées en vue d'approfondissements ultérieurs. L'influence d'Alexandre de Humboldt doit être particulièrement soulignée. Sa présence à Iéna est profitable à l'anatomie comparée ; lui et son frère aîné m'incitent à dicter le reste du schéma général » ([77]).

Scène étonnante entre grands esprits. Guillaume de Humboldt, le linguiste, le futur homme d'Etat, a rédigé en 1795 son *Plan d'une anthropologie comparée*, anthropologie philosophique et spirituelle, et non pas anthropologie physique ; Alexandre de Humboldt, le plus jeune, perfectionne son savoir encyclopédique. Tous deux, fascinés par l'intelligence goethéenne, pressentent l'importance du projet ostéologique pour la compréhension globale de la nature vivante. Aucun des participants à cette séance n'est un anatomiste ; aucun n'est un savant spécialisé dans telle ou telle discipline particulière ; aucun, par ailleurs, n'appartient au mouvement romantique — ou plutôt n'y appartiendra, car l'exigence romantique ne prendra conscience d'elle-même que dans le proche avenir des années 1797 et 1798. On peut pourtant penser que l'esprit du dynamisme vitaliste constitutif de la *Naturphilosophie* se trouve déjà présent dans cet entretien de Iéna, en décembre 1795. Chacun des interlocuteurs poursuivra glorieusement son chemin à travers les incertitudes du monde, chacun orchestrera selon son génie propre des variations personnelles sur le thème du sens de la vie et du sens de la terre. Esprit du temps, esprit du lieu — en cette même petite ville d'Iéna, en mai 1798, les frères Schlegel feront paraître le premier numéro de

---

([77]) GOETHE, *Briefwechsel mit den Gebrüdern Humboldt*, hgg. von F. Th. BRATRA-NEK, Leipzig, 1876, p. 346.

l'*Athenaeum*, manifeste de l'explosion romantique. Schelling obtient en juillet de cette même année un poste à l'Université, sur la recommandation de Goethe ; c'est là que ses écrits sur la philosophie de la nature consacrent la rupture entre la *Naturphilosophie* et la *Wissenschaftslehre* de Fichte, professeur lui aussi à l'Université, qui sera obligé de quitter Iéna en 1799, à la suite de la mauvaise querelle de l'athéisme (*Atheismusstreit*), dont il est la victime.

L'éclosion, l'explosion du romantisme, en ce lieu, en ce temps de haute densité spirituelle, n'est pas le fait de tel individu, de telle initiative créatrice, elle résulte de la conjonction d'un certain nombre d'événements et d'un certain nombre d'hommes ; le romantisme même, ce serait le dénominateur commun, le foyer d'inspiration qui rassemble en un glorieux solstice les inventeurs d'une vision du monde appelée à irradier l'Occident pendant le siècle qui vient et même au-delà. L'Hymne de Goethe à la Nature date de 1782, les *Ideen* de Herder commencent à paraître en 1784 ; le voyage de Goethe en Italie, riche en intuitions biologiques et esthétiques, se situe en 1786-1788. En 1795 a commencé la publication du *Wilhelm Meister*. Autant de jalons pour une présence au monde spécifiquement différente de celle qui correspondait à l'esprit des Lumières. C'est à Schelling qu'il appartiendra de définir avec rigueur une forme d'intelligibilité capable de regrouper le nouveau savoir et les exigences nouvelles de la conscience. Les textes fondamentaux de la *Naturphilosophie* selon Schelling s'annoncent à ce moment précis et s'étaleront sur une dizaine d'années. En 1797 paraissent les *Idées pour une philosophie de la nature, Introduction à l'étude de cette science;* en 1798, l'*Ame du monde (Die Weltseele);* en 1799, l'*Introduction à la première esquisse d'un système de la Philosophie de la nature ou Du concept de la physique spéculative et de l'organisation d'un système de cette science.* Les *Conférences sur la méthode dans les études académiques,* faites à Iéna en 1802 et publiées en 1803, accordent une fonction prépondérante à la *Naturphilosophie* dans le programme de l'Université. Viendront encore les *Aphorismes pour introduire à la philosophie de la nature* (1805) et les *Aphorismes sur la philosophie de la nature* (1806-1807), publiés dans une revue de médecine dont Schelling a été l'initiateur. Après quoi le philosophe se détournera de ces préoccupations, abandonnées à des disciples et continuateurs plus ou moins fidèles au maître. L'intervention de Schelling, si elle ne constitue par une coupure au sens fort du terme, marque un seuil. La formule « philosophie de la nature », qui n'était pas nouvelle, reçoit de Schelling un sens original qui lui restera acquis dans le romantisme germanique.

La position propre de Schelling, au départ, s'inscrit dans la perspective de deux parrainages doublement illustres. Le jeune

Schelling, né en 1775, est l'élève préféré de Fichte (1762-1814) et le protégé de Goethe, qui appartient à une génération antérieure, puisque né en 1749. L'opposition entre ses deux maîtres éclaire la divergence inévitable qui conduira Schelling à s'éloigner de l'un comme de l'autre. Goethe a vu d'un bon œil la venue de Fichte à Iéna, il a subi l'ascendant de ce génie spéculatif ; mais il est rebuté par l'exercice abstrait de la pensée. Le kantien Fichte s'entendait mieux avec le kantien Schiller. Schelling a été marqué lui aussi par la philosophie transcendantale ; mais le rigorisme fichtéen s'inscrit dans le prolongement des postulats de la raison pratique et de l'autonomie de la volonté. Schelling, pour sa part, s'il procède à partir de Kant, prend pour base de départ, plutôt que la *Critique de la raison pratique*, la *Critique du jugement*, où règne le thème de la finalité dans la nature et dans l'art. Le fondateur de la *Naturphilosophie* supprimera les barrières du criticisme, et restituera à l'exercice de la finalité une validité transcendante, constitutive, au sens kantien du terme.

Goethe a senti tout de suite qu'il n'avait rien à gagner d'un commerce avec Fichte, dont la pensée déjà mûre ne lui est pas assimilable. Il en était autrement avec Schelling ; son jeune génie paraissait ouvert aux préoccupations concrètes. L'auteur du *Meister*, marqué d'un sentiment d'infériorité à l'égard de la philosophie technique, accueillait favorablement un brillant technicien, susceptible de l'aider à mettre au point ses préoccupations concernant la nature en même temps que ses recherches sur la théorie des couleurs. Souffrant de sa solitude, Goethe se réjouissait de trouver à qui parler. Schelling était un très grand esprit ; en aidant ce jeune génie à prendre conscience de lui-même, en contribuant à orienter sa recherche dans le meilleur sens souhaitable, Goethe pouvait espérer qu'il y gagnerait un compagnon, peut-être dans une certaine mesure un collaborateur. L'histoire des relations entre Goethe et Schelling est l'histoire d'une désillusion, sans qu'il y ait lieu d'en faire reproche à l'un ou à l'autre.

La nomination de Schelling à l'Université de Iéna comme professeur extraordinaire, le 5 juillet 1798, a été sollicitée par Fichte et menée à bien par Goethe, en vertu des pouvoirs administratifs qu'il détient. La correspondance entre Schiller et Goethe atteste l'intérêt que ce dernier portait aux *Idées pour une philosophie de la nature* ; dès ce moment pourtant s'affirme un embarras et comme une réticence devant l'assurance spéculative manifestée par le jeune penseur. La fidélité au réel semble résister aux sollicitations de la pensée théorique ; l'élément empirique doit être maintenu, sinon les plus beaux efforts n'aboutiront qu'à une pseudo-science. Goethe a pu constater, dans son travail sur la vision des couleurs, l'inconvénient des « idées qu'on va chercher dans le domaine de la pensée pour les

introduire dans le champ de l'expérience : elles s'adaptent uniquement à une portion des phénomènes et je dirais volontiers que, si
la nature est insondable, c'est parce qu'un homme unique est
incapable à lui seul de l'embrasser tout entière, alors que l'humanité
envisagée dans son ensemble en est parfaitement capable. Mais
comme il n'arrive jamais que la pauvre humanité soit tout entière
assemblée, la nature a beau jeu pour se soustraire à nos regards » ([78]).

La suite de la lettre atteste que l' « homme unique », auquel songe
Goethe, est l'auteur des *Idées pour la philosophie de la nature* : « J'ai
repris en main les *Idées* de Schelling et ce n'est jamais chose banale
que de s'entretenir avec un pareil homme ; mais je crois bien
m'apercevoir qu'il est trop attentif à taire soigneusement ce qui va
contre les manières de voir qu'il souhaiterait répandre, et je me
demande en quoi je puis m'intéresser à une idée qui me contraint à
sacrifier une partie de ma provision d'observations positives. Et puis,
il y a aussi en face les mathématiciens, qui disposent de moyens d'une
puissance énorme pour saisir la nature corps à corps, et qui sont bien
souvent exposés à la tentation d'escamoter ce qui importe le
plus » ([79]). Dès ce premier contact, Goethe relève le point capital qui
ne lui permet pas d'adhérer à la « physique spéculative » ou
« physique en grand », développée par le jeune philosophe. Il redoute
que la forêt ne cache les arbres, que la construction abstraite ne
devienne un masque derrière lequel se dissimule la réalité des faits.

Néanmoins, en cette même année 1798, Goethe s'occupe de
procurer au jeune philosophe un poste non loin de lui, afin de l'aider
à résister au penchant spéculatif. La recommandation de Goethe
stipule qu'il est souhaitable que le candidat « soit orienté vers
l'observation et les expériences, et vers une étude soutenue de la
nature, dans un emploi opportun des beaux dons de son esprit » ([80]).
La sympathie admirative de Goethe à l'égard de son protégé est
indéniable. Il lui écrit encore en 1800 : « Depuis que je me suis
détaché de la méthode préconisée par la recherche de la nature et, tel
un nomade, me suis retiré en moi-même, il m'a fallu errer dans les
régions spirituelles de la science, et j'ai rarement éprouvé ici et là
quelque attirance : c'est vers votre enseignement que je la sens. Je
souhaite entre nous une entente parfaite » ([81]). Vœu déçu par
l'expérience ; mais le propos témoigne de l'attraction que le protégé

([78]) GOETHE à Schiller, 21 février 1798 ; dans *Correspondance entre* SCHILLER *et*
GOETHE, trad. Lucien HERR, t. III, Plon, 1923, p. 83.
([79]) *Ibid.*
([80]) Cité dans Roger AYRAULT, *La genèse du romantisme allemand*, t. III, Aubier,
1969, p. 57.
([81]) Dans Ricarda HUCH, *Les romantiques allemands*, trad. A. BABELON, Grasset,
1933, p. 184.

exerce sur son protecteur. « Je ne puis le suivre pleinement, dit encore Goethe, mais il est clair pour moi qu'il est destiné à introduire une nouvelle époque dans l'histoire » [82]. Il n'y aura pas de rupture. Goethe saura dominer sa déception, gardant à l'égard de Schelling un sentiment de révérence. Dès la fin de 1798, il confiait à Schiller : « Il arrive si exceptionnellement que deux hommes s'entendent pour progresser de pair et pour s'influencer mutuellement que je ne suis nullement surpris d'apprendre qu'un espoir tel que celui que vous placiez dans vos rapports plus étroits avec Schelling en vienne à tourner à rien. Il n'en est pas moins vrai que nous devons nous féliciter de l'avoir tout proche de nous, car nous en tirerons toujours tout au moins ce profit d'assister à la genèse de ce qu'il produira, outre que peut-être les choses s'arrangeront avec le temps » [83]. Conclusion mélancolique, proposée par Goethe aussi bien pour son compte propre que pour celui de Schiller. Jusqu'à la fin, il gardera son estime au penseur, désormais reclus en métaphysique, et oublieux de la *Naturphilosophie* de ses débuts.

Schelling poursuivra un cheminement solitaire, dans un isolement encore accru par la mort prématurée de sa femme, Caroline, en 1809. Sa réflexion s'approfondit sur elle-même sans plus guère le souci de se communiquer à autrui ; il deviendra un gnostique aventuré aux confins de l'eschatologie sur le « promontoire du songe », comme disait Hugo. En 1841, alors que le philosophe a encore treize années à vivre, son collègue à l'université de Munich, Franz von Baader, pourtant gnostique, romantique et illuminé comme lui, observe cruellement que « la célébration de l'anniversaire de Schelling peut être comparée, en raison du dépérissement de sa philosophie, avec un banquet funèbre. (...) Ce Schelling, dont la philosophie est déjà morte, a seulement oublié de se faire enterrer » [84]. Baader (1765-1842) lui-même, adepte, depuis ses débuts, de la *Naturphilosophie*, et soucieux de maintenir de front l'alliance de l'eschatologie, de l'anthropologie et de la cosmologie, tient rigueur à Schelling d'avoir abandonné le contact avec le réel pour des spéculations dominées par une logique abstraite, sans espoir d'aboutir [85].

La *Naturphilosophie* a sans doute souffert de ce que ses initiateurs ne se sont pas consacrés, à temps plein, au développement de la discipline dont ils avaient formé le projet. Goethe a cultivé cette préoccupation tout au long de sa vie, mais elle n'expose qu'un aspect de son œuvre et de sa personnalité. Schelling ne peut être identifié

[82] *Ibid.*
[83] GOETHE à Schiller, 22 décembre 1798 ; *Correspondance...*, citée, t. III, p. 272.
[84] BAADER à Von Stransky, 31 janvier 1841 ; *Sämtliche Werke*, Bd. XV, Leipzig, 1857, p. 688.
[85] Cf. la lettre de BAADER à Hoffmann, 27 février 1841, *loc. cit.*, p. 689.

avec le *Naturphilosoph* qu'il fut avec autorité pendant une étape d'un parcours spirituel complexe. Il n'a pas renié cette forme de pensée, mais il l'a laissée de côté, il a cessé de s'y intéresser, parce qu'elle ne représentait plus la voie d'accès privilégiée à la vérité, dont il avait besoin. Son mérite fut de définir avec rigueur le statut épistémologique de cette nouvelle discipline. Selon Carl Siegel, « Schelling a transféré à la nature les principes fondamentaux de la doctrine fichtéenne de la science ; ou plutôt : la *Naturphilosophie* de Schelling consiste dans une tentative théorique pour justifier la vision du monde romantique de Goethe par les moyens de la doctrine de la conscience fichtéenne » ([86]). Schelling a dégagé la *Naturphilosophie* du cercle vicieux de la *Wissenschaftslehre* de Fichte, où l'esprit ne fait jamais que le tour de l'esprit. La nature cesse d'être seulement le non-moi, l'autre du moi qui est encore le moi ; elle acquiert une consistance propre, conforme aux intuitions de Goethe, sans néanmoins cesser d'être apparentée avec l'esprit de l'homme, lui-même un moment de la nature. Le sujet absolu de Fichte semble muré dans un espace mental sans portes ni fenêtres ; cette incapacité à sortir d'une exclusive présence à soi-même, le sujet devenant en quelque sorte auto-halluciné, sépare Fichte des romantiques, un moment fascinés par sa théorie de la représentation, mais anxieux de s'évader de ce cercle enchanté. L'idéalisme magique de Novalis, issu de l'idéalisme absolu de Fichte, recourt à la magie pour conjurer la rigueur de l'idéalisme et faire accueil à la féerie de l'univers. Lorsque Novalis affirme : « La nature est une ville pétrifiée par enchantement » ([87]), il met en évidence cette consistance de la nature, à nous offerte, même si elle a pu procéder des opérations de l'esprit, avec une inertie, une capacité de revenir à nous, riche d'un sens propre et d'une propre richesse, même si elle ne possède rien que nous ne lui ayons donné en une lointaine origine.

([86]) Carl SIEGEL, *Geschichte der Deutschen Naturphilosophie*, Leipzig, 1913, p. 183.
([87]) NOVALIS, *L'Encyclopédie*, classement WASMUTH, § 1326 ; trad. M. DE GANDILLAC, Edition de Minuit, 1966, p. 300 (traduction modifiée par nous).

CHAPITRE IV

LA CONSTRUCTION THÉORIQUE DE SCHELLING

Nous avons défini plus haut le projet global de la *Naturphilosophie* de Schelling, science de sciences, dans son opposition avec la connaissance empirique ([1]). Reste à évoquer les développements de ces vues à partir de ce parti pris initial. Schelling a voulu présenter une esquisse de sa physique spéculative dans le langage de la physique empirique de son époque. Tentative difficile, car, n'étant pas lui-même un technicien de la physique expérimentale, ni un spécialiste de la biologie végétale ou animale, il empruntait un peu partout des concepts scientifiques auxquels il donnait une valeur analogique ou symbolique, au détriment de leur signification réelle. Les sciences se trouvaient d'ailleurs, à l'époque, en pleine évolution ; la chimie, après Lavoisier et Priestley, réalise des progrès considérables ; la théorie de l'électricité ne cesse de s'enrichir ; la physiologie et la biologie deviennent des disciplines de plus en plus rigoureuses. Les tentatives de Schelling pour donner un statut ontologique à un territoire épistémologique en mutation présentent un caractère désespéré — ou plutôt dérisoire. Le philosophe eût été incapable, s'il l'avait voulu, de suivre le devenir de la recherche dans son actualité, laquelle se dément d'un jour à l'autre, ou s'engage dans des voies imprévisibles. Bien loin d'être « pétrifiée », la nature des naturalistes et des physiciens se trouve en constant devenir, ce qui condamne à brève échéance les entreprises de construction théorique. Toutes les doctrines des *Naturphilosophen* souffriront de ce vice congénital ; leur espérance de vie est réduite. Schelling lui-même ne propose que des schémas, qui se corrigent d'un texte à l'autre, et, en dépit de leur assurance, donnent l'impression d'être des jongleries intellectuelles. Sans doute ne faut-il pas chercher plus loin la raison pour laquelle il

([1]) Cf. plus haut, pp. 41 sq.

s'est détourné de ces jeux, dont il avait pu reconnaître la vanité ; la science allait plus vite que ses imaginations combinatoires.

Au départ, Schelling professe qu' « une philosophie de la nature doit avoir pour tâche de déduire de principes la possibilité d'une nature, c'est-à-dire l'ensemble du monde fondé sur l'expérience » ([2]). Mais la déduction ne peut être une pure opération logique, à partir de « principes » abstraits, définis d'une manière arbitraire. Ici intervient la théorie romantique de la compréhension, résumée par Novalis : « comment un homme comprendrait-il une chose dont il ne porterait pas le germe en lui » ([3]) ? La pensée du réel présuppose une alliance entre l'esprit et le réel, absurdement niée par ceux qui séparent l'esprit et le réel ; ils en font deux entités étrangères l'une à l'autre, qui se rencontrent par hasard. La philosophie réflexive, opposant le sujet et l'objet, « repose uniquement sur la *séparation* » ; elle aboutit à une désintégration de la connaissance, « alors que l'intuition pure ou l'imagination créatrice ont depuis longtemps découvert le langage symbolique qu'il ne s'agit que de déchiffrer, pour découvrir que la nature nous parle d'une façon d'autant plus intelligible que nous la pensons d'une façon moins réflexive » ([4]).

Antée, le géant de la mythologie, fils de la Terre, reprenait force dès qu'il retrouvait le contact avec le sol maternel. L'idéalisme classique, ayant coupé la communication avec la nature, tenue à distance et considérée comme étrangère, est voué à se perdre dans ses propres fantasmagories. « Tant que je suis identique à la nature, je la comprends aussi bien que ma propre vie ; je comprends comment cette vie générale de la nature se manifeste sous les formes les plus variées, par des développements progressifs vers la liberté ; mais dès que je me sépare de la nature et, avec moi, tout l'idéal, je ne me trouve plus en présence d'un objet mort, et je cesse de comprendre la possibilité de la vie en dehors de moi » ([5]). Il faut donc restaurer la primitive alliance de l'homme avec l'univers, ce que Schelling appelle « l'état de nature » ([6]) de la philosophie. « Quel est donc ce lien mystérieux qui rattache notre esprit à la nature, quel est cet organe caché par l'intermédiaire duquel la nature parle à l'esprit et l'esprit à la nature ([7]) ? » L'hypothèse d'une harmonie préétablie, renvoyant à un Créateur qui aurait fait en sorte de permettre cette heureuse

([2]) *Idées pour une philosophie de la nature*, 1797 ; dans SCHELLING, *Essais*, trad. S. JANKELEVITCH, Aubier, 1946, pp. 45-46.
([3]) NOVALIS, *Grains de Pollen*, § 18, 1798 ; in *Petits écrits*, trad. G. BIANQUIS, Aubier, 1947, p. 37.
([4]) *Idées pour une philosophie de la nature*, trad. citée, p. 79.
([5]) *Ibid.*
([6]) *Ibid.*, p. 86.
([7]) *Ibid.*

rencontre n'est pas satisfaisante. « Ce que nous prétendons, ce n'est pas que la nature coïncide comme par hasard avec les lois de notre esprit (par l'intermédiaire d'un troisième principe), mais qu'elle exprime elle-même, nécessairement et primivitement, les lois de notre esprit, et que non seulement elle les exprime, mais les réalise, et qu'elle n'est et ne peut être appelée Nature que pour autant qu'elle fait l'un et l'autre. La Nature doit être l'Esprit visible, et l'Esprit la Nature invisible. C'est ici, dans l'identité absolue de l'Esprit en nous et de la Nature en dehors de nous, que doit se trouver la solution du problème de la possibilité d'une nature en dehors de nous » ([8]).

La nature est saisie par nous en vertu d'une appréhension sympathique, notre esprit connaît la nature parce qu'il se reconnaît en elle, parce qu'il est lui-même nature. Cette idée se trouvait déjà présente, sur le mode lyrique, dans l'Hymne de Goethe à la Nature (1782). Le poète y avait ajouté par la suite l'idée d'un mouvement ascensionnel du dynamisme naturel (*Steigerung*) ; une croissance en valeur se réalise dans la promotion des espèces, ce qui retrouve le thème ancien de l'échelle des êtres. Schelling souligne à son tour qu'il faut « admettre une hiérarchie de la vie dans la nature. Il y a de la vie même dans la matière simplement organisée, mais c'est une vie bornée et limitée » ([9]). L'histoire naturelle devient l'odyssée de la vie à travers les formes ; la *Naturphilosophie* se donnera pour l'une de ses tâches fondamentales l'établissement d'une filière d'intelligibilité ascensionnelle, depuis les origines de la création jusqu'à l'homme et même au-delà de l'homme. Herder et Goethe, déjà, estiment que l'avènement de l'être humain ne saurait mettre un terme à la procession des vivants. Les doctrines de la survivance et de la palingénésie, chères aux gnosticismes romantiques, trouvent ici leur justification. Schelling, après la mort de sa femme, affirmera sa foi en la présence continuée des morts, dans un dialogue intitulé *Clara ou des rapports entre le monde naturel et le monde surnaturel* ; l'incarnation de l'esprit dans la nature peut prendre des formes nouvelles ; la création n'est pas achevée... L'alliance intime de l'homme avec la nature, et l'idée que cette alliance se trouve en devenir depuis les origines et jusqu'à de lointains aboutissements, constituent des dogmes du romantisme, sous-entendus s'ils ne sont pas expressément formulés. L'être global du monde est mouvement, il fait mouvement ; il n'y a pas de formes fixes, mais un devenir orienté vers la spiritualisation des formes.

« La tendance nécessaire de toute science de la nature est donc celle qui la pousse de la nature vers l'intelligence. C'est cette tendance et

([8]) Pp. 86-87.
([9]) P. 78.

rien d'autre, qui est à la base des efforts ayant pour but d'introduire la *théorie* dans les phénomènes de la nature. La plus haute perfection de la science de la nature consisterait dans la parfaite spiritualisation de toutes les lois naturelles, dans leur transformation en lois de l'intuition et de la pensée » ([10]). La démarche de la connaissance est une monstration de la réalité. Du fait de l'identité de la nature et de l'esprit, la nature entièrement révélée se résorberait dans l'esprit, en vertu d'une parfaite transparence. C'est pourquoi, plus l'action des lois s'accentue dans la nature, plus l'enveloppe qui l'entoure disparaît, les phénomènes eux-mêmes se spiritualisent et finissent d'exister comme tels. Les phénomènes optiques ne sont pas autre chose qu'une géométrie dont les lignes sont tracées par la lumière, et cette lumière elle-même est déjà d'une matérialité équivoque. Dans les phénomènes de magnétisme, toute matérialité a déjà disparu. (...) La théorie parfaite de la nature serait celle qui la réduirait tout entière à une intelligence » ([11]).

Ainsi l'entreprise de la connaissance assure par ses moyens propres une promotion interne de la réalité, dont l'opacité apparente, l'hétéronomie se résorbent dans la translucidité de la pensée, laquelle retrouve partout son bien. Le savant véritable est un voyant. Ce qui, dans la nature, résiste à la pénétration de la pensée, n'est que le fruit d'une illusion, engendrée par une forme particulière d'inertie mentale. « Les produits morts et inconscients de la nature ne sont que des essais manqués qu'elle a tentés pour se réfléchir elle-même, mais, d'une façon générale, la nature dite inanimée est une intelligence qui n'est pas parvenue à la maturité ; c'est pourquoi dans ses phénomènes perce déjà inconsciemment leur caractère intelligent. Le but suprême, qui consiste à devenir objet pour soi-même, la nature l'atteint seulement par sa réflexion suprême et la plus haute, laquelle n'est autre que l'homme, ou pour employer un terme plus général, ce que nous appelons raison : c'est par elle seulement que la nature retourne définitivement à elle-même, et c'est cela qui montre que la nature est primitivement identique à ce que nous connaissons comme intelligence et conscience » ([12]).

La raison immanente à la nature s'éveille dans la pensée de l'homme ; les diverses sciences poursuivent par des voies différentes une même approche de la parfaite translucidité dans la connaissance totale du réel intégral. L'être humain représente un moment dans le devenir de cette intelligibilité en quête de sa propre perfection. La diversité phénoménale du réel empirique est vouée à s'évanouir dans

---

([10]) *Système de l'idéalisme transcendantal*, 1800 ; dans *Essais*, trad. citée, p. 124.
([11]) *Ibid.*, pp. 124-125.
([12]) P. 125.

la plénitude eschatologique de la science absolue, communion parfaite du sujet et de l'objet. La philosophie de la nature coïncide avec la philosophie de l'esprit. Dès ce moment, la pensée de Schelling est hantée par la fascination de l'illuminisme gnostique, marque distinctive de son génie ; les « philosophies » successives de Schelling ne sont que des tentatives renouvelées pour parvenir par d'autres voies à l'accomplissement de cette unité transcendante qui était déjà l'objectif de la *Naturphilosophie*. Le danger demeure celui de tous les néo-platonismes : la dialectique des idées met en œuvre une échappatoire eschatologique, mais au prix d'un reliquat matériel opaque à la pensée, qui tire le système vers le bas, empêchant son assomption glorieuse. La *Naturphilosophie*, dans sa négociation avec les sciences empiriques, constitue un effort prodigieux (et sans espoir) pour supprimer tout résidu, grâce à une digestion totale de l'ordre des choses.

Avec une parfaite conviction, Schelling maintient que le parcours de l'esprit dans la nature est identique au parcours de la nature elle-même, cette coïncidence définissant le sens même de la vérité. La conscience du *Naturphilosoph* est le couronnement de la spiritualisation de la nature. D'où le dédain de Schelling pour les plus glorieux théoriciens de la science classique ; « avec la *Naturphilosophie* commence, après les investigations de la nature aveugles et étrangères à toute idée qui ont prévalu depuis la fausse orientation imprimée à la philosophie par Bacon et à la physique par Boyle et Newton, une conception plus élevée de la nature ; on se trouve en présence d'un nouvel organe d'intuition et de compréhension de celle-ci » ([13]). La nouvelle épistémologie permettra de résoudre par d'autres voies « les problèmes qui paraissaient impénétrables à la science de la nature telle qu'elle a été pratiquée précédemment ». La science établie s'est contentée de formuler des *théories* qui regroupaient simplement les phénomènes de la nature ; « elles remontaient des phénomènes aux raisons, des effets aux causes, pour ensuite déduire ceux-là de celle-ci ». La théorie ainsi comprise interdit à la spéculation de remonter plus haut vers l'essence d'une réalité impénétrable à la pensée. Au lieu de mener vers la connaissance, elle devient un obstacle épistémologique.

La fidélité aux apparences phénoménales est un empêchement au savoir ; l'attention exclusive à la réalité apparente ne permettra jamais d'accéder à la perfection de l'intelligibilité. « La philosophie ne comporte pas plus d'explication que les mathématiques ; elle part de principes certains en soi, sans suivre une direction qui lui serait imposée par les phénomènes ; elle trouve sa direction en elle-même

([13]) *Idées pour une philosophie de la nature*, trad. citée, pp. 99-100.

et, plus elle lui reste fidèle, plus les phénomènes se situent à la place qui leur convient de toute nécessité, et cette place dans le système est la seule explication qu'elle ait à donner » ([14]). Bacon enseignait qu'on ne peut vaincre la nature qu'en lui obéissant ; Schelling enseigne la désobéissance aux phénomènes ; il faut au besoin leur faire violence pour les réduire à l'obéissance d'une intelligibilité transcendante. Le *Naturphilosoph* est assuré de détenir la clé du sens, qui s'impose sans contestation possible. « Celui qui a saisi le lien qui maintient la cohésion de l'ensemble et a réussi à se placer au point de vue de cet ensemble, se trouve soustrait aux tourments du doute ; il se rend compte que les phénomènes ne peuvent être autres que ce qu'ils sont, qu'ils doivent être tels qu'ils figurent dans cet ensemble ; c'est, en un mot, par leur forme qu'il possède les objets » ([15]).

L'assurance impériale de ce langage est un outrage aux bonnes mœurs scientifiques. On ne discute pas avec Schelling ; la perspective qu'il propose est à prendre ou à laisser. On s'étonne que de véritables hommes de science se soient laissé fasciner par un idéal de savoir absolu, qui promettait beaucoup plus qu'il ne pouvait tenir. Sans doute faut-il tenir compte de l'effet d'entraînement exercé par le *Zeitgeist* romantique, y compris ses aspects poétiques et religieux. Parti de l'opacité entière du réel, Schelling promet la parfaite clarté. « De toutes les choses, la plus obscure est la matière. D'après certains, elle serait l'obscurité même. Et pourtant c'est de cette racine obscure et inconnue que sortent toutes les formations et tous les phénomènes vivants de la Nature » ([16]). A l'autre bout de la chaîne du savoir, cette même matière se trouve réduite à l'obéissance d'une déduction *a priori*. Mais Schelling ne maintient pas pour autant que l'élément empirique doit être négligé et qu'on doit décider de lui sans l'entendre. Contre quoi Schelling protestait avec force : « tout ce que nous savons, nous le savons par l'intermédiaire de l'expérience et nous ne savons rien sans elle et en dehors d'elle. Aussi tout notre savoir repose-t-il sur des propositions fondées elles-mêmes sur l'expérience. Ces propositions ne deviennent *a priori* que parce que nous en prenons conscience comme de propositions nécessaires, et c'est ainsi que toute proposition, quel que soit son contenu, peut être élevée à cette dignité, car la différence entre propositions *a priori* et propositions *a posteriori* n'est pas, comme le pensent certains, une différence inhérente aux propositions elles-mêmes, mais tient à la manière dont nous prenons connaissance de ces propositions ; si bien que chaque proposition qui n'est pour moi qu'une proposition

---

([14]) *Ibid.*, p. 100.
([15]) *Ibid.*, pp. 100-101.
([16]) *L'Ame du monde, hypothèse de physique supérieure pour expliquer l'organisme universel*, 1798, *Essais*, édition citée, p. 103.

historique est une proposition acquise par l'expérience, mais cette même proposition devient pour moi *a priori* lorsque j'ai réussi à entrevoir, directement ou indirectement, sa nécessité interne... » ([17]).

L'appréhension des phénomènes représente un point de passage obligé, au départ comme à l'arrivée de la spéculation, qui se perdrait dans le vide si elle ne disposait pas de repères et d'ancrages dans le réel. Mais l'opération de la pensée transfigure le réel, le projette du domaine erratique de l'empirie dans l'espace glorieux de l'*a priori*, grâce à une conversion du sens au sein du nouveau contexte mental. Le triomphe de l'intelligibilité est acquis grâce à une transmutation. « Si toutes les parties d'un ensemble organique se portent, se supportent et se soutiennent mutuellement, cette organisation en tant que le Tout devait préexister à ses parties, et ce n'est pas le Tout qui a dû naître des parties, mais les parties du Tout. On ne peut donc pas dire que *nous connaissons* la nature, mais la nature EXISTE *a priori*, autrement dit tout ce dont elle se compose y est prédéterminé par le Tout ou par l'Idée d'une nature en général » ([18]).

Le primat épistémologique et ontologique du Tout sur les éléments, de l'*a priori* sur l'*a posteriori*, entraîne la récupération totale de l'empirique par l'intelligible. Le résultat étant acquis d'avance, si l'expérience ne suit pas, si elle oppose des résistances, si subsistent des lacunes, la *Naturphilosophie*, maîtresse du terrain, n'a pas à s'inquiéter de ces retards du savoir. « Nous pouvons bien avoir la certitude que tout phénomène de la nature se rattache par des chaînons intermédiaires, aussi nombreux qu'on voudra, aux conditions premières d'une nature ; mais ces chaînons intermédiaires peuvent nous rester inconnus et être enfouis dans les profondeurs de la nature. Retrouver ces chaînons intermédiaires est la tâche de la physique expérimentale. La physique spéculative n'a pas autre chose à faire qu'à signaler l'absence de ces chaînons intermédiaires » ([19]). Cette division du travail réduit les hommes de laboratoire à la fonction subalterne de nettoyer le terrain conquis, tâche ingrate, peut-être impossible à mener à bien : « comme une nouvelle découverte nous replonge dans une nouvelle ignorance, et que pendant qu'un nœud se dénoue, un autre se noue, on comprend que la découverte de tous les chaînons intermédiaires dans l'ensemble de la nature est une tâche sans fin et que notre science elle-même est condamnée à une progression infinie » ([20]).

([17]) *Introduction à la première esquisse d'un système de la philosophie de la nature*, 1799 ; *ibid.*, p. 368.
([18]) *Ibid.*, p. 369.
([19]) *Ibid.*
([20]) *Ibid.*

La *Naturphilosophie* n'a pas le temps d'attendre que soit achevée la « progression infinie » du savoir. Animée d'une sainte impatience épistémologique, elle va droit au but ; une fois arrivée, elle compte que l'intendance suivra, grâce aux efforts des hommes de terrain que sont les gens de laboratoire, considérés avec quelque désinvolture. « La physique, en tant qu'empirie, n'est qu'une collection de faits, de récits faits par des observateurs et ayant pour objet les choses qui sont arrivées dans des conditions naturelles ou arrangées en vue de l'expérience. (...) Notre but consiste à envisager la physique en faisant entre la science et l'empirie une séparation analogue à celle qui existe entre l'âme et le corps, en éliminant de la science tout ce qui ne se prête pas à une construction *a priori,* en dépouillant l'empirie de toute théorie et en la rétablissant dans sa nudité primitive » ([21]). La séparation des pouvoirs aboutit à une limite extrême ; les réclamations du savant proprement dit, du militant de la connaissance expérimentale, sont rejetées d'avance, puisque son travail se situe en dehors du règne pur de la théorie. Le dualisme de l'âme et du corps, pourtant peu compatible avec le monisme de Schelling, est rétabli pour les besoins de la cause. Les basses œuvres de l'existence ne sauraient affecter, par un choc en retour, la région des essences. « Nous appelons la nature, en tant que simple *produit (natura naturata),* objet (c'est elle seule qui intéresse l'empirie). Et nous appelons *nature en tant que sujet* la nature considérée comme productivité *(natura naturans);* celle-ci, et elle seule, intéresse la théorie » ([22]). Le spinozisme de la physique consolide le triomphe du *Naturphilosoph,* dont le point de vue rejoint celui de la substance dans l'*Ethique.*

L'idéal d'un savoir absolu serait de ramener la connaissance de la nature naturée dans l'obéissance de la nature naturante, sans que le réel préserve la moindre possibilité d'aberration. Cet idéal ne paraît guère réalisable ; un hiatus épistémologique irréductible sépare les deux modes d'intelligibilité, car « la construction au moyen de l'expérience ne peut jamais s'égaler à la production spontanée des phénomènes » ([23]). En dépit de ce décalage constitutionnel, la *Naturphilosophie* affirme que « tous les phénomènes se rattachent à une seule et même loi absolue et nécessaire, dont ils peuvent être déduits, autrement dit que tout ce qu'on sait concernant les sciences de la nature, on le sait *a priori.* Or, que l'expérience n'aboutisse jamais à un savoir pareil, cela ressort du fait qu'elle ne peut jamais s'aventurer au-delà des forces de la nature, dont elle se sert comme de

([21]) P. 372.
([22]) P. 373.
([23]) P. 366.

moyens » ([24]). L'idéal de l'intelligibilité excède les possibilités de la recherche empirique ; la raison absolue doit prononcer au-delà de ce que disent les phénomènes. On se heurte ici à la difficulté du fondement de l'induction ; la loi, dans sa prétention à une validité universelle, affirme, sur la base de données empiriques, une autorité transempirique.

Cette situation limite est aussi, semble-t-il, celle qui condamne à l'échec la *Naturphilosophie* tout entière. Une pensée qui aurait atteint l'essence même de la Nature naturante, en son actualité dernière, et maîtrisé l'*a priori* du savoir, aurait pour effet d'arrêter le mouvement, d'immobiliser la nature créatrice, figée dans son actualisation. « En admettant, ce qui doit d'ailleurs être admis, à savoir que l'ensemble des phénomènes constitue non pas un monde pur et simple, mais une Nature, autrement dit que tout cet ensemble n'est pas seulement un produit, mais est aussi productif, il en résulte que cet élément ne pourra jamais présenter une identité complète, parce que cela signifierait un passage absolu de la nature, en tant que productive, à la nature comme produit, ce qui aurait pour conséquence un repos absolu » ([25]). La philosophie de l'identité ne peut atteindre, sous peine de mort, sa propre limite ; elle présuppose le maintien d'une marge de duplicité sous forme d'une « oscillation de la nature entre la productivité et le produit », grâce à laquelle « la nature est maintenue en une activité constante qui l'empêche de s'épuiser dans son produit » ([26]). Compte tenu de cette restriction, « notre savoir se transforme en une contraction *a priori* de la nature même, c'est-à-dire en une science de la nature *a priori* » ([27]).

La tâche de cette science *a priori*, spécifiquement distincte de la recherche inductive, sera de suivre à la trace et comme d'épouser le mouvement de la Nature à travers la diversité des formes qu'elle anime. Elle procédera non pas par réduction analytique, mais avec l'aide du sentiment et de l'imagination, dans une allégresse de la pensée parcourant la perspective hiérarchique du développement des formes. Ce mode de spéculation n'a rien à voir avec les procédures de la science inductive, parvenues à un certain degré de maturité à la fin du xviiie siècle. En dépit des références aux dernières acquisitions de la physique et de la chimie, Schelling propose à son lecteur un style de raisonnement résolument pré-galiléen. Les notions fondamentales et les principes opératoires, même habillés d'un vocabulaire moderne, s'inscrivent dans le contexte d'une mentalité astrobiologi-

([24]) Pp. 366-367.
([25]) P. 367.
([26]) *Ibid.*
([27]) Pp. 367-368.

que, dont les évidences archaïques se perpétuent dans le paysage mental du romantisme.

Lorsque Schelling énonce que le savoir humain parvenu à ses fins « se transforme en une contraction *a priori* de la nature même », la formule évoque la corrélation du microcosme et du macrocosme, au moment où les deux structures parallèles se rejoignent en cet horizon imaginaire où s'accomplit la perfection de la pensée. Schelling n'a pas hésité à évoquer ce que pourrait être cette « contraction » où s'affirmerait une eschatologie de l'épistémologie, la conscience connaissante, en sa densité extrême, étant parvenue à la limite du sens, où la Nature entière s'offre à celui qui est capable de réaliser, dans un instant privilégié, la déduction *a priori* de son essence comme l'odyssée du cosmos dans sa germination infinie. « Il est vrai que les formations de la nature dite inanimée, étant donné la trop grande distance à laquelle elles se trouvent pour nous révéler leur substance, nous permettent seulement de deviner la force qui les anime comme une flamme profondément cachée, mais même ici, dans les métaux, les minéraux, etc., il est impossible de ne pas reconnaître, dans la puissance échappant à toute mesure, dont chaque existence est une expression, l'impulsion irrésistible à l'individualisation, à l'existence à l'état défini et déterminé. La substance apparaît déjà comme émergeant d'une profondeur insondable dans les plantes (dans chaque fleur qui étale ses pétales, on croit appréhender le principe, non d'une seule chose, mais d'une multitude de choses), jusqu'à ce qu'hypostasiée dans l'organisme animal, l'essence qui était d'abord si profonde et si lointaine, finisse par se rapprocher et ouvrir pour ainsi dire devant le spectateur ses yeux pleins de signification. Elle semble toujours réserver un mystère et ne révéler que certains de ses aspects. Devant cette divine confession et cette multiplicité indénombrable des formations, le spectateur de ces œuvres finira par renoncer à tout espoir de les appréhender avec son entendement et se trouvera introduit dans le Sabbat sacré de la Nature, dans la Raison où, se reposant de ses œuvres périssables, elle se reconnaît et s'interprète elle-même. Car la nature ne nous parle que pour autant que nous restons nous-mêmes muets » ([28]).

Cette page admirable de lyrisme propose une épiphanie de la Nature, parvenue à la « contraction » de son essence, au moment où la conscience humaine réalise son propre effacement pour se fondre, se confondre dans « le Sabbat sacré de la Nature ». Mais, s'il est possible au visionnaire de se transporter en pensée au septième jour de la Création divine, la *Naturphilosophie* est obligée d'assurer le raccordement entre le savoir réel dans son état présent et sa

---

([28]) *L'Âme du monde*, in fine, 1798 ; *Essais*, édition citée, p. 122.

transfiguration future ; le jour de gloire n'est pas encore arrivé. Ce qui a été dit par le philosophe dans le langage de la philosophie doit être répété dans le langage de la science. Une ambiguïté certaine se présente ici : d'une part, la connaissance empirique se trouve récusée, ou du moins frappée d'indignité ; d'autre part, la *Naturphilosophie* est bien forcée de se référer à elle, de lui emprunter ses concepts, son vocabulaire et ses procédures. Si la spéculation romantique refuse de s'habiller à la dernière mode, si par exemple elle continue de parler la langue périmée de l'alchimie, des puissances astrales et des horoscopes, de la sublimation des métaux, elle perdra toute crédibilité auprès du public, au courant des progrès récents réalisés par des savants comme Priestley, Lavoisier, Scheele, Volta, Galvani et leurs confrères à l'œuvre dans les laboratoires européens. Pareillement, la biologie et l'histoire naturelle ont fait d'énormes progrès depuis Aristote, Galien et leurs continuateurs du moyen âge et de la Renaissance. Leur représentation cosmomorphique de la morphologie et de la physiologie des êtres vivants représente un stade archaïque de la connaissance.

Goethe regarde de ses yeux les plantes, le squelette des animaux, sans interposition de représentations régressives ; son intuition de la Nature unanime est le fruit d'une appréhension directe, informée des travaux contemporains. De même Herder, dans les premiers livres des *Ideen*, parle la langue de son temps, celle des naturalistes depuis Buffon, celle des géologues et géognostes, James Hutton, Werner et leurs émules. Qu'on le veuille ou non, l'*a posteriori* historique ne peut être négligé ; il intervient même comme un critère de vérification pour les spéculations, qui ne doivent pas se heurter au démenti de la recherche positive. On a beau se réclamer d'une vérité transempirique, il vaut mieux ne pas se trouver en contradiction ouverte avec les vérités empiriques. Cette situation délicate sera celle de tous les *Naturphilosophen,* à l'affût du dernier état des questions, et séduits par les savants qui sympathisent avec leurs vues, tels un Werner et un Ritter. Cette dépendance par rapport au devenir historique du savoir sera à la longue intenable, parce que le progrès de la recherche positive n'accepte pas de s'inscrire dans les limites d'une doctrine quelle qu'elle soit. Une révolution épistémologique chasse l'autre ; c'est la philosophie de la science qui est dépendante de la science, et non l'inverse, ainsi que l'imaginait Schelling. La *Naturphilosophie* sera discréditée, parce que tout le monde — sauf ses champions — verra qu'elle promettait plus qu'elle ne pouvait tenir.

La déduction de la Nature, tentée par Schelling à diverses reprises, revue et corrigée d'un essai à l'autre, ne présente donc d'intérêt que du point de vue d'une archéologie mentale. Le *Naturphilosoph* met en œuvre un certain nombre de notions sélectionnées dans l'actualité scientifique, à partir desquelles il s'efforce de reconstituer la genèse de la réalité physique et naturelle, au travers de successives métamorphoses. Il s'agit en réalité d'un fonctionnement symbolique de la pensée qui, dans sa structure, sinon dans son vocabulaire, semble retrouver les modalités de la première physique grecque, combinant des éléments comme l'eau, le feu, la terre et l'air, dont les caractères se réfèrent à l'expérience immédiate. La *Naturphilosophie*, savoir abstrait-concret, fait appel à des références perceptives et imaginatives en même temps qu'à des articulations intelligibles. La cohérence scientifique, ou prétendue telle, est assurée par un symbolisme mathématique élémentaire ; des lettres, des chiffres, des signes d'opérations jalonnent le mouvement de la pensée. Leur signification n'est pas seulement figurative, pour attester le sérieux des procédures. Ils se réfèrent à un mathématisme platonicien, ou néo-platonicien sous-jacent ; le Dieu cosmique est géomètre et c'est à lui que renvoient les harmonies immanentes à l'univers. Kepler, auteur du traité de l'*Harmonie du Monde,* mainteneur de l'ancienne mythologie de la lumière et du soleil, et ensemble révélateur de l'ordonnancement mathématique du cosmos, est, par opposition à Newton, une autorité de prédilection de la science romantique.

L'intuition première de la *Naturphilosophie* est l'appréhension de la Nature comme un tout formant sens. En aucun cas la réalité globale ne peut nous apparaître comme un agrégat incohérent de matériaux rassemblés par hasard. Nos perceptions élémentaires se règlent sur le pressentiment ou le sentiment de l'unité cosmique. Schelling procède à partir de la théorie kantienne de la représentation, mise au point dans la *Critique du jugement,* publiée en 1790, rééditée avec quelques corrections en 1793 et 1799, donc ouvrage d'actualité. L'inspiration kantienne se reconnaît par exemple dans ce passage des *Idées pour une philosophie de la nature* (1797) : « Si nous considérons la nature comme un Tout, elle se présente à nous sous deux aspects opposés : celui d'un *mécanisme,* c'est-à-dire d'une série régressive de causes et d'effets, et celui de la *finalité,* c'est-à-dire de l'indépendance de tout mécanisme, d'une simultanéité de causes et d'effets. En réunissant ces deux extrêmes, nous obtenons l'idée d'une finalité du Tout, la Nature devient une ligne circulaire, revenant sur elle-même, un système clos. La série des causes et effets se trouve interrompue, et l'on obtient à sa place une réciprocité de moyens et de fins. Les parties ne peuvent se *réaliser* sans le Tout, ni le Tout sans les parties » ([29]).

Ce schéma kantien, Schelling le projette de l'ordre de la représentation dans l'ordre de la réalité ; son économie dialectique fournit le

---

([29]) *Idées pour une philosophie de la nature ; Essais,* édition citée, p. 85.

modèle de l'idée d'*organisme,* capitale pour la pensée romantique.
« Cette finalité absolue de l'ensemble de la nature, ajoute Schelling,
n'est pas une idée arbitraire : c'est une idée qui s'impose avec
nécessité » ([30]). La nécessité en question n'est pas simplement
physique, extrinsèque ; nous la ressentons en nous-même ; elle est
comme l'horizon de notre présence au monde, dont elle garantit la
signification. Une telle intuition s'est affirmée de tout temps ; « il y a
de la vie même dans la matière simplement organisée, mais c'est une
vie bornée et limitée. Cette idée est tellement vieille et s'est
maintenue sous des formes variées jusqu'à nos jours d'une façon
tellement constante (aux temps les plus anciens, on croyait déjà que le
monde entier était pénétré d'une âme appelée âme du monde, et à
l'époque de Leibniz on attribuait une âme à chaque plante) qu'on est
bien obligé de supposer qu'il y a dans l'esprit humain lui-même une
raison à cette croyance à la vie de la nature. Et il en est réellement
ainsi ; (…) c'est pour cette raison que l'esprit humain avait de bonne
heure conçu l'idée d'une matière s'organisant elle-même et, comme
l'organisation ne peut être représentée que par rapport à un esprit, on
en était venu à admettre que l'esprit et la matière étaient depuis
toujours indissolublement unis dans les choses » ([31]).

Schelling invoque les physiciens présocratiques et la cosmologie
traditionnelle, en lesquels il découvre le pressentiment d'une vérité
permanente, que ne sont pas parvenues à démentir les superstruc-
tures de la science des modernes. Les sciences dites positives ne font
que masquer la vérité essentielle qui habite l'univers et le justifie du
dedans. « Le lien du Tout étant en même temps, en vertu d'une
nécessité inéluctable, l'essence de toute forme particulière, anime
celle-ci directement ; l'animation consiste dans la pénétration du Tout
dans le particulier. Mais n'est-ce pas par suite d'une animation
directe que chaque corps, sans cause visible, comme par un effet de
magie se trouve attiré vers le centre ? Cette animation du particulier
par la copule du Tout peut cependant être comparée à l'animation du
point lorsqu'on se le représente intégré dans la ligne… » ([32]). Ainsi
déjà les formes physiques, ou même logiques, de la matière du
monde, sont animées du dedans par les significations du Tout. La
physique spéculative s'emploiera à transformer les circuits d'animation épistémologique en entités physiques, en éléments chimiques, en
forces, pour mettre au point un modèle d'univers en état de
fonctionner, grâce à des procédures d'action et de réaction, à des
dispositifs qui simulent le devenir du monde. Un glissement s'opère

([30]) *Ibid.*
([31]) *Ibid.,* p. 78.
([32]) *L'Ame du monde, loc. cit.,* p. 108.

des concepts logiques aux concepts physiques, ce qui suscite des formules telles que : « le mouvement dans le repos est dans le particulier l'expression du lien en tant que pesanteur, c'est-à-dire identité dans la totalité » ([33]), ou encore : « la pesanteur est ce qui confère aux choses la finitude, en introduisant dans le lié l'unité ou l'identité des choses, sous la forme du temps » ([34]).

Le fonctionnement analogique des deux langages — logique et physique — permet d'assurer à l'univers matériel l'ordre et l'harmonie obtenus plus aisément dans l'univers du discours. De là des raisonnements de ce style : « Puisque l'éternel, en tant qu'unité dans la totalité, est représenté dans la nature par la pesanteur, il en résulte que la totalité dans l'unité doit également être présente partout, dans la partie comme dans le Tout, et que toutes les forces doivent y être comprises, comme elles le sont dans la pesanteur. » Ainsi se trouvera conjuguée et identifiée à la pesanteur « l'essence lumineuse en laquelle se résout la totalité des choses ». La lumière ici en question n'est évidemment pas la lumière proprement dite ; « ceux qui connaissent l'antique conception de l'âme du monde ou de l'éther intelligent comprendront que la lumière dont nous parlons ici correspond à quelque chose de beaucoup plus général que ce qu'on entend ordinairement par ce mot. De même donc que la pesanteur est l'Un qui, répandu dans le Tout, en représente l'unité, nous dirons au contraire de la substance lumineuse qu'elle est la substance, pour autant qu'elle représente le tout ou la totalité dans le particulier et, par conséquent, dans l'identité en général. C'est de l'obscurité de la pesanteur et de l'éclat de l'essence lumineuse que résulte la belle apparence de la vie... » ([35]).

Cet échantillon est représentatif du style de la *Naturphilosophie* tout au long de son histoire, pendant un demi-siècle. La révolution non-galiléenne est une nouvelle rhétorique. La science moderne avait inauguré un univers du discours fondé sur la négation pure et simple des qualités sensibles. Le grand livre de la nature, avait dit Galilée, est écrit en figures géométriques. La formule selon laquelle la recherche de la vérité doit prendre soin de disjoindre l'esprit des sens est un axiome, ou plutôt un dogme, commun aux hommes de science et aux métaphysiciens : *mentem abducere a sensibus*. La mutation romantique dénonce ce parti pris comme le principe de l'aliénation intellectualiste, en violation du contrat d'établissement de l'homme dans le monde ; les axiomatiques auxquelles on parvient par cette voie ne proposent que des simulations fantomatiques d'une pseudo-vérité,

---

([33]) *Ibid.*, p. 109.
([34]) P. 110.
([35]) P. 111.

vérité sans l'homme et sans le monde. Il faut revenir aux choses mêmes et renouveler l'ancienne alliance de l'être humain avec un ordre du monde qui ne détruise pas le visage de l'homme.

Le programme épistémologique de la *Naturphilosophie* consiste à retrouver la hiérarchie de la vie dans la Nature, dans le langage de la science contemporaine. Une architecture conceptuelle doit doubler, selon l'ordre de la pensée, les articulations maîtresses de la Création. Au départ, la question est de justifier l'apparition de la vie à partir d'une matière qui ne paraît pas vivante. « La vie n'existe que là où il y a mouvement libre. C'est que les pouvoirs des organes animaux, sensibilité, irritabilité etc., supposent eux-mêmes l'existence d'un principe d'impulsion, sans lequel l'animal serait incapable de réagir aux excitations extérieures, et c'est seulement grâce à la libre réaction des organes que la stimulation extérieure se transforme en excitation et en impression » [36]. La spontanéité du vivant mobilise un ensemble coordonné de fibres musculaires, de conductions nerveuses ; « cette coordination même exige l'intervention d'un principe qui coordonne justement tous les mouvements particuliers, et crée et engendre de la variété des mouvements s'accordant entre eux, se déterminant réciproquement, se produisant et se reproduisant réciproquement, un Tout » [37].

L'exigence vitale de la finalité surimposée au jeu des mécanismes exprime le dynamisme ascensionnel de la nature. « En embrassant d'un regard philosophique la nature, en tant que système qui n'est jamais au repos, mais progresse toujours, on découvre que, par la matière animée, la nature sort des limites de la chimie morte ; (...) s'il n'en était pas ainsi, des processus chimiques auraient inévitablement lieu dans le corps, ce qui entraînerait la destruction de celui-ci par des désagrégations chimiques. » Il y a donc dans le corps vivant « un principe qui le soustrait aux lois de la chimie » [37bis]. Mais Schelling refuse de faire intervenir la « force vitale », souvent invoquée par les théoriciens de son temps. Une force à l'œuvre dans la nature doit être finie, limitée par l'opposition d'une autre force, l'antagonisme entre ces deux forces premières devant être arbitré par un troisième principe, « qui assure la continuité de cette lutte de forces alternativement vaincues et victorieuses, et préserve l'œuvre de la nature » [38]. La régulation de la dynamique physique, disputée entre deux polarités opposées, doit être assurée par une influence trans-physique ; mais « nous n'avons pas la moindre idée de la manière dont un

[36] *Idées pour une philosophie de la nature, Essais,* Edition, citée, p. 79.
[37] *Ibid.,* p. 80.
[37bis] *Ibid.,* p. 81.
[38] *Ibid.,* p. 82.

esprit peut agir physiquement » ([39]), nous avons seulement une expérience directe et comme une appréhension immédiate de l'unité du monde extérieur et du monde intérieur, de la nature et de l'esprit. La philosophie de l'identité éprouve quelques difficultés à faire valoir ses droits dans l'économie interne de la réalité phénoménale ; la référence à une force « vitale » ou à une « âme », un principe spirituel de quelque nature qu'on l'imagine, réintroduirait un dualisme au sein d'une pensée qui se veut moniste. De là, la permanente équivoque d'un langage d'apparence physicaliste, mais porteur d'une double signification, puisque nature et esprit se trouvent, par hypothèse, à tout instant identifiés. Lorsque Schelling parle de la polarité qui oppose attraction et répulsion, ou lorsque, cédant à la dernière mode en matière de chimie, il parle de calorique et d'oxygène, il veut toujours parler figurativement.

Cette double référence à une certaine conjoncture de la recherche scientifique et ensemble à un espace mental où les données physico-chimiques revêtent une valeur de spiritualité rend difficile la lecture des textes de la *Naturphilosophie* ; ils disent toujours autre chose que ce qu'ils disent. Ainsi d'ailleurs en était-il de la littérature alchimique, lettre morte pour les historiens naïfs, persuadés qu'ils ont affaire à des manuels de procédure à l'usage des laboratoires. Novalis, grand lecteur des *Idées pour une philosophie de la nature*, note dans ses cahiers : « Chimie. Schelling est le *philosophe de la nouvelle chimie*, l'oxygéniste absolu » ; lorsqu'il écrit des formules comme : « *L'âme désoxyde.* (...) La pensée oxyderait-elle ? — la sensation désoxyderait-elle ? » ([40]), il s'agit là d'une spéculation où l'élément oxygène est le masque de réalités et de valeurs sous-jacentes. L' « oxygénisme » est une théorie qui accorde à ce gaz un rôle prépondérant dans l'économie de la nature, en liaison avec l'oxydation, la combustion, la lumière, etc. ; mais l'agent oxygène est un principe différent, dans sa présence universelle, de la simple substance gazeuse dont Priestley et Lavoisier, entre autres, avaient signalé la présence dans certaines réactions bien précises, étudiées au laboratoire ; il y a, de l'*oxygène* à l'*oxygénisme*, toute la distance entre la science et la *Naturphilosophie*. Et quant à savoir ce que peut être un oxygénisme porté à l'*absolu*, c'est le secret de Novalis, peut-être aussi celui de Schelling, mais cela même n'est pas sûr.

Quoi qu'il en soit de cette difficulté préjudicielle, Schelling a esquissé à plusieurs reprises « la construction de la philosophie de la nature dans son ensemble ». Un premier schéma, qui subira quelques

---

([39]) NOVALIS, *L'Encyclopédie, fragments*, classement WASMUTH, § 709 ; trad. GANDILLAC, Editions de Minuit, 1966, p. 181.
([40]) *Op. cit.*, § 1018, trad. citée, pp. 242-243.

rajustements par la suite, figure en 1797 dans les *Idées pour une philosophie de la nature*. « L'unité particulière, justement parce que particulière, suppose et sous-entend toutes les autres unités. Tel est le cas de la nature. Ces unités, dont chacune correspond à un certain degré d'imprégnation du fini par l'infini, sont représentées par les trois puissances *(Potenzen)* de la philosophie de la nature. La première unité, qui, dans l'imprégnation du fini par l'infini, est elle-même cette imprégnation, est représentée dans l'ensemble par la structure générale du monde, dans le détail par la série des corps. L'autre unité, celle de la résorption du particulier par l'universel, par l'essentiel, s'exprime, tout en restant subordonnée à l'unité réelle qui domine dans la nature, par le *mécanisme universel*, où l'universel ou l'essence s'extériorise comme *lumière*, le particulier comme *corps*, conformément à toutes les déterminations dynamiques. Enfin l'interprétation ou l'indifférenciation absolue de ces deux unités, mais dans le réel, trouve son expression dans l'*organisme* qui, pour cette raison, considéré non comme synthèse, mais comme la première de toutes les unités, représente l'*en soi* des deux unités précédentes, et l'image parfaite de l'absolu dans la nature » ([41]). A ce point de sublimation, l'Absolu dans la Nature se convertit en son contraire, « l'éther de l'idéalité absolue »; ainsi se conjuguent, en ce sommet, « la parfaite image réelle de l'absolu dans le monde réel, c'est-à-dire de l'organisme » et la « parfaite image idéale »; la raison se symbolise dans l'organisme et l'acte de connaissance absolue dans la nature éternelle.

Le schéma hiérarchique des trois puissances scelle ainsi la parfaite coïncidence de la Nature et de l'esprit par la vertu d'une dialectique ascensionnelle, dont le langage philosophico-scientifique ne s'impose qu'à des convertis. On comprend la réticence de Goethe, lecteur des *Ideen*, admirateur de Schelling, et pourtant refusant d'admettre que la fusion de la conscience et du réel ait été réalisée par la seule vertu entraînante de la rhétorique philosophique. Citant Schelling, il écrit à Schiller que « le plus sage est de s'en tenir à l'état de nature en matière philosophique » ([42]). Schelling pour sa part se trouverait plutôt en permanence dans l'état de surnature; il parachève son schéma ternaire, en mobilisant les données des sciences physico-chimiques, dans son *Introduction à la première esquisse d'un système de philosophie de la nature* (1799); « la physique spéculative récupère le territoire de la physique empirique, pour résoudre son problème le plus général », qui est de « ramener à une expression commune la

([41]) *Idées pour une philosophie de la nature; Essais*, trad. citée, p. 98.
([42]) GOETHE à SCHILLER, 6 janvier 1798; *Correspondance* entre SCHILLER et GOETHE, trad. L. HERR, t. III, Plon, 1923, p. 13.

construction du monde organique et du monde inorganique » ([43]).
Par la seule vertu de la réflexion du *Naturphilosoph*, l'empirisme se
trouvera promu à l'éminente dignité de l'absolu.

Le dynamisme de la nature, depuis ses formes les plus élémentaires, est continuellement assuré par le conflit de deux forces
antagonistes, qui tendent à s'équilibrer sans y parvenir tout à fait. Au
point de départ de cette construction de la réalité, la matière nue, en
éternel mouvement, se présente sous les espèces de la pesanteur,
synthèse ternaire des impulsions opposées de l'attraction et de la
répulsion. Ce rythme triadique accompagne la construction hiérarchique par la vertu de laquelle on s'élève d'abord à la nature inorganique, puis à la nature organique. A chaque niveau interviennent trois
concepts fondamentaux, empruntés à l'univers du discours de la
science régnante. L'ordre de la nature inorganique, suscité par la
lumière émanée du soleil, met en œuvre *magnétisme, électricité* et
processus chimique. La nature organique, troisième puissance, à
laquelle on parvient par la médiation du galvanisme, emprunté à
Richter, est caractérisée par les trois propriétés de la vie : *irritabilité,
sensibilité* et *force productrice*, dont l'ensemble constitue la forme
supérieure de la vie.

L'architecture conceptuelle ainsi mise au point donne à son auteur
la satisfaction du grand œuvre accompli. « Pour refermer le cercle au
point dont nous sommes partis, nous dirons que, de même qu'en ce
qui concerne la nature organique, le mystère de la production réside
dans la succession de l'irritabilité, de la sensibilité et de l'instinct
formatif dans chaque individu, de même la succession du magnétisme, de l'électricité et du processus chimique, telle qu'on peut la
discerner dans chaque corps pris à part, constitue le mystère de la
production de la nature par elle-même » ([44]). L'emploi par Schelling
du mot « mystère », alors qu'il vient de présenter une figuration
rationnelle, ou prétendue telle, de la genèse de la nature, atteste qu'il
n'est pas tellement convaincu lui-même par la validité de sa
démonstration.

Le résultat est obtenu avec une belle économie de moyens. « Le
produit organique représente seulement une puissance supérieure à
celle de l'inorganique et résulte de l'action des mêmes forces que
celles qui ont donné naissance à ce dernier, mais portées à une
puissance supérieure » ([45]). L'engagement des forces et des concepts
n'exclut même pas l'émergence de la liberté dans la nature vivante ;

([43]) *Introduction à la première esquisse d'un système de philosophie de la nature ; Essais*,
p. 394.
([44]) *Ibid.*, pp. 409-410.
([45]) *Ibid.*, p. 413.

« la nature inorganique est le produit de la première puissance, l'organique de la deuxième ; (...) c'est pourquoi la nature organique apparaît, par rapport à l'inorganique, comme accidentelle, tandis que l'inorganique, par rapport à l'organique, apparaît comme nécessaire. La nature inorganique a pu avoir pour point de départ des facteurs simples, tandis que l'organique est issue de produits devenus facteurs eux-mêmes. C'est pourquoi la nature inorganique apparaît, d'une façon générale, comme ayant toujours existé, tandis que l'organique a pu avoir un commencement » ([46]).

Le titre donné par Schelling à son traité de 1799 : *Introduction à la première esquisse*... donne à penser qu'il était médiocrement satisfait d'un texte obscur, confus, ou même incompréhensible, tant les concepts mis en œuvre se parent de propriétés fuyantes, sinon contradictoires, et s'amalgament entre eux, s'accouplent ou divorcent en vertu d'opérations évocatrices de la magie plutôt que de la science. Magie du verbe en tout cas. Peut-être Schelling réservait-il pour le *Système* annoncé par l'*Esquisse* première une interprétation rigoureuse de la question ; malheureusement le *Système* ne devait jamais voir le jour. Non plus d'ailleurs que le Grand Œuvre philosophique, le *Gesamtkunstwerk* scientifico-esthético-mythologico-gnostique, dont le métaphysicien ne cessa de griffonner jusqu'à la fin de sa longue vie de « premières esquisses ». On soupçonne ici un usage illégal de la spéculation, dont la *Naturphilosophie* sous ses formes diverses serait le résultat. Mots et concepts sont employés non comme des désignations simples, ou comme des entités correspondant à des définitions précises, mais comme des clefs, des termes d'une cabale recélant des forces occultes dotées d'une efficacité propre. Physique et chimie deviennent des liturgies incantatoires dont seuls les initiés sont à même de découvrir les significations cachées. De même les signes et les opérations mathématiques ont une valeur hiéroglyphique secrète.

Roger Ayrault, qui s'est donné beaucoup de peine pour décrire les puissances successives et hiérarchiques de la nature, observe que « Schelling estime avoir " déduit " ainsi " l'organisation dynamique de l'univers ", alors qu'il l'a surtout décrite » ([47]). Encore la « description » en question ne se réfère-t-elle pas à la notation objective d'un processus réel, mais à l'évocation d'une alchimie mentale et verbale, d'une logique imaginative dont les liens avec l'expérience chimique ou physique sont de nature analogique. Cet exercice de la pensée évoque un fonctionnement original, qui mériterait d'être étudié pour lui-même. Les concepts se transposent d'un ordre de la nature à l'autre ; la liquidité de leur sens permet ces transferts alors

---

([46]) P. 410.
([47]) Roger AYRAULT, *La genèse du romantisme allemand*, t. IV, Aubier, 1976, p. 95.

que la « reproduction » d'un niveau à l'autre ne va pas sans une complète mutation du contenu physiquement réel, à supposer qu'il existe. Par exemple, observe Ayrault, à propos du processus chimique, « Schelling conçoit la " reproduction " comme " l'élévation à une puissance supérieure " que l'*Esquisse* a décrite de l'une à l'autre des triades de phénomènes et de fonctions, dans le passage de l'inorganique à l'organique. Pour témoigner de cette élévation, il nomme " force de pesanteur à la seconde puissance " la force ou l'activité qui est effectivement agissante au cours du processus chimique. Et il retourne ainsi (...) à la " cause " de ce processus, la lumière, ou plutôt son essence, qu'il a tirée d'abord à la matérialité, puis a confondue avec l'immatérialité du devenir pur. Peut-être n'y a-t-il pas dans sa physique spéculative de formule plus singulière que celle-là, " force de pesanteur à la seconde puissance " pour définir la lumière, ou, comme il dit une fois en poussant l'analogie jusqu'au bout, la " force de lumière " (*Lichtkraft*) »... [48].

Pareillement, souligne Ayrault, l'oxygène, étroitement apparenté à la lumière, est le « représentant » de la lumière, mais ensemble de l'attraction ; il est identifié par ailleurs avec l'électricité négative, ce qui en fait un agent de liaison doté d'utilités multiples. « Parce qu'il identifie l'oxygène à l'électricité négative, Schelling se crée devant lui-même le droit d'identifier pareillement l'hydrogène à l'électricité positive ; (...) puis dans un autre mouvement analogique, il fait de l'hydrogène le représentant de la répulsion et ainsi l'hydrogène et l'oxygène deviennent « les conditions des propriétés chimiques », au moins pour une sorte de corps, les fluides, dont on sait par les *Idées* que, dans les processus chimiques, il y en a toujours un d'agissant... » [49]. L'impression s'impose d'une combinatoire, où règnent des correspondances, des symétries, organisées par une pensée sans lien direct avec le savoir expérimental, sinon l'identité du vocabulaire. Dire que la pensée « n'est que la suprême apparition de ce dont la lumière a été le commencement » [50] peut passer pour une fort belle image ; mais il est difficile de donner à cette formule un sens physique, dont l'exactitude rigoureuse serait attestée en termes scientifiques de matière, combustion, oxygène, etc. Le métabolisme des concepts constitutifs de la « physique en grand » ne doit à la physique puérile et honnête que des mots dont il fait un usage parfaitement arbitraire.

Herder avait emprunté les éléments de son anthropo-cosmologie à quelques livres de science, judicieusement utilisés ; il n'avait nulle-

[48] *Ibid.*, p. 103.
[49] *Ibid.*, p. 106.
[50] Cité dans AYRAULT, *op. cit.*, p. 104.

ment voulu imposer sa loi aux savants. Goethe s'était aventuré en personne dans le champ de la recherche scientifique ; mais il avait présenté des faits en les interprétant de manière à susciter une critique positive, alléguant d'autres faits, s'il en trouvait. Schelling ne prétend nullement à une compétence personnelle ; il utilise les faits proposés par d'autres, et prétend leur imposer son autorité, parce qu'il comprend leurs faits mieux qu'il ne les comprenaient eux-mêmes. Il n'y a pas à s'étonner s'il a suscité des contradicteurs. Ce qui surprend plutôt, c'est qu'il ait mobilisé tant de disciples fervents. La *Naturphilosophie* apparaît ainsi comme une mythologie de la science, et non comme une science de sciences, comme elle se promettait d'être.

Du point de vue de leur contenu littéral et de leur valeur démonstrative, les textes que nous venons d'examiner sont certainement périmés dès le moment de leur publication. Toute philosophie de la science est en retard d'un âge de la science par rapport à l'état actuel de la recherche. Néanmoins ces essais de Schelling doivent bien signifier quelque chose, en dehors même de leur invalidité matérielle. Ils appartiennent aux mœurs intellectuelles de l'époque ; il s'agit là d'un certain regard sur l'activité scientifique, généralement répandu dans le domaine germanique. La preuve la plus éclatante de cet état de la mentalité pourrait être tiré du comportement de Hegel dans ce domaine. La philosophie de l'esprit et du concept n'a rien à voir avec la *Naturphilosophie ;* Hegel s'est pourtant livré lui aussi à un exercice de récupération de la nature, dans sa définition scientifique, au profit du système.

La performance ainsi réalisée a été présentée aux étudiants à l'Université de Berlin. L'*Encyclopédie des sciences philosophiques*, publiée en 1817, a été rééditée en 1827 et 1830. Le projet de ce cours est analogue à celui développé par Schelling dans ses *Leçons sur la méthode des études académiques* (1803) ; il s'agit d'un tour d'horizon qui fait entrer chaque discipline, à tour de rôle, dans l'orbite de la philosophie. La philosophie en question n'est pas la même, mais, quinze à vingt ans après Schelling, Hegel met en œuvre, à l'égard des données de la science, une semblable désinvolture. De 1795 à 1820, la chimie, en particulier la chimie des gaz, a fait d'énormes progrès grâce aux travaux de Dalton, de Davy, de Gay-Lussac ; des lois numériques ont été établies et la théorie atomique s'impose avec Ampère, Avogadro et leurs émules ; la théorie de l'électricité commence à sortir de son moyen âge, ainsi que la théorie de la lumière. Hegel cite Berthollet, Berzelius et la *Farbenlehre* de Goethe, parue en 1810. Le résultat n'est guère probant, si bien que les hégéliens fervents ont toujours préféré jeter le voile de la prétérition sur ces parties honteuses du Système. Un géologue contemporain s'étant intéressé à la « géo-logique » conclut que cette géologie spéculative « récuse l'expérience objective pour reconstruire tout l'ordre du réel à l'aide de la seule pensée. Et dès lors, en lieu et place d'une histoire et d'un savoir réel, Hegel se borne à édifier une pure sémantique » ([51]).

On se contentera de citer ici un passage où Hegel aborde l'étude de ce qu'il appelle « la physique organique » : « La totalité réelle du corps, l'infini processus où l'individualité se détermine à la particularité et à la finité, la nie aussi bien, et revient en soi, se rétablit à la fin en ce qu'elle était au début, est aussi une élévation au premier degré de l'idéalité de la nature, en devenant une unité accomplie, essentiellement *négative*, se rapportant à elle-même, unité pour soi et *subjective*. L'Idée est alors parvenue à l'existence, tout d'abord immédiate, à la vie. Celle-ci est : A. Figure (*Gestalt*), l'image générale de la vie, l'organisme géologique ; B. Subjectivité particulière, formelle, l'organisme *végétal* ; C. Subjectivité concrète individuelle, l'organisme *animal* » ([52]). La dialectique met au pas l'histoire naturelle avec autant de facilité que l'histoire de l'humanité, pour susciter enfin l'organisme animal. « La vitalité naturelle se dissémine, il est vrai, en la multiplicité indéterminée des êtres vivants qui, pour eux-mêmes, sont des organismes sujectifs, et ce n'est que dans l'Idée qu'ils forment *une seule vie, un* seul système organique de la vie » ([53]). La genèse du « corps terrestre » correspond à « l'organisme géologique » présenté selon l'ordre de la Raison : « L'organisation physique en tant qu'immédiate ne commence pas par la forme simple, enveloppée, du germe, mais part d'un principe qui se divise en deux, à savoir le principe *granitique* concret, le noyau montagneux qui présente en lui, développée déjà, la triplicité des moments de la notion, et le principe *calcaire,* où la différence est réduite à la neutralité... » ([54]).

La foi dialectique de Hegel déplace les montagnes ; quartz, feldspath et mica inscrivent avec une évidence aveuglante la Sainte Trinité dialectique au cœur de la matière. Avec un peu d'ingéniosité on pourra faire défiler en rang par trois la nature entière ; les Anciens savaient déjà que les animaux sans fiel, l'âne, le cheval et le mulet sont au nombre de trois... Schelling n'est pas plus ridicule que Hegel, qui, lui aussi, jongle avec l'oxygène, l'hydrogène, l'azote, le processus chimique, le magnétisme, l'électricité, le galvanisme, et s'estime au

([51]) Jean-Marie BARRANDE, *Géo-Logique, Hegel et les sciences de la terre,* Philosophie VI, Annales de l'Université de Toulouse-Le Mirail, 1977.
([52]) HEGEL, *Précis de l'Encyclopédie des Sciences philosophiques,* § 377 ; trad. GIBELIN, Vrin, 1952, p. 198.
([53]) *Ibid.*
([54])*Ibid.,* § 340, p. 199.

bout du compte persuadé qu'il a mis de l'ordre dans le désordre de la science militante.

Nous ne supportons plus ce langage, pas plus que nous ne supportons le langage courant de la théologie scolastique au moyen âge. Mais il ne suffit pas de soutenir qu'il s'agit là d'aberrations pures et simples, ou de passer sous silence ces dévergondages auxquels se complaisaient des penseurs communément reconnus comme des esprits du premier rang, hallucinés par leurs propres certitudes. La *Naturphilosophie* n'est pas un non-sens ; elle veut dire, elle exprime un certain état de la culture, une conjoncture mentale qui reste à mettre en lumière. Le xviiie siècle avait vu s'affirmer le triomphe universel de la révolution galiléenne, sous l'invocation de la synthèse newtonienne. La *Naturphilosophie* met en œuvre la mutation non galiléenne et non newtonienne du savoir. Schelling présente la nouvelle pensée comme une science de sciences ; la physique mathématique avait joué ce rôle au siècle précédent ; elle proposait le prototype de l'intelligibilité. Le fait nouveau est la promotion des sciences de la nature et de la vie ; alors que la physique ne traite que de la matière morte, les sciences de la vie permettent d'accéder par l'échelle des espèces jusqu'à la réalité humaine.

Mais ces sciences, de par la complexité de leurs objets, souffraient d'un grand retard par rapport aux sciences mathématiques et physiques ; elles décrivaient, elles n'expliquaient pas ; elles demeuraient encombrées de résidus archaïques et mythologiques. Les recherches et travaux des savants du xviiie siècle ont assuré à ces disciplines une promotion suffisante pour qu'elles puissent revendiquer leur place au soleil de l'encyclopédie. Ce gain en positivité et en respectabilité, conjugué avec les progrès des technologies de la vie : agronomie, élevage des animaux, hygiène et médecine, impose à la réflexion l'élaboration d'une théorie de la nature vivante. De là une nouvelle conjoncture épistémologique ; mais la problématique de la science, par un choc en retour, met en question la condition humaine elle-même. L'homme, en tant que vivant, concerné par les sciences de la vie, est appelé à renégocier ses rapports avec la nature, à se situer dans le devenir général d'une réalité dont il a conscience de représenter lui-même l'un des aspects. S'il est vrai qu'une question devient métaphysique lorsqu'elle met en question celui qui pose la question, la mutation scientifique est ensemble mutation spirituelle. Le romantisme est l'un des noms de cette mutation, solidaire de la *Naturphilosophie*, qui lui fournit certaines de ses intuitions maîtresses et le fondement de ses valeurs.

Le nouvel espace mental a pour foyer la notion de *vie*. A partir de cette notion, en deçà et au-delà, s'affirme une intelligibilité spécifique. L'astrobiologie traditionnelle présupposait un animisme universel qui ne séparait pas de la matière une vie donnée comme immanente à toute réalité. La révolution mécaniste tend à constituer une matière autonome, constituée par un agrégat de particules obéissant à des lois purement physiques. L'idée se fait jour d'une coupure, d'un seuil d'émergence à partir duquel le pur mécanisme ferait place à des phénomènes d'un ordre nouveau, proprement organiques. La dualité du mécanique et du vital, du mécanisme et de l' « organisme », occupe déjà une place considérable dans la problématique du XVIIIe siècle ; que l'on établisse entre les deux ordres une continuité ou une discontinuité, on admet la nécessité d'un double langage, adapté à une double intelligibilité. Le règne organique ajoute quelque chose à l'inorganique ; il déploie une série de degrés hiérarchisés, depuis les êtres les moins organisés jusqu'aux plus organisés. Au sommet, l'être humain, caractérisé par la conscience, la pensée, la raison, propriétés dont la science de la vie doit aussi tenter de justifier l'apparition.

Les maîtres de l'histoire naturelle au XVIIIe siècle avaient déjà entrevu la genèse hiérarchique des êtres de nature. Mais Linné, Buffon et leurs émules avaient dû se contenter de décrire la procession des formes, incapables qu'ils étaient de l'expliquer. Linné classe, Buffon fait de brillants portraits ; il n'est pas question pour eux de dépasser un empirisme de l'extériorité ; leur œuvre fait défiler les animaux tels qu'ils s'embarquaient dans l'arche de Noé. Le pieux Linné déploie son œuvre comme un hymne au Créateur, parce qu'il lui est matériellement impossible d'imaginer une autre hypothèse relative à l'origine des êtres que celle qui est rapportée dans la *Genèse*. Le fait nouveau, à la fin du siècle, est l'apparition d'un matériel explicatif dont on ne disposait pas jusque-là. La chimie, en particulier, atteint à un premier palier de positivité, qui donne accès à l'économie interne de la matière ; on ne saurait exagérer l'immense portée mentale de la définition précise de l'oxygène, de l'azote, du gaz carbonique, au moment où l'on devient capable de les produire et de les manipuler avec précision ; les phénomènes de la combustion, de l'oxydation ouvrent les portes à un imaginaire de l'intelligence aux résonances indéfinies. Par ailleurs, le domaine neuf de l'électricité, force omniprésente dans la nature, autorise toutes sortes d'analogies et extrapolations, en particulier au moment où l'on apprend qu'en dehors même du magnétisme immanent à l'univers physique, il existe une électricité animale et humaine, à laquelle on donne le nom de galvanisme.

Ces nouveaux éléments des sciences, encore imparfaits, se transforment et s'enrichissent d'année en année. Les contemporains s'enchantent des nouveaux concepts et des nouveaux langages. Le moment semble venu où l' « histoire » naturelle, simplement descriptive, va devenir « science » naturelle ; ainsi s'ouvre pour la pensée une période molle, où les structures changent, en vue de mettre au point des modèles explicatifs différents de ceux qui avaient prévalu jusque-là. Moins de dix ans séparent la mort de Buffon (1788) de la publication des *Idées* de Schelling *pour une Philosophie de la nature* (1797) ; de l'*Histoire naturelle* de Buffon à la *Naturphilosophie* de Schelling, le style de la connaissance a été complètement transformé. Si l'on veut rendre justice à Schelling et à ses successeurs, il faut les juger non pas en fonction de ce qui a suivi, c'est-à-dire du modèle positiviste du savoir, mais en fonction de ce qui précédait.

Il apparaît alors que cette *Naturphilosophie*, à nos yeux irrationnelle, représente une tentative pour soumettre à la raison le domaine de la vie. Tentative déraisonnable ; la dialectique de la nature selon Schelling (et selon Hegel) manque complètement de rationalité réelle ; elle mobilise dans une synthèse prématurée des éléments imparfaitement connus. Il est absurde, de la part du philosophe, de prétendre savoir la science mieux que les savants ; le philosophe s'imagine qu'il est porteur d'une science à la seconde puissance. L'homme du laboratoire, embarrassé dans ses procédures, dans ses essais et erreurs qu'il faut recommencer sans fin, chemine au ras du sol ; il ne sait pas ce qu'il fait, alors que le penseur domine la situation. Le savant a jalonné les premiers points de la recherche ; le philosophe en déduit la courbe d'une vérité encore future. Tel est le sens du propos de Novalis : « Si la théorie devait attendre que l'expérimentation la rejoigne, elle n'arriverait jamais à rien... » ([55]). Le savant déchiffre péniblement quelques éléments de la nature ; le philosophe interprète les résultats obtenus.

La notion d'*analyse* a été introduite dans le domaine de la chimie par Lavoisier, membre de l'école française des Idéologues, disciples de Condillac. Procédure mentale, l'analyse désigne l'un des thèmes fondamentaux de l'âge des Lumières, depuis que l'*Essai sur l'entendement humain* de Locke a imposé un modèle de décomposition de la pensée. Lavoisier transfère ce schéma opératoire de l'ordre mental dans l'ordre physique ; les unités élémentaires ne sont plus ces idées que Hume combinait selon les lois de l'association, inspirées de l'attraction newtonienne, mais des réalités matérielles, objets d'une expérimentation réelle, métaux, gaz, etc. Entre la science et la philosophie, on assiste à un échange de modèles, la discipline de pointe cautionnant de la force persuasive de ses résultats les tentatives faites dans l'autre domaine. Espace du dedans et espace du dehors se corroborent ou s'empruntent des significations. Or l'analyse, en tant qu'expérience de pensée, appelait en contrepartie de la décomposi-

([55]) NOVALIS, *Werke*, édition MINOR, Bd. II, p. 116.

tion une recomposition qui faisait la preuve de la validité de la méthode. Il en va de même pour l'analyse chimique, expérience réelle, dès l'époque de Lavoisier ; l'analyse de l'air ou de l'eau n'est complète et valable que si l'on parvient, à partir des éléments isolés, à refaire le parcours inverse jusqu'au composé dont on était parti. La synthèse sera l'une des préoccupations des chimistes dans le siècle nouveau. La *Naturphilosophie* expose une tentative de synthèse de la réalité globale à partir des analyses et dissociations opérées par les chimistes. Bien sûr, l'expérience de pensée ne présente pas les mêmes difficultés que l'expérience de laboratoire. Schelling — tout comme Hegel — et leurs émules, pressés d'aboutir, ne construisent, en fait de science de sciences, que des châteaux de cartes, qui leur assurent, à défaut de mieux, un confort intellectuel partagé par leurs disciples. Ces synthèses prématurées sont, dans tous les domaines, et pas seulement dans l'ordre de la connaissance scientifique, l'une des caractéristiques du xixᵉ siècle mental ; Saint-Simon et Auguste Comte, Fourier, Hegel, Marx, pour ne citer que les plus représentatifs, se hâtent d'occuper l'ensemble du territoire de la pensée, proclamant avec précipitation la fin de l'histoire de l'humanité ou la fin de l'histoire de la science.

D'autres effets d'entraînement sont produits par les nouvelles dimensions des sciences de la nature. La chimie, naguère qualitative, est devenue, grâce à Lavoisier et à ses émules, quantitative ; elle définit son vocabulaire avec la rigueur d'une linguistique universelle, et même elle parvient toujours davantage à conférer aux signes qu'elle met en œuvre des valeurs numériques. La théorie atomique, renaissant de ses cendres, met en évidence la structure mathématique de la nature, jusque dans les plus impalpables de ses produits gazeux. Le pythagorisme, le mathématisme platonicien n'étaient que des effets d'une imagination mythologique. Or voici que l'ancienne mystique des nombres reprend vie avec l'autorité de la chose jugée par les savants ; un nouveau néo-pythagorisme propose un nouvel élan aux imaginations cosmologiques. Le mathématisme romantique n'est pas un délire pur et simple ; les rêveries sur le Ternaire, le Quaternaire, chères à Baader, à Novalis et à leurs émules, tirent argument de la dernière actualité scientifique. L'ancienne Cabale, la science des hiéroglyphes sacrés, emprunte une autorité rajeunie à la nouvelle Cabale des chimistes, Dalton, Avogadro, etc.

Un autre événement intellectuel décisif est l'exploration scientifique des confins de la matière et de la vie, qui propose d'un domaine à l'autre les premiers éléments d'une continuité intelligible. La pensée vitaliste, l'un des grands axes de la spéculation scientifique au xviiiᵉ siècle, de Stahl à l'école de Montpellier, évoque la catégorie de la vie sans parvenir à lui conférer une signification précise, un contenu réel. En 1778, les *Nouveaux éléments de la science de l'homme*, de Barthez, aboutissement et couronnement de la tradition vitaliste font du concept de vie un élément fondamental pour la compréhension de la réalité humaine, mais à la condition de le considérer comme un postulat posé par convention, comme une inconnue algébrique, un x. Newton avait agi de même pour le concept d'attraction, auquel il refusait de donner un contenu intelligible ; et Barthez voudrait être le Newton de la science de l'homme. Un an après la publication des *Nouveaux éléments* de Barthez naît en Suède Berzelius, l'un des fondateurs et théoriciens de la chimie organique ; Berzelius (1779-1848) est âgé de vingt ans au moment de l'*Athenaeum*, c'est un contemporain du romantisme et de la *Naturphilosophie* : Schelling est né en 1775, mais G.H. Schubert est né en 1780 et C.G. Carus en 1789, Lorenz Oken en 1779 et Troxler en 1789, etc. Autrement dit, les progrès de l'analyse chimique dans le domaine organique se situent dans le même horizon mental que la philosophie romantique de la nature.

Cette problématique scientifique appliquée aux conditions de la vie remonte même en deçà du moment où l'on se met à étudier méthodiquement les composés du carbone, de l'hydrogène, de l'oxygène et de l'azote. Dès 1783, Lavoisier, dans un mémoire lu à l'Académie des Sciences de Paris, compare la chaleur suscitée par la respiration avec celle qui se dégage d'une combustion. « La respiration est une combustion lente ; l'oxygène pénétrant dans les poumons s'y transforme en gaz carbonique, et la quantité de chaleur dégagée est égale à la chaleur de formation d'une quantité égale de gaz carbonique. Lavoisier devait reprendre avec Seguin, en 1790, ses recherches sur la respiration. Il fit ainsi les premières mesures de métabolisme basal et calcula pour la première fois les dépenses énergétiques relatives aux différentes espèces de travaux de l'homme » ([56]). Les conclusions de Lavoisier et Seguin sont significatives de la nouvelle intelligibilité en voie de constitution à l'intersection du physique et du mental. « Ce genre d'observation conduit à comparer des forces entre lesquelles semblerait n'exister aucun rapport. On peut connaître par exemple à combien de livres, en poids, répondent les efforts de l'homme qui récite un discours, d'un musicien qui joue d'un instrument. On pourrait même évaluer ce qu'il y a de mécanique dans le travail du philosophe qui réfléchit, de l'homme de lettres qui écrit, du musicien qui compose. Les effets considérés comme purement moraux ont quelque chose de physique et de matériel qui permet, sous ce rapport, de les comparer avec ceux que fait l'homme de peine » ([57]). Le chimiste Lavoisier se proposait

---

([56]) Maurice DAUMAS, in *Histoire de la Science*, Encyclopédie de la Pléiade, p. 899.
([57]) *Ibid.*, pp. 899-900.

d'étudier expérimentalement les fonctions de l'organisme animal ; il avait entrepris en 1791 des recherches sur la digestion.

Lavoisier est un pionnier, non le seul en son temps. Il existe une Europe des savants ; les idées circulent, et les expériences. Laplace et Meunier réalisent à diverses reprises, en 1783-1785, l'analyse et la synthèse de l'eau, à partir de l'oxygène et de l'hydrogène. L'idée était dans l'air ; Priestley et Cavendish en Angleterre, Scheele en Suède sont associés à ces découvertes décisives. La fermentation mentale suscitée par les résultats de ces travaux se conjugue avec les effets des découvertes dans le domaine de l'électricité ; on peut s'en faire une idée d'après les brouillons de Novalis ou ceux de Ritter. En 1778, Barthez interdit d'approfondir la nature de la vie ; or voici que les principales fonctions vitales sont reconnues accessibles à une analyse rigoureuse. La physiologie ne jongle plus avec des concepts ; elle aligne des quantités chiffrées. Bien sûr, l'existence humaine comprend d'autres aspects que la respiration et la digestion, mais une fois les premiers pas acquis, il y a lieu de penser que le mystère de la vie ne demeurera pas irréductible à une complète élucidation. Le point capital est que les sciences nouvelles proposent un vocabulaire et une syntaxe radicalement différents de ceux qui régnaient dans la littérature théorique du siècle passé.

La *Naturphilosophie* met en œuvre ce nouveau langage, qui apporte un imaginaire différent de celui de naguère. Elle propose un mode d'occupation du nouvel espace dans sa totalité, alors que les savants en sont encore aux premiers pas, aux premiers tâtonnements. Il ne s'agit pas d'une science, ni d'une méta-science, mais d'une mythologie procédant à partir des éléments d'intelligibilité récemment acquis. Le carbone et l'acide carbonique, l'hydrogène et l'oxygène, l'azote, la pesanteur, le « processus chimique », l'irritabilité, la sensibilité, l'organique et l'inorganique, le magnétisme, l'électricité, le galvanisme, dans la rhétorique de Schelling, se définissent selon la teneur que leur confèrent les savants, mais d'autre part ils se chargent d'une valeur allégorique. Cette double valeur caractérisait déjà les termes du langage alchimique : soufre, phosphore, or, argent, mercure désignaient non seulement des réalités matérielles, mais encore des entités emblématiques surchargées de symboles. Il n'en va pas autrement de la lumière, de la pesanteur, de l'éther ou de l'électricité dans le langage de Schelling et des *Naturphilosophen*. Leurs doctrines se veulent philosophies de la science, mais de la science se faisant, toujours en voie d'achever l'inachevé, et donc forcées de courir après le dernier événement scientifique, démenties par le prochain. Une telle pensée du provisoire ne possède qu'une modeste espérance de vérité ; elle propose un test projectif d'ordre mental et spirituel.

La *Naturphilosophie* serait ainsi moins une science de la nature qu'une science de l'homme. L'épistémologie des sciences exactes, seconde lecture des vérités acquises et code de procédure pour l'acquisition de vérités nouvelles, n'est pas la seule possible. On peut envisager une épistémologie des diverses allures de la conscience, qui s'attacherait à relever les modes de fonctionnement de la réalité humaine, sans tenir compte des lignes de démarcation entre la perception du réel et les récurrences de l'imagination, qui parasitent cette perception. La *Naturphilosophie* définit un mode d'établissement de la réalité humaine dans l'univers, non seulement selon l'entendement discursif, mais aussi selon les voies des affinités et sympathies, attractions et répulsions, rêves, rêveries et fantasmes en lesquels se noue l'obscure alliance de l'homme et de la terre. Les acquisitions récentes des sciences figurent dans ces échanges de sens comme des éléments incorporés à des circuits riches en transferts de toute espèce, équivalences, analogies et extrapolations, où, de permutation en permutation, les références scientifiques empruntées au départ finissent par se dissoudre, servant ainsi de prête-nom à des doctrines qui leur sont complètement étrangères.

D'où l'attitude ambiguë d'un Alexandre de Humboldt qui, d'abord, sympathise avec les vues grandioses de la nouvelle philosophie, mais recule, épouvanté, devant certains de ses aboutissements ; il lui arrive d'évoquer « le bal masqué de la *Naturphilosophie* » ou encore de dénoncer « les Saturnales d'une pensée purement abstraite ». Il écrit à Varnhagen en 1837 : « Pour un homme tel que moi, cloué comme un insecte à la surface du sol dans sa diversité naturelle, l'affirmation abstraite de faits et d'opinions complètement faux revêt une signification d'aliénation et d'angoisse » ([59]). On songe ici aux propos de Goethe dénonçant à certains moments le romantisme comme une perversion, une pathologie de la sensibilité et de l'art. La *Naturphilosophie* aussi a été réprouvée comme une pathologie de la science ; mais Humboldt, tout comme Goethe, savait qu'il y avait dans la vision romantique du monde une authenticité certaine, une inspiration humaine à laquelle ces deux créateurs étaient redevables de certaines des intuitions originales de leur génie. Goethe qui, parfois, dénonce le romantisme, prétend aussi, à ses heures, qu'il en est, dans son dialogue avec Schiller, le véritable fondateur.

([58]) Formules citées dans Alfred KÜHN, *Biologie der Romantik* ; dans : *Romantik, ein Zyklus Tübinger Vorlesungen*, Tübingen und Stuttgart, 1948, p. 417.

DEUXIÈME PARTIE

LES THÈSES

CHAPITRE PREMIER

BIOLOGIE

L'un des maîtres mots de l'intelligibilité romantique, avec le mot *organisme*, est le mot *biologie*, qui s'inscrit dans la même sphère de signification, et dont l'apparition, au seuil du XIXe siècle, répondant à un besoin de la pensée, est un événement. Il s'agit de fixer la dénomination d'une discipline qui se consacre à l'étude des phénomènes vitaux, selon leur spécificité propre, irréductible aux déterminismes mécanistes. Le langage scientifique avait disposé jusque-là du mot *physiologie*, dont la racine *(physis)* fait référence à la nature vivante. *Physiologie*, attesté dès le XVIe siècle, a été utilisé au XVIIe siècle par Thomas Willis (1621-1675), théoricien anglais de la médecine, puis imposé à l'usage courant par l'illustre théoricien suisse Albrecht von Haller (1708-1777) grâce à son monumental ouvrage *Elementa physiologiae corporis humani* (1757-1766). La physiologie, opposée aux théories mécanistes d'inspiration galiléenne, est l'étude des mouvements internes et externes du corps animé, selon leur dynamisme propre. Haller, à propos des contractions musculaires, distingue entre la *sensibilité* et l'*irritabilité*, opposition appelée à un bel avenir dans la *Naturphilosophie*. Mais Haller, newtonien comme le sera Barthez, se refuse à toute hypothèse concernant l'essence des phénomènes vitaux, qu'il se borne à décrire le plus exactement possible.

La *physiologie* désigne une perspective complémentaire de celle de l'anatomie; elle analyse le fonctionnement des organismes. La culture romantique fera de ce terme un grand usage figuré, l'appliquant au domaine social, moral et même littéraire; il y aura une physiologie des sociétés, une physiologie du mariage et au besoin une physiologie des cravates. Mais le terme ainsi consacré ne répondait plus à tous les besoins; peut-être gardait-il, depuis Haller, une résonance phénoméniste; peut-être aussi l'opposition complémen-

taire anatomie-physiologie avait-elle pour effet de réduire la sphère de
signification du mot. Le progrès du savoir, renouvelant la conjoncture, exigeait une dénomination neuve pour un contenu nouveau.
L'idée de vie demeurait, pour Haller et Barthez, une tache blanche
sur la carte du savoir ; cette *terra incognita* s'ouvre peu à peu à
certaines formes d'intelligibilité ; elle devient un théâtre d'opérations
pour les savants et les expérimentateurs.

De là une demande linguistique, au tournant du siècle, en dehors
même du mouvement romantique. En 1794-1796 paraît un traité
d'Erasme Darwin (1731-1802) intitulé *Zoonomie, ou les lois de la vie
organique (Zoonomia or the Laws of organic life)*. Erasme Darwin,
grand-père de l'illustre naturaliste, est lui-même médecin, naturaliste
et poète de renom. Son ouvrage est traduit en français, connu en
Allemagne ; mais le mot « zoonomie » qui veut dire exactement la
même chose que « biologie », ne subsistera pas. Le fait significatif est
qu'il doit exister des « lois de la vie organique » dont la mise en
évidence constitue le programme d'une discipline nouvelle [1]. A
l'intérieur du mouvement romantique, et dans la mouvance de
Schelling, une autre proposition émane d'un des esprits originaux de
ce temps, Joseph Görres (1776-1848), par la suite collègue de
Schelling et de Baader à l'université de Munich. Görres n'est pas un
homme de science, mais un polygraphe et un polémiste, qui passera
du jacobinisme à la réaction la plus conservatrice. Jeune encore, il
publie en 1803 des *Aphorismen ueber die Organomie*, tentative de
synthèse du fonctionnement vital où les composantes de la réalité
humaine se fédèrent sous l'action de la polarité ; la vie, activité
interne, veille à sa propre conservation en conjuguant les pulsions
organiques et les incitations émanées du dehors. En 1805, Görres
publiera une *Exposition der Physiologie*, dont le titre atteste que le
néologisme « organomie » n'a pas prévalu, non plus d'ailleurs qu'une
ontologie sexuelle, un « système sexuel d'ontologie » quelque peu
prématuré. Görres se consacrera bientôt à des études de mythologie
comparée, de politique militante, d'histoire et de mystique.

Quant au mot *Biologie*, sa date de naissance se situe à l'aurore du
XIXe siècle, sous réserve de la mise à jour de faits nouveaux. Aux
dernières nouvelles, selon l'*Historisches Wörterbuch der Philosophie*,
t. I, 1971, le mot aurait été employé pour la première fois par le

---

[1] En 1808, encore FRIEDR. AUG. CARUS, professeur à Leipzig, dans sa *Psychologie*
t. I, p. 36, préfère *Zoonomie* à *Physique* et *Physiologie*, qui lui paraissent entretenir une
équivoque : « Le mot *Physiologie*, tout comme le mot *Physique*, devrait être supprimé ;
on devrait adopter à sa place *Zoonomie* pour désigner la science des lois de la nature
animale, la science de la nature des vivants animaux. » Carus ne semble pas connaître
Biologie, et sa définition exclut le domaine végétal, qui sera incorporé par les
romantiques à leur biologie.

théoricien de la médecine romantique Karl Friedrich Burdach (1776-1847) dans sa *Propédeutique à l'étude de la médecine générale (Propädeutik zum Studium der gesammten Heilkunst)*, parue en 1800, millésime satisfaisant pour les amateurs de chiffres ronds. Burdach entend par Biologie une discipline globale qui rassemble la morphologie, la physiologie et la psychologie. Dans ce contexte, l'usage du terme semble restreint au domaine humain, avec une sphère d'influence qui inclut l'ordre physique et l'ordre mental ; il ne s'agit pas des lois de la seule vie organique dans l'ensemble de la nature ; la biologie de Burdach est à la fois plus restreinte et plus étendue que celle des biologistes à venir.

Dans le domaine germanique, le mot Biologie appartient au vocabulaire romantique, alors qu'en France, où la conscience romantique ne s'est pas encore affirmée, le terme apparaît dans le contexte scientifique de l'époque, régi par l'école idéologique. A ma connaissance, la première occurrence française du terme interviendrait sous la plume du physiologiste prématurément disparu Xavier Bichat (1771-1802), dans son *Anatomie générale appliquée à la physiologie et à la médecine*, en 1801. Bichat affirme la nécessité d'une épistémologie spécifique pour l'étude des phénomènes vitaux. « Comme les sciences physiques ont été perfectionnées avant les physiologiques, on a cru éclaircir celles-ci en y associant les autres : on les a embrouillées. C'était inévitable ; car appliquer les sciences physiques à la biologie, c'est expliquer par les lois des corps inertes les phénomènes des corps vivants. Or voilà un principe faux... » (²). On doit noter que l'emploi du terme, en un sens précis, ne s'accompagne d'aucune notation susceptible de marquer qu'il s'agit d'un néologisme.

Avant la production de ces textes de 1800 et 1801, on admettait que le mot Biologie avait fait une apparition simultanée et indépendante en l'année 1802, en Allemagne et en France, Littré donnant, sans autre précision, la priorité à l'utilisateur germanique. Fait important, il s'agit dans les deux cas de titres d'ouvrages, ce qui correspond à une mise en évidence d'un terme chargé de sens. L'Allemand a publié son œuvre ; le Français n'a pas été jusqu'au bout de son projet.

Le médecin allemand Gottfried Reinhold Treviranus, de Brême (1776-1837), donne en 1802 le premier volume de sa *Biologie, oder die Philosophie der lebenden Natur für Naturforscher und Aertzte (Biologie, ou Philosophie de la nature vivante à l'usage des naturalistes et des médecins)* ; l'ouvrage aura six volumes, qui paraîtront jusqu'en 1822, après quoi Treviranus donnera encore un traité en deux volumes :

(²) Xavier BICHAT, *Anatomie générale appliquée à la physiologie et à la médecine* (1801), Préambule II, § 2 ; Appendice à l'édition des *Recherches physiologiques sur la vie et la mort*, pp. le docteur CERISE, 1852, p. 311.

*Die Erscheinungen und Gesetze des organischen Lebens (Phénomènes et
lois de la vie organique)* (1831-1833). Treviranus considère qu'il s'agit
d'une entreprise nouvelle. Jusqu'ici, les savants se sont préoccupés
d'étudier la nature matérielle, inanimée, par les voies et moyens de la
physique. « C'est seulement dans ces derniers temps que l'on a
commencé à pressentir que l'étude de la nature vivante avait les
mêmes droits que celle de la nature morte a être élevée au rang de
science indépendante. » Les recherches doivent porter sur « les
formes diverses et les phénomènes de la vie, sur les conditions et les
lois qui permettent l'apparition de l'ordre vital, sur les causes qui le
mettent en œuvre. La science qui s'occupe de ces diverses questions,
nous la désignerons par le nom de *Biologie* ou *Science de la vie
(Lebenslehre)* » (³). Treviranus semble avoir conscience qu'il s'agit
d'une initiative de sa part, tant au point de vue linguistique qu'au
point de vue épistémologique. La discipline nouvelle empruntera à
l'histoire naturelle certains de ses chapitres : botanique et zoologie,
regroupement qui ouvre à la recherche des perspectives dont les
résultats seront utiles aussi bien pour la médecine que pour l'hygiène,
l'agronomie et l'économie en général. Le mot « biologie » est
employé fréquemment dans la rédaction du livre, ainsi que l'adjectif
« biologique ». La science de la vie, telle que l'expose Treviranus,
embrasse la totalité des formes vivantes, depuis les plus élémentaires
jusqu'aux plus complexes. La documentation est fort étendue ; sont
cités Haller, Barthez, Camper, Vicq d'Azyr, Blumenbach et Humboldt, entre autres. Le sens de la vie s'affirme sous les formes diverses
de la spontanéité immanente à la nature et jusqu'aux sublimations du
sentiment religieux. Mais les applications pratiques ne sont pas
perdues de vue ; la biologie, en tant que science de la vie *(Wissenschaft
vom Leben)*, est directement utile à l'humanité, dans la mesure où elle
permet de négocier en connaissance de cause les rapports de l'être
humain avec l'environnement global.

Traviranus, professeur de médecine et praticien notable, donne à la
biologie pignon sur rue, ou plutôt sur bibliographie ; le théoricien de
Brême participe à l'affirmation d'une nouvelle conscience scientifique
et médicale dans l'espace germanique. La situation sera différente en
France, où le texte de Bichat ne semble pas avoir attiré l'attention, et
la première tentative pour imposer le néologisme est vouée à l'échec.
Jean-Baptiste de Lamarck (1744-1829) a vécu la majeure partie de sa

(³) Gottfried Reinhold TREVIRANUS, *Biologie oder Philosophie der lebenden Natur für
Naturforscher und Aertzte*, Bd. I, Göttingen, 1802, p. 4. On peut noter que le mot
Lebenslehre, équivalent germanique du grec *biologie*, est employé par NOVALIS, en
particulier dans le *Brouillon général*, ensemble de notes rédigées à la fin de 1798 et au
début de 1799 ; cf. NOVALIS, *Schriften*, éd. Kluckhohn-Samuel, Bd. III, Stuttgart,
1960, p. 324, fragment 439.

carrière scientifique à l'abri de l'institution révolutionnaire du Museum d'histoire naturelle ; sa pensée, fortement marquée par le sensationnisme et le déterminisme physicaliste des lumières, se développe dans le contexte culturel de l'école idéologique française, sans connexion avec le mouvement romantique.

Par une de ces infortunes dont il est coutumier, Lamarck, lors de la constitution du Museum, n'a pu obtenir la chaire correspondant à sa compétence de botaniste. Il a dû se contenter de l'enseignement dont personne ne voulait, sorte de fourre-tout épistémologique où l'on avait entassé des vivants qui n'étaient pas des animaux dignes de ce nom, mais des esquisses imparfaites des espèces pittoresques et picturales dont Buffon avait fait d'admirables portraits. On appelait cette catégorie de sous-animaux la *Classe des Insectes et des Vers*, localisée tout au bas de l'échelle des vivants. Lamarck dut faire contre mauvaise fortune bon cœur, et son génie découvrit un trésor de science dans les résidus jusque-là dédaignés de la classification. Il organisa « l'histoire naturelle des animaux sans vertèbres », donnant ainsi un statut et un nom aux *Invertébrés*. Confronté sans relâche avec le minimum de l'animalité, il devait se poser la question de la progression de ce minimum vers des formes plus complexes. En même temps, il lui apparut que l'étude des êtres les plus simples proposait d'une manière beaucoup plus lisible les propriétés constitutives de la vie, ce qui posait la question de la limite entre le vivant et le non-vivant, la question du seuil d'émergence de l'organisme.

De cette problématique nouvelle devait résulter la doctrine du transformisme, science de la vie dans sa spécificté. Lamarck résume sa pensée dans sa *Philosophie zoologique ou exposition des connaissances relatives à l'histoire naturelle des animaux,* publiée en 1809. On lit dans l'avertissement de cet ouvrage : « Ainsi cette *Philosophie zoologique* présente les résultats de mes études sur les animaux, leurs caractères généraux et particuliers, leurs organisation, les causes de ses développements et de sa diversité et des facultés qu'ils en obtiennent ; et, pour la composer, j'ai fait usage des principaux matériaux que je rassemblais pour un ouvrage projeté sur les corps vivants, sous le titre de *Biologie,* ouvrage qui, de ma part, restera sans exécution » ([4]). Autre précision un peu plus loin : « *La Philosophie zoologique* (...) n'est autre chose qu'une nouvelle édition, refondue, corrigée et fort augmentée de mon ouvrage intitulé *Recherches sur les corps vivants* » ([5]).

Lamarck a formé le projet d'une *Biologie*, à une date antérieure à

([4]) LAMARCK, *Philosophie zoologique ou exposition des connaissances relatives à l'histoire naturelle des animaux* (1809), Avertissement, éd. Schleicher, 1907, p. XXII.
([5]) *Ibid.,* p. XLI.

1809, mais il n'a pas cru devoir retenir le terme. On peut penser que la formule « philosophie zoologique » est un produit de substitution pour le néologisme devant lequel Lamarck a reculé. Dans un cours au Museum, en 1804, figure une indication qui va dans ce sens : « Je compte prouver dans ma *Biologie* que la nature possède dans ses facultés tout ce qui est nécessaire pour avoir pu produire elle-même tout ce que nous admirons en elle, et, à ce sujet, j'entrerai alors dans des détails suffisants, qu'ici je suis forcé de supprimer. » Lamarck ajoute, en note : « Voyez à la fin de ce discours l'Esquisse d'une philosophie zoologique, relative à cet objet » ([6]). Ainsi le projet d'une *Biologie* hante la pensée de Lamarck pendant longtemps. Le mot lui-même apparaît pour la première fois, semble-t-il, sous sa plume en 1802, dans un ouvrage intitulé *Hydrogéologie ou recherches sur l'influence qu'ont les eaux sur la surface du globe terrestre, sur les causes de l'existence du bassin des mers (…) ; enfin sur les changements que les corps vivants exercent sur la nature et l'état de cette surface.* Penseur cosmique, Lamarck s'est intéressé à la géologie aussi bien qu'à la météorologie, et son souci est ici de situer les être vivants en tant qu'agents géologiques au sein du devenir de la planète, donc aux frontières du règne inorganique et du règne organique ([7]).

La biologie lamarckienne répond au vœu de mettre en lumière l'intelligibilité spécifique de la vie au sein de la totalité cosmique. Un texte de 1816-1817, conservé au Museum, énonce clairement cette intention. « Outre les corps inorganiques et sans vie, qui composent presque la masse entière de notre globe, nous avons distingué et reconnu l'existence d'une multitude de corps singuliers qui, quelque différents qu'ils soient les uns des autres, ont tous une *manière d'être* qui leur est commune et qui leur est à la fois particulière. Ces corps ont tous un même genre d'origine, des termes à leur durée, des besoins à satisfaire pour se conserver, et ne subsistent qu'à l'aide d'un phénomène intérieur qu'on nomme la *vie*, et d'une organisation qui permet à ce phénomène physique de s'exécuter. C'est à ces corps singuliers et vraiment admirables qu'on a donné le nom de corps vivants, et la vie qu'ils possèdent, ainsi que les facultés qu'ils en

---

([6]) *Discours d'ouverture d'un cours de Zoologie* prononcé en prairial an XI au Museum d'histoire naturelle, sur la question : *Qu'est-ce que l'espèce parmi les corps vivants ?* dans LAMARCK, *Discours d'ouverture*, Bulletin scientifique de la France et de la Belgique, t. XL, 1907, p. 101.

([7]) Cf. *Hydrogéologie…, op. cit.,* p. 90 : « Combien cette antiquité du globe terrestre s'agrandira encore aux yeux de l'homme lorsqu'il se sera formé une juste idée de l'origine des corps vivants, ainsi que des causes du développement et du perfectionne-ment graduel de l'organisation de ces corps, et surtout lorsqu'il concevra que, le temps et les circonstances ayant été nécessaires pour donner l'existence à toutes les espèces vivantes telles que nous les voyons actuellement, il est lui-même le dernier résultat et le *maximum* actuel de ce perfectionnement, dont le terme, s'il en existe, ne peut être connu ! »

obtiennent, les distinguent essentiellement des autres corps de la nature. Ils offrent en eux et dans les phénomènes divers qu'ils présentent les matériaux d'une science particulière qui n'est pas encore fondée, qui n'a même pas de nom, dont j'ai proposé quelques bases dans ma *Philosophie zoologique* et que je nommerai *Biologie*. C'est parce que la biologie n'est pas réellement fondée, et qu'on n'a pas même pensé à en faire un sujet d'étude particulière qu'on voit tant de faux principes émis à l'égard des caractères des animaux et des végétaux, tant d'hypothèses inconséquentes relativement aux différents systèmes particuliers de l'organisation animale et aux phénomènes variés qui en résultent, enfin, tant de vues contraires à la marche de la nature à l'égard des facultés qui ne sont que des phénomènes physiques, tous en rapport avec les systèmes ou appareils d'organes qui seuls peuvent les produires » ([8]).

La constitution d'une *Biologie*, sous ce nom et digne de ce nom, résume le projet scientifique de Lamarck. Le savant français a pensé, écrit, imprimé à diverses reprises ce mot qu'il croyait être un néologisme. Mais il n'a pas été jusqu'au bout de son intention d'en faire le titre d'un traité systématique. Même après la publication de la *Philosophie zoologique*, il estime que la nouvelle discipline, objet majeur de sa préoccupation, reste encore à créer. Le mot est passé inaperçu, le livre aussi d'ailleurs. Lamarck n'a pas été prophète en son temps. Il faudra attendre la publication par Darwin de l'*Origine des espèces*, en 1859, cinquante ans après l'essai de Lamarck, pour que l'attention se porte sur le savant français, auquel rendit hommage le naturaliste anglais. La fortune du mot *Biologie* en France ne date donc pas de 1802, ni de 1809, alors que le terme entre peu à peu en usage dans le domaine allemand après Burdach et Treviranus.

Le contexte mental et spirituel est différent d'un pays à l'autre. Lamarck, animé d'un esprit résolument mécaniste, accorde aux déterminismes du milieu une influence prépondérante dans le développement des phénomènes vitaux. Sainte-Beuve, qui avait fréquenté le cours de Lamarck au Museum, en a résumé l'esprit par la personne interposée d'un personnage de roman : « Sa conception des choses avait beaucoup de simplicité, de nudité, et beaucoup de tristesse. Il construisait le monde avec le moins d'éléments, le moins de crises et le plus de durée possible. Selon lui les choses se faisaient d'elles-mêmes, toutes seules, par continuité, moyennant des laps de temps suffisants. (...) Une longue patience aveugle, c'était son génie de l'Univers (...) La vie n'y intervenait que comme un accident

---

([8]) *De l'intervalle considérable qui sépare la nature des corps inorganiques de celle des corps vivants* (1816-1817) dans *Inédits de LAMARCK* conservés à la Bibliothèque du Museum, pp. MAX VACHON et ALII, Masson, 1972, p. 284.

étrange et singulièrement industrieux, une lutte prolongée, avec plus
ou moins de succès et d'équilibre çà et là, mais toujours finalement
vaincue ; l'immobilité froide était régnante après comme
devant... » (⁹). Le romancier rend fort bien l'atmosphère de l'œuvre
lamarckienne, dans la différence spécifique qui la distingue de la
Naturphilosophie. La coupure reconnue, au sein de la nature, entre le
règne organique et le règne inorganique, oblige à admettre deux systèmes
d'explication différents ; mais l'intelligibilité vitale est recherchée,
autant que possible, selon les voies du déterminisme. La vie met en
œuvre une certaine autonomie, mais Lamarck refuse la tentation du
finalisme, si souvent acceptée sans critique, et dont son contemporain
Bernardin de Saint-Pierre est le porte-parole intempérant.

Le transformisme lamarckien rejette non seulement la finalité
transcendante d'une Providence bienveillante, mais même la finalité
immanente qui régirait du dedans le fonctionnement organique. La
vie, intervenue dans l'univers comme un accident, se maintient par
un ensemble d'accidents, en dehors de toute autonomie dont le vivant
imposerait le programme intentionnel aux circonstances. Un des
derniers livres de Lamarck précise que « la vie, dans un corps en qui
l'ordre et l'état de choses qui s'y trouvent lui permettent de se
manifester, est assurément (...) une véritable puissance qui donne
lieu à des phénomènes nombreux. Cette puissance, cependant, n'a ni
but, ni intention, ne peut faire que ce qu'elle fait, et n'est elle-même
qu'un ensemble de causes agissantes, et non un être particulier. J'ai
établi cette vérité le premier, et dans un temps où la *vie* était encore
signalée comme un *principe*, une *archée*, un être quelconque. Voyez
Barthez... » (¹⁰). L'activité vitale des êtres organisés ne se propose
aucun objectif précis ; « le but n'est (...) qu'une simple apparence et
non une réalité. En effet dans chaque organisation particulière de ces
corps, un ordre de choses, préparé par les causes qui l'ont graduelle-
ment établi, ne fait qu'amener par des développements progressifs de
parties, régis par les circonstances, ce qui nous paraît être un but, et
qui n'est réellement qu'une nécessité. Les climats, les situations, les
milieux habités, les moyens de vivre et de pourvoir à sa conservation,
en un mot les circonstances particulières dans lesquelles chaque race
s'est rencontrée, ont amené leurs habitudes ; celles-ci y ont plié et
approprié les organes des individus, et il en est résulté que l'harmonie
que nous remarquons partout entre l'organisation et les habitudes des
animaux nous paraît une fin prévue, alors qu'elle n'est qu'une fin
nécessairement amenée » (¹¹).

(⁹) SAINTE-BEUVE, *Volupté*, 1834, ch. XI.
(¹⁰) LAMARCK, *Système analytique des connaissances positives de l'homme*, 1820, pp.
37-38.
(¹¹) *Op. cit.*, pp. 42-43.

Ces propos, qui résument l'essentiel du transformisme lamarckien, répudient toute forme de finalité, d'intentionalité dans l'ordre naturel ; Lamarck n'y voit que l'expression d'une mythologie périmée. Le titre même du dernier livre, publié par Lamarck à l'âge de 76 ans, et passé inaperçu, a valeur de manifeste : *Système analytique des connaissances positives de l'homme, restreintes à celles qui proviennent directement ou indirectement de l'expérience* (1820). Le système et l'analyse sont des catégories de l'âge des Lumières, auxquelles le romantisme oppose *organisme* et *synthèse ;* le mot *positif,* employé par Lamarck avant qu'Auguste Comte s'en fasse un drapeau, a une forte charge emblématique, ainsi d'ailleurs que la condition restrictive de la fidélité à l'expérience. Par rapport au romantisme et à la *Naturphilosophie,* Lamarck se trouve en retard — ou en avance — d'une génération. La seule référence que Lamarck se permette à l'égard d'une transcendance évoque un Créateur originaire de la *matière* et de la *nature.* « L'existence et la toute-puissance de Dieu composent toute la science positive de l'homme à l'égard de la Divinité ; là se borne tout ce qu'il lui a été donné de pouvoir connaître de certain sur ce grand sujet. Beaucoup d'autres idées néanmoins furent appropriées par lui à ce projet sublime, mais toutes prirent leur source dans son imagination » [12]. Le Dieu de Lamarck, dont la seule initiative se situe à l'origine du monde, a créé l'ordre matériel de la réalité inorganique et la nature organique, chacun de ces deux domaines étant susceptible de produire par son développement propre la totalité des phénomènes observables. Une fois la Nature donnée au départ, avec les caractères qui lui sont propres, elle peut produire par ses seuls moyens l'ensemble des phénomènes. « Nous voyons effectivement qu'il existe un ordre de choses, véritablement créé, immuable tant que son auteur le permettra, agissant uniquement sur la matière, et qui possède le pouvoir de produire tous les corps observables, d'exécuter tous les changements, toutes les modifications, les destructions même, ainsi que les renouvellements que l'on remarque parmi eux » [13].

La biologie de Lamarck se donne au départ un minimum de vie, sous la forme d'une substance douée de quelques propriétés spécifiques ; cette substance élémentaire sera obligée de se transformer pour s'adapter aux conditions du milieu. Ces actions et réactions au contact entre la vie et la matière morte susciteront des formes de plus en plus complexes dans la lignée des vivants. L'homme sera le produit ultime et improbable de cette genèse de la vie ; d'accident en accident, seules survivent les formes les mieux adaptées, capables d'utiliser à leur

[12] *Ibid.,* p. 8.
[13] *Ibid.,* p. 9.

profit aussi bien les mécanismes de la nature que ceux de la matière morte. L'explication lamarckienne, d'une parfaite économie de moyens et d'une admirable rigueur, se caractérise par un agnosticisme intégral; dans sa positivité, elle se tient au plus près du travail scientifique. Méconnu, Lamarck est le fondateur de l'une des traditions épistémologiques majeures de l'époque moderne. Son œuvre consacre la transformation de l'histoire naturelle de naguère en une véritable science de la nature, en quête d'une intelligibilité rationnelle digne de ce nom.

Le plus génial des penseurs français de la nature n'est pas un *Naturphilosoph*. La biologie romantique ne procède pas à partir d'un minimum vital, mais à partir d'un maximum; la vie, dès le départ, se trouve dotée d'un programme de développement spécifique; son odyssée dans les espèces répond à une finalité interne, conjuguée avec le projet d'une finalité externe et transcendante selon l'ordre d'une prédestination providentielle. L'opposition est nettement marquée entre les vues de Lamarck et celles de Treviranus, selon lequel la vie correspond à une activité « suscitée du dedans et non de l'extérieur » ([14]); les mouvements déterminés du dehors sont d'ordre mécanique; or « les mouvements qui expriment la vie se distinguent des mouvements mécaniques en ce qu'ils sont produits non par des causes extrinsèques, mais par des causes internes » ([15]). L'initiative du dedans sur le dehors renvoie de proche en proche à une activité intellectuelle et spirituelle, manifestation d'une volonté.

La priorité reconnue à l'espace du dedans est une des marques du romantisme. L'ordre vital est caractérisé par une spontanéité intrinsèque qui utilise les formes passives de la réalité matérielle, dans un constant effort pour maintenir à son profit un équilibre toujours remis en question. « Dans tout être vivant, dit Treviranus, on ne peut méconnaître une constitution et une activité de chaque partie isolée au profit de toutes les autres, et de la totalité non pas seulement en vue des parties, mais aussi en vue d'un but qui concerne non seulement l'espèce en question, mais aussi d'autres espèces. Cette finalité est la propriété exclusive de ce qui vit » ([16]). La finalité immanente à chaque organisme, et qui mobilise à son usage les mécanismes subordonnés, s'inscrit dans la finalité globale de la Nature. Mais il ne s'agit pas seulement de circuits de phénomènes attestés par l'observation. Treviranus estime que vivre et être animé

([14]) G. R. TREVIRANUS, *Biologie oder Philosophie der lebenden Natur*, Bd. I, Göttingen, 1802, p. 16.

([15]) *Ibid.*, p. 17.

([16]) G. R. TREVIRANUS, *Die Erscheinungen und Gesetze des organischen Lebens*, 1831-1833; dans Chr. BERNOULLI und Hans KERN, *Romantische Naturphilosophie*, Iena, Diederichs, 1926, p. 283.

(*Beseeltsein*) sont identiques ([17]). Le finalisme est l'expression d'un spiritualisme ; « la région de la vie confine au monde suprasensible » ([18]). C'est pourquoi tous les grands savants qui se sont intéressés profondément à la réalité de la vie ont été des esprits religieux, témoins Charles Bonnet, Linné et même Swammerdam, qui est devenu le disciple de l'illuminée Antoinette Bourignon. « Celui qui méconnaît l'existence dans la nature d'une telle lumière ne voit en elle que le désolant spectacle d'un éternel retour d'apparitions et de disparitions » ([19]).

Treviranus situe sa biologie aux antipodes de celle de Lamarck, la dernière formule rejoignant à peu près le jugement de Sainte-Beuve sur le maître du Museum. Le romantisme s'est attaché à donner un sens à l'ordre de la vie, devenu une dimension privilégiée de la pensée. Herder, Goethe, Schelling et leurs émules ont, chacun pour sa part, doté la nature d'une identité propre, et d'une histoire, définie comme un dynamisme ascensionnel, depuis les formes primitives de la vie jusqu'à l'homme, et au-delà de l'homme. L'échelle des êtres, à laquelle ils ont donné une réalité épistémologique concrète, demeure pour eux l'échelle de Jacob, qui relie la terre et le ciel. L'agnosticisme résolu de la *Philosophie zoologique* dément le gnosticisme romantique. La réflexion de Lamarck aide à comprendre pourquoi il n'y a pas eu, en France, ni dans l'Europe non germanique, de science romantique, le rapprochement de ces deux termes impliquant contradiction pour les esprits positifs. Le *Naturphilosoph* suisse Ignaz Paul Vital Troxler (1780-1866) publie en 1808 ses *Elemente der Biosophie* : la biologie romantique n'est pas une science seulement, mais ensemble une sagesse de l'homme et du monde dans leur rapport avec Dieu.

([17]) *Ibid.*, p. 291.
([18]) *Ibid.*, p. 285.
([19]) P. 284.

CHAPITRE II

VIE, LEBENSKRAFT

La biologie romantique est la science de la vie (*Wissenschaft vom Leben*). La vie est une donnée immédiate de la connaissance, à partir du moment où l'homme se trouve en mesure de penser son rapport au monde. Seulement, pendant très longtemps, la vie apparaît comme un coefficient global de la prise d'être. Pour les primitifs, tout ce qui est, tout ce qui apparaît dans l'environnement de l'homme, est vivant ; non seulement les animaux et les plantes, mais les rochers, les rivières, les nuages, le ciel et la mer participent à la vie universelle. La distinction n'est même pas faite, dans le cas des individus, entre la vie et la mort, cette dernière n'empêchant pas la continuation de la vie sous une autre forme. Ce panvitalisme primitif indifférencié se retrouve dans la culture antique sous les espèces du polythéisme, qui honore les divinités présentes dans les arbres, les sources, les montagnes ou les astres.

L'apparition de la réflexion rationnelle ne met pas fin à ce monisme de la vie. La perception du réel se réalise sur l'arrière-plan d'une indifférenciation générale ; les explications présupposent que le monde, dans sa genèse, est le produit de forces dont l'action ne saurait s'être brusquement interrompue. Le mot *Physique* garde dans ses flancs la référence étymologique à une croissance naturelle analogue à celle d'un vivant (du grec *phuô*, pousser, faire naître, engendrer, croître...). L'idée d'une animation cosmique intervient comme une justification immanente de l'ordre du monde ; aussi bien le mot *nature* renvoie-t-il pour sa part au latin *nasci*, qui signifie naître. Le modèle explicatif de l'astrobiologie, qui définit l'horizon de la connaissance jusqu'à la révolution mécaniste du XVIIᵉ siècle, considère que la vie dans le monde d'ici-bas est engendrée par les dieux, identifiés aux astres. Le mot physique a pendant longtemps dénommé la connaissance de l'univers naturel sous tous ses aspects ; le mot *physician*, en anglais, désigne toujours le médecin, intéressé au premier chef par les phénomènes vitaux. Jusqu'au xviiie siècle, on entend sous le nom de « physique » l'étude de la nature, y compris les êtres vivants. On lit par exemple, dans un volume de l'Histoire de l'Académie royale des Sciences, publié en 1702 : « Ce qui regarde la conservation de la vie appartient particulièrement à la physique, et par rapport à cette vue, elle a été partagée en trois branches, qui sont trois espèces différentes d'Académiciens : l'Anatomie, la Chimie et la Botanique » ([1]).

Peu à peu, néanmoins, la conception mécaniste de l'univers, grâce aux succès de la méthodologie expérimentale, aboutit à proposer un mode d'explication qui met en œuvre l'action de particules de matière dépouillées des attributs de la vitalité. Un certain nombre de phénomènes peuvent être interprétés d'une manière satisfaisante sans recourir à un quelconque principe d'animation interne. Galilée n'a pas besoin des services des dieux païens, ni de ceux du Dieu des chrétiens et de ses anges, pour faire avancer les planètes sur leurs trajectoires mathématiquement définies. Ainsi se constitue un territoire de pensée dégagé des résidus d'intelligibilité vitaliste qui l'encombraient ; l'astronomie, la mécanique, la dynamique, la chimie se dotent d'une autonomie épistémologique au cours du xviiie siècle. Une nouvelle frontière se dessine dans le domaine du savoir, entre la région où l'interprétation mécaniste parvient à ses fins, et celle où elle ne parvient pas à justifier des phénomènes dont la complexité défie l'analyse, en sorte que l'on est obligé, pour en rendre raison, de faire appel à une surcharge d'intelligibilité.

Au cours du xviiie siècle, la ligne de démarcation se déplace ; les progrès de la science exacte donnent à penser que le recours à une âme immanente à la matière est une hypothèse paresseuse, dont la science véritable doit s'efforcer de faire l'économie. Il faut élargir la sphère d'influence de la méthode expérimentale qui a fait ses preuves dans l'étude de la réalité inerte. L'illustre théoricien hollandais Hermann Boerhaave (1668-1738), qui est aussi un chimiste, s'efforce d'introduire le raisonnement mécaniste en médecine, dans une analyse serrée des phénomènes observés, qui prolonge la tradition des iatro-mécaniciens, issue de Galilée. Une tradition opposée qui se réclame de Paracelse, thérapeute allemand de la Renaissance, et de Van Helmont (1580-1644), considère que les fonctions vitales, irréductibles à de purs déterminismes matériels, obéissent à l'inspiration de principes immanents, les *archées*, petits esprits qui président à la coordination des mouvements organiques. La personnification des facultés organiques risquait d'aboutir à une véritable mythologie

---

([1]) *Histoire de l'Académie royale des Sciences*, année 1690 ; publiée en 1702. Préface. Le rédacteur est sans doute Fontenelle.

infra-individuelle. L'idée d'une spontanéité irréductible immanente au vivant devait être reprise par Georg Ernest Stahl (1660-1734), chimiste de valeur et médecin, dont une formule résume l'enseignement : *ubi incipit medicus, ibi desinit physicus* : là où commence le médecin, là s'arrête le physicien. Ainsi se trouve accusée la coupure entre l'ordre matériel proprement dit, et l'ordre vital, qui relève d'une spécificité intrinsèquement différente, coordonnant l'ensemble des processus vitaux : sensibilité, motricité, fonctions diverses en vue du maintien de l'existence. Stahl appelle « organisme » la doctrine qu'il oppose au mécanisme.

Dans l'attente de faits nouveaux, les théoriciens reprennent les mêmes arguments. Le vitalisme est accusé d'être un animisme, véhicule d'une ontologie ou d'une mythologie périmée. Les tenants du mécanisme radical, pour occuper la totalité du terrain, imaginent des grains de matière dont la simple combinaison produira tous les effets attribués par les « animistes » à la vie. Mais pour parvenir à ce résultat, ils dotent leurs « molécules organiques » des caractères du vivant ; ce qui ne résout rien. De La Mettrie à d'Holbach, les doctrinaires matérialistes s'imaginent pouvoir refaire l'unité du champ de l'intelligibilité grâce à une solution purement verbale, qui consiste à équiper la matière des propriétés vitales, ainsi que le faisaient avant eux les « physiciens » de l'Antiquité. Au contraire, les disciples de Stahl maintiennent l'irréductibilité de l'ordre de la vie, où se manifestent des propriétés surajoutées à celles de la matière inanimée. Les êtres vivants sont bien constitués avec des éléments prélevés parmi ces matières, mais ils imposent au déterminisme physico-chimique des régulations d'un ordre différent ainsi que des propriétés spécifiques. L'héritage de Stahl est revendiqué en particulier par la brillante école française de Montpellier dont les théoriciens fascinent la culture parisienne des Lumières ; Bordeu, Vicq d'Azyr, Barthez, entre autres, se réclament de cette inspiration, moyennant une atténuation de l'animisme stahlien, aux résonances ontologiques, en un vitalisme de caractère purement épistémologique. La finalité organique est reconnue à l'œuvre dans les phénomènes ; on constate son existence, sans lui donner une consistance intelligible. Point de vue proche de celui que proposera le vieux Kant, dans sa *Critique du jugement,* en 1790 ; la finalité organique se surimpose aux séries causales qu'elle oriente sans en détruire l'enchaînement nécessaire.

Le débat spéculatif, parti pris contre parti pris, ne présente d'intérêt que s'il fait progresser la recherche. La Mettrie ou le curé Meslier, fanatiques de l'anti-fanatisme, Helvétius, se servent du matérialisme comme d'une arme pour écraser l'infâme. Les savants, eux, s'efforcent de déterminer, grâce à une réflexion appuyée sur l'expérience, ce qui fait la différence spécifique du vital par rapport au non-vital. Il s'agit de définir avec le plus de précision possible le point d'émergence, ou de divergence, du dynamisme organique. Le déterminisme physico-chimique enchaîne les uns aux autres des phénomènes dont la série peut se poursuivre indéfiniment jusqu'à un point d'arrêt dans l'immobilité silencieuse de la matière. La vie fausse le jeu du déterminisme, non pour le supprimer ou le démentir, mais pour l'utiliser au profit d'une discipline régulière. La question proprement scientifique est de mettre en lumière les marques susceptibles d'indiquer à l'observateur qu'il a affaire non plus au déterminisme physico-chimique, mais au dynamisme vital. L'ordre organique doit posséder ses critères intrinsèques ; Galien, déjà, le maître de la médecine ancienne après Hippocrate, avait mis en lumière dans le mouvement musculaire, ce qu'il appelait un *motus tonicus*, une impulsion spécifique. Cette indication devait laisser une trace dans la théorie médicale subséquente. L'Anglais Glisson (1597-1677), dans son essai *De natura substantiae energetica* (1672), étudie la contraction des tissus intestinaux, et distingue du mouvement spontané, inconscient, de ces tissus un mouvement conscient, et volontaire. Stahl, s'inspirant de ces recherches, proposera de considérer la *tonicité* comme la marque essentielle de la matière vivante (*De motu tonico vitali*, 1692). Selon Canguilhem, « ce que Stahl entend par tonicité, c'est la propriété universelle d'excitabilité et de réactivité des tissus. Mais il ne sépare pas, comme Glisson, la réactivité locale et la réactivité d'origine centrale. Toute réactivité locale est l'expression diffuse d'un principe vital indivis, l'âme. C'est ce principe qui est responsable du mouvement de tonicité, caractéristique de la vie » ([2]).

Stahl, chrétien d'inspiration piétiste, met le mouvement vital en relation avec l'âme substantielle des théologiens. Mais, dans l'ordre strictement épistémologique, l'autorité de Stahl imposera la notion d'*organisme* comme principe de l'ordre vital. L'organisme, résume Canguilhem, est un « corps dont toutes les parties concourent vers quelques fins essentielles à la défense de son intégrité. Agrégat de parties hétérogènes, le corps vivant a une tendance naturelle à la décomposition, contrariée par la subordination des humeurs aux mouvements vitaux régis par l'âme. Le déplacement des humeurs et du sang dans l'organisme dépend de forces et de pressions essentiellement différentes des forces et pressions mécaniques. (...) Tout mouvement involontaire du vivant est encore, dans la mesure où une finalité s'y révèle, un mouvement déterminé par l'âme, bien que sans calcul explicite et sans conscience » ([3]). Rompant avec la tradition

---

[2] Georges CANGUILHEM, in *Histoire générale des Sciences*, pp. René TATON, t. II, P.U.F., 1958, p. 607.
[3] *Ibid.*

platonicienne du dualisme, prolongée par Descartes, Stahl fait
descendre l'âme dans le corps, où sa présence assure du dedans
l'animation de l'organisme, en dehors de toute participation de la
conscience. « La machine du corps, abandonnée à elle-même, est
incapable de toutes ces fonctions admirables qui font naître, développent et entretiennent la vie. C'est l'âme, et l'âme intelligente, l'esprit
des cartésiens — qui fait battre le cœur, circuler le sang, digérer
l'estomac. Les fonctions mixtes, imagination, émotion, appétit, que
Descartes attribuait à l'union de l'âme et du corps, font apparaître,
selon Stahl, le gouvernement que l'âme exerce sur le corps » ([4]).

L'animisme de Stahl est l'expression d'une évidence si contrai-
gnante qu'on se demande comment certains ont pu imaginer le
séparatisme qui conjuguerait dans un même individu une machine
matérielle et un esprit immatériel, en vertu d'un injustifiable miracle.
L'expérience la plus constante affirme l'unité du vivant, quel que soit
son niveau d'accomplissement ; la théorie de l'animal-machine est
aussi absurde que celle de l'homme-machine. Les difficultés d'analyse ne peuvent prévaloir sur le témoignage de l'expérience banale.
Mon corps n'est pas, par rapport à moi, une structure adventice que
je manœuvrerais comme une mécanique extérieure. Mon corps
affirme mon identité, je suis lié à lui par une communauté de destin,
de ma naissance à ma mort. Je ne dois donc pas imposer à ma vie les
normes d'une intelligibilité définie arbitrairement, et du dehors. Au
lieu de projeter mon être dans un univers du discours régi par des
coordonnées physico-mathématiques, je dois rechercher des formes
de pensée adaptées au sens de cette vie qui m'anime du dedans,
comme elle anime les vivants qui m'entourent.

Selon Radl, « le vitalisme en tant que doctrine particulière apparaît
pour la première fois dans l'histoire avec le système de Stahl, en tant
qu'il s'affirme face au mécanisme, comme une doctrine différente,
reconnue comme telle, et s'orientant, en fonction de principes
opposés » ([5]). La notion d'organisme étant une des notions fondamentales du romantisme, on peut considérer Stahl comme un des
pères fondateurs du renouveau culturel, ce que confirmeraient ses
appartenances religieuses et son illuminisme ; l'université de Halle, à
laquelle Stahl appartient depuis sa fondation en 1694, est le haut lieu
intellectuel du piétisme militant. L'immanence de la vie dans la
matière est comprise comme la présence continue du Créateur dans sa
création, en harmonie avec une certaine spiritualité, dont les

---

([4]) Paul MOUY, *La matière dans la pensée moderne, de Descartes à Lavoisier*, in *Qu'est-
ce que la matière ?* 11e semaine de Synthèse, P.U.F., 1945, p. 73.
([5]) Em. RADL, *Geschichte der biologischen Theorien in der Neuzeit*, 1re partie,
2e Auflage, Leipzig und Berlin, 1913, p. 205.

récurrences s'affirment dans l'ordre de la pensée scientifique. Les recherches sur les propriétés toniques des tissus vivants ont été développées par le théoricien de la physiologie, Albrecht von Haller (1709-1777), dont l'œuvre fait autorité jusqu'à la fin du siècle. Haller est aussi un esprit profondément religieux, un poète, qui rédige un journal intime pour noter les intermittences de la présence divine au cœur de sa vie. Les historiens positivistes passent à côté de ces aspects biographiques, chez Stahl comme chez Haller, en les signalant comme des bizarreries de caractère sans rapport avec la pensée théorique ([6]).

Le physiologiste Haller fait profession d'un strict newtonianisme ; il refuse les hypothèses aventurées pour s'en tenir aux faits, qui démentent les schémas grossiers du mécanisme, inspirés d'une imagination pseudo-scientifique. Le domaine de la vie relève d'une physiologie dont Haller dit qu'elle est une *animata anatome*, une anatomie avec en plus une animation spécifique. Après Stahl et Glisson, Haller reprend la notion de tonicité, dont il va tirer le caractère d'*irritabilité* : une fibre nerveuse vivante réagit à une excitation extérieure en se contractant, et le raccourcissement est d'autant plus marqué que l'irritation est plus forte. L'irritabilité est la propriété fondamentale de la réalité vivante, par opposition à la nature inerte ; elle ne met pas nécessairement en cause la conscience ; ce sont les fibres sensibles qui éveillent dans l'âme une impression, plaisir ou douleur chez les animaux les plus simples. *Irritabilité* et *sensibilité* définissent donc deux moments de l'existence organique. L'irritabilité, phénomène élémentaire, subsiste même quelque temps après la mort, jusqu'au moment où l'organisme, déserté par la vie, fait retour à la matière inorganique en se décomposant.

Cette catégorie nouvelle, ou apparemment telle, de l'irritabilité a contribué à la célébrité européenne de Haller ; les contemporains ont voulu y voir une découverte fondamentale, analogue à la définition de la gravitation par Newton. L'irritabilité permet d'expliquer toutes sortes de phénomènes, normaux ou pathologiques, par exemple les modalités d'action des vaisseaux sanguins, des muscles, des conduits nerveux, irréductibles au mécanisme grossier ; on justifie ainsi le fonctionnement souple de ces tissus en dehors de l'intervention de la conscience et de la volonté. L'augmentation excessive de l'irritabilité des vaisseaux, muscles et nerfs suscite des troubles fébriles et

---

([6]) Cf. les observations caractéristiques de BLAINVILLE, dans son *Histoire des sciences de l'organisation*, t. II, 1845, à propos de Haller : « en lisant le touchant journal de sa vie, écrit par lui-même, on est attendri de cette élévation continuelle de l'âme à Dieu, qui faisait de toute sa vie une admirable prière ; on voit qu'il ne manquait qu'une chose à sa consolation, et l'on regrette qu'elle ne lui ait point été donnée : c'est la foi orthodoxe ».

inflammatoires; inversement, le défaut d'irritabilité a pour conséquences des maladies de carence, des paralysies, etc. Bel exemple
d'irradiation du champ épistémologique par un concept dont la
polyvalence est liée à son imprécision.

L'œuvre et l'influence de Haller ont conjuré les fantasmes des
iatro-mécaniciens et imposé l'étude du dynamisme spécifique des
mouvements vitaux; l'irritabilité annonce une nouvelle dimension de
la réalité naturelle, point de départ pour un savoir d'un style neuf.
L'*Encyclopédie* définit en conséquence la Physiologie comme « la
partie de la médecine qui considère ce en quoi consiste la vie, ce que
c'est que la santé et quels en sont les effets. On l'appelle aussi
économie animale, traité de l'usage des parties; et ses objets se nomment
communément *choses naturelles ou conformes aux lois de la nature* ».
Définition banale; pourtant signe des temps, avec une référence
directe à Haller, et peut-être même, au-delà, un retour à Aristote,
inspirateur oublié de la biologie ancienne. L'idée d'une science du
vivant, différente de la science du non-vivant, est, au milieu du
XVIIIe siècle, une idée neuve; on ne sentait pas jusqu'alors la nécessité
d'un dédoublement de l'épistémologie; un seul savoir devait rendre
compte de l'organique et de l'inorganique; plus exactement l'idée
d'un règne organique bénéficiant d'un statut différentiel ne s'était pas
imposée.

Entre la physiologie de Haller, disparu en 1777, et la biologie
romantique, s'affirme une génération de théoriciens, dont l'influence
s'exercera directement sur les jeunes romantiques. La vie est rentrée
dans ses droits, descendue au cœur de la matière, comme une essence
spécifique, instituant une communauté des êtres vivants, contrairement au présupposé antérieur qui opposait l'homme au reste de
l'univers. *Vie, âme, esprit, raison* étaient jusqu'alors des concepts
exclusifs les uns des autres; désormais ils fusionnent par leurs
extrémités, sur les bords; ils définissent des degrés, des moments
d'un même mouvement de promotion spirituelle. La conscience
intervient dans cette progression, qui est aussi celle de l'échelle des
êtres, sans marquer de coupure, de commencement radical; lente
émergence sur le chemin qui mène de l'irritabilité à la sensibilité puis
à la pensée. La conscience est cette lumière de la vie sur la vie qui
lentement s'annonce chez l'animal, puis, chez l'homme, se développe
jusqu'à l'illumination plénière. Il n'est pas possible de fixer les
commencements humbles et obscurs de cette odyssée; la vie
commence avant la conscience, mais, comme il y a, entre la
conscience et la vie, une consubstantialité, la réalité humaine existe
en deçà du seuil de la conscience. En ces régions obscures et ignorées
se noue déjà le destin de l'homme; le sens de sa vie et les exigences
primitives d'où procéderont ses préférences et valeurs maîtresses se

trouvent en question dans ces profondeurs où le regard de la conscience n'a pas accès. C'est le romantisme qui a mis en honneur l'*inconscient*, qui a exploré avec passion les « aspects nocturnes de la Nature » *(die Nachtseite der Natur)*, selon la formule de G. H. Schubert. Le principal ouvrage de Carl Gustav Carus : *Psyché, histoire du développement de l'âme* (1846), affirme en sa première phrase : « La clef pour la connaissance de la vie de l'âme en son essence se trouve dans la région de l'inconscient *(Unbewusstsein)* » ([7]). Le vitalisme biologique permet un renouvellement de l'anthropologie, d'où sont issues les acquisitions les plus originales de la pensée contemporaine.

Le prestige de Haller met à l'ordre du jour des idées sinon neuves, du moins renouvelées, par exemple celle du *nisus formativus*, qui dirige du dedans la construction des formes vivantes, ou encore le thème antique de la *vis medicatrix naturae*, de la puissance médicatrice de la nature, dotée du pouvoir de remédier elle-même à ses désordres, qui patronnait une thérapeutique de la non-intervention. Physiologistes et biologistes sont le plus souvent des médecins qui s'efforcent de comprendre les phénomènes vitaux, afin de mieux les contrôler. Stahl et Haller sont des professeurs de médecine et l'orientation médicale jouera un rôle considérable dans le romantisme allemand ; Schelling se pose en théoricien et en praticien de la médecine, jusques et y compris dans le cercle de famille, où son intervention malencontreuse aura des conséquences funestes pour sa jeune belle-fille. Le thème de l'équilibre organique et de ses déviations pathologiques d'ordre physique et d'ordre mental fascine Novalis, malade lui-même, Clemens Brentano, Justinus Kerner... Au nombre des néologismes à mettre au compte du romantisme figure le mot *psychiatrie* introduit vers l'an 1800 par l'éminent spécialiste de la médecine mentale Johann Christian Reil (1759-1813).

Stahl et Haller doivent faire école à Montpellier, mais aussi en Ecosse, dont les universités sont au XVIIIe siècle d'une particulière qualité. William Cullen (1710-1790), professeur à Edimbourg, réformateur de la nosologie, et créateur du mot *névrose*, élabore la notion d'irritabilité dans son application au système nerveux. Selon lui, le tonus des organes régulateurs de la santé oscille entre le *spasme*, trouble par excès, et l'*atonie*, trouble par défaut. Cette dualité s'inscrit dans le *Zeitgeist ;* elle est mise en honneur par un autre Ecossais, John Brown (1735-1788), élève puis critique de Cullen, personnage pittoresque dont le rayonnement est considérable à la fin

---

([7]) C. G. CARUS, *Psyche, zur Entwicklungsgeschichte der Seele*, 2. Auflage, Stuttgart, 1851, p. 1.

du siècle. Ses *Elementa Medicinae*, parus en 1780, bénéficient de deux traductions allemandes, dont la seconde, en 1796, par les soins de C. H. Pfaff, camarade d'études de Cuvier, s'inscrit dans le contexte de la fermentation romantique. Le système brownien passe pour une découverte géniale ; son auteur est considéré comme le Newton de la médecine, bien que, rétrospectivement, l'apport personnel de l'auteur paraisse assez restreint.

La problématique de Brown concerne essentiellement le tissu nerveux et ses prolongements, constituant le système neuro-musculaire, support de l'activité humaine dans son ensemble. Brown est parti de son expérience personnelle de malade de la goutte ; cette affection douloureuse était considérée comme résultant d'un excès de bonne chère, et donc traitée par un régime d'austérité alimentaire. La médication demeurant sans effet, Brown eut l'idée d'expérimenter une thérapeutique inverse, et de prendre des stimulants ; s'en étant trouvé mieux, il élabora une théorie à partir de son cas. La goutte, inhibition du système neuro-musculaire, immobilise le malade ; la saignée et la diète, médications usuelles, ont pour effet de débiliter davantage le sujet, qu'il faudrait au contraire remettre sur pieds grâce à l'accroissement de sa force vitale. Cette force, dont l'essence demeure inconnue, régit l'existence humaine par ses oscillations, depuis la conception, où elle apparaît dans l'embryon, jusqu'à la mort, où elle cesse de se manifester.

Nous ne connaissons cette force que sous sa forme phénoménale, manifestée par la propriété vitale de l'excitabilité. Le système nerveux est sans cesse soumis à des influences externes et internes, auxquelles il s'adapte par des réactions appropriées. Les excitations du milieu sont transmises par les organes des sens : lumière, chaleur, air, intempéries ; la nourriture absorbée agit du dehors au dedans, les contacts humains proviennent du milieu psychologique ; le milieu intérieur met en œuvre l'influence du sang et des humeurs ainsi que celle des différents organes, en particulier du cerveau, où siègent les pensées et les passions. Vivre c'est être soumis à l'ensemble de ces excitations, les affronter sans se laisser accabler par elles. La notion psycho-physiologique d'instabilité permet de définir la santé comme la capacité de maintenir un équilibre individuel face à des excitations modérées. Lorsque se manifeste une disproportion entre la capacité de réaction et l'intensité de l'excitation, l'organisme physique et mental se trouve en état de trouble, la disproportion pouvant correspondre soit à une réaction insuffisante, soit à une réaction excessive.

Selon Brown, « l'excitation (*Erregung*), effet de facteurs excitants, constitue, lorsqu'elle est adaptée, l'état de santé, lorsqu'elle est excessive ou insuffisante, elle suscite les maladies et les dispositions qui y prédisposent » ([8]). Une même conception d'ensemble permet donc de justifier l'état normal ou pathologique de l'organisme. « La thèse selon laquelle santé et maladie constitueraient deux états spécifiquement différents se trouve ainsi réfutée, puisque ce sont les effets des mêmes influences qui produisent et suppriment l'une et l'autre » ([9]). La ligne de vie d'un individu donné peut être considérée comme un parcours de santé dans l'équilibre, oscillant entre les menaces opposées de l'excès ou du défaut d'excitation. John Brown définit en conséquence deux catégories de maladies : les troubles par hyperexcitation sont dits *sthéniques*, et les troubles de carence sont *asthéniques*. L'homme parfaitement sain serait celui qui parviendrait à maintenir dans un sage équilibre le budget de ses forces vitales. Malheureusement, le sort de chacun est réglé par sa constitution, qui le prédispose à telle ou telle forme de pathologie. Un individu de type sthénique consume très tôt toute l'excitabilité dont il est capable, ce qui le voue à une mort précoce, par extinction ou consomption prématurée de son potentiel vital. Le cas le plus fréquent, de beaucoup, est celui de l'asthénie ; le sujet ne dispose pas de la dose d'excitabilité nécessaire pour affronter les provocations et agressions du milieu ; faute de cette réserve de puissance, il succombera par incapacité de se maintenir en vie. Ces idées simples sont applicables à la pratique médicale, où elles remplacent avantageusement les concepts polymorphes de « fièvre » ou d' « inflammation », de « paralysie », réduits au rang de phénomènes dérivés. L'interprétation des symptômes permet de les faire entrer dans des tableaux cliniques préalablement définis. Quant à la thérapeutique, elle pourra recourir selon les cas à des médications calmantes pour les troubles sthéniques et à des excitants pour les asthénies.

Les interprétations de Brown se réfèrent à un idéal d'harmonie interne des régulations organiques ; le recours aux remèdes compensateurs évoque une mathématique immanente, ou encore des accords musicaux exprimant les structures du réel, selon les présupposés romantiques. Parmi les stimulants les plus efficaces mis en œuvre par cette médecine figure l'opium, substance romantique par excellence ; le laudanum appartient à la pharmacopée de l'époque, mais aussi à son imaginaire et à son alchimie poétique ; de Coleridge à Baudelaire, en passant par Quincey, George Sand et Gautier, nombreux sont les utilisateurs de cette substance magique, librement vendue à bas prix, et dont on dit que les ouvriers anglais se servaient pour apaiser les

---

([8]) John BROWN, *System der Heilkunde* (1780), § 62, d'après la traduction de PFAFF, éd. de 1798 ; dans WERNER LEIBBRAND, *Heilkunde, eine Problemgeschichte der Medizin*, Freiburg, Verlag Karl Alber, 1953, p. 335.
([9]) *Loc. cit.*, § 65, *ibid.*

tiraillements de leurs estomacs criant famine. Le mal du siècle romantique étant souvent assimilé à une maladie de langueur, à une « consomption », s'inscrit sans difficulté dans le système de Brown, qui a trouvé en Novalis et en Schelling des lecteurs assidus. L'usage qu'ils font tous deux de l'irritabilité et de la sensibilité pour décrire la dialectique de la vie est le reflet de la lecture du médecin écossais. Novalis réfléchit souvent dans les marges du « brownisme », comme il dit. La phtisie dont il est affecté le renforce dans l'idée que John Brown est par excellence le médecin de l'époque.

L'intelligibilité nouvelle revendique dans son entier le domaine humain, les manifestations artistiques ou religieuses ne proposant que des effets secondaires de la réalité humaine et de la négociation incessante qu'elle entretient avec le milieu cosmique pour maintenir son intégrité. Selon Pfaff, préfacier de Brown, « on le compare avec Newton qui a établi les lois de la nature morte ; de même Brown a mis en lumière les grandes lois simples de la vie, en les tirant de l'obscurité où elles se trouvaient ensevelies par l'ignorance et les préjugés ; il a solidement fondé la science de la matière vivante, avec une sorte de certitude mathématique, science qui embrasse l'ensemble du domaine végétal et animal, toutes les modifications de la vie sur le globe terrestre » ([10]). Pfaff élargit la portée de la doctrine brownienne ; il ne s'agit plus seulement de pathologie médicale et de thérapeutique, mais aussi d'anthropologie générale et, davantage encore, de biologie générale dans le contexte cosmique. Le raccord est réalisé avec la *Naturphilosophie,* dont l'irritabilité devient une des catégories maîtresses.

Brown était étranger au romantisme. Son intégration à la nouvelle vision du monde suppose une extrapolation de son enseignement, par un jeu de miroirs, sous l'impulsion de l'imagination. Les cahiers de Novalis offrent des exemples significatifs de cette utilisation par les romantiques de thèmes en lesquels ils croient retrouver leur propre exigence. « Le seul objet de l'algèbre ou analyse médicale est le philosophisme organique, ou l'organisme philosophique. (Brown a tenté d'en représenter les principes fondamentaux) » ([11]). Ces formules, qui conduisent à certaines intuitions du biologisme romantique, ne disent pas ce que « Brown a tenté », mais le mode de lecture appliqué à Brown par Novalis et ses amis. La notion de polarité fait valoir son droit de reprise sur la notion d'irritabilité : « *Théorie de l'irritation.* L'irritabilité est une force répulsive, — la polarité, une

---

([10]) Ch. H. PFAFF, Introduction à sa traduction de BROWN *System der Heilkunde,* 1798 ; dans W. LEIBBRAND, *Heilkunde...*, *op. cit.*, p. 333.
([11]) NOVALIS, L'*Encyclopédie*, fragments, classement WASMUTH, n° 1041, trad. GANDILLAC, éd. de Minuit, 1946, p. 249.

force attractive » (^{12}). Les concepts browniens fournissent un tremplin pour de vastes spéculations sur la destinée humaine : « Physiologie mathématique. La fonction vitale décrit dans ses diverses périodes une *courbe régulière*, presque une figure comme le contour oscillatoire d'une *corde vibrante*. Sa tendance est *sthénique*, jusqu'à l'âge intermédiaire, ensuite *asthénique* jusqu'à la vieillesse. La somme locale, temporelle et individuelle, des stimuli extérieurs, ainsi que leur *économie*, leur *répartition*, déterminent la longueur de la vie. La vie la plus amincie est la plus longue. On peut prouver ainsi *a priori* le grand âge des patriarches » (^{13}). L'alliance du thème mathématique et du thème musical avec le thème biologique caractérise l'intelligibilité romantique, la vie immanente à l'organisme véhiculant avec soi les normes abstraites immergées dans le frémissement du réel le plus concret. Novalis s'interroge sur la juste mesure entre excitabilité et sensibilité, en relation avec la force ou la faiblesse des stimuli. Il prétend demeurer fidèle à la doctrine de John Brown : « La santé comporte l'union de l'asthénie et de la sthénie — et c'est là aussi que réside le principe d'irritabilité » (^{14}). Novalis repense les idées maîtresses ; sans doute même a-t-il procédé à des expériences sur sa propre maladie, sans obtenir de résultats concluants. « Les principes généraux de Brown restent vrais sous un certain aspect — à condition de les universaliser encore bien davantage et d'éliminer tout le spécial. Sa pharmacopée, sa sémiotique, sa pathologie spéciale, sa thérapeutique spéciale ne valent rien, par exemple sa théorie de l'opium est purement empirique, — aveugle. Stimulus et excitabilité sont des substances, et par conséquent ne sont pas représentables in concreto, mais seulement dans des séries variables d'accidents » (^{15}).

L'espace mental du praticien écossais ne coïncidait pas avec celui du poète, impatient d'absolu, et mal satisfait des réticences newtoniennes de Brown, qui s'en tient à l'analyse des phénomènes. Témoin cette notation plus tardive : « *Physiologie*. Les indices s'accumulent qui me font voir la théorie brownienne de l'irritation sous un jour moins favorable qu'autrefois. On ne peut absolument expliquer la vie que par la vie, l'irritation que par l'irritation. Si toute matière a le même rapport avec la force que l'objet avec le sujet, — matière et force ont donc une même origine et sont unis dans leur principe comme elles sont ensuite séparées. (...). Le système de Brown est un système scientifique peu consistant. Il a les apparences de l'authenticité, mais ses bases sont erronées » (^{16}). La recherche de Brown se

---

(^{12}) *Ibid.*, n° 882, p. 214.
(^{13}) *Ibid.*, n° 883, p. 214.
(^{14}) *Ibid.*, p. 215.
(^{15}) N° 890, p. 217.
(^{16}) N° 934, p. 228.

développe dans le champ clos de l'activité médicale ; or la *Naturphilo-sophie*, refusant les restrictions, s'ouvre en abîme sur le monde. La nature est d'un seul tenant. D'où l'élargissement de la pensée, qui relativise les propositions de Brown. « Rien n'*excite en soi* — tout peut devenir excitant — et non excitant. Par conséquent l'excitabilité est tout à fait relative à la matière. De même pour l'irritabilité. L'une et l'autre sont les phénomènes d'une même substance. (...) L'une et l'autre ont rapport à l'*aspiration* et à l'*instinct*. L'air n'est pas moins organe de l'homme que le sang. Le corps est séparé du monde comme l'âme l'est du corps... » ([17]). Ailleurs, à propos de Schelling, Novalis évoque « le phénomène cosmique d'irritabilité » ([18]).

Ces propos, d'autant plus obscurs qu'ils ne sont pas rédigés en vue de la publication, illustrent la divergence de la biologie romantique par rapport à la médecine proprement dite. Lorsque Novalis affirme que le rapport matière-force équivaut au rapport objet-sujet, et lorsqu'il ajoute que les deux termes opposés ont « une même origine », il se réfère à l'idéalisme fichtéen et peut-être aussi à la philosophie de l'identité selon Schelling, qui procédait de Fichte. Cet horizon métaphysique était étranger à John Brown qui, d'obédience newtonienne, voulait s'en tenir aux phénomènes et ne faisait pas d'hypothèses. La médecine romantique, lorsqu'elle se réclamera du théoricien écossais, ne lui empruntera guère que des mots ; elle infusera un esprit nouveau.

L'idée de vie et de force vitale demeure l'une des questions majeures de la pensée biologique pendant les générations romanti-ques ; la discussion se poursuit entre les tenants de l'agnosticisme newtonien et ceux de l'ontologisme non-newtonien. Selon Novalis, excitation et irritabilité ne sont pas des absolus ; ces données physiologiques peuvent être mises en relation avec des réalités psycho-physiologiques, et même psychologiques, telles l'instinct et l'aspiration, qui tendent d'ailleurs à s'ouvrir sur la totalité de l'univers ; l'idée de vie, en sa spécificité, possède une signification anthropo-cosmomorphique, à partir de laquelle rayonne une intelligi-bilité universelle. Les tenants de la *Naturphilosophie* se heurteront à la résistance des esprits prudents qui refusent l'aventure spéculative et prétendent s'en tenir aux faits.

La bibliographie de la force vitale (*Lebenskraft*) à l'âge romantique propose des publications toujours renouvelées, et des analyses où reparaissent les mêmes arguments. La première interprétation, qui n'est pas romantique, mais d'inspiration newtonienne, adopte le concept de vie comme un instrument épistémologique pour regrou-

([17]) *Ibid.*, p. 229.
([18]) *Ibid.*, n° 938, p. 229.

per un certain nombre de phénomènes, sans se prononcer sur la consistance interne de ce concept. Barthez, dans ses *Nouveaux Eléments de la science de l'homme* (1778), fait du terme « *vie* » une pure dénomination, comme l'attraction, terme vide de contenu, dehors sans dedans. Une seconde attitude fait de la force vitale une spontanéité autonome, une puissance créatrice inhérente à la nature, qu'elle anime du dedans et dont elle suscite la progressive élévation à travers les formes hiérarchisées des espèces vivantes. Ce point de vue a la faveur des *Naturphilosophen*; ils sympathisent d'instinct avec une ontologie de la vie qui se dessine déjà dans les recherches de Herder et de Goethe. Mais il existe aussi une troisième position, intermédiaire entre ces deux premières; elle ne considère pas la vie comme une donnée irréductible, et s'efforce de la déduire de forces plus élémentaires, dont la combinaison susciterait le dynamisme vital. Ces forces telluriques sont aussi à l'honneur parmi les romantiques; ce sera par exemple la polarité magnétique, l'attraction universelle, l'électricité, le magnétisme cosmique, le galvanisme animal, ou même certains processus chimiques. La référence à ces facteurs, capables de sous-tendre l'excitabilité, l'irritabilité vitale, permet d'éviter de recourir simplement à une notion substantifiée dont on ignore tout — ce qui équivaut, comme le souligne Schelling, à restaurer la chose en soi sous une dénomination nouvelle.

Un jalon important dans la bibliographie germanique est proposé par un discours tenu en présence de l'Electeur palatin, en 1774, par Friedrich Kasimir Medicus (1736-1808), sur le thème de *La Force vitale*. Il faut admettre l'existence « en dehors de la matière organisée et de l'âme *(Seele)*, d'une substance simple que le Créateur a impartie à tous les corps organiques en tant que force de vie *(belebende Kraft)*. Cette force de vie est seule à faire vivre la matière organisée dans le règne végétal et le règne animal; elle se trouve aussi présente chez l'homme, dans les impulsions de la vie animale, ou comme d'autres disent, de la vie mécanique *(des mechanischen Lebens)*. Mais en dehors de cette substance organisée et de la substance simple de la force vitale, l'homme possède aussi une âme raisonnable qui, en lui, pense et veut » ([19]). La réalité humaine comporte donc trois ordres différents de réalité : l'âme, la force vitale et la matière organisée. La pensée, localisée dans la tête, agit sur l'ensemble de l'organisme, avec une efficacité soumise à l'influence du temps, qui use la volonté et impose à l'âme fatigue et épuisement. Au contraire, le domaine régi par la force vitale demeure actif indépendamment de notre volonté;

([19]) Fr. K. MEDICUS, *Von der Lebenskraft*, 1774; dans Th. BALLAUFF, *Die Wissenschaft vom Leben*, Bd. I, Sammlung Orbis, Freiburg-München, Karl Alber, 1954, p. 223.

le cœur bat sans avoir besoin de repos ; de même se poursuivent sans notre consentement tous les mouvements involontaires, pour ne s'arrêter qu'avec la mort de l'organisme. La Providence a voulu par la médiation de la force vitale que les fonctions indispensables au maintien de la vie organique : digestion, respiration, circulation, etc., se poursuivent en nous sans notre collaboration explicite. La force vitale intervient pour mettre en œuvre les forces mortes de la réalité matérielle : pesanteur, chaleur électricité, affinités chimiques, fédérées selon l'exigence des rythmes de l'existence organique.

La distinction entre âme et force vitale correspond à la dualité des mouvements volontaires et involontaires ; mais le dédoublement de la réalité et de l'intelligibilité pose le problème inverse, de la réunion de ce qu'on a disjoint. Si la *Lebenskraft* est une force transphysique, selon quelles modalités peut-elle agir sur la composition des facteurs mécaniques de la réalité humaine ? Et d'autre part, comment peut-on concevoir l'union, qui existe en fait, sous la forme d'une coopération constante, entre l'âme, conscience, volonté, raison, et la force vitale ? Le dualisme métaphysique de l'âme et du corps n'est pas résolu, mais plutôt compliqué par l'intervention d'un troisième terme, spécifiquement différent des deux premiers. Il y a là un cercle vicieux : toute analyse par décomposition du phénomène rend nécessaire une procédure inverse de synthèse compensatoire. Sans quoi, la multiplication des facteurs en jeu, des stades intermédiaires ne fait qu'accroître la distance épistémologique à parcourir. Telle la flèche de Zénon d'Elée, l'explication semble reculer au lieu d'avancer vers le but. Schelling, lui aussi, proposera bientôt un édifice analytique complexe pour rendre raison de la spontanéité naturelle ; mais la référence à une dialectique ne résout pas la difficulté. Le parcours de pensée proposé pour le système n'engage pas pour autant le processus réel dont il est censé rendre compte, sinon par la magie d'une incantation verbale. Ainsi en sera-t-il pour le parcours idéal de la dialectique hégélienne en matière de philosophie de la nature.

Néanmoins les approches germaniques du romantisme sont caractérisées par l'apparition d'un type nouveau de connaissance. John Brown, médecin, propose une théorie médicale. Le point de vue de Medicus s'est élargi ; la force vitale est commune à tous les êtres vivants, ce qui inclut dans le projet épistémologique les animaux et les plantes. Fritz Medicus, qui vivra assez longtemps pour être le témoin du romantisme, a aussi une compétence de botaniste ; il donnera à la fin de sa vie des *Contributions à l'anatomie des plantes* (1799-1801) et des *Essais sur la physiologie des plantes* (3 volumes, 1803). Le fait nouveau est l'apparition d'une problématique d'ensemble des phénomènes vitaux, d'une biologie générale, comme nous disons aujourd'hui. Pareil élargissement du champ donne toute son ampleur au projet de Lamarck, d'abord spécialisé dans la botanique, puis obligé par les circonstances d'étudier les formes rudimentaires de l'animalité chez les Invertébrés.

Dans cette perspective se situe l'intervention d'un personnage, en son temps célèbre, contemporain et compagnon de route des romantiques, romantique lui-même, Karl Friedrich Kielmeyer (1765-1844), médecin, professeur à Tübingen, dont l'esprit encyclopédique embrasse l'ensemble des sciences de la nature. Ritter, qui le rencontre en 1808, écrit à Baader qu'il a découvert en lui « la Nature parvenue à la conscience d'elle-même » ([20]). Cet augure biologique n'a pas publié grand-chose ; il s'est imposé grâce au texte, publié en 1793, d'un discours *Sur les rapports des forces organiques entre elles dans la série des diverses organisations, sur les lois et sur les conséquences de ces rapports.* En une vingtaine de pages est esquissée une biologie générale, d'une impressionnante brièveté et d'une grande économie de moyens. L'Europe savante en sera frappée, et Schelling, qui doit beaucoup à Kielmeyer, estime que son discours ouvre une nouvelle période dans l'histoire de la connaissance. Le paradigme newtonien demeure présent ; l'ambition du théoricien est de réduire l'ensemble des phénomènes vitaux à quelques lois simples dont la formulation imite la rigueur des mathématiques. Il s'agit de définir les forces à l'œuvre dans la nature vivante en sa totalité, de quantifier autant que possible leurs effets positifs et négatifs dans l'interaction des phénomènes, et de parvenir ainsi à la détermination des lois de la vie. L'esprit scientifique est caractérisé par le dépouillement du style, exempt de concession à cette rhétorique dont les romantiques seront si friands.

L'analyse du comportement des êtres vivants y discerne le jeu de forces qui se combinent en proportions variables. Ces composantes du dynamisme vital sont d'abord l'*irritabilité*, bien connue depuis Haller et Brown, capacité pour certains tissus de se contracter et de produire des mouvements sous l'effet d'une excitation. Puis la *sensibilité*, ou capacité de transformer les impressions sensibles en représentations ; la *reproduction* est la capacité de susciter en tout ou partie des êtres semblables à soi. Kielmeyer discerne aussi une *faculté sécrétoire*, capacité de produire, à partir de certains matériaux, certaines substances, et une force de *propulsion*, qui distribue les liquides à travers les parties solides de l'univers. A partir des composantes ainsi dissociées se réalise une axiomatique, une combinatoire, qui serait plus aisée s'il était possible d'attribuer à chaque force un coefficient numérique variable selon l'espèce considérée. Par

---

([20]) Cf. plus haut, p. 64 sqq. ; sur Kielmeyer, cf. R. AYRAULT, *La genèse du romantisme allemand*, t. I, Aubier, 1961, pp. 299 sqq.

exemple, la sensibilité, à son maximum chez l'homme, diminue lorsqu'on descend dans l'échelle des êtres, les organes se simplifiant au fur et à mesure dans la série animale ; les plantes n'ont pour ainsi dire plus de sensibilité externe ; les organes spécialisés ayant disparu, il ne leur reste plus qu'une impression globale et confuse. Il existe d'ailleurs des compensations d'un sens à l'autre ; la disparition d'un sens entraîne le développement de tel ou tel autre ; par exemple, les vers, privés de la vue et de l'ouïe, disposent d'un tact majoré. La diminution de la vision a pour corollaire le développement de l'ouïe et de l'odorat. De là une première loi selon laquelle le nombre des impressions possibles diminue dans la série des organismes, proportionnellement à la facilité et à la finesse des impressions restantes.

Dès cette première « Loi », on comprend que Kielmeyer se propose de rendre compte de l'économie interne des organismes, en tant que sujets d'un développement autonome. Un nouveau modèle épistémologique se trouve ainsi défini, applicable à chacun des individus de chaque espèce vivante, depuis les êtres végétaux les plus simples, et les infusoires, animalcules élémentaires, jusqu'à l'homme. Kielmeyer s'emploie à faire varier les facteurs vitaux pour en tirer des conclusions applicables à la vie en général. Par exemple l'étude de l'irritabilité dans la série des vivants permet la formulation d'une nouvelle loi selon laquelle : « L'irritabilité, estimée d'après la permanence de ses manifestations, décroît en raison inverse de la rapidité, de la fréquence ou de la multiplicité de ces manifestations et de leur diversité » [21]. Le défaut d'irritabilité trouve sa compensation dans une sensibilité plus nuancée et plus active.

La faculté de reproduction est régie elle aussi par un principe de proportionalité. Plus une espèce est massive, plus la taille des individus est grande, et moins nombreux sont les produits engendrés : la baleine donne le jour à un seul petit, alors que les générations de poissons sont innombrables. Les êtres les moins féconds ont la gestation la plus lente, tel l'éléphant, et l'enfance la plus prolongée. Les individus les plus nombreux ont en général la structure la moins complexe et l'espérance de vie la plus brève. Ces observations générales attestent le souci de mettre au point une science de la vie, analytique rationnelle des phénomènes. La Nature cessant d'être une divinité mythologique, ou une Providence, asile d'ignorance, révèle une économie interne soumise à des régulations accessibles à l'intelligence humaine. Les êtres les plus petits et les plus frustes se reproduisent avec la plus grande abondance, mais cette prépondérance de la faculté reproductive a pour contrepartie une réduction des

[21] C. F. von KIELMEYER, *Ueber die Verhältnisse der organischen Kräften*, 1793 ; dans Th. BALLAUF, *Die Wissenschaft vom Leben*, Freiburg-München, 1954, p. 353.

autres propriétés, et par exemple de la sensibilité. La mise en lumière de facteurs communs à tous les êtres vivants découvre entre eux une sorte d'unité fondamentale : l'homme et l'oiseau, dans les premiers stades embryonnaires de leur existence, sont semblables à des plantes, mais ils se différencieront dans le cours de leur croissance. La force de reproduction (*Reproduktionskraft*) se trouve ainsi coordonnée dans la perspective temporelle selon laquelle se développe la nature dans son ensemble. Le devenir historique de la vie sur la planète, à travers les espèces, semble se répéter à l'intérieur de chaque espèce, dans le devenir des individus.

Kielmeyer, dès les dernières années du xviiie siècle, entrevoyait la loi biogénétique de la correspondance entre la phylogenèse et l'ontogenèse, revendiquée par des savants du siècle suivant. L'essai de Kielmeyer, en sa brièveté, en ses insuffisances même, met en œuvre, avec une lucidité exemplaire, un nouvel horizon de pensée. Ce prototype, dépouillé de toute concession à la poésie, et peut-être justement parce qu'il refuse ces facilités, donnera aux créateurs de la *Naturphilosophie* une assiette scientifique, une assurance cautionnée par la rigueur d'un véritable savant. Kielmeyer ne renonce nullement à mettre en évidence des composantes physico-chimiques à l'origine des processus vitaux. Néanmoins ces facteurs lui paraissent fédérés par une force originaire irréductible, comparable à la lumière, ellemême associée à la vie, finit-il par reconnaître, par une ultime référence à la symbolique. Kielmeyer demeure un des théoriciens de la *Lebenskraft*, dogme de la science romantique. « Les papiers posthumes de Kielmeyer, aussi bien que les ouvrages où certains de ses élèves ont restitué l'essentiel de ses cours, allaient attester sa préoccupation constante et ramener à elle seule, comme si elle fournissait le principe interne de toute évolution, les diverses « formes » qu'il déterminait par ailleurs expérimentalement dans leur singularité, et donc dans leur résistance à une telle réduction uniforme » ([22]).

La problématique de la force vitale se trouve au cœur des questions débattues pendant les dernières années du siècle. La bibliographie ne cesse de s'enrichir. En 1795 paraît l'ouvrage de Hufeland, *Idées sur la pathogénie et sur l'influence de la force vitale dans l'origine et la forme des maladies;* la même année le danois Brandis donne son *Essai sur la force vitale (Versuch ueber die Lebenskraft).* En 1798 encore, Roose publiera des *Fondements de la doctrine de la force vitale (Grundzüge der Lehre von dem Lebenskraft);* question reprise en 1803 par Johann Jakob Wagner dans son essai *Ueber das Lebensprinzip.* La « doctrine de la vie » c'est, avant la lettre, la biologie qui n'a pas encore de nom,

---

([22]) Roger AYRAULT, *La Genèse du romantisme allemand, op. cit.,* t. I, p. 301.

mais qui va en recevoir un à très brève échéance, le néologisme cristallisant dans une ambiance sursaturée d'intérêt pour le principe commun des phénomènes vitaux ([23]). Parmi cette littérature, une place d'honneur revient à une étude intitulée *Von der Lebenskraft*, parue en tête du numéro liminaire de l'*Archiv für die Physiologie*, fondée en 1795 par Johann Christian Reil (1759-1813), l'un des maîtres de la médecine et de la psychiatrie à l'âge romantique. Personnage éminent, à la fois théoricien et praticien, homme de terrain, rénovateur de l'administration médicale et ensemble l'un des fondateurs européens de la psychothérapie, Reil a fait une carrière de professeur dans les meilleures universités du moment, Göttingen, où avait enseigné Haller, puis Halle et enfin Berlin, où il est appelé dès la fondation de l'institution en laquelle se concentrent les espérances du renouveau germanique. Le professeur s'engage dans la campagne contre les armées napoléoniennes et meurt bientôt du typhus, en donnant ses soins aux malades et aux blessés.

Si Kielmeyer est un personnage romantique, Reil paraît dépourvu de ce pittoresque extérieur, et le style de sa pensée est aussi sobre, aussi scientifique que celui du mémoire de Kielmeyer. Les romantiques le considéreront, avec respect, comme l'un des leurs. Selon son biographe, Reil apparaît à ses contemporains comme « l'image idéale du médecin philosophe, pénétré d'une force morale kantienne, chercheur infatigable, excellent professeur. On reconnaît plus d'un trait distinctif du romantique parmi les savants, la multiplicité des intérêts, le zèle réformateur, l'effort toujours recommencé, faustien, vers l'accomplissement de soi, le refus de tout dogmatisme... » ([24]). Les premiers travaux du jeune professeur portent sur l'étude anatomique du système nerveux, avec les applications particulières dans le domaine de l'ophtalmologie. Il se trouve ainsi introduit dans la problématique contemporaine sur l'irritabilité et sur les récurrences de l'électricité dans le domaine organique. Au centre du débat, l'opposition entre les deux systèmes explicatifs, qui se disputent l'interprétation des phénomènes vitaux, mécanisme et vitalisme. D'un côté, la tentation réductrice d'un scientisme rudimentaire ; de l'autre la fascination d'un mysticisme tout subjectif. Reil, esprit positif et homme de terrain, refuse les facilités des partis pris opposés ; il se maintient autant qu'il est possible au niveau des phénomènes eux-mêmes, examinés selon l'esprit d'un empirisme compréhensif, opposé aux facilités imaginatives que s'accordent les *Naturphilosophen*.

([23]) Sur le mouvement des idées, cf. Max NEUBURGER, *Die Lehre von der Heilkraft der Natur im Wandel der Zeiten*, Stuttgart, 1926.
([24]) Max NEUBURGER, *Johann Christian Reil*, Stuttgart, 1913, pp. 10-11.

L'étude *Von der Lebenskraft* se propose de faire le point des connaissances réelles, signalant au passage les lacunes du savoir, en s'inspirant d'un criticisme qui pourrait avoir été puisé à la source kantienne. Kant avait opposé une fin de non-recevoir catégorique aux visions de Swedenborg ; pareillement Reil rejette l'animisme de Van Helmont et de Stahl, qui prétendent substantifier la vie : « L'expérience ne nous donne aucun argument favorable à l'existence des esprits » ([25]). On ne peut imaginer une âme répandue à travers l'organisme et présente dans chacune de ses parties, en vertu d'une décentralisation qui multiplie les difficultés logiques. Par exemple, une blessure du cerveau supprime le sens de la vue et de l'ouïe, alors que l'œil et l'oreille sont intacts ; l' « âme » des sens ne siège donc pas dans les organes des sens. « Nous n'avons aucune expérience, et donc aucune réelle notion, de l'activité immédiate d'une âme indépendante des organes. Or ce genre de compétence devrait être attribuée à une âme qui se construirait des organes avant même l'existence d'organes » ([26]).

Il faut s'en tenir à l'observation des faits tels qu'ils s'offrent à nous. A ce niveau, l'évidence est celle de la différence entre deux sortes de matière, caractérisées par des propriétés spécifiques. Il y a une matière vivante, spécifiquement différente de la matière morte, laquelle possède une « propriété plastique », constatée par nous sans que nous puissions l'expliquer ; mais l'électricité et le magnétisme, dont nous sommes bien obligés d'admettre l'existence, sont des phénomènes tout aussi mystérieux. Il ne suffit pas, comme encore récemment Herder, dans ses *Ideen*, d'évoquer ou d'invoquer une âme du monde *(Weltseele)*, chargée de faire vivre tout ce qui vit dans la nature ; certains théoriciens de la médecine se réfèrent à un influx nerveux *(Nervengeist)* chargé de la même fonction ; cette entité verbale ne résout rien. Les tissus nerveux participent au tonus général de la vie psychologique, dans les intermittences d'exaltation et de dépression ; le vrai problème serait de déterminer les modalités de ces influences physiologiques et psychologiques ; ce serait aussi de définir avec précision, dans le cours de ces processus, le rôle de la chaleur, de l'électricité et de l'oxygène, dont l'expérience nous apprend qu'ils sont des agents actifs de la vie ; la lumière et l'atmosphère interviennent également, en combinaison avec les autres facteurs. Cette démarche prudente aboutit à la notion d'organisme, à propos de laquelle Reil se couvre de l'autorité de Kant, dont la *Critique du jugement* a paru quelques années auparavant. « On a donné

([25]) Joh. Chr. REIL, *Von der Lebenskraft*, 1796 ; *Klassiker der Medizin*, hgg. v. Karl SUDHOFF.
([26]) *Ibid.*, p. 4.

le nom particulier d'organisation, en raison de sa remarquable perfection, à la constitution *(Bildung)* de la matière des êtres vivants. Organe et organisation désignent la constitution et la structure des corps vivants. » Le mot « organe » signifie outil ; mais on a eu tort d'employer au sens figuré le terme « organisation », pour désigner des « êtres organiques », ce qui a entraîné toutes sortes de confusions. Il existe en fait divers degrés d'organisation de la matière vivante, depuis la fibre élémentaire, la cellule *(Zell)*, qui se combinent pour former des tissus, dont l'assemblage constitue des organes complets, doués d'une existence propre. Aux degrés d'organisation correspondent des degrés de la force vitale, dont les propriétés s'affirment peu à peu sous les espèces d'une autonomie dans la croissance et l'exécution des fonctions vitales : nutrition, assimilation, reproduction, vieillissement, etc.

Reil étudie minutieusement l'irritabilité caractéristique des tissus vivants, propose des lois générales de l'excitation, en signalant au passage le principe de la spécialisation des tissus et organes nerveux, qui recevra plus tard le nom d'énergie spécifique des nerfs ([27]). Mais les mécanismes de l'excitation ne sont pas connus ; nous ignorons la manière dont peuvent agir les agents physico-chimiques ou électriques. Alors que certains théoriciens à la mode brandissent l'irritabilité comme un mot magique, asile d'ignorance, Reil s'applique à mettre en lumière la complexité des faits et l'insuffisance des connaissances, tout en s'efforçant de ramener autant que possible la diversité des constatations à l'unité de quelques lois simples. Ce qu'il propose, avec une sobriété exemplaire, ce n'est pas une philosophie de la force vitale, mais une phénoménologie des manifestations observables de cette force. Il souligne la modification incessante du dynamisme vital selon les rythmes de l'existence, le régime de coordination et de compensation entre les activités élémentaires que fédère l'organisation du comportement. L'étude du régime normal et des déviations pathologiques de la force vitale permet de proposer des possibilités d'intervention thérapeutique, dans la perspective d'une médecine d'expectative, fondée sur le respect de la vie, d'inspiration hippocratique.

Le manifeste de Reil demeure un classique de la médecine, par la prudence du raisonnement et le refus de l'aventure spéculative. Lu et médité par les romantiques, il serait plutôt un antidote à la *Naturphilosophie*. Prématurément disparu en 1813, Reil n'a pas assisté à la floraison de la spéculation biologique et médicale, qui

---

([27]) Cf. *op. cit.*, p. 54 : « Les excitations doivent être spécifiques, c'est-à-dire appropriées à l'excitabilité propre du récepteur, pour susciter l'activité naturelle propre à un organe déterminé. »

devait intervenir surtout après sa mort. La période 1806-1814 fut
pour les Allemagnes un temps d'épreuve peu propice à l'épanouissement de la pensée. La force vitale, dont Reil voulait réduire l'essence
à l'ensemble de ses manifestations observables, redeviendra bientôt la
chose en soi, exaltée par les docteurs de la nouvelle foi comme la
présence du Dieu inconnu. Reil n'est pas un naturaliste, ni un poète ;
c'est un médecin. Et s'il fallait le comparer, pour le style de sa pensée,
avec tel ou tel de ses contemporains, c'est à un penseur méconnu
qu'on pourrait penser, à Cabanis, lequel n'a pourtant aucun contact
direct avec le domaine allemand.

Ce qui caractérise Cabanis (1757-1808), c'est en effet l'extrême
prudence méthodologique et la réticence spéculative, en particulier
dans l'investigation de la zone d'articulation entre l'ordre physiologique et l'ordre mental dans la réalité humaine. La référence à la force
vitale pour fédérer des phénomènes que l'analyse ne parvient pas à
réunir au sein d'une intelligibilité conjointe, est une tentation
constante, mais la magie d'un mot ne suffit pas pour résoudre un
problème, ou un ensemble de problèmes, aussi complexe que ce qui
se trouve en question. Cabanis expose clairement la conjoncture
épistémologique. « Quelque idée que l'on adopte sur la nature de la
cause qui détermine l'organisation des végétaux et des animaux, ou
sur les conditions nécessaires à leur production et à leur développement, on ne peut s'empêcher d'admettre un principe ou une faculté
vivifiante, que la nature fixe dans les germes ou répand dans les
liqueurs séminales. Comme c'est ici l'opération la plus étonnante de
toutes celles qu'offre l'étude de l'univers, les circonstances en sont
extrêmement délicates et compliquées ; et l'on n'a pu jusqu'à présent
en saisir que les apparences les plus grossières. Mais nous savons que
dans beaucoup de plantes et dans la plupart des animaux, la matière
de leurs premiers rudiments, ou leurs premiers rudiments eux-
mêmes, existent à part de la cause qui doit leur donner la vie, c'est-à-
dire de la matière prolifique qui en contient le principe » [28].

Cabanis rencontre ainsi, peu d'années après Reil, cette notion
inéliminable d'un principe vital immanent à la matière organique.
Esprit analytique et positif, il est soucieux d'éviter les trompeuses
facilités du finalisme métaphysique ; mais il doit constater l'impossibilité d'économiser le recours à une entité servant de support à la vie.
Il ajoute en note : « *Principe* et *faculté* sont des mots dont le sens n'a
rien de précis, — je le sais trop bien. Au reste je n'entends par là que
la condition sans laquelle les phénomènes propres aux différents
corps organisés ne sauraient avoir lieu. Je suis bien loin de vouloir

---

[28] Georges CABANIS, *Rapports du physique et du moral de l'homme*, IV, 1802 ;
Œuvres, Corpus des philosophes français, t. I, 19, p. 239.

conclure affirmativement de ces phénomènes l'existence d'un être particulier remplissant les fonctions de *principe* et communiquant aux corps les propriétés dont leurs fonctions résultent. La langue des sciences métaphysiques aurait besoin d'être refaite presque en entier ; mais nous n'avons pas encore assez éclairci leur système général pour tenter avec succès cette réforme. Tâchons du moins de nous payer mutuellement de mots le moins et le plus rarement possible... » ([29]).

L'Idéologue Cabanis est, comme Reil, un génie du concret ; ses conseils de modération vont à l'encontre du mouvement naturel des *Naturphilosophen* qui, lorsqu'ils perdent le contact avec les phénomènes, introduisent des mots et des concepts pour combler le déficit des connaissances. Cabanis ne peut se passer d'un « principe vital », tout comme Reil emploie l'expression « *Lebenskraft* » faute de pouvoir déterminer d'une manière précise la force spécifique à l'œuvre dans la réalité organique. Le biologiste allemand et son confrère français s'affirment à contre-courant d'une époque caractérisée par l'impatience de savoir, même si les conditions du savoir réel ne se trouvent pas réunies. On est tenté de se contenter d'explications verbales, ou de s'emparer des données nouvelles, s'il s'en trouve, même si elles demeurent à l'état fruste, en l'absence d'une véritable élaboration.

Une ressource est fournie, dans la seconde moitié du XVIIIᵉ siècle, par le domaine de l'électricité. L'expérimentation, rapidement développée, met en évidence l'existence d'une force naturelle, jusque-là à peu près insoupçonnée, et qui se manifeste dans nombre de phénomènes naturels (la foudre par exemple) ou encore dans des conditions artificiellement provoquées. Le caractère spectaculaire des expériences concentre sur elles l'attention générale, enrichissant le domaine scientifique d'un imaginaire fascinant. Or l'électricité se trouve un peu partout dans le ciel et sur la terre ; quelques gestes suffisent pour manifester sa présence, un frottement, un contact entre deux substances différentes. L'étincelle, la décharge subite donnent à sentir une puissance latente dans l'environnement, que démasque le comportement de l'opérateur ; le fluide invisible, impalpable se fait brusquement visible, sensible, pour disparaître comme il est apparu, non sans infliger aux individus situés sur son parcours des commotions, sinon même des convulsions puissantes. L'idée devait s'imposer qu'il s'agissait là d'une force de la nature, immatérielle en son essence, apparentée à la vie, dont la présence est constatée comme un surplus de signification venant habiter la réalité solide. Entre un vivant et un cadavre, apparemment identiques, il y a cette différence capitale mais impossible à situer dans l'ordre des

---

([29]) *Ibid.*, en note.

choses, que la force vitale, la puissance d'animation immanente s'en
est retirée. Autre donnée immédiate de la sensibilité, le choc
électrique est perçu comme une vive excitation qui agit sur le système
nerveux, suscitant des convulsions et, dans les cas graves, une
paralysie neuro-musculaire, qui peut aller jusqu'à la mort de
l'individu frappé par la foudre.

Le côté spectaculaire et quasi folklorique des expériences électriques fait foisonner un nouveau merveilleux, associé à l'idée que l'on a
ainsi accès à l'intimité même de la nature. D'autant que les
informations nouvelles concernant les premières machines à produire
et à accumuler l'électricité se trouvent assez vite coordonnées avec
une autre sphère de signification, relative aux phénomènes magnétiques, dont certains théoriciens se préoccupaient depuis longtemps.
La synthèse de la *Naturphilosophie* englobera magnétisme et électricité dans une intelligibilité conjointe. Le phénomène fondamental est
celui de l'aimant, observé depuis des temps très anciens ; *magnes*
signifie en latin « aimant », et le mot « électricité » dérive du grec
elektron, qui veut dire « ambre ». Or l'ambre acquiert par simple
frottement la propriété d'attirer des particules légères, propriété
analogue à l'attraction magnétique ; c'est-à-dire que, lorsque le mot
électricité fait son apparition, dès le milieu du XVIIᵉ siècle en
Angleterre et seulement en 1733 en France, d'après le Dictionnaire
de Robert, la nouvelle force physique est mise en relation, lors de son
baptême, avec le magnétisme antérieurement connu.

Le magnétisme est fascinant parce qu'il manifeste une force latente
dans la nature, qualité occulte de la matière, révélée dans certaines
circonstances. Les propriétés de la « pierre d'aimant » évoquent une
magie naturelle, dont la merveilleuse évidence peut et doit avoir des
prolongements secrets dans les entrailles de la terre où se cachent les
filons métalliques. Thalès de Milet, aux origines de la physique
grecque, dès le VIᵉ siècle avant notre ère, décrit les propriétés de la
pierre de Magnésie et les met déjà en relation avec celles de l'ambre.
Les naturalistes anciens s'attachent à interpréter ces phénomènes
dans le contexte d'une conception globale de l'univers, dont la
puissance magnétique justifierait la cohésion. L'animisme généralement admis porte les observateurs à découvrir dans ces faits une
manipulation de l'âme du monde à l'œuvre dans la matière. La force
occulte de l'aimant attire le fer par sympathie. Pline le jeune fait de
l'aimant une pierre précieuse ; il distingue même, dans l'économie
cosmique, des aimants mâles et des aimants femelles, qui se
cherchent, s'attirent ou se repoussent au gré des phénomènes
naturels. La spéculation médiévale exploitera ces ouvertures vers le
surréel, enrichies encore par l'apparition de la boussole, attestée en
Occident comme instrument de navigation dès le XIIᵉ siècle. L'aimant

manifeste sous cette forme ses affinités avec le ciel, dans la spontanéité qui le porte à s'orienter selon les pôles Nord et Sud.

Les propriétés cosmiques de la pierre d'aimant portent les docteurs de l'astrobiologie à utiliser son influence pour modifier, si nécessaire, le cycle des communications entre microcosme et macrocosme. La puissance à l'œuvre dans l'aimantation doit avoir une efficacité thérapeutique. Les médecins de la Renaissance multiplient les spéculations et expériences dans ce domaine ; parmi eux, Paracelse (1493-1541), prophète d'une médecine renouvelée par des initiatives qui bousculent les traditions, en associant des innovations fécondes et un occultisme intempérant. Paracelse introduit l'aimant et le magnétisme dans un courant de pensée où se combinent les influences de la magie naturelle, de l'alchimie, de l'astrologie et de la Cabale retrouvée ; dans cette perspective se situeront les illuminations de Jacob Boheme et les pratiques occultes des Rose-Croix ; la science secrète de la *Naturphilosophie*, fascinée par le magnétisme, sera l'un des aboutissements de cette inspiration ([30]).

La mise en honneur du magnétisme aboutit, au seuil de l'âge moderne, à une première tentative de synthèse, de la part de l'Anglais William Gilbert (1540-1603) ; le titre de son traité en annonce l'audace et l'originalité. *De l'aimant, des corps aimantés et du grand aimant qu'est la Terre, Physiologie nouvelle démontrée par de nombreux arguments et expériences* (*De Magnete magneticisque corporibus et de magno magnete Tellure, Physiologia nova plurimis et argumentis et experimentis demonstrata*, 1600). Ce livre génial où apparaît pour la première fois le mot « électrique » sous sa forme latine ([31]), met en œuvre une méthodologie expérimentale selon l'esprit des temps nouveaux ; Gilbert est l'aîné de Francis Bacon (1561-1626), qui l'a lu, mais ne le cite guère, signe présomptif d'influence. Les forces magnétiques se substituent aux interprétations astrologiques de l'ordre du monde ; Gilbert appelle *attraction* le pouvoir de l'aimant, opposé aux qualités occultes des scolastiques ; à la place de la physique imaginative d'Aristote, il prétend élaborer un savoir empirique, tiré de l'expérience et contrôlable par elle. Il opère sur un aimant sphérique, qu'il appelle *terrella*, « petite terre » ; ayant tracé sur ce globe des méridiens magnétiques, il étudie le phénomène de la déclinaison, qui avait déjà frappé les navigateurs. La Terre entière est un énorme aimant naturel, qui tourne sur lui-même sous l'effet de la force magnétique. Partout présent et actif dans l'univers, le magné-

---

([30]) Cf. Ernst BENZ, *Theologie der Elektrizität*, Akademie der Wissenschaften und der Literatur zu Mainz, Abhandlungen der Geistes- und Sozialwissensschaftlichen Klasse, 1970, Nr 12.

([31]) Un petit glossaire placé en tête du *De Magnete* propose d'appeler *electrica* les corps qui attirent de la même manière que l'ambre (*electrum*).

tisme produit un effet d'animation ; les Anciens constataient son influence quand ils évoquaient l'âme du monde. L'*index magneticus* de la boussole a guidé les Portugais jusqu'au Cap de Bonne-Espérance ; l'utilisation du dynamisme cosmique ainsi mis en lumière aura toutes sortes d'effets bénéfiques pour l'humanité. La force qui permet la croissance des filons métalliques dans le sein maternel de la terre possède aussi des vertus médicinales, dont l'efficacité ne tardera pas à être mise en lumière.

La philosophie expérimentale contient encore, tout comme celle de Francis Bacon, des résidus régressifs de magie naturelle. Mais elle est tournée vers l'avenir, non seulement parce qu'elle proposera à l'attention de Newton le mot *attraction*, mais surtout parce que la force magnétique ainsi mise en lumière expose un dynamisme naturel qui peut être, dans certains cas, soumis à la mesure mathématique. La force attractive de l'aimant varie avec la distance et avec les facteurs en expérience ; la sphère aimantée, qui sert de modèle pour l'affirmation du magnétisme terrestre, offre sa surface et ses pôles à l'application de coordonnées géométriques. Copernic déjà faisait tourner la terre sur elle-même ; Gilbert assigne à ce mouvement une cause purement physique. La terre « douée de deux pôles magnétiques, devient une réalité physique au centre d'un système de forces, immense progrès par rapport à la cinématique de Copernic » [32]. Le néo-platonisme et la mythologie solaire font place à un univers du discours proprement scientifique. « De Gilbert à Newton par Kepler, l'idée d'*attraction* (d'abord conçue comme force magnétique) s'est imposée, contre l'idée ancienne des corps qui tombent poussés par leur désir de rejoindre leur lieu naturel » [33].

La science exacte n'est pas la seule à bénéficier des recherches de Gilbert. La *philosophie magnétique* va développer les thèmes d'une philosophie de la nature animée du dedans par la vie secrète qui rayonne autour des corps aimantés. La captation de cette énergie latente permettra d'utiliser au profit de l'homme cette considérable ressource. Rudolf Goclenius le jeune, professeur de physique et de médecine à l'université de Marbourg à partir de 1608, publie en 1609 un *Traité de la guérison magnétique des blessures (Tractatus de magnetica curatione vulnerum)* ; l'unité organique du monde dans la solidarité de ses parties, tout comme l'unité de l'organisme humain, est un effet du magnétisme cosmique. La cohérence entre les composantes de l'univers est assurée par l'attraction sympathique qui justifie la dépendance réciproque entre les phénomènes observables. Les

---

[32] Raymond LENOBLE, *La révolution scientifique du XVIIᵉ siècle ; Histoire des Sciences*, pp. René TATON, t. II, P.U.F., 1956, p. 196.
[33] *Ibid.*, p. 198.

parties et organes de notre corps s'attirent mutuellement et se font équilibre ; de là la possibilité d'une physiologie, génératrice d'une thérapeutique pour rétablir l'ordre, lorsqu'il est troublé, par exemple lorsque le concours des attractions est faussé par l'intervention de forces répulsives.

En 1643 paraît à Rome un traité massif dû à la plume féconde d'un des esprits curieux de ce temps, le jésuite allemand Athanasius Kircher (1601-1680). L'ouvrage, intitulé *Magnes sive de arte magnetica*, est une encyclopédie du magnétisme dans ses manifestations diverses, avec les applications pratiques réalisables grâce à l'art magnétique. Le magnétisme universel correspond à l'existence d'une chaîne magnétique, dont les effets s'appliquent aux planètes, aux étoiles, à la terre elle-même dans chacun de ses éléments. La baguette des sourciers est sensible au magnétisme de l'eau, comme la fleur héliotrope est sensible au magnétisme du soleil. Kircher étudie le magnétisme végétal, le magnétisme animal, le magnétisme médical ; il expose les influences magnétiques dans le domaine des harmonies musicales et aussi dans la relation amoureuse. Agent cosmique universel, le magnétisme fournit la clef grâce à laquelle toutes sortes de phénomènes deviennent transparents à la pensée. La présence divine elle-même s'analyse comme une puissance d'attraction universelle. Selon Ernst Benz, Mesmer, l'apôtre du magnétisme animal (1734-1815), a eu connaissance des idées de Kircher, alors qu'il étudiait en vue de la prêtrise au collège jésuite de Dillingen ; « en fait, toutes les idées fondamentales de ce qu'on appellera plus tard le mesmérisme se trouvent déjà en germe chez Athanasius Kircher » ([34]).

Un siècle et demi sépare la publication du *Magnes* de Kircher et l'avènement du romantisme ; la tradition du magnétisme se poursuit sans interruption pendant cet intervalle. Mais l'avènement du mécanisme et l'inspiration galiléenne refoulent dans les marges de la science rigoureuse des doctrines désormais suspectes de compromission avec l'occultisme. La physique expérimentale, la chimie à partir de Robert Boyle, rejettent l'idée d'action à distance et de fluide magnétique. Certains adversaires de Newton suspecteront même dans l'attraction une réincarnation de la doctrine des sympathies, considérée comme périmée. Le magnétisme, pour se maintenir, devra se cantonner dans la semi-clandestinité des sciences secrètes, parce qu'il se prête difficilement au matérialisme épistémologique mis en œuvre par la connaissance expérimentale ; c'est seulement dans la dernière partie du XVIIIᵉ siècle que s'offriront des voies pour soumettre ces phénomènes à un contrôle positif. Entre-temps, le

([34]) Ernst BENZ, *Theologie der Elektrizität, op. cit.*, p. 9.

magnétisme demeure, aux confins du physique et du mental, une zone obscure où se nouent des harmonies et affinités dont la mise en œuvre est réservée à quelques initiés, thaumaturges autant que médecins. Contemporain de Kircher, J. B. Van Helmont (1577-1644) s'inscrit dans la lignée qui conduit de Paracelse à Mesmer et à la *Naturphilosophie*. Selon lui, la maladie intervient comme un dérèglement des forces magnétiques inhérentes à l'individu ; la cure doit rétablir l'équilibre par des moyens appropriés, spirituels tout autant que matériels.

William Gilbert avait établi un rapport entre la force magnétique et l'âme du monde, mais sans s'aventurer sur le terrain religieux. Le jésuite Kircher, non suspect d'hétérodoxie, comparait Dieu à un grand aimant. Le magnétisme tend à se spiritualiser ; il concerne l'âme de l'homme autant que l'âme du monde, la destinée naturelle et surnaturelle de l'individu. L'attraction, action à distance, inclut le domaine des sympathies et des antipathies, des interférences entre les individus ; toutes sortes de phénomènes d'observation courante trouvent ainsi un principe d'explication. Il arrive qu'une existence en parasite une autre, la hante, la déséquilibre, et parfois se substitue à elle tout à fait dans les cas de possession. C'est là que s'ouvre l'immense domaine traditionnel du folklore magico-religieux de la sorcellerie, voué naguère aux redoutables suspicions de l'Eglise. La révolution mécaniste a entraîné, à moyen terme, l'élimination de la causalité surnaturelle ; anges et démons sont dépouillés du droit d'intervenir physiquement dans le domaine humain, ce qui entraîne la suppression des procès de sorcellerie. Mais la disparition de l'inquisition théologienne n'annule pas les phénomènes en cause ; ils relèveront désormais de la pathologie mentale plutôt que de la procédure criminelle.

Dans l'espace laissé libre par la démonomanie va se constituer un domaine épistémologique, ouvert aux moyens d'analyse que propose le magnétisme. L'Eglise ne cesse pas de reconnaître droit de cité aux démons ici-bas ; ils figurent dans les évangiles et le Christ les a combattus. Les possédés, s'ils ne sont plus des criminels, demeurent des victimes, qui ont droit aux secours de la religion par le ministère de l'exorcisme. Le piétisme européen, ressourcement sentimental de la foi, libère les puissances profondes de la personnalité, dont la manifestation s'accompagne de symptômes parfois très violents, à la limite du pathologique. Nombreux sont les convulsionnaires dans les différentes régions du christianisme ; les *Quakers*, qui jouissent de la faveur des esprits éclairés, sont étymologiquement des « trembleurs », selon l'un des signes de la présence divine dans leurs assemblées. Une autre secte développée au xviiie siècle dans l'Amérique britannique était celle des *Shakers*, ainsi dénommés à cause des mouvements violents qui agitaient les adeptes, lesquels se réclamaient à l'origine du prophétisme camisard des Cévennes, transféré en Angleterre par des réfugiés. Le côté spectaculaire de ces phénomènes était accru par leur caractère contagieux ; à partir du moment où l'un des fidèles entrait en transe, les autres participants à la célébration se trouvaient entraînés dans le cycle rituel par un dynamisme impérieux. Le magnétisme fournissait au moins un nom pour désigner cette puissance irrésistible entraînant les individus dans une communion convulsive où se perdait le sentiment de leur identité. Les Quakers d'aujourd'hui ont renoncé à ce culte paroxystique, mais il se retrouve dans le vaudou des Caraïbes, dans le candomblé du Brésil et dans d'autres développements des religions africaines, qui n'ont pas cessé d'attirer l'attention des docteurs en science religieuse.

Les problèmes du magnétisme religieux se trouvent également mis en question, au sein de l'espace catholique, par une série de manifestations appelées à un grand retentissement à travers les Allemagnes. Un prêtre du Wurtemberg, le P. Johann Joseph Gassner (1727-1779), acquiert subitement une renommée extraordinaire par la puissance qu'il détient de chasser les démons. Le village d'Ellwangen, où il réside, devient une cours des miracles vers laquelle affluent des possédés, convulsionnaires, paralytiques et obsédés en tous genres qui viennent demander au saint prêtre la guérison de leurs maux. Celui-ci les examine d'abord pour déterminer si le trouble dont ils se plaignent est d'ordre naturel ou surnaturel ; dans le premier cas, il se déclare incompétent et renvoie le malade au médecin ; dans le second cas, revêtu de son étole et armé d'une relique de la Sainte Croix, il procède à un rituel d'exorcisme, souvent couronné de succès. Si le malade n'est pas guéri, c'est parce qu'il manque de foi. Gassner a lui-même souffert de troubles du même ordre ; tourmenté par les démons, il est parvenu à se guérir par une méthode dont il a décidé d'appliquer à d'autres les bienfaits ; en foi de quoi, il guérit un paralytique, rend la parole à un enfant, allège les souffrances d'un grand nombre de malheureux accourus de tous les côtés, suscitant un phénomène épidémique de masse. Des dizaines de milliers de personnes, malades ou curieux, se pressent autour du thérapeute, qui devient le centre d'une sorte de cyclone spirituel et d'un scandale public [35].

En pleine période d'*Aufklärung* et de désacralisation, au moment même où, avec quelque retard, les procès de sorcellerie viennent

---

[35] Sur cette affaire, cf. Hans GRASSL, *Aufbruch zur Romantik, Bayerns Beitrag zur Deutschen Geistesgeschichte* (1765-1785), München, Beck, 1968 ; Henri F. ELLENBERGER, *The Discovery of the unconscious, The History and evolution of dynamic psychiatry*, New York, Basic Books, 2e éd., 1970, pp. 53 sqq.

d'être supprimés dans l'Empire (1766), les activités du curé Gassner revêtent la signification d'un outrage public aux bonnes mœurs intellectuelles. Une énorme polémique s'engage; Gassner publie les principes dont il s'inspire; des dizaines de mémoires, d'essais et de pamphlets prennent parti pour et contre. L'évêque du lieu, les plus hautes autorités politiques et religieuses, l'Electeur de Bavière, le pape Pie VI, sont obligés de se prononcer devant ce retour en force du diable et du diabolisme par les soins d'un individu qui devient inévitablement un suspect. L'Eglise et l'Etat, qui pactisent avec l'esprit du siècle, ne tiennent pas du tout à se solidariser avec ce petit curé de campagne aux comportements aberrants. Le prince évêque de Ratisbonne, puis le prince Electeur Max Joseph de Bavière ordonnent des enquêtes; on n'arrivera pas à démontrer la mauvaise foi de Gassner, mais la cour impériale de Vienne aussi bien que la cour de Rome aboutiront à la conclusion que l'exorciste devait être invité à se tenir tranquille et à se cantonner dans les rituels éprouvés de l'Eglise. Ainsi sanctionné en 1775, Gassner, dont tous les commissaires ont pourtant reconnu la piété et l'honnêteté, se trouve confiné dans une semi-retraite; il mourra bientôt, en 1779.

L'affaire Gassner ne peut être considérée comme un incident pittoresque de l'ordre de l'anecdote. Elle s'inscrit dans le grand courant du devenir de la pensée occidentale, car elle a suscité un véritable *Kulturkampf* dans les Allemagnes, en pleine époque du *Sturm und Drang*, annonciateur du romantisme. Les contemporains se sont passionnés en fonction de leurs partis pris; d'un côté les tenants de l'esprit nouveau, catholiques éclairés, donc hostiles aux résurgences du fanatisme, et forts de l'appui de la hiérarchie, mais aussi les protestants libéraux et les néologues luthériens. De l'autre, les partisans du renouveau, qui souhaitent une religion du cœur, telle Mlle de Klettenberg, l'amie piétiste de Goethe. L'*Aufklärer* Nicolai, zélateur infatigable du rationalisme militant, dénonce les résurgences de l'obscurantisme allié au jésuitisme; la société secrète des Illuminés de Bavière, animé par Adam Weishaupt, prend parti contre les menées diaboliques de l'exorciste. Dans l'autre camp, Lavater, le Fénelon de Zurich, le mage du Sud, le piétiste mystique, tout prêt à admettre l'authenticité du charisme de Gassner, auquel il va faire visite en sa retraite. Gassner meurt, mais son souvenir demeurera dans le mouvement romantique, où il sera redécouvert après 1818 par des hommes comme Baader, Eschenmayer et Justinus Kerner.

Cet épisode s'inscrit dans l'histoire de la conscience religieuse, mais aussi dans l'histoire du magnétisme. L'interprétation surnaturaliste des faits est entrée en conflit avec l'interprétation naturelle en cette occasion remarquable. Franz Anton Mesmer, le rénovateur européen, sinon l'initiateur, du magnétisme animal, a été mêlé à l'affaire

Gassner. Mesmer (1734-1815), après des études en vue de la prêtrise, a été reçu docteur à Vienne avec une thèse : *De l'influence des planètes sur le corps humain* (1766), qui met en évidence la présence dans les phénomènes nerveux d'un fluide magnétique soumis à l'action des planètes. De là l'idée d'utiliser dans la thérapeutique des aimants, dont les effets ont déjà été expérimentés par des médecins anglais. En juillet 1774, il procède à une tentative décisive en faisant avaler à une patiente atteinte de désordres nerveux une préparation contenant du fer ; puis il fixe des aimants spéciaux sur diverses parties de son corps. La malade ressent dans son organisme une circulation particulière, interprétée par le thérapeute comme le courant du magnétisme animal, qu'il peut diriger à son gré. Mesmer traitera avec des fortunes diverses un certain nombre de patients et découvrira qu'il détient, avec ou sans aimant, un magnétisme personnel susceptible d'applications psychothérapeutiques. Son activité suscite à Vienne la curiosité universelle ; il donne ses soins à des infirmes, sourds, aveugles, paralytiques, convulsionnaires et malades atteints de troubles nerveux.

La vocation thérapeutique de Mesmer est contemporaine des activités du curé Gassner. Mais alors que Gassner, appuyé par les professeurs jésuites, opère en vertu d'un charisme sacramentel, au nom de Jésus, Mesmer applique une méthode scientifique inspirée par la physique la plus récente, ce qui fait pencher en sa faveur l'anticléricalisme d'Etat inspiré par la politique de Joseph II. L'idée s'impose d'utiliser Mesmer comme expert pour juger les activités de l'exorciste ; les deux hommes se rencontrent au courant de l'été 1775. Mesmer reconnaît la réalité des cures effectuées par son confrère ecclésiastique ; il admet aussi la bonne foi de l'opérateur sacré ; mais il estime que les effets bénéfiques obtenus s'expliquent par des voies naturelles et sans que le ciel ou les démons y soient pour quelque chose. Cette consultation contribuera à persuader les autorités de mettre un frein aux activités du prêtre. Face au thaumaturge obscurantiste, Mesmer se pose en champion de l'explication positive. Ce qui n'empêche pas la science officielle de manifester la plus grande réticence à l'égard du magnétisme animal. Mesmer est reçu à l'Académie des Sciences de Munich ; mais à Vienne on lui fait grise mine ; il est trop célèbre, il gagne trop d'argent, et d'ailleurs, le magnétisme animal, mystérieux en son essence, évoque les qualités occultes de naguère.

Déçu, Mesmer gagne Paris en 1778 ; il y publiera en 1779 une édition française du *Mémoire sur le magnétisme animal*. Objet privilégié du snobisme parisien, il sera là aussi un signe de contradiction. Sa célébrité, dont le renom l'a devancé à Paris, lui assure des entrées dans la meilleure société où ses cures font grand bruit, tout en suscitant la jalousie des confrères envieux des honoraires considérables qu'il tire de ses patients. Il recrute des disciples et imagine, pour augmenter son efficacité, des cures collectives centrées sur son fameux « baquet », sorte de bouteille de Leyde, ou d'accumulateur, avec lequel une vingtaine de patients disposés en cercle se trouvent en communication au moyen de tiges métalliques. Reliés d'autre part entre eux par un cable, les malades éprouvent les effets de la commotion magnétique, qui suscite des crises jugées salutaires. Le traitement individualisé met en œuvre des passes magnétiques, des contacts et attouchements divers ; Mesmer s'accompagne même d'un *glas harmonica,* dont il a appris à jouer auprès de Mozart à Vienne. Philanthrope, il organise des sessions gratuites pour les pauvres autour d'un arbre magnétique. La thérapeutique est universellement valable, car les distinctions nosologiques sont arbitraires. En fait, le traitement est appliqué avec des fortunes diverses à des épileptiques, à des asthmatiques, à des patients affligés de troubles nerveux de toute espèce, et l'on conçoit qu'une partie de cette clientèle se soit sentie soulagée par les effets de la cure et par le prestige du thérapeute.

Mais l'immense succès de Mesmer finit par susciter, à Paris comme naguère à Vienne, une réaction du milieu scientifique et médical, irrité par des mises en scène qui confinent à la charlatanerie. Mesmer donne à ses initiatives un caractère collectif et fonde une Société de l'Harmonie, quasi-secrète, pour propager sa doctrine ; Lafayette et des aristocrates de haut rang figurent parmi les sympathisants. La polémique devient publique, et le gouvernement royal décide, pour en avoir le cœur net, de constituer en 1784 deux commissions d'enquête, l'une formée de membres de l'Académie des Sciences et de la Faculté de Médecine, parmi lesquels Lavoisier, l'astronome Bailly et Franklin, et la seconde composée de quatre membres de la société royale de médecine ; le naturaliste Jussieu sera chargé de présenter au roi un rapport secret sur cette affaire qui passionne l'opinion. Les commissaires, savants sérieux et compétents, puisque Franklin a lui-même expérimenté sur les effets thérapeutiques de l'électricité, après enquêtes et investigations, aboutiront à des conclusions négatives. Ils ont cherché à mettre en évidence par des moyens physiques la réalité du fluide magnétique, sans y parvenir ; leurs expériences nombreuses n'ont jamais pu déceler une force palpable, sensible et mesurable, intervenant comme un agent thérapeutique au cours des crises nerveuses. La conclusion s'impose à leurs yeux qu'il s'agit là de troubles de l'imagination, troubles imaginaires, traités par des moyens imaginaires. Les phénomènes effectivement constatés relèvent de la mystification pure et simple ; le fluide magnétique n'existe pas. Les patients de Mesmer sont en majorité des femmes dont les troubles illusoires sont effacés par l'illusion d'une thérapeutique ([36]).

En dépit de son énorme succès, en dépit des efforts de ses sectateurs, Mesmer ne se relèvera pas de la condamnation portée contre lui par la plus haute autorité scientifique du pays. Il quitte Paris en 1785 ; il a encore trente ans à vivre, trente années d'une semi-obscurité, d'errance à travers l'Europe ; toujours considéré comme un suspect, il mourra en 1815 sur les bords du lac de Constance. Il sera, après sa mort, tiré de l'obscurité où il s'était enfoncé peu à peu, par l'intérêt des romantiques pour le côté nocturne de la vie humaine et le domaine de l'inconscient. La réhabilitation de Mesmer aboutit à le situer, en termes modernes, dans la préhistoire de l'hystérie, domaine insoupçonné par les honorables académiciens qui avaient condamné le magnétisme animal comme une science occulte. Ernst Benz souligne que la doctrine de Mesmer propose une reprise des thèses d'Athanasius Kircher, dans son *De arte magnetica* de 1643 ; mais l'érudit Jésuite voit dans la force magnétique une expression directe de la puissance de Dieu dans l'univers ; la *vis magnetica Dei* s'inscrit dans un évangile de la nature, conçue comme une immense chaîne magnétique animée par l'amour divin. Mesmer répudie ce gnosticisme ; il appartient, comme les académiciens de Paris, à l'âge des Lumières, ainsi que l'atteste suffisamment la position qu'il a prise à l'égard du curé thaumaturge Gassner. « Mesmer a complètement supprimé toute la terminologie de la dogmatique ecclésiastique et la théologie biblique ; il n'a maintenu que la doctrine du magnétisme comme force vitale secrète immanente à la nature, en tant qu'évangile de la nature » ([37]). Sur la tombe de Mesmer à Mersebourg ne figure pas le symbole de la croix, mais l'œil de Dieu rayonnant dans son triangle, figure significative de l'imaginaire maçonnique.

Dans l'histoire de la force vitale, le témoignage de Mesmer demeure paradoxal. Esprit positif, en dépit du côté spectaculaire, sinon même charlatanesque, de ses interventions, il attire l'attention sur une dimension anthropologique négligée ou refoulée, englobant les manifestations hystériques de l'inconscient, les phénomènes liés à l'hypnotisme et à la suggestion, où se déchargent des énergies nerveuses latentes. Le recours à quelques artifices, la mise en œuvre de rituels plus ou moins impressionnants se comprennent comme des moyens supplémentaires, susceptibles d'accroître le pouvoir thérapeutique de l'opérateur. Le charisme personnel de Mesmer est indéniable, comme l'était celui de son concurrent sacré, le curé

([36]) Cf. l'analyse de François AZOUVI, *Sens et fonction épistémologique de la critique du magnétisme animal par les Académies*, Revue d'histoire des Sciences, 1976. Sur la carrière de Mesmer, cf. l'ouvrage cité de H. F. ELLENBERGER, pp. 57 sqq.

([37]) Ernst BENZ, *Theologie der Elektrizität*, loc. cit., p. 15.

Gassner. Et pourtant, celui-là même qui désacralisait le magnétisme animal et le réduisait à l'état laïque, se trouve accusé de thaumaturgie, de pratiques illicites par les savants les plus qualifiés de l'Europe.

Les critiques parisiens de Mesmer prononcent qu'ils n'ont pas pu saisir sur le fait le fluide magnétique, et donc que ce fluide n'existe pas ; s'il existait, on aurait pu d'une manière ou d'une autre, le prendre en flagrant délit et le mesurer. Dans leurs mémoires sur la force vitale, Kielmeyer et Reil, savants authentiques, se heurtent à la même difficulté ; la matière vivante possède des propriétés qui ne sont pas présentes dans la matière morte, mais ces propriétés ne sont pas définissables dans les termes de la seule matière. Entre un être vivant et un cadavre, la différence tient à la présence ou à l'absence de la *Lebenskraft*, sans que cela entraîne pour le moment aucune différence d'apparence ou de poids. La vie intervient comme un surplus de significations, que l'on peut décrire, mais non réduire à des composantes matérielles. Les interprétations de Mesmer mettaient en cause des influences cosmiques conformes aux plus anciennes traditions. Dans sa dissertation doctorale de 1766, il souligne que les planètes « exercent une action directe sur toutes les parties constitutives des corps animés, particulièrement sur le *système nerveux*, moyennant un fluide qui pénètre tout, déterminant cette action par l'intension *(sic)* et la rémission des propriétés de la matière et des corps organisés, telles que sont la *gravité*, la *cohésion*, l'*élasticité*, l'*irritabilité*, l'*électricité*... » ([38]). Dans le mémoire où il expose sa découverte, Mesmer propose la définition suivante : « La propriété du corps animal, qui le rend susceptible de l'influence des corps célestes et de l'action réciproque de ceux qui l'environnent, manifestée par son analogie avec l'aimant, m'a déterminé à la nommer *magnétisme animal*. » Cette force se propage d'un corps animé à l'autre, elle agit à distance avec une intensité variable ; « cette vertu magnétique peut être accumulée, concentrée et transportée ». Ainsi le magnétisme animal possède des propriétés spécifiquement différentes de celles du simple magnétisme minéral. Mesmer en faisait un « agent général (...) capable de rétablir l'harmonie dans les corps organisés, quand une fois cette harmonie avait été troublée, et il ne doutait pas qu'il n'existât dans la nature un principe universellement agissant qui, indépendamment de nous, opère ce que nous attribuons vaguement à l'art ou à la nature » ([39]).

([38]) F. A. Mesmer, *De l'influence des planètes sur le corps humain*, Vienne, 1766 ; repris dans le *Mémoire sur la découverte du magnétisme animal*, Paris, 1779, pp. 6-7. *Ibid.*, pp. 74-81 ; ces textes sont cités par Xavier Léon dans son ouvrage *Fichte et son temps*, 2ᵉ partie, t. I, Colin, 1924, pp. 398-399. Cf. aussi F.A. Mesmer, *Le magnétisme animal*. Textes réunis par R. Amadou, Payot, Paris.
([39]) *Ibid.*

Mesmer a exercé une influence considérable sur les *Naturphiloso-phen,* chez lesquels on retrouve la même insertion cosmologique du dynamisme vital, les mêmes références à l'irritabilité, à l'électricité. Comparés à Mesmer, Kielmeyer et Reil, une génération plus tard, s'en tiennent à une prudente réserve épistémologique ; ils se contentent de proposer une phénoménologie de ce qu'ils n'ont pas les moyens d'expliquer. Le « magnétisme animal » évoque une explication globale ; une de ces « hypothèses » que Newton faisait profession de refuser. Les romantiques respectent Kielmeyer et Reil, mais, dans leur intempérance métaphysique, ils refusent la restriction critique des savants. Ils intégreront à leur propre synthèse l'idéologie du magnétisme animal, affirmée avec force, y compris ses références cosmologiques, chez Steffens, Ritter et Oken, entre autres, qui développent des systèmes du monde où les sympathies astrales influencent le cours de la vie sur le globe terrestre.

Contribution capitale à l'intelligibilité romantique, le magnétisme animal fournit un support cosmique au thème de l'harmonie universelle, renouvelé des néoplatoniciens et de Kepler. L'unité du monde est réglée selon des rythmes musicaux, dont la présence transphysique se manifeste concrètement à ceux qui savent écouter la nature par la médiation de la harpe éolienne, de la flûte de Pan ou du *glasharmonica.* Mesmer avait réuni ses adeptes parisiens en 1783 dans une Société de l'Harmonie, régie par des règlements minutieux à la manière des sociétés secrètes, et qui devait essaimer à travers le monde des institutions sœurs, dont Mesmer se proclamait le Président perpétuel. Selon le règlement de 1785, résumé par R. Lenoir, « la Société de l'Harmonie a pour objet de reconnaître l'Harmonie universelle et l'influence réciproque entre les êtres. Le soleil ramène le mouvement et la vie chez les plantes et les animaux. Chacun des deux règnes a ses espaces nocturnes. Leur circulation diminue en automne et avec les mêmes gradations le retour du printemps l'accélère. La nature entière montre donc sans cesse dans le même principe l'Harmonie des mondes et la vie de tous les êtres. Et l'homme seul, égaré par l'abus de sa raison, méconnaît encore cette vérité sublime » [40]. La doctrine de Mesmer allie le magnétisme et l'électricité dans le métabolisme de la force de vie universelle qui régit la Nature et dont les hommes doivent s'inspirer pour régir l'Humanité. *Naturphilosophie* avant la lettre, dont on retrouve des traces dans les philosophies naturelles et les philosophies sociales du XIXe siècle, nombreuses à se présenter sous le signe de l'Harmonie. L'analogie des concepts et du vocabulaire est frappante.

[40] Raymond LENOIR, *Le mesmérisme et le système du monde,* Revue d'histoire de la philosophie, 1927, p. 202.

On aurait tort de confondre Mesmer avec son très suspect contemporain Cagliostro (1743-1795), exploiteur sans scrupule de la crédulité publique. Mesmer n'est pas un aventurier, disparu corps et biens dans les poubelles de l'histoire; son sillage est marqué dans la culture romantique et même au-delà, moins d'ailleurs en ce qui concerne la cosmologie, où les harmonies planétaires ont été discréditées par l'afflux de données nouvelles, que dans le domaine de l'anthropologie, où le restaurateur du magnétisme animal a attiré l'attention sur un ensemble impressionnant de faits jusque-là négligés par la psychologie et la pratique médicale. L'avènement de la psychiatrie, et l'apparition même du mot qui désigne cette science, se situent à la jointure du XVIII et du XIXe siècle, dans les principaux pays d'Europe. Mesmer ne figure pas d'ordinaire au nombre des fondateurs reconnus et honorés de la médecine mentale, aux côtés de l'Anglais William Tuke (1732-1822), du Français Philippe Pinel (1745-1826), de l'Italien Vicenzo Chiarugi (1759-1820) ou encore de l'Allemand Johann Christian Reil, déjà nommé (1759-1813). Mesmer n'a pas personnellement pris part à la révolution psychiatrique, ni à la réforme de l'institution asilaire. Il a peut-être fait davantage, grâce à l'éclat, auréolé de scandale, de ses initiatives.

Lorsque les Académiciens de Paris, en 1784, à la veille de la révolution psychiatrique, condamnent les pratiques de Mesmer parce qu'elles ne représentent que le traitement imaginaire de maladies imaginaires, leur état d'esprit atteste la non-reconnaissance de la pathologie mentale en tant que telle. Les seules maladies dignes de ce nom, estiment les experts de la Faculté de médecine, sont les maladies organiques, inscrites dans les tissus du patient et répertoriées dans les tableaux cliniques de la nosologie. Les troubles mentaux et moraux, même accompagnés de signes secondaires : crises d'agitation, catalepsie, mutisme, bizarreries du comportement, état dépressif, hypocondrie, ne sont pas de vraies maladies et ne méritent pas d'être pris au sérieux. Mesmer, qui s'occupe de ces laissés-pour-compte, ne se conduit pas en vrai médecin s'occupant de vrais malades. Mais s'il n'a pas convaincu Vicq D'Azyr, Lavoisier, Franklin et leurs collègues, si même sa doctrine demeure insuffisante, Mesmer a attiré l'attention sur cette considérable catégorie de faits que le positivisme et le rationalisme régnants se refusent à prendre en charge. Il existe chez l'être humain un métabolisme moral répondant à des dynamismes internes d'une puissance considérable ; le dérèglement des énergies qui sous-tendent le comportement normal des individus entraîne des déséquilibres graves, appelant la sollicitude du médecin. Les maladies du mental, les maladies mentales sont des affections réelles qui requièrent un traitement approprié. Le curé Gassner avait recours à l'exorcisme rituel ;

Mesmer utilise des procédures magnétiques; leur incontestable mérite était de prendre au sérieux des phénomènes jusque-là discrédités; il n'y a pas de malades imaginaires; les malades imaginaires sont des malades réels.

Ainsi s'ouvre aux investigations des théoriciens et praticiens du romantisme l'immense domaine de l'hypnose, du rêve, du somnambulisme, de la voyance, de l'hallucination, des télépathies et influences de toute espèce. Le magnétisme animal, avant d'être une explication, est une monstration, il fait apparaître que la conscience claire sur laquelle philosophes et psychologues concentraient leur attention n'est qu'une zone de rationalité au milieu d'une mer inconnue, ressource ignorée de vie et de sens, car c'est peut-être là que se nouent les significations maîtresses de l'existence. Les malades mentaux évoquent les confins pathologiques de ce domaine; ils en exposent les paroxysmes. Mais les hommes normaux, ou considérés comme tels, font aussi résidence, pour une grande partie de leur existence, dans le royaume de l'ombre. Le séjour nocturne, échappé au contrôle des normes euclidiennes et newtoniennes, est le lieu du romantisme. Et le magnétisme animal désigne le principe d'une intelligibilité seconde et secrète, connaissance du monde, connaissance au monde sans l'interposition des axiomatiques adaptées aux mesures de l'espace du dehors. La conversion romantique serait incompréhensible sans la découverte de cette clef des songes que fournit le magnétisme. L'aventure romantique dans l'espace du dedans se consacre avec prédilection à l'exploration des terrains vagues, empire de la non-rationalité, ou, qui sait? de la surrationalité. Les hymnes à la nuit se multiplient, non pas seulement dans la poésie ou dans la piété, mais dans l'espace musical ou pictural.

Le magnétisme apporte au thème de la force vitale, que les physiologistes tentaient de décrire en termes positifs, un complément nocturne qui préserve le sens du mystère. Le langage des purs savants échoue à rendre compte du secret de la vie, objet d'émerveillement pour ceux qui perçoivent le sens de la création. Une phénoménologie appliquée à serrer de près les apparences, une analyse chimique, une construction dialectique comme on en trouve encore dans les essais de Schelling, en dépit de la rigueur et de l'ingéniosité déployées, laissent échapper l'essentiel. Et c'est là peut-être la raison pour laquelle Schelling, en fin de compte, s'est détourné de ces recherches pour se consacrer à la méditation sur l'essence de l'art, de la mythologie, de la métaphysique ou de la religion. Car ce sont aussi des expressions, des incarnations de la force vitale, qui s'annonce dans les œuvres de l'homme en tant qu'elles sont aussi des œuvres de Dieu. La biologie romantique, visée de transcendance, découvre la présence divine, transparaissant en filigrane à travers toutes les dimensions, proportions et formes de la réalité naturelle. La *vis magnetica Dei*, la perception des phénomènes comme liés par une concaténation providentielle, figure parmi les critères de la science romantique. L'intelligibilité magnétique remet en question les déterminismes de la « physique mécanique », selon la formule de C. G. Carus.

Une autre catégorie vient surcharger la notion du magnétisme. L'étude scientifique de l'électricité commence réellement avec le savant allemand Otto de Guericke (1602-1686). L'inventeur de la machine pneumatique fut aussi le créateur de la première machine à produire de l'électricité (1663). Cette machine électrostatique simple, globe de soufre monté sur un axe de bois, et qui suscitait de l'électricité par frottement, permit à son inventeur d'expérimenter les propriétés du phénomène ainsi mis en évidence : attraction, répulsion, conduction, luminosité. C'est le début d'une longue histoire, où le côté pittoresque, sinon même merveilleux, de l'expérimentation suscite dans le public un intérêt croissant. Une nouvelle ère est ouverte, vers 1745, par la découverte de la « bouteille de Leyde », premier modèle d'accumulateur de charge électrique entre deux condensateurs séparés par un isolant. Les effets de commotion ainsi obtenus paraissent de plus en plus importants ; l'expérience montre que l'électricité se transmet à travers le corps humain, et même qu'elle apparaît sous forme d'étincelle, à la surface de ce corps. Au milieu du siècle, divers opérateurs, dont Benjamin Franklin, signalent l'existence d'une électricité atmosphérique dont les effets justifient le tonnerre et les éclairs, la foudre. L'invention subséquente du paratonnerre confirme de manière spectaculaire la puissance de l'électricité cosmique.

Les recherches se multiplient vers la fin du siècle ; certains savants, en Angleterre et en France, parviennent à mesurer les forces électriques, ce qui confère à cet ordre d'études un degré supplémentaire de crédibilité. Sur ces entrefaites, l'anatomiste italien Luigi Galvani (1737-1798), professeur à Bologne, observe en 1771 que les muscles des cuisses de grenouille se contractent sous l'influence de l'électricité ; puis il constate que la contraction se produit au contact d'un circuit métallique, sans intervention d'une source d'électricité, ce qui donne à penser que l'organisme de la grenouille est lui-même la source en question. Publié en 1791, le mémoire *De viribus electricitatis in motu musculari* révèle les expériences du physicien de Bologne. Les contractions des grenouilles manifestent qu'il existe une « électricité animale », principe actif de la physiologie. Cette thèse se heurta à l'opposition d'un compatriote de Galvani, Alessandro Volta (1745-1827), lui-même électricien compétent. Le phénomène de ce que Volta appelle « galvanisme » est dû à la seule influence mécanique des éléments métalliques mis en œuvre dans les expériences. Un nouveau traité de Galvani (1794) rejette l'interprétation de Volta en montrant que l'effet bioélectrique se produit même en l'absence de toute pièce de métal ; le nerf de grenouille se contracte sous le seul effet du contact avec un nerf d'une autre grenouille.

Dès lors cette électricité présente dans l'économie animale, énergie secrète que les savants ont mise en lumière, apparaît comme devant être un agent à l'œuvre dans le dynamisme vital. La circulation des idées et des expériences est désormais rapide. En 1795, le médecin danois J. D. Brandis publie un *Essai sur la force vitale*, qui propose d'identifier la force vitale à l'électricité, simple hypothèse de travail dans l'état encore peu avancé des connaissances sur l'électricité. L'idée est bientôt reprise par le jeune Johann Wilhelm Ritter (1776-1810) dans un mémoire intitulé *Démonstration de l'existence d'un galvanisme permanent accompagnant le processus vital dans le règne animal* (1798). La *Naturphilosophie* fait alliance avec la physique de l'électricité ; le galvanisme donne à la force vitale une assise nouvelle. Ritter, qui dédie son essai à Alexandre de Humboldt et à Volta, se réfère aux découvertes de Galvani : « Je me suis toujours plus profondément convaincu qu'il ne pouvait y avoir qu'une seule théorie vraie rendant compte de tous les phénomènes naturels et qu'elle devait les expliquer tous dans leurs plus petits détails » ([41]).

Considéré comme le génie même de la *Naturphilosophie* par Novalis et ses amis, Ritter est fort d'une science de première main, alors que Schelling compile un savoir emprunté à droite et à gauche, qu'il organise en vertu de ses présupposés métaphysiques. A côté de l'essai de Ritter sur le galvanisme universel (1798), l'*Introduction à la première esquisse d'un système de la philosophie de la nature*, de Schelling (1799), donne l'impression d'un travail d'amateur ; la « physique spéculative » du métaphysicien n'inspire pas la même confiance que la physique physicienne de Ritter, laquelle opère non sur des concepts, mais sur des expériences. Le jeune savant est le génie de la science militante. Dorothée Veit-Schlegel, dans une lettre à Schleiermacher, le compare à une machine électrique d'où jaillissent des étincelles. Brentano confie à Arnim que « Ritter est le plus grand homme de notre temps » ; à côté de lui Schelling paraît ridicule, et même Goethe. Le physicien est un Moïse frappant de sa baguette le dur rocher de la science ; aussitôt en jaillit la source cristalline de la vérité. Ritter est un savant comme Reil, mais Reil est médecin, non pas physicien, et surtout, à la différence de Reil, Ritter est un inspiré, le poète qui seul peut pressentir le sens de la nature, selon la doctrine de l'*Athenaeum*.

([41]) J. W RITTER, *Beweis dass ein beständiger Galvanismus den Lebensprocess in dem Thierreich begleite*, Weimar, 1798, Einleitung, p. IX.

Le galvanisme qui, dans les laboratoires italiens, ne proposait que de patientes procédures expérimentales aux confins de l'électrologie et de la biologie, devient, au prix d'une extrapolation radicale, le principe de l'intelligibilité universelle de l'organisme naturel, constitué comme une immense chaîne galvanique. « Le corps est un système de forces agissant les unes sur les autres ; chaque partie est ce qu'elle est par la médiation de l'ensemble, et l'ensemble est constitué par les parties. Le Tout et les parties se servent tour à tour de moyen et de fin ; chaque instant produit une situation nouvelle, et pourtant toujours la même » ([42]) ; chaque organe trouve sa place dans le système dynamique de la vie. « Ce système lui-même n'est pas ce qu'il est par sa seule réalité propre, mais seulement dans la mesure où il est une partie d'un système dynamique supérieur, le plus parfait système organique, la Nature elle-même. Ce qu'il est, il le doit à la nature. La Nature est l'idéal de tous les êtres organiques, fermée absolument sur soi, éternellement en soi, demeurant éternellement ce qu'elle est éternellement, — la Nature » ([43]). Dans cette expansion cosmique, les planètes sont les gouttes du sang de l'organisme universel, les nébuleuses sont ses muscles et l'éther du ciel assure l'activité nerveuse. La chaîne galvanique embrasse la totalité du réel ; « il est impossible qu'elle ne s'étende pas partout dans la totalité de la Nature ! Où y a-t-il un soleil, où y a-t-il un atome qui n'en soit pas une partie, qui n'appartienne pas à cette TOTALITE organique, qui ne vit en aucun temps, car elle embrasse en soi tous les temps ? Que reste-t-il donc comme différence entre les parties du tout, entre l'animal, la plante, le métal et la pierre ? Ne sont-ils pas tous des parties constitutives du grand animal universel, de la Nature ? Une loi générale de la Nature, jusqu'ici non reconnue, semble briller devant nous ! Et la suite montrera peut-être qu'il s'agit là de bien plus que d'une apparence » ([44]).

Entre les patientes recherches des savants classiques, Galvani et Volta, sur leurs cuisses de grenouilles et les conclusions de Ritter, il y a toute la distance qui sépare de la science proprement dite la *Naturphilosophie*. Mais la démarche de Ritter ne relève pas de la divination, et les points d'interrogation qui figurent dans ses conclusions sont cautionnés par des recherches réelles. Lorsqu'il énonce, dans cet écrit de 1789, la thèse de l'organicisme universel, qui sera reprise inlassablement par les docteurs du romantisme, il s'appuie sur un ensemble de recherches concrètes, qui lui vaudront l'admiration de ses contemporains, Goethe compris, et une nomina-

---

([42]) Cf. ces textes et d'autres, rassemblés dans Paul KLUCKHOHN, *Charakteristiken, Deutsche Literatur*, Reihe Romantik, Bd. I, Stuttgart, Reclam, 1950, p. 162 sq.
([43]) RITTER, *Beweis dass ein beständiger Galvanismus...*, *op. cit.*, pp. 170-171.
([44]) *Ibid.*, p. 171.

tion de professeur à l'université de Iéna. Au niveau de l'expérimentation, et ensemble dans l'ordre de la théorie, Ritter est parvenu à
articuler ensemble le magnétisme, l'électricité et le dynamisme
énergétique immanent au processus chimique. Une même intelligibilité universelle doit rassembler ces trois formes de dynamisme à
l'œuvre dans l'économie naturelle. Le processus chimique, souvent
invoqué dans la dialectique de Schelling et de ses héritiers, est défini
par l'unité qui se réalise entre deux substances étendues dans l'espace
et dont les qualités différentes disparaissent entièrement dans une
réalité qualitative nouvelle ; le chimisme réalise, avant la lettre, la
synthèse entre des corps spécifiquement différents. Le galvanisme
réunit dans une chaîne trois individus physiques en réaction
mutuelle, qui ne fusionnent pas comme il arrive dans le processus
chimique. L'électricité résulte de l'équilibre dynamique réalisé au
contact de deux corps, dont chacun garde son individualité.

Ces trois processus énergétiques s'associent pour constituer le
dynamisme total de la nature. La découverte par Volta, en 1799, de la
« pile », dispositif constitué par un empilement de disques d'argent
alternant avec des disques de zinc, et qui produit de l'électricité,
donne à penser que l'on détient ainsi un chaînon intermédiaire entre
la chimie et le domaine de l'électricité, sous-produit du « chimisme ».
Se référant au mémoire de Pfaff sur les rapports entre l'électricité
animale et l'excitabilité (*Ueber thierische Elektrizität und Reizbarkeit*,
1795), Ritter estime que les chaînes galvaniques reliant le métal (zinc,
argent) et des muscles ou des nerfs attestent l'existence d'une
continuité entre les différents éléments, ce qui permet de concevoir
une physiologie universelle au sein de laquelle communiquent la
chimie, la minéralogie, l'ordre végétal et l'ordre animal. Ces circuits
universels intégreront aussi l'électricité, « non pas le système de
l'électricité tel qu'il existe actuellement, mais tel qu'il existera un
jour » ; alors système chimique et système électrique formeront un
ensemble réversible ([45]). Ces spéculations s'appuient sur un grand
nombre de manipulations et d'expériences, qui forcent le respect des
contemporains qualifiés. « En 1803, raconte R. Ayrault, le jeune
physicien danois H. Chr. Oerstedt (1777-1851), le futur interprète
des phénomènes électromagnétiques, a publié dans la revue *Europa*,
que Fr. Schlegel venait alors de fonder, un bref et dense *Aperçu des
progrès récemment accomplis en physique*. Toute la première moitié de
ce texte est consacrée à Ritter... Et de ses études sur le spectre solaire,
dont l'histoire des sciences allait retenir les conclusions, jusqu'à celles
sur le magnétisme, en passant par son conflit avec la chimie
« antiphlogisticienne » sur l'électrolyse de l'eau, et par son sujet de

([45]) *Ibid.*, p. 173.

prédilection, le galvanisme, dont il a tourné et retourné tous les problèmes, on voit se composer l'image d'un authentique chercheur, que la multiplicité de ses expériences ramène uniformément à une même préoccupation : la mise en évidence d'une action chimique sous la totalité des phénomènes... » ([46]).

Le chimisme universel se convertit en un galvanisme universel. Ou plutôt, la préoccupation porte sur l'universalité du dynamisme, quelle que soit la forme sous laquelle il se manifeste. La force vitale, dont se préoccupent les biologistes romantiques, n'est pas limitée au domaine organique, distingué du domaine de la matière inorganique. La biologie englobe l'organisme cosmique dans son ensemble. Le recueil de fragments faussement posthumes publié par Ritter en 1810 découvre dans le magnétisme universel, qui anime de l'intérieur le globe terrestre et, par-delà, l'univers entier, une immanence vitale, présence d'une énergie latente. « Qu'est-ce qu'il peut y avoir en fait d'énormes chaînes galvaniques dans l'intérieur de la terre ? Quel genre d'effets peuvent-elles déterminer ? Ont-elles le pouvoir de contribuer à la formation des métaux ? Et les forces d'attraction découvertes par Humboldt dans l'intérieur de la terre appartiennent-elles à cette catégorie de phénomènes ? » ([47]). Le mode interrogatif n'intervient ici que pour introduire une forme atténuée de l'affirmation. Le magnétisme est un phénomène vital ; « les périodes magnétiques sont les périodes pathologiques de la Terre (*Krankheitsperioden*) et de chaque organisme particulier » ([48]). Ou encore : « Le véritable aimant de tout corps terrestre doit être un cœur ; dans le corps humain, c'est le cœur qui est l'aimant. Dans la terre battent les pulsations de l'aimant (*in der Erde pulsirt der Magnet*), dans l'homme celles du cœur » ([49]). Ces formules ne doivent pas être entendues dans un sens analogique ; elles énoncent une vérité physique ou plutôt physiologique ; la conscience répond au même dynamisme interne que l'ensemble des phénomènes naturels. Une même intelligibilité anime les rythmes des déterminismes de la matière cosmique et ceux de l'esprit. Entre les deux domaines, les lignes de démarcation étaient illusoires ; le magnétisme animal assure l'unité et l'identité des deux mondes.

Ainsi le galvanisme propose la définition même de la vie. « C'est seulement dans le domaine organique que se poursuit l'effet de la chaîne galvanique ; elle cesse dans la mort » ([50]). Le galvanisme

([46]) R. AYRAULT, *La genèse du Romantisme allemand*, t. IV, Aubier, 1976, p. 118.
([47]) J. W. RITTER, *Fragmente aus dem Nachlasse eines jungen Physikers*, Heidelberg, 1810, § 367 (1798), p. 5.
([48]) *Op. cit.*, § 382, Bd. II, p. 11.
([49]) *Ibid.*, § 386, p. 12.
([50]) *Op. cit.*, Bd. I, § 348, p. 215.

expose la forme moderne de l'âme du monde selon les Anciens, transférée de l'ordre de la mythologie dans celui de la science. « Dans le galvanisme, enseigne Ritter, c'est la terre elle-même qui parvient à la réflexion sur soi » ([51]). Une communication globale s'établit entre la terre et le ciel, confirmée par le phénomène de la déclinaison magnétique, mais aussi bien entre le microcosme et le macrocosme, car l'être humain participe au réseau des harmonies magnétiques. « Le galvanisme des individus sur la terre devient dans le système des étoiles un galvanisme des corps planétaires. Le galvanisme individuel devient, à plus petite échelle, un magnétisme des organes » ([52]). Un système de transformations analogiques au sein de la totalité permet toutes les commutations d'intelligibilité, y compris celles qui assurent la correspondance entre le physique et le mental.

Ritter parvient ainsi à intégrer dans sa synthèse l'ordre des phénomènes mis en lumière par les expériences de Mesmer. Les académiciens de Paris, ne sachant comment faire entrer dans leur vision positive du monde les faits mis en cause par le magnétisme animal, leur avaient purement et simplement refusé le droit à l'existence ; ils ne voulaient y voir que des illusions. Ritter, aussi bon physicien que les physiciens de Paris, appartient à un autre hémisphère de la pensée ; sa synthèse met en place l'ordre psychique dans le contexte global du magnétisme universel. « Dans le magnétisme animal, on sort du domaine de la volonté, et l'on parvient dans celui de l'involontaire, le domaine où le corps organique se comporte comme s'il était inorganique, révélant ainsi les secrets des deux ordres. Il existe une conscience qui n'a plus besoin de la volonté et de sa mise en œuvre. Cette conscience de l'involontaire (*das Bewusstsein des Unwillkürlichen*) se trouve en jeu dans le sommeil, ordinaire ou magnétique. L'intervention de la volonté ici n'est plus possible... » ([53]). L'action thérapeutique du magnétiseur vient au secours d'une volonté corrompue et déchue dans l'involontaire. « Le magnétiseur se trouve investi de la dignité du prêtre » ([54]) ; il est capable de réhabiliter la volonté malade. Et Ritter compare la vertu thérapeutique du magnétisme avec celle de l'amour, où le consentement mutuel réalise un échange des volontés ; « ici le magnétisme joue dans les deux sens, les deux parties sont l'une pour l'autre magnétiseur et somnambule » ([55]).

Ces textes exposent le langage du romantisme même. On imagine la réaction des juges de Mesmer, un Lavoisier ou un Franklin, devant

([51]) *Ibid.*, § 349 (1803), p. 215.
([52]) § 347, *ibid.*
([53]) *Op. cit.*, Bd. II, § 477, p. 81.
([54]) *Ibid.*, p. 83.
([55]) P. 85.

ces élucubrations inadmissibles pour des esprits éclairés. Avec Ritter, le passage de la ligne est chose faite, vers le pôle romantique du savoir ; Mesmer n'était pas romantique ; homme des lumières, il avait ouvert la voie vers la révélation de l'inconscient, aspect majeur de la conversion romantique. Les maîtres de la *Naturphilosophie* substitueront leurs interprétations aux siennes pour l'immense domaine vers lequel il les avait conduits. Entre le monde de l'esprit et le monde de la matière, la communication est possible d'autant mieux qu'il existe un règne intermédiaire, où l'esprit végète en dehors de la conscience, dans un sommeil qui évoque le silence des forces naturelles. La présence d'esprit n'est plus le critère de l'ordre mental ; l'esprit qui s'enfonce dans les profondeurs de l'inconscient peut faire résidence dans les choses. L'herméneutique romantique découvrira le pouvoir magique d'éveiller les significations endormies sous les apparences de la matérialité. L'immobilité des choses recouvre des significations « pétrifiées par enchantement » ([56]). La même force vitale, partout en attente, s'adresse au regard de qui sait découvrir sa latence. La sagesse romantique, savoir et science, est la résurrection de la vie universelle.

Le problème de la force vitale change de sens. Il ne s'agit plus de définir un dynamisme se déployant au sein d'un univers ou d'une individualité, considérés comme des réceptacles passifs, des cadres matériels servant de théâtre à une activité spécifiquement différente. La force vitale anime à la fois contenant et contenu. Microcosme et macrocosme forment un ensemble solidaire, soumis à l'animation unitaire des énergies universelles ; la réalité sous toutes ses formes expose des degrés divers de tension de la puissance qui fonde à la fois la cohérence objective et l'intelligibilité subjective de l'ensemble cosmique. Ritter peut affirmer : « La nature entière rime avec l'homme » ([57]) ; la consonance joue dans les deux sens ; l'accord harmonique liant l'homme et l'univers les englobe dans une unité originaire, qui renvoie de l'un à l'autre parce qu'elle justifie la réciprocité des significations. Le présupposé d'un champ unitaire de l'intelligibilité universelle dément les oppositions traditionnelles entre le physique et le mental, entre la mort et la vie. La vision du monde en continuité déploie la hiérarchie des degrés du réel, depuis le moins vivant des êtres jusqu'à l'Etre souverainement vivant ; la matière, dit Schelling, est l'esprit visible ; visible et invisible communiquent ou plutôt communient, les réalités matérielles s'offrent à nous comme des supports ou des symboles sur le chemin de cette

---

([56]) NOVALIS.
([57]) RITTER, *op. cit.*, Bd. II, § 670, p. 215 : « *Auf den Menschen reimt sich die ganze Natur.* »

révélation qui culminerait dans l'épiphanie souveraine du sens, la spiritualité ayant partout triomphé des opacités de la matière dans la parfaite transparence de l'esprit à lui-même. Alors l'inconscient sera absorbé dans l'éveil souverain de la conscience intégrale, éclairée jusque dans ses profondeurs.

Ainsi se justifient les laborieux ajustements de concepts auxquels se livre la *Naturphilosophie*. Introduire la philosophie dans la nature, c'est déchiffrer la nature en tant que présence d'esprit, procéder au réveil ou à l'éveil universel du sens. Le savant poursuit une entreprise équivalente à celle du poète; le savant est la caution du poète; compagnons de route dans la même entreprise. D'où ce vœu, que le poète soit aussi physicien, et le physicien poète. Ritter, sur ce chemin, se rencontre à mi-course avec Novalis; d'où l'émerveillement mutuel en cet instant privilégié, au début de 1799, où les deux jeunes hommes se voient pour la première fois. Chacun, raconte Ritter, apparut à l'autre comme une très vieille connaissance, chacun connaissant si bien tout sur l'autre qu'il était inutile d'entrer dans les détails. « Novalis et Ritter se comprirent dans l'instant; pour le premier, il n'y avait absolument rien de surprenant dans cette rencontre; pour le second, c'était absolument comme si, pour une fois, il pouvait s'entretenir avec lui-même » ([58]).

Cette similitude, ou plutôt cette identité, se lit dant les fragments parallèles, rédigés à la même époque par le « jeune physicien » et l'ancien étudiant de l'Ecole des Mines de Freiberg. On pourrait attribuer à Novalis certains des plus beaux aphorismes de Ritter, et les brouillons de Novalis abondent en spéculations de « physique supérieure », où se retrouvent le vocabulaire et le mode de pensée du théoricien du galvanisme universel. Chez Novalis, toutefois, le maniement des concepts revêt souvent l'aspect d'un processus incantatoire, où la magie des mots se trouve directement transposée en magie naturelle selon l'ordre de l'imaginaire. « L'aimant est l'électricité inversée, et l'électricité le magnétisme inversé. — Le magnétisme aurait-il peut-être avec la lumière la même relation que l'électricité avec la chaleur? Pas d'électricité sans magnétisme — pas de magnétisme sans électricité » ([59]). La coalescence des concepts exerce un effet d'entraînement sur la pensée, le songe l'emporte sur la science. « De l'air de cristallisation etc. Loi de Ritter concernant la cohésion. Son galvanisme dans la nature inorganique. Ses découvertes par rapport à l'électricité. Son hypothèse selon laquelle

---

([58]) Préface de l'éditeur (c'est-à-dire RITTER lui-même) aux *Fragmente aus dem Nachlasse eines jungen Physikers*, Heidelberg, 1810, Bd. I, p. XVIII.
([59]) NOVALIS, *L'Encyclopédie, Fragments*, classement WASMUTH, trad. GANDILLAC, éditions de Minuit, 1966, § 649, p. 172.

l'atmosphère est régie et modifiée par la surface supérieure de la Terre. Ses remarques concernant la corrélation entre l'augmentation de volume et l'oxydation. Son hypothèse d'une influence des planètes et du Soleil sur les formations terrestres ; allusion à l'astrologie. Sa mise en liaison, sous forme de séries, de tous les rapports entre propriétés ou sa méthode comparative (Réalité de la création. — Chimie comparative) ; sa méthode pour déterminer la cohésion du liquide par le nombre des gouttes. Tentative pour modifier par le galvanisme le pesanteur spécifique. Pesée du galvanisme... » [60].

Les griffonnages de Novalis exposent une pensée à l'essai, les essais d'une pensée qui s'enchante d'elle-même à la lecture des mémoires scientifiques de Ritter. Ecritures qui ne veulent rien dire, dérapant dans l'allusion et dans la rêverie, mais disent pourtant au-delà d'elles-mêmes une alchimie intellectuelle conjuguée avec les révélations de cette science nouvelle, réconciliation, sous l'invocation de l'intelligibilité cosmique, de tous les éléments du savoir que les pseudo-savants avaient dissociés. Le galvanisme, du fait de sa révélation récente, semble pouvoir faire office de médiateur universel. « Le galvanisme ne se réfère d'abord qu'au chimisme, c'est seulement par son influence sur la qualité qu'il semble agir sur la cohésion, le poids ou le volume spécifique, le chaleur, l'électricité, le magnétisme etc. Le chimisme paraît être l'organe universel de diverses forces dans leur relation réciproque. Pourquoi n'avons-nous aucun sens électrique ou magnétique ? » [61]. Tout se tient dans la nature et les Anciens déjà affirmaient cette solidarité, mais sans être capables d'en fournir l'expression physique ; les nouveaux agents cosmiques révèlent le sens des énergies qui sous-tendent l'univers. « Il y a une chimie, une mécanique, une théorie de la chaleur, un magnétisme, une électricité minérales, végétales, animales. Le galvanisme n'est peut-être que de l'électricité animale. Ce que le galvanisme est à l'électricité, le magnétisme animal l'est au magnétisme » [62]. Le mode interrogatif, qui apparaît aussi dans la pensée de Ritter, formule une hypothèse qui a valeur de pressentiment et sans doute s'impose comme un acte de foi.

Novalis, à plusieurs reprises, mentionne des « expériences de magnétisme animal » [63], parfois en compagnie de la deuxième fiancée, Julie von Charpentier [64]. Le magnétisme semble l'agent de liaison le plus compréhensif, car il s'affirme d'abord sous les espèces du magnétisme terrestre, et, par la voie de l'échelle des êtres, anime

[60] *Ibid.*, § 651, pp. 172-173.
[61] *Ibid.*, § 657, pp. 173-174.
[62] *Ibid.*, § 669 ; p. 175.
[63] § 672, p. 175.
[64] § 652, p. 173.

les degrés de la nature. « Le galvanisme ne serait-il qu'une lumière intérieure ? Trace de sensation dans le règne inorganique » [65]; le contexte évoque les pierres, cependant que les métaux sont les dépositaires du magnétisme terrestre. Or « il semble que dans le galvanisme les corps doivent nécessairement percevoir avant de s'extérioriser les uns par rapport aux autres » [66]. Le galvanisme est l'affirmation première d'une subjectivité, d'un être pour soi, qui entre ensuite dans l'immense circuit des commutations de sens, constitutif de la nature universelle. « Si le galvanisme augmente toutes les fonctions des corps individuels, il n'est peut-être qu'une conscience supérieure de la nature; âme de la nature, esprit du tout, action politique des corps naturels... » [67]. Là encore, le mode hypothétique autorise une ouverture sur l'infinité cosmique, éveillée de cette paralysie dans laquelle elle a été plongée par enchantement dans les lointains mythologiques du temps primordial. Les brouillons encyclopédistiques de Novalis devaient avoir leur accomplissement dans le roman initiatique, *Heinrich von Ofterdingen*, où les enseignements de la *Naturphilosophie* se trouvent transposés dans une *Naturpoesie*, Sagesse cosmique révélée par le maître Klingsohr.

L'auteur des *Hymnes à la Nuit*, des *Grains de pollen* et de *La Chrétienté ou l'Europe* propose, dans son œuvre comme dans sa personne, l'accomplissement de la doctrine de la force vitale, en tant que sommation et consommation du romantisme, en tant que sens de la vie. Novalis et son ami Ritter, prématurément disparus, comme si leurs énergies intimes, brûlées par le génie, n'avaient pu suffire à alimenter l'existence jusqu'à son terme normal, donnent à penser que la *Naturphilosophie* est une *Lebensphilosophie*, non point une science au sens exact et rigoureux du terme, mais un savoir divinatoire. L'instrument de connaissance est la vie elle-même, la nature prenant conscience d'elle-même en ce lieu d'élection privilégié entre tous qu'est la créature humaine, récapitulation des degrés de l'être, image et pressentiment de Dieu. L'univers d'un seul tenant, du minerai au végétal et de l'animal à l'homme, est l'exposant d'une intelligibilité dont l'éclosion dans la plénitude s'accomplit au sein de la conscience humaine, libérée par les révélations conjointes de la science et de la poésie.

Herder et Goethe avaient ouvert la voie, Schelling et Steffens développent le cadre conceptuel, Ritter et Novalis annoncent la plénitude de la nouvelle conscience cosmique au sein de laquelle se

[65] § 654, p. 173.
[66] § 655, *ibid.*
[67] § 653, *ibid.*

développeront les intuitions de la *Naturphilosophie*, pendant un demi-siècle après la disparition de Novalis. Le monisme de la force vitale semble confirmé par les progrès de la connaissance scientifique. Le savant danois Hans Christian Oersted (1787-1851), observant la déviation d'une aiguille aimantée au voisinage d'un courant électrique, est le pionnier de la nouvelle synthèse électromagnétique, bientôt développée à partir de 1820 grâce aux recherches d'Ampère et de Faraday. L'identité des forces à l'œuvre dans le cosmos se trouve vérifiée par la jonction établie expérimentalement entre magnétisme et électricité, ce qui confirme les intuitions romantiques, auxquelles Oersted lui-même n'était pas étranger. La synthèse romantique du dynamisme universel paraît avoir devancé l'œuvre des savants. En 1822 encore, Henrich Steffens souligne le fait avec satisfaction : « On était parvenu, ces derniers temps, à l'idée que l'électricité et le processus chimique se conditionnaient mutuellement, et que l'un ne pouvait exister sans l'autre. Grâce à l'importante découverte de Oersted, il est clairement établi maintenant que le magnétisme se manifeste aussi dans l'organisation globale de tous les processus terrestres, et que les trois fonctions se comportent dans l'activité universelle de la Terre de la même manière que la force de reproduction, l'irritabilité et la sensibilité dans le processus d'individualisation des vivants » ([68]). Le métabolisme des forces magnétiques au sein de la terre n'est que l'un des aspects du dynamisme universel ; « tous les processus chimico-électriques produisent du magnétisme, même les processus atmosphériques » ([69]), ce qui se trouve attesté par les chutes de météores, les orages, etc. En 1831, dans sa *Psychologie*, Carl Gustav Carus considère l'organisation humaine comme « une structure infiniment complexe d'oppositions articulées, de rapports polaires et de conduits divers que l'on ne saurait mieux comparer qu'aux circuits d'une chaîne galvanique ou électrique » ; tout le système nerveux forme un ensemble galvanique ([70]).

L'inspiration romantique essaiera de s'annexer les acquisitions de la science, jusqu'au moment où la récupération deviendra impossible ; la limite de rupture étant atteinte, une autre vision du monde s'imposera. Un décalage existe entre philosophie de la nature (*Naturphilosophie*) et science de la nature (*Naturwissenschaft*). La vision du monde incorpore les données de la science ; mais le travail scientifique n'est jamais achevé ; pour refermer sur lui-même le paysage du monde, le philosophe doit compléter les informations des savants au moyen de sa philosophie. Le positivisme radical, qui ne

([68]) Henrich STEFFENS, *Anthropologie*, Bd. I, Breslau, 1822, p. 471.
([69]) *Ibid.*, p. 472.
([70]) Carl Gustav CARUS, *Vorlesungen ueber Psychologie gehalten im Winter 1829-1830 zu Dresden*, Leipzig, 1831 ; ch. XIII, pp. 247-248.

voudrait rien savoir au-delà de ce qu'affirme la science, se condamne
à un agnosticisme confinant au nihilisme ; les prétendues philosophies positives extrapolent tout autant que les autres, et leurs
extrapolations sont d'autant plus dangereuses qu'elles se bercent de
l'illusion selon laquelle elles n'extrapoleraient pas. Une vision du
monde n'est jamais qu'un bilan provisoire. En dépit de ses lacunes
inévitables, la *Naturphilosophie* fut une sagesse sinon une science ; elle
a assuré à des générations de médecins, de biologistes et d'artistes une
bonne insertion au sein de l'univers naturel, par la vertu d'une
doctrine qui était à tous les niveaux de son développement une
doctrine de la vie *(Lebensphilosophie)*, aussi bien selon l'ordre de la
réalité que selon l'ordre des valeurs.

Les caractères de la vie, dans le déploiement des forces qu'elle met
en œuvre, sont résumés par Schelling, après Goethe, sous la forme
des principes de *polarité*, d'*élévation progressive (Steigerung)* des
formes, et de *circularité*, ce dernier principe résumant l'organicisme
romantique. Un mouvement périodique ramène régulièrement la
succession des phénomènes du monde. « La vie, affirme Schelling,
consiste en un cycle, en une succession de processus qui sans cesse
reviennent sur eux-mêmes, en sorte qu'il est impossible de déterminer quel processus a vraiment inauguré la vie, lequel a précédé, lequel
a suivi. Chaque organisation forme un tout fermé sur lui-même, au
sein duquel tout est contemporain ; le mode d'explication mécaniste
devient inopérant, puisque dans un tel ensemble il n'y a ni avant ni
après » [71]. La forme cyclique de l'organisation s'applique à la
totalité de ce qui est, quelle que soit l'échelle de lecture adoptée.
« Dans tout ce qui a une constitution articulée en forme d'organisme,
écrit Carus, on doit reconnaître l'existence de la même vie, consistant
dans le développement continu d'une individualité quelle qu'elle soit,
aussi bien s'il s'agit du devenir de systèmes solaires que s'il s'agit du
devenir d'une plante. Le caractère organique, c'est-à-dire l'appartenance à un organisme de plus grande taille, ne s'applique pas moins à
la roche avec son appareil cristallin, qu'à la source, avec son
écoulement rythmique en rapport avec la totalité de la terre, ou qu'au
squelette avec ses fibres cristallines, et à la circulation du sang dont
les pulsations sont en relation avec la vie de l'animal » [72].

Un effort d'imagination nous est nécessaire pour percevoir le
mobilisme universel de cette vision dynamique de l'univers, où le
règne minéral lui-même se trouve mis en mouvement dans le grand
cycle de la nature. Les coraux, les madrépores, les fossiles donnent à

---

[71] SCHELLING, *Die Weltseele*, 1798, Préface, cité dans E. HIRSCHFELD, *Romantische Medizin*, Leipzig, 1930, p. 13.
[72] Carl Gustav CARUS, *Briefe ueber das Erdleben*, Stuttgart, 1841, p. 19.

saisir cette immanence de la vie endormie dans les roches les plus
dures. Certains se plaisent à imaginer l'invention des formes comme
un perpétuel jaillissement d'essais et d'erreurs de la force vitale,
jusqu'à cette réussite exceptionnelle de l'être accompli, du poète, en
lequel la nature arrive à la conscience de soi. Ainsi rêve Schleiermacher : « Ceux qui écrivent l'histoire de la nature racontent que ses
forces plastiques ont longtemps travaillé en de vains efforts, et, après
s'être épuisées en des formes non viables, en ont créé beaucoup
d'autres qui vécurent sans doute, mais durent disparaître car elles
n'avaient pas la force de se reproduire. La forme autoformatrice de
l'humanité *(die sich selbst bildende Kraft der Menschheit)* en est encore à
ce stade. Rares sont ceux qui vivent, et parmi eux la plupart n'ont
qu'une existence éphémère. Si, dans un moment heureux, ils ont
trouvé leur Moi, la force leur manque pour l'engendrer à nouveau par
eux-mêmes. La mort est leur état normal, et quand il leur arrive de
vivre, ils se croient ravis dans un autre monde » ([73]).

Le jeune théologien romantique, sans compétence particulière en
matière de biologie, joue librement avec les thèmes de la *Naturphilosophie ;* sous son aspect le plus caractéristique, elle propose une
symbolique de la vie, grâce à laquelle il est possible à l'homme de se
situer dans l'univers en une place qui ne soit pas seulement un poste
d'observation, mais un lieu privilégié, où son éminente dignité se
trouve mise en honneur. La validité de cette vision du monde tient à
ce qu'elle assure la cohésion générale du sens. L'homme n'intervient
pas en détenteur d'une science plus ou moins lacunaire et erratique ;
il est le bénéficiaire d'un savoir dont il se connaît lui-même comme
l'enjeu et le destinataire. La science objective sépare le sujet de
l'objet ; elle fige la conscience dans une aliénation spéculaire ;
l'homme, pur témoin, est dépouillé de toute présence réelle face à un
univers qui lui est étranger ; tant et si bien que l'homme de science,
s'il veut se comporter en créature vivante, doit dépouiller l'univers de
ce voile de raison raisonnante qu'il a posé sur lui. Le romantisme se
plaît à faire cause commune avec la magie, et les esprits positifs lui
ont souvent reproché ces complaisances coupables pour l'irrationnel.
Mais le reproche peut être retourné contre l'envoyeur. Car la science
rigoureuse est, elle aussi, une magie acharnée à dénaturer la nature, à
nier l'identité et la spontanéité de la force vitale et à désincarner les
êtres. La grisaille de la théorie fait injure à l'enchantement irradié par
l'arbre vert de la vie.

L'une des séries de conférences prononcées par Frédéric Schlegel à

([73]) SCHLEIERMACHER, in *Athenaeum Fragmente,* 1798, § 352 ; F. SCHLEGEL,
Werke, Kritische Ausgabe, Bd. II, 1967, pp. 227-228 ; trad. dans LACOUE-LABARTHE
et NANCY, *L'Absolu littéraire,* éd. du Seuil, 1978, p. 154.

la fin de sa vie, en 1828, est consacrée à la *Philosophie de la Vie*. Création divine, la Nature est une puissance vivante et féconde, qui se développe et se reproduit sans fin. « Elle n'est pas libre comme l'homme, mais elle n'est pas non plus un mouvement d'horlogerie inanimé qui, une fois remonté, continue ses battements jusqu'à ce que le ressort soit épuisé. Il y a une vie en elle (...). Nous la sentons, comme nous sentons dans l'arbre qui s'agite en tous sens à l'air libre, avec toutes ses branches et ses rameaux, ses feuilles et sa floraison, le frémissement d'une vie ; nous sentons que l'arbre est un vivant, bien différent d'une horloge, aussi ingénieusement fabriquée que possible, mais morte. C'est justement la science la plus approfondie de la nature qui le reconnaît, et nous fait voir, par exemple, que les plantes dorment elles aussi, et qu'il existe chez elles une véritable fécondation et un enfantement, comme chez les animaux, bien que par d'autres voies. Oui, la nature elle-même est, dans sa totalité, un tel arbre de vie, dont les feuilles et les fleurs se développent continuellement, aspirant leur nourriture du souffle balsamique du ciel ; ses rameaux bougent et s'agitent, la sève monte dans le tronc depuis la profondeur cachée des racines et dans la cîme bruissent en tous sens les puissances invisibles... » ([74]).

Schlegel dénonce la science superficielle qui, réduisant la nature à une machinerie compliquée, voit en Dieu un technicien supérieur spécialisé dans les automates. Si l'on veut s'en tenir à une imagerie enfantine, mieux vaut comparer Dieu à « un jardinier omniscient, qui a créé lui-même les arbres et les fleurs plantés par lui, et qui a posé lui-même les fondements de la bonne terre en vue de cette culture » ([75]). Trente ans après l'*Athenaeum*, Frédéric Schlegel demeure fidèle au paradigme romantique de l'arbre. Son intuition de philosophe-poète corrobore le dogme de la force vitale mis en œuvre par les *Naturphilosophen*, jusque dans cette thèse selon laquelle la corruption de la Nature est une preuve de la vitalité qui l'anime. La maladie, la mort sont encore des phénomènes vitaux, expressions d'une vie déviée et faussée, sans doute, mais d'une vie tout de même, dont témoignent toutes les formes de putréfaction, de décomposition et de moisissure, la multiplication sans fin des infusoires ou encore le grouillement des vers intestinaux. Les germes malins qui véhiculent les épidémies sont aussi des signes de cette pathologie de la Nature, offerte de tous côtés et sous toutes sortes de formes à nos regards. « Ne pourrait-on pas considérer les serpents, par exemple, comme de telles productions morbides, et aussi comme les vers intestinaux de la terre ([76]) ? »

([74]) Friedrich SCHLEGEL, *Philosophie des Lebens*, VI, 1828 ; *Werke*, Kritische Ausgabe, Bd. X, 1969, p. 106.
([75]) *Ibid.*, p. 107.
([76]) *Ibid.*, p. 112.

Ainsi s'annonce un imaginaire dont les fantasmes se retrouvent dans le domaine littéraire. Cette science-fiction hante les confins de la *Naturphilosophie* et de la théologie. La Nature, estime Schlegel, est aussi l'une des dimensions d'incarnation du Mal, car il n'est pas possible de dissocier le naturel et le surnaturel ; la création divine est parasitée par des récurrences diaboliques, les créatures du monde sont l'enjeu de la lutte entre le principe divin et le Malin, dont les Ecritures affirment qu'il est le prince de ce monde. « Les singes aussi ont été considérés par certains moins comme des créatures spécifiques, originaires, que comme la tentative diabolique d'une méchante parodie de l'homme, jalousé en tant que favori de Dieu dans le domaine terrestre » ([77]).

La *Naturphilosophie* pose en termes cosmologiques le problème du Mal. Un spiritualisme contaminé par l'idéalisme tend à confiner dans la conscience humaine le drame de la chute, tel qu'il est relaté dans la *Genèse*. La Nature, figurée par le jardin d'Eden, ne serait qu'un décor impassible, que ne concerneraient nullement les péripéties de l'histoire du salut. Frédéric Schlegel, en accord avec les intentions secrètes de la biologie romantique, s'oriente vers un monisme de l'intelligibilité, conforme à cette attitude qui a suscité chez les adversaires du romantisme les accusations toujours recommencées de panthéisme. Il ne s'agit pas de rejeter l'existence d'un Dieu créateur distinct de sa création ; le théisme de Schlegel ne fait aucun doute. Mais le romantisme affirme l'unité du sens immanent à l'univers ; l'homme est solidaire du reste, sa destinée ne se définit pas en opposition avec le reste du monde, elle met en œuvre un destin qui englobe toutes les significations de l'univers. La Chute aussi bien que la Création et la Rédemption à venir mobilisent la totalité des êtres, unis par les liens mystérieux d'une même révélation divine. Le Bien et le Mal, la perdition et le salut présupposent la complicité universelle des vivants dans l'unité d'un même destin.

Frédéric Schlegel, plus philosophe que naturaliste, s'avance dans le domaine des *Naturphilosophen* proprement dits, dévoilant les arrière-pensées de la plupart d'entre eux. Les responsabilités de la science demeurent ; mais estime Schlegel, elles se trouvent cantonnées dans le domaine intermédiaire ([78]) ; les sciences étudient le développement de la vie sous les formes phénoménales qu'elle peut revêtir, à l'exclusion des origines premières et des fins dernières. Le travail des sciences exactes est nécessaire, mais non suffisant. Schlegel précise sa pensée sur ce point dans la dernière des conférences sur la *Philosophie de la vie ;* la science superficielle de la nature doit être complétée par

---

([77]) *Ibid.*
([78]) *Ibid.*, p. 120.

une « théocratie de la science », qui exerce le droit de reprise de la théologie sur le savoir naturel. Sous ce terme, que l'auteur de la *Philosophie des Lebens* a été sans doute le seul à employer, il faut entendre une interprétation gnostique, seconde ou troisième lecture, de l'ordre naturel des choses.

« La Nature réelle, dans son intimité, peut n'avoir qu'une lointaine ressemblance avec celle que nous voyons du dehors. A chaque pas, nous nous heurtons à de nouvelles preuves de notre ignorance ; mais aussi en même temps à des signes qui suscitent en nous le pressentiment de nouveaux mondes inconnus. En général, nous devons comparer la nature entière à un entassement pyramidal de hiéroglyphes enchevêtrés les uns dans les autres. Nous ne pouvons, à grand-peine, qu'en rassembler deux ou trois ; la clef, la loi d'ordonnancement de l'ensemble nous fait défaut ; nous ne pouvons en aucun cas la découvrir au sein de la nature elle-même, ainsi qu'on l'admet si souvent en vertu d'un présupposé erroné, mais seulement dans le principe divin. C'est là que l'incompréhensible doit trouver son explication » [79]. La création première, à tous ses degrés, était immortelle ; c'est le Prince des ténèbres qui a introduit dans la nature la mort. « C'est seulement avec l'accomplissement de l'homme dans la perfection que la mort peut être vaincue, et que pourra intervenir cette théocratie et cette restauration divine de la Nature (*jene Theokratie und göttliche Wiederherstellung der Natur*), après laquelle toutes choses en elle seront immortelles, et alors l'harmonie de la Création tout entière se trouvera accomplie » [80].

Ainsi s'achève la *Philosophie de la vie*, dans la sublimation surnaturelle de la Nature régénérée. Par les soins de la « Théocratie de la science », la biologie romantique culmine en une théobiologie. Le recours à Dieu est inévitable, puisque la Création n'est pas maîtresse de son propre secret. L'enseignement de Frédéric Schlegel coïncide avec celui de Baader, persuadé lui aussi qu'il n'y a pas de science véritable en dehors de la foi. Schubert, Troxler, Carus et Ennemoser pensent de même, bien qu'ils expriment leur intime conviction avec plus de réserve, et pareillement Steffens. La *Lebensphilosophie* de Schlegel explicite la doctrine commune des *Naturphilosophen* : une communication doit s'établir en fin de compte, entre la vie humaine et la vie divine, à laquelle elle se trouve mystérieusement destinée. Il n'y a de réalité authentique et définitive que celle qui se fonde en Dieu. Schlegel oppose à la théologie naturelle une philosophie divine (*Gottesphilosophie*) ; par cette voie il est possible de parvenir jusqu'à une « connaissance » (*Erkennen*) supérieure à la

[79] *Philosophie des Lebens*, XV, éd. citée, p. 306.
[80] *Ibid.*, p. 307.

science (*Wissen*) : « c'est une science seconde, ou, si l'on peut employer une expression mathématique, une science à la puissance supérieure », ou encore « une science de la science » ([81]). La *Naturphilosophie* se trouve ainsi complétée par une ouverture eschatologique, présente chez Schlegel et Baader, et sous-entendue chez la plupart des autres théoriciens, plus proches de la réalité phénoménale que la *Philosophie de la Vie*.

La force vitale, concept fondamental de la biologie romantique, en dépit des essais de rationalisation dus à un Kielmeyer et à un Reil en particulier, ne prend tout son sens que dans cette référence à une transcendance, à la fois lointaine et très proche. Le divin Créateur travaille la nature du dedans, mais l'accomplissement du programme divin se trouve ainsi remis en question par la liberté de l'homme, à qui il a été donné de transformer l'arbre de vie en un arbre du Bien et du Mal ; de là la corruption à l'œuvre dans les processus naturels, la dégénérescence et la mort. Voilà ce que lisent, entre les lignes d'intelligibilité des déterminismes scientifiques, les adeptes de la *Naturphilosophie*, la seconde lecture venant transfigurer la première. Les esprits scientifiques, les naturalistes naïfs et les historiens des sciences y perdent leur latin. La biologie romantique leur fait l'effet d'une confusion des genres, les références au surnaturel intervenant pour surcharger et dévoyer la connaissance objective. Les *Naturphilosophen* sont romantiques, parce qu'ils sont des voyants, et ne séparent jamais la biologie de la « biosophie », selon l'expression de Ignaz Vital Troxler (1780-1866), qui publie en 1808 sous le titre *Elemente der Biosophie* l'un des manifestes de la nouvelle école. Le néologisme *biologie* mettait en cause un logos de la vie, une raison immanente aux phénomènes, qui, au lieu de s'enchaîner au hasard, sur le trajet de nulle part à nulle part, répondent à une économie ordonnée du dedans. La conversion de -logie en -sophie évoque et invoque une sagesse sublimant la raison pour la transfigurer. Et cette sophie, au jugement des romantiques, ne pouvait être que la Sainte Sophie, la sagesse divine, plus puissante que la raison des hommes.

Pour Troxler, la vie n'est ni une essence ni une existence ; elle désigne l'en soi d'une transcendance dont la signification dernière renvoie à l'irradiation de la divinité. Le déterminisme naturaliste des savants doit être repoussé comme le panthéisme ; ce ne sont là que « systèmes de mort et théories du néant ». Une telle dégénérescence trouve son origine dans une philosophie dissociée de l'essence même de la connaissance, laissant ainsi échapper le sens profond de la vie. Autrement dit, « la philosophie a cessé d'être une anthroposophie, en ce qu'elle a voulu découvrir la nature de Dieu et du monde en dehors

---

([81]) *Op. cit.*, IX, p. 175.

de l'âme humaine ; et ainsi elle n'est parvenue qu'à une divinité abstraite et à une universalité concrète » ([82]). Selon Troxler, la disjonction entre le monde, Dieu et l'identité spirituelle de l'homme a pour conséquence la pathologie de l'intelligibilité, reniement de Dieu, de l'homme et du monde. La restitution du sens commande l'instauration d'une anthroposophie qui soit ensemble une biosophie, et l'on pourrait ajouter à ces deux termes du vocabulaire de Troxler, le troisième terme qui les complète, *théosophie*, en lequel ils communiquent et communient. Ceux-là sont les plus proches de la vérité « qui s'en sont tenus avec le plus de fidélité et de pureté à la connaissance humaine en son authenticité, et se sont efforcés de la poursuivre en eux-mêmes jusqu'à son origine abyssale en Dieu (*bis zu seinem Ursprung und Abgrund in Gott*) » ([83]).

Les thèmes de la biosophie et de l'anthroposophie veulent dire que l'homme et la nature ne s'appartiennent pas à eux-mêmes, ne forment pas, repliés sur eux-mêmes, une unité de sens. Tous les chemins de la connaissance ramènent à Dieu, y compris ceux de la science, selon le jugement de Troxler, qui est ensemble un médecin et un théoricien de la médecine. Il y a dans l'être humain deux âmes distinctes et superposées, d'une part l'âme naturelle, qui est ensemble force vitale (*Lebenskraft*) et *anima sensitiva*, et d'autre part une âme seconde, ou première, fondement de celle-ci, esprit de cette âme incarnée qu'est la force vitale. Mais l'ensemble communie dans l'unité ; car « la matière est un esprit (*Geist*) qui procède de Dieu, et l'esprit n'a de réalité que dans sa liaison avec Dieu », si bien que « ce que nous appelons esprit représente l'asymptote de la nature humaine en relation avec Dieu ; le corps procède donc originairement de l'esprit, et revient à l'esprit par l'intermédiaire de la sensibilité, dans son accomplissement au sein de la conscience humaine des valeurs (*Gemüt*) » ([84]). Infrasensible et suprasensible communient dans le *Gemüt*, unité du cœur et de l'esprit, mais aussi sens du divin (*Gottessinn*), présence de Dieu dans l'homme.

Troxler retrouve la tradition néoplatonicienne de la procession des hypostases, qui aboutit à récupérer au profit du divin la totalité des réalités naturelles. La plénitude du sens ne sera acquise que lorsque tout ce qui a été séparé de Dieu aura fait retour à Dieu. Les audaces de la *Naturphilosophie*, ses divagations aventureuses, mais aussi ses intuitions divinatrices ne se justifient que par la référence, en transparence, à travers le tissu des phénomènes, à une intelligibilité

([82]) Ignaz Vital TROXLER, *Naturlehre des menschlichen Erkennens oder Metaphysı* Aarau, 1828, p. 312.
([83]) *Ibid.*
([84]) *Op. cit.*, p. 71.

supérieure illimitant ce qui est limité et réintégrant le fini dans l'infini premier et dernier. Les savants romantiques sont incompréhensibles et absurdes en dehors de cette possibilité latente d'une transsubstantiation du sens. Le triomphe du positivisme expérimental et du scientisme fait aujourd'hui considérer comme aberrant un mode de penser qui ne correspond plus à l'esprit du temps ; du moins le devoir de l'historien est-il de retrouver la position spéculative à partir de laquelle s'annonce la possibilité de la *Naturphilosophie*.

En 1826, Franz von Baader prononce le discours d'ouverture de la nouvelle université de Munich, emplacement privilégié de la culture romantique, grâce à la présence d'homme comme Schelling, Görres, Schubert, Ringseis, Döllinger, etc. Physicien et minéralogiste de formation, Baader (1765-1842) a consacré son premier travail important, en 1786, à un essai *Sur le calorique, sa répartition, son association et sa dissociation, en particulier dans la combustion des corps ;* cette œuvre d'un disciple de Herder a attiré sur lui l'attention de la jeune génération intellectuelle. Quarante ans plus tard, le même Baader, en une circonstance solennelle, traite des *Problèmes de notre époque,* définis par lui comme les « problèmes de la réunion, de la restauration et de la consécration de la science par la religion, et ensemble du renforcement de la doctrine religieuse par la science ». Il se réjouit de pouvoir travailler avec fruit, dans le cadre de la nouvelle institution, « à barrer la route aussi bien au nihilisme qu'à l'obscurantisme de notre temps », entendant par là « aussi bien le mauvais usage de la science, destructeur de la religion, que la restriction de son emploi, soit par peur, soit par mépris du savoir » ([85]).

L'harmonie entre la science et la foi caractérise le parcours intellectuel de Baader, figure représentative du romantisme scientifique. Dans son journal de jeunesse apparaît déjà l'idée qu'il y a un mystère de la nature, consistant dans la constante corrélation du dedans et du dehors, de l'âme et du monde qui l'environne. La puissance qui travaille l'homme dans son intimité se trouve aussi en travail au sein de la réalité. L'être humain « aperçoit partout autour de lui une activité à l'œuvre, des messages et des révélations de la vie intérieure... » ([86]). Le séparatisme des intelligibilités dénature une réalité solidaire. Le sens de la nature est donné « par l'existence régulatrice et toujours en travail, au sein du monde visible, d'un esprit invisible du monde » ([87]). L'unité solidaire du sens est ici le fait

---

([85]) Franz von BAADER, *Sämtliche Werke*, hgg. V. F HOFFMANN, Bd. I, 1851, p. 149.
([86]) BAADER, *Tagebücher* (1786-1793), à la date du 20 juillet 1786, *Werke*, éd. citée, Bd. XI, p. 62.
([87]) *Ibid.*, p. 63.

dominant, méconnu par les savants qui ne sont que savants. Et Baader dénonce l'illusion positiviste, en employant l'expression *Naturphilosoph* en un sens qui, en 1786, ne peut être encore le sens romantique : « Celui qui se dit philosophe de la Nature cherche Dieu partout, et le trouve partout ; en lui-même seulement, il ne le cherche ni ne le trouve » ([88]). La science ne peut s'accomplir que si, dans la circularité de son parcours, elle met en cause le savant lui-même ; or la conscience que l'homme a de lui-même ne s'accomplit que dans la conscience de Dieu. Le jeune Baader, dans le même esprit que Herder, affirme : « Assurément toute connaissance de Dieu par l'homme ne peut être qu'une connaissance humaine » ([89]). Mais cette connaissance humaine de Dieu est ensemble une connaissance divine de l'homme ; elle passe par les circuits des phénomènes naturels en lesquels se manifestent les intentions du Créateur, qui a placé l'homme parmi les créatures.

Dans le contexte d'une intelligibilité d'un seul tenant, les séries du savoir scientifique ne peuvent revendiquer une validité autonome. Alors que les diverses disciplines scientifiques, au sens positif du terme, se retranchent de l'univers des significations pour se cantonner dans le champ clos d'une axiomatique indépendante, la *Naturphilosophie* maintient l'univers du discours et l'univers de la réalité en état d'indivision. Toutes les avenues de la connaissance procèdent à partir de cette communauté théocosmomorphique au sein de laquelle se découpe l'horizon propre de chaque conscience humaine. Toute sensibilité présuppose un contenu possible qui s'offre du dehors au sujet, grâce à l'intervention d'un donateur du sens. « C'est seulement grâce à l'effusion de Sa Parole dans la nature, Sa créature, que Dieu s'est rendu sensible, qu'il a exposé son sens ; sans la compréhension de la signification authentique de ce *Verbum caro factum*, la physique et l'éthique demeurent muettes et vides de sens » ([90]).

L'incarnation divine se réalise selon le mode du dynamisme évolutionnaire propre au romantisme. Le devenir de la nature créée est corrélatif du devenir du Créateur. « Dieu, en tant qu'Etre éternel, est tout à la fois un être éternel et un éternel devenir. En cette dernière qualité, Dieu est aussi un processus — au sens où le physicien emploie ce terme — éternellement poursuivi... » ([91]). Le dynamisme de la connaissance répète le dynamique de la nature divine à travers l'enchaînement des phénomènes. Le gnosticisme romantique affirme ainsi ses droits, comme un préalable à l'interpré-

([88]) *Ibid.*, p. 65.
([89]) *Ibid.*, p. 62.
([90]) BAADER, lettre à Z., 3 mars 1817 ; *Werke*, éd. citée, Bd. XV, p. 309.
([91]) *Gedanken ueber den grossen Zusammenhang des Lebens*, 1813, *Werke*, Bd. II, 21.

tation scientifique de la nature. Ce passage obligé par la théologie, ou même par la « théocratie », épouvante ou décourage les tenants de l'esprit positif. Mais la compréhension du romantisme est à ce prix.

CHAPITRE III

LA LÉGENDE DES ÊTRES

La Nature, selon la *Naturphilosophie,* propose la révélation en devenir d'un Créateur divin dont l'œuvre est coextensive à la durée de l'univers. L'acte créateur originaire embrasse à la fois l'espace et le temps ; ce n'est pas l'acte une fois accompli suscitant une réalité achevée, et dont Dieu aurait pris congé, l'abandonnant à son sort. Le décret créateur implique dans la conscience divine le destin total du monde, rassemblé dans l'instant éternel où se prononce la volonté du Tout-Puissant. Mais cette pensée n'est pas notre pensée ; elle demeure pour nous le mystère insondable au sein duquel se dissimule le Néant divin. Nous avons à vivre au jour le jour une vérité à l'échelle humaine, dans la dispersion insurmontable des espaces et des durées, selon le régime de l'incarnation en condition humaine. Tel est le fondement théologique de l'évolutionnisme romantique. Directement ou indirectement, toutes les formes de la pensée ont été marquées par ce présupposé concernant les rapports entre l'immanence et la transcendance, qui commande l'historialisation de l'accès à la vérité.

Les sciences historiques croissent et multiplient au cours du XIXᵉ siècle, soumettant à leurs présupposés. la majeure partie des sciences humaines. Mais la mise en perspective historique s'applique à la connaissance de la nature autant qu'à celle de l'humanité. La notion d' « histoire naturelle » s'affirme dès les origines grecques du savoir antique ; mais dans cette formule, le mot « histoire », tel que l'utilise par exemple Hérodote, ne met pas en cause la dimension temporelle ; il signifie simplement « enquête » et s'applique à une recherche critique aboutissant à un exposé des faits, aussi objectif que possible. L' « histoire naturelle » est une description des réalités de la nature ; l' « histoire des animaux » évoque la configuration des diverses espèces, sans aucune préoccupation de genèse. Il en sera ainsi jusqu'à Linné, et au-delà ; la préoccupation majeure du naturaliste est de cataloguer les vivants tels qu'ils nous apparaissent dans leur état présent, et de les classer, soit dans l'ordre alphabétique, soit dans un ordre logique, en fonction de leur complexité intrinsèque et de leurs similitudes. Le naturaliste jusqu'à Linné, et Linné lui-même, se placent dans la situation de Noé, son manifeste à la main, regardant défiler devant lui les passagers de l'Arche au moment de l'embarquement. L'initiative divine ayant créé d'un seul coup une nature achevée, l'inventaire de cette nature n'a pas à intégrer la variable temporelle ; faire entrer en ligne de compte la durée, ce serait supposer que la Création n'était pas parfaite du premier coup, qu'elle admettait des délais et des corrections, non compatibles avec la divinité de Dieu. Le Dieu de la Genèse, une fois son œuvre accompli a jugé qu'elle était bonne.

De là le caractère statique de l'œuvre de Linné, chrétien de bonne foi, qui éprouve la plus grande difficulté, en dépit du témoignage des faits, à admettre la possibilité de mutations dans les espèces vivantes. Pour surmonter cette résistance théologique, il faudra que se produise une conversion de la théologie. Buffon, condamné par la Sorbonne pour non respect des enseignements de la Genèse, se soumet pour la forme, mais dès le milieu du XVIIIe siècle, l'interpréta-tion littérale du récit biblique de la création est insoutenable. De nouveaux modes de lecture des textes sacrés permettent de sauvegar-der l'esprit lorsque l'on se trouve obligé d'abandonner la lettre. A l'époque où le débat homérique remet en question l'existence réelle d'un auteur unique de l'*Iliade* et de l'*Odyssée*, une critique parallèle s'en prend au personnage de l'auteur unique du Pentateuque. L'audace herméneutique n'est pas moins grande dans un cas que dans l'autre, puisque l'on est venu alors à parler d'un « athéisme homérique ».

L'idée nouvelle est que l'enseignement biblique, authentique en son fond, doit être compris comme l'expression d'une pédagogie divine, dont l'exposition doit être proportionnée à la capacité mentale de ceux à qui elle est destinée. Les interprétations figuratives, allégoriques et symboliques de la Bible sont presque aussi anciennes que la tradition judéo-chrétienne. La parole de Dieu, lorsqu'elle se dit dans le langage humain, fût-ce par le ministère d'un écrivain inspiré, ne peut se réduire aux dimensions d'un vocabulaire et d'une syntaxe étriquée. La disproportion entre l'infinité du sens et la finitude du destinataire du message entraîne une diminution capitale de la vérité en question. Le récit de la Création se trouve réduit à un ensemble de légendes appropriées à une intelligence infantile, prise au piège des apparences, dont elle ne pressent aucunement la transcendante validité. Pour compenser cette déchéance et dégradation de la vérité de Dieu, l'interprétation remontera depuis le langage figuré jusqu'aux réalités suprêmes que ce langage cache au moment même où il prétend les manifester. La Cabale juive, les interprétations gnostiques inspirées par le néo-platonisme, s'efforceront de procéder par des voies diverses à la restitution du sens caché, grâce à une remontée symbolique de la lettre à l'esprit. La tradition chrétienne elle-même admettait la pluralité des lectures du texte sacré ; une bonne partie de la prédication consistait à mettre en lumière la valeur parabolique des récits de l'Ancien et du Nouveau Testament.

Lors donc que la Faculté de Théologie prétendait imposer à Buffon le respect littéral du récit de la Genèse, elle livrait un combat d'arrière-garde, au nom d'une orthodoxie absurde et depuis longtemps périmée. Une attitude plus compréhensive pouvait souligner le fait que la Création, dans le récit mosaïque, n'est pas présentée comme un acte accompli en une seule fois ; les jours de la Création analysent, décomposent les origines des êtres selon la perspective d'une intelligibilité articulée dans le temps. L'avènement de l'homme est le dernier épisode d'une série où les créatures interviennent dans un ordre de complexité et de perfection croissantes. L'imaginaire biblique se trouvait donc compatible avec le thème aristotélicien de la chaîne des êtres qui rangeait les vivants selon une hiérarchie inspirée par des considérations à la fois esthétiques et morales ; les plantes ont une moindre dignité que les animaux, et les poissons se rangent en dessous des quadrupèdes. Une féodalité d'êtres « supérieurs », au-dessus desquels s'affirme la régence de l'homme, domine de haut les animaux « inférieurs », au-dessous desquels grouille la multitude innombrable des insectes et des vers.

Ce schéma, bizarre amalgame de données bibliques et de science antique, définit jusqu'au XVIIIe siècle le décor mythico-religieux de l'histoire naturelle. Une dynamique s'y esquisse, comme un étalement dans le temps, mais cette dynamique revêt un caractère ontologique plutôt que chronologique ; elle admet aussi un fil conducteur, qui guide l'intelligibilité à travers les inventaires de l'histoire naturelle. Les progrès de l'esprit d'observation vont mettre en évidence particulière l'existence de zones de passage entre les degrés de la chaîne des êtres. Les lignes de démarcation ne sont pas nettes ; il existe des confins entre le règne minéral et le règne végétal ; on voit croître et comme fleurir dans le sein de la terre les filons métalliques ; on trouve des plantes, des poissons gravés dans la pierre des carrières ; coraux et madrépores sont des pierres vivantes, ou qui le furent. Pareillement, les limites entre le végétal et l'animal sont indécises ; le naturaliste hésite devant certains organismes frustes, *zoophytes* ou *plantanimaux* qui peuvent se lire dans les deux sens.

Enfin la confrontation avec les grands singes anthropoïdes, depuis l'âge des découvertes, pose le redoutable problème de la limite entre l'animalité et l'humanité. L'orang-outang, le chimpanzé, révélations troublantes, donnent au spectateur humain l'impression qu'ils pourraient, s'ils le voulaient, franchir d'un bond la limite indéfinissable qui les sépare du domaine humain.

Ces évidences, multipliées à mesure que le siècle avance vers sa fin, donnent à penser que l'histoire naturelle est vraiment une *histoire ;* la nature s'inscrit dans le temps, elle se réalise dans le temps comme une procession, dont les commencements et les aboutissements demeurent ensevelis dans le mystère. Mais les anneaux de la chaîne se précisent, grâce à la découverte des mutations à la faveur desquelles apparaissent des espèces nouvelles ; ainsi peut-être rétablie la continuité, ainsi devient concevable l'idée d'une promotion des formes au cours d'un temps, sans commune mesure avec les sept jours de la genèse, dont la durée s'accroît immensément au rythme des mouvements lents de l'histoire de la terre. Cette mutation du savoir correspond à la temporalisation de la chaîne des êtres, désormais conçue comme le résultat d'un nombre immense de transformations progressives orientées dans le même sens, jusqu'à l'apparition de l'espèce humaine, qui sera peut-être elle-même un jour dépassée par l'avènement de créatures supérieures, médiatrices entre l'humain et le divin.

Ce transformisme d'une nature évolutive s'annonce dès le XVIIIe siècle ; on le trouve sous diverses formes chez les Anglais George Edwards et Monboddo, chez le Français J. B. Robinet, chez Diderot, et dans l'œuvre de Charles Bonnet, de Genève (1720-1793), naturaliste et philosophe de grande réputation, qui assure la liaison entre la culture des lumières et le romantisme ; les *Considérations sur les corps organisés* (1762) et la *Palingénésie philosophique* (1769) seront des sources d'inspiration pour les générations à venir. Herder (1744-1803) développe dans ses *Idées pour la philosophie de l'histoire de l'humanité* (1784-1791) le thème de la création progressive de l'univers, et le thème des métamorphoses se trouve au cœur de la vision de la nature chez Goethe. Herder connaît l'œuvre de Bonnet et Charles Bonnet a pu avoir connaissance des *Ideen* de Herder. Une nouvelle conjoncture scientifique s'annonce dans les dernières années du siècle avec les progrès de l'anatomie comparée et la doctrine de l'unité du plan de composition des êtres vivants, élaborée par Vicq d'Azyr et Camper, reprise par Diderot et Robinet et qui s'affirme même chez Buffon. En 1795, dans son *Mémoire sur les Makis*, Etienne Geoffroy Saint-Hilaire, l'un des maîtres de la pensée biologique du siècle à venir, en donne la formulation suivante : « La nature a formé tous les êtres vivants sur un plan unique, essentiellement le même dans son principe, mais qu'elle a varié de mille manières dans toutes ses parties accessoires. Si nous considérons particulièrement une classe d'animaux, c'est surtout là que son plan nous paraîtra évident : nous trouverons que les formes diverses sous lesquelles elle s'est plu à faire exister chaque espèce dérivent toutes les unes des autres : il lui suffit de changer quelques-unes des proportions des organes pour les rendre propres à de nouvelles fonctions ou pour en étendre ou restreindre les usages. (...) Ainsi les formes, dans chaque classe d'animaux, quelque variées qu'elles soient, résultent toutes, au fond, d'organes communs à tous... » ([1]).

Geoffroy Saint-Hilaire sera, en France, proche des *Naturphilosophen* germaniques, honoré par l'admiration de Goethe, dont les intuitions morphologiques relatives à l'*Urpflanze* et à l'os intermaxillaire s'inscrivent dans la même perspective d'une intelligibilité dynamique véhiculée par le temps. Goethe et Geoffroy ont en commun le schéma d'une nature plastique, dont nul n'a le droit de limiter la fécondité au seul inventaire des formes établies. Geoffroy semble inscrire le jeu des métamorphoses à l'intérieur de « chaque classe d'animaux », en sa particularité, ce qui démultiplie et localise le jeu de la créativité naturelle, mais la possibilité s'offre aussi de supprimer les clôtures, et de concevoir un jeu unitaire de la nature depuis les formes les plus frustes de la vie jusqu'aux formes les plus complexes, à force de transformations insensibles, nullement astreintes à respecter les limitations de nos analyses. L'immense domaine des analogies créatrices sur les thèmes de la vie embrasse tous les degrés de la création ; les métamorphoses incessamment renouvelées ne cessent d'orchestrer les analogies d'analogies, constitutives du règne naturel en son infinie richesse. Le mouvement implique plus que l'ordre, ou plutôt l'ordre apparent n'est qu'un mouvement plus lent, figé par notre pensée ; le dynamisme l'a emporté sur le mécanisme, et cette priorité du devenir, mobilisant la compréhension sous toutes ses formes, est l'un des dogmes du romantisme.

L'œuvre de Herder propose déjà, dans les premiers livres des *Ideen,* un exposé d'ensemble de ce qui sera bientôt le parcours cosmique de la *Naturphilosophie,* rassemblé dans le champ unitaire d'une même intelligibilité assurant la cohérence de l'univers total. « C'est du ciel que doit partir notre philosophie de l'histoire du genre humain. (...) Car comme notre séjour, la terre n'est rien par elle-même, mais reçoit de forces célestes s'étendant à travers tout notre

([1]) E. T. GEOFFROY SAINT-HILAIRE, *Mémoire sur les Makis,* 1795 ; cité par Max ROUCHE, dans son Introduction à HERDER, *Idées pour la philosophie de l'histoire de l'humanité,* Aubier, 1962, p. 19.

univers sa façon d'être et sa forme; son aptitude à organiser et à
conserver les créatures, il faut tout d'abord la considérer non pas
seule et solitaire, mais dans le chœur des mondes parmi lesquels elle
est placée. Des liens invisibles, éternels, l'attachent à son centre, le
soleil, dont elle reçoit la lumière, chaleur, vie et développement. Sans
lui, nous ne pourrions concevoir notre système planétaire, pas plus
qu'un cercle n'existe sans son centre; avec lui et les bienfaisantes
forces d'attraction dont l'Eternel l'a doté, lui et toute matière, nous
voyons dans son empire, selon de belles et magnifiques lois simples,
des planètes se former, tourner allégrement et sans relâche autour de
leur axe et autour d'un centre commun, dans des espaces proportion-
nels à leur volume et à leur densité, et même, toujours selon ces lois,
des satellites se former autour de certaines d'entre elles... » ([2]).

Ainsi s'ouvre le premier livre des *Ideen,* par un cantique des
créatures, hymne au Créateur, qui déjà met en œuvre les principes
explicatifs et les forces appelés à régir l'odyssée de la vie dans la
Nature. La lumière, la chaleur, l'attraction président à l'économie du
cosmos. « La force qui pense et agit en moi est par nature aussi
éternelle que celle qui maintient assemblés les soleils et les étoiles.
(...) Où et quel que je puisse être un jour, je serai celui que je suis
présentement, une force dans le système de toutes les forces, un être
dans l'immense harmonie d'un monde de Dieu » ([3]). Quarante ans
plus tard, Henrich Steffens, à la fin de son *Anthropologie,* professe un
semblable acte de foi : « La Création est la manifestation de la volonté
divine, car elle est la révélation d'un Etre éternel et libre, et non le
produit d'une aveugle nécessité naturelle » ([4]). C'est l'enracinement
dans la théologie qui autorise le totalitarisme épistémologique; au
projet unitaire de la création doit correspondre, dans son exécution,
l'unité radicale des moyens mis en œuvre. Les énergies divines se
diversifient dans le devenir cosmique, mais toutes procèdent de la
même source. Les trois règnes de la nature sont liés entre eux par les
fils conducteurs de l'analogie et de l'harmonie.

« Le règne minéral, résume Bréhier, découvre jusque dans ses
formes les plus simples, une loi unique de formation des êtres qui
restera la même dans la série progressive de toute la création. De
plus, cette loi agit en donnant naissance à ceux des minéraux qui
servent à constituer la plante, aliment de l'homme. La vie végétative,
celle du règne végétal, est un élément de la vie humaine; l'homme
naît et se développe comme une plante. (...) Jamais il n'acquiert

---

([2]) HERDER, *Idées...,* livre I, 1784, trad. citée, p. 85 : *Werke,* éd. SUPHAN,
Bd. XIII, p. 13.
([3]) *Op. cit.,* 87 ; SUPHAN, p. 16.
([4]) Henrich STEFFENS, *Anthropologie,* Bd. II, Breslau, 1822, p. 356.

aucun pouvoir dont la nature ne lui ait fourni le germe. Dans l'amour, il obéit aux lois de la nature presque aussi aveuglément qu'une plante... » ([5]). Ces vues herdériennes concernant la procession des espèces feront partie de la doctrine commune des *Naturphilosophen*, qui souligneront, du minéral à l'homme, en passant par le végétal et l'animal, la mobilité croissante, l'apparition de la spontanéité motrice, prélude à l'autonomie de la volonté. Quant à la dynamique interne de la vie, selon Herder, elle s'inscrit dans la régulation générale de l'unité cosmique. « Il circule à travers les êtres vivants un principe de vie unique, assimilable au fluide électrique ; il se manifeste chez les animaux par la chaleur vitale ; le degré de son élaboration dépend du degré de cette chaleur, et avec elle varient la structure, le mode de vie et l'organisation » ([6]).

L'échelle des êtres s'ordonne, à chacun de ses degrés de complexité, selon un mode unique de composition, à partir des forces élémentaires, les mêmes pour l'ensemble des êtres. « Chaque créature vivante est constituée par un certain nombre de pouvoirs qui, dans leur fond, sont identiques entre eux, mais qui, dans leurs manifestations, se limitent réciproquement de telle façon que le développement de l'un n'est possible que grâce à la restriction des autres. Ces pouvoirs se balancent dans chaque type vivant comme dans l'ensemble de la création. Ainsi la plante ne manifeste que l'activité de nutrition et de reproduction ; la plante n'est qu'une bouche ; au contraire, à partir de l'animal supérieur jusqu'à l'homme, ces organes ont une place de plus en plus subordonnée. Chez le zoophyte, les organes de nutrition sont déjà distincts, et il a des organes de mouvement... » ([7]). Herder propose l'esquisse d'une histoire naturelle, au sens génétique du terme, avec une généalogie des espèces par enrichissement d'un modèle structural originaire. L'intelligence puissante de l'auteur des *Ideen* a pour auxiliaire une imagination qui transfigure en évocations concrètes les jeux d'idées les plus abstraits. L'homme intervient en dernier lieu, aboutissement de la lignée des êtres, prédestiné par le Créateur à la raison et à la liberté, ce qui le met, provisoirement, en tête de la procession des existants.

Le génie synthétique de Herder a marqué de son empreinte le romantisme, non seulement dans le domaine germanique, mais en France, en Angleterre, ailleurs encore. L'imaginaire romantique des penseurs et des poètes s'est enchanté des formules en lesquelles il a résumé sa synthèse : « Dans notre création terrestre règne une série

---

([5]) Emile BRÉHIER, *Herder*, La Renaissance du livre, 1925, pp. 78-79.
([6]) *Ibid.*, p. 79.
([7]) *Ibid.*

de formes et de forces en progression croissante » (⁸). A la doctrine intellectualiste du progrès selon l'*Aufklärung*, conception rationnelle fondée sur la méconnaissance du passé, s'oppose l'idée romantique de la perfectibilité, autorisée par le thème d'une croissance organique inscrite dans le développement même de la nature. « De la pierre au cristal, du cristal aux métaux, des métaux au règne végétal, des plantes à l'animal, nous avons vu s'élever la forme de l'organisation, et en même temps se diversifier les forces et les penchants de la créature, qui s'unissent tous finalement dans la forme humaine autant que celle-ci peut les contenir. A l'homme, la série s'arrête : (...) il paraît être le terme suprême des formes que pouvait atteindre l'organisation sur la terre » (⁹). Il ne s'agit pas seulement ici des apparences extérieures, mais aussi de la puissance intrinsèque à l'œuvre sous les manifestations de la vie. Le visible témoigne de l'invisible. « Où la vie se manifeste extérieurement, là est une vie intérieure. Il règne donc dans le règne invisible de la création non seulement une liaison, mais une série ascendante de formes, puisque dans son règne visible nous les voyons agir devant nous dans les formes organisées » (¹⁰). La vie garde son secret ; ce secret, pour le théologien Herder, est celui de la création divine, qui commande le caractère divin de la nature, manifesté par l'harmonieux concours des forces qui contribuent au maintien et à la promotion de la vie...

La *Naturphilosophie* de Herder n'occupe que les cinq premiers livres des *Ideen*, qui devaient en comprendre vingt-cinq, les cinq derniers ayant été laissés à l'état d'esquisses. Vingt livres, les quatre cinquièmes du total, développent une philosophie de la culture et de l'histoire, dont le mouvement génétique prolonge l'animation divine de la Création dans son ensemble. En 1774 déjà, Herder avait opposé à la *Philosophie de l'Histoire* proposée par Voltaire selon l'esprit des lumières *Une autre philosophie de l'histoire*, où les conceptions grossièrement linéaires de l'*Aufklärung* se voyaient démenties par le schéma providentialiste d'une croissance dans la vérité, dont chaque époque témoigne à son tour selon la mesure de ses moyens. Le monisme de l'intelligibilité réunit nature et culture dans un schéma unitaire ; le plan divin ne pouvait pas dissocier l'esprit et le corps, et pas davantage l'histoire naturelle et l'histoire de l'humanité, conçues comme deux paliers de développement, ou deux puissances d'une même dynamique créatrice.

Herder, qui a vécu avec Goethe l'aventure du *Sturm und Drang* à

(⁸) Titre du chapitre I, du livre V des *Ideen*.
(⁹) Loc. cit., trad. BREHIER, *Herder*, recueil cité, pp. 81-82 ; *Werke*, éd. SUPHAN, Bd. XIII, p. 167.
(¹⁰) *Ibid.*, p. 84.

ses débuts, n'est pas considéré, en Allemagne, comme appartenant au mouvement romantique ; il figure, comme Goethe lui-même, parmi les tenants de l'humanisme classique germanique. L'absurdité de ces classifications est manifeste, en particulier dans le domaine de la biologie où Herder et Goethe sont les inspirateurs directs des théoriciens romantiques. Ritter et G. H. von Schubert sont des admirateurs déclarés de l'auteur des *Ideen ;* la difficulté serait plutôt de discerner en quoi les *Naturphilosophen* font preuve d'originalité novatrice par rapport au schéma proposé par leur devancier. Le passage à la biologie romantique ne se fait pas par une contestation polémique, mais par développement et approfondissement. Différence majeure : Herder n'est qu'un amateur qui, pour les besoins de sa synthèse culturelle, a proposé une esquisse géniale de la philosophie naturelle, puis est revenu à ses intérêts dominants, d'ordre théologique, philosophique et critique. Les *Naturphilosophen,* au contraire, se spécialisent dans une recherche qui absorbe l'essentiel, sinon la totalité de leur carrière intellectuelle et spirituelle.

Herder n'était pas un savant, et ne prétendait pas en être un. Les biologistes romantiques, spécialistes de l'histoire naturelle, occupent, pour la plupart, des chaires consacrées aux disciplines scientifiques dans les universités, non sans conflits parfois avec certains de leurs confrères d'esprit plus positif. Henrich Steffens, par exemple, né en 1773, sera professeur à Breslau en 1814, à l'université créée dans cette ville ; il ne sera appelé à Berlin, capitale culturelle des Allemagne, qu'à la date tardive de 1832, par suite de la résistance acharnée de confrères ennemis. Les *Naturphilosophen* sont, ou prétendent être, des naturalistes autant que des philosophes ; sur bien des points leurs recherches ont fait avancer la connaissance, par exemple dans le domaine du galvanisme et de l'électricité sous ses différentes formes avec Ritter, ou encore en botanique et dans l'ordre de l'anthropologie somatique, en psychologie et même en médecine, où ils ont ouvert, en relation directe avec leur découverte de l'inconscient, la région inexplorée de la psychosomatique. Les brillantes variations herdériennes offraient un cadre pour une recherche fondée sur l'analyse patiente et l'investigation des phénomènes naturels ; Herder ne s'était pas risqué dans ce domaine, qui n'était pas le sien.

Les cinq premiers livres des *Ideen,* publiés en 1784, reflètent, avec un retard dû au décalage de l'information par rapport à la science en marche, un état de la connaissance dépassé par des acquisitions nouvelles en une période particulièrement féconde. Quinze ou vingt ans après l'œuvre de Herder, les essais de Schelling, qui ne sont pas non plus des travaux de première main, attestent un enrichissement considérable du vocabulaire et des concepts de la science ; le mouvement ne cesse de s'amplifier au cours du XIXe siècle. L'histoire naturelle, la biologie, désormais dissociées de la médecine, prennent place dans les nouvelles institutions où se domicilie la recherche. De ce point de vue, la création du Muséum d'Histoire Naturelle, à Paris, par les soins de la Convention, instituant une nouvelle division du travail scientifique, revêt une valeur exemplaire. Un peu partout, les chaires se multiplient ; la géologie et les sciences de la terre, la botanique, la zoologie se voient reconnaître la possibilité d'un développement autonome. L'omniscience, le savoir encyclopédique de Linné et de Buffon avaient pour contrepartie inévitable le caractère superficiel d'un savoir de survol. La biologie romantique coïncide avec un nouveau départ ; elle représente, dans le domaine germanique, une tentative pour résister à la spécialisation d'une connaissance qui se fragmente de plus en plus. La préoccupation du dynamisme global de la nature maintient la solidarité interdisciplinaire de ces études, toutes tributaires du sens de la vie préservé par les *Naturphilosophen*. Cette volonté de synthèse, en dépit des progrès de l'analyse, sera l'une des formes originales du mouvement romantique en Allemagne. Ailleurs, l'avancement des sciences aura pour contrepartie une réaction contre toute récurrence de la philosophie dans le champ épistémologique. En Allemagne, le positivisme et le naturalisme ne s'imposeront qu'avec un retard d'une génération intellectuelle sur le reste de l'Europe.

Il serait néanmoins absurde de considérer la *Naturphilosophie* comme un mouvement régressif, hostile au développement des connaissances exactes. C'est le contraire qui est vrai ; la biologie romantique prétend être la forme moderne, la plus complète, de la science, par opposition à une connaissance qui, dans sa spécialisation, rivée sans recul à l'examen des phénomènes, en arrive à ne plus savoir ce qu'elle fait. La révolution non galiléenne désavoue le physicalisme mécaniste qui s'était imposé dans le sillage de Newton ; l'interprétation de la nature, selon le modèle du déterminisme corpusculaire assemblant dans l'espace des particules inertes, est incapable de rendre compte des phénomènes vitaux. Plaquer l'ordre mécanique sur le dynamisme vivant, c'est méconnaître la spontanéité, l'autonomie à l'œuvre dans l'ordre des choses et des êtres. La biologie romantique s'oppose à l'idéologie dominante parmi les chimistes et les physiciens. Elle propose un nouveau modèle de savoir ; elle le met en œuvre et, du coup, révèle des faits ignorés ou mal connus, dans des compartiments du savoir jusque-là négligés. De même que le génie de Lamarck, en dehors de la *Naturphilosophie,* en créant la classe des Invertébrés, ouvre un nouveau champ d'action à l'intelligence scientifique, de même les savants romantiques renouvellent le domaine des sciences de la Terre, à partir des intuitions de Werner, ou encore, en s'attachant à l'étude des mousses, des lichens, des champignons, confèrent la dignité d'objets scientifiques à des formes jusque-là non reconnues de la vie. Des découvertes majeures de la biologie procèdent des intuitions romantiques, par exemple la théorie cellulaire, ou encore la doctrine de la fécondation et l'embryologie. Les historiens positifs ne peuvent concevoir que des savants imbus de présupposés erronés, sinon même extravagants, aient pu faire autant de découvertes valables. Séparant le bon grain de l'ivraie, ils laissent pudiquement de côté les égarements, pour concentrer leur attention sur des trouvailles dont on n'arrive pas à comprendre qu'elles aient pu s'offrir à de pseudo-savants qui n'en étaient pas dignes, fidèles qu'ils étaient à des fantasmes sans fondement.

Sans doute faudrait-il ici faire sa place à l'imagination, à l'irrationalité dans la création scientifique. L'univers du savoir ne peut être renouvelé que par des initiatives· qui rompent avec les habitudes établies, qui démentent les rationalités instituées. Ce n'est pas la force d'inertie qui fait progresser la connaissance. Toute découverte véritable implique un renouvellement de la vision du monde, une discontinuité, un moment où l'initiative du regard et de la pensée fait violence à l'ordre établi. Historiens et logiciens viendront ensuite boucher les trous, nier la rupture et montrer que le progrès s'est fait naturellement et nécessairement selon les passerelles d'une intelligibilité qu'ils établissent après coup, en vertu du principe que la science ne fait pas de sauts.

La biologie romantique, péripétie de rupture, a été un saut. L'essence même du romantisme était un démenti, une conversion renouvelant le contrat d'établissement de l'homme dans l'univers. La science, comme l'art, est un rapport au monde, non pas une attitude spéculaire, où l'esprit humain, passif, se contenterait de refléter l'ordre des choses, mais une initiative de la volonté créatrice qui recherche les significations éparses dans l'environnement cosmique et s'efforce de les regrouper en ensembles cohérents selon des normes librement fixées. L'épistémologie romantique rapproche la science et l'art, l'une et l'autre reconnus comme des formes de création, c'est-à-dire de poésie. Rapprochement absurde pour une épistémologie conséquente, qui rejette la poésie dans les poubelles du faux sens et de la déraison. D'où le voile de pudeur jeté sur le moment de la création, qui, confondant les genres dans un instant d'égarement, revêt un caractère vaguement pornographique. On tirera le rideau, et l'on attendra que la méthodologie vienne après coup substituer l'ordre au désordre et montrer qu'entre le moment d'avant la création et celui d'après, il est facile de rétablir le lien de la nécessité. La pensée romantique, au contraire, insiste sur l'instant de la rupture ; elle s'installe dans l'intervalle où la liberté en sa fécondité triomphe de la nécessité, elle y dénonce l'intervention souveraine d'une intelligibilité supérieure, grâce épistémologique donnée et reçue ; elle triomphe dans l'humiliation de la logique puérile et honnête.

La science romantique, dans l'ensemble de son parcours, propose une célébration de l'imagination libératrice. Non pas le vagabondage d'une pensée sans loi dans un vide épistémologique régi par les pulsions, le rêve éveillé d'une conscience fascinée par ses fantasmes. Par-delà les grillages de l'intellect, hors d'atteinte des critiques et des axiomatiques, l'imagination créatrice de l'homme de science trouve sa norme dans l'imagination divine, dont l'être humain, dans le temps de l'inspiration, retrouve et épouse le sillage. Les audaces des *Naturphilosophen* reprennent en écho, selon les moyens de la créature, l'initiative du Créateur. La doctrine de la science développe la révélation de Dieu, dont la présence, perçue en filigrane, anime du dedans le développement de la nature, dans la hiérarchie de ses degrés. Cette présence hiéroglyphique de la Parole fournit le fil conducteur qui préserve la science humaine des égarements. Le lecteur non initié croit assister à des dévergondages gratuits ; le biologiste romantique se sent guidé par une autorité supérieure dont il se considère comme le révélateur. Cercle vicieux pour la logique établie ; seuls peuvent être convaincus ceux qui acceptent par avance les règles de ce jeu, où l'intellect perd ses droits. Une telle conception du monde présuppose un acte de foi, en l'absence duquel la doctrine se réduit à un délire qui, par miracle ou plutôt par hasard, aboutit parfois à des résultats intéressants. Les romantiques répondraient en arguant que la science dite positive procède, elle aussi, d'un acte de foi également injustifiable, et d'autant plus pernicieux qu'il se camoufle sous l'apparente respectabilité d'une universalité prétendue, dont nul ne se soucie de contrôler les titres de validité. Or cette hygiène mentale se fonde sur une asepsie rigoureuse qui exclut de la présence du monde toute récurrence de l'imagination et du sentiment (*Gemüt*), comme si, pour accéder à la vérité, l'homme devait accepter une mutilation qui le dépouille de ce qui fait la richesse de son sens de la vie et de sa présence au monde. Le nudisme intellectualiste de la science galiléenne ne parvient à ce qu'il croit être la vérité qu'en renonçant à la réalité ; il ne triomphe qu'en lâchant la proie pour l'ombre.

Les théoriciens de la *Naturphilosophie* ne sont pas en quête d'une science qui discrimine et sépare, mais d'une science qui unit. Ils ne se préoccupent pas de découper dans la masse du réel des séries causales, îlots d'intelligibilité au sein de l'inconnu, comme si la satisfaction d'être propriétaire de ces enclos pouvait compenser l'immense ignorance du savant agnostique. Le positiviste ne sait que ce qu'il sait, il ne sait pas grand-chose puisque, de tous côtés, son savoir s'arrête court ; il ne sait rien depuis le commencement, il ne sait rien par la racine. Le romantique fait vœu de totalité ; à l'esprit étroit du petit propriétaire, il préfère l'esprit d'aventure, jamais satisfait de ce qu'il tient, poursuivant sa quête, d'horizon en horizon, jusqu'aux confins extrêmes où le sens finit, où le sens commence, où le sens se perd ou se gagne, au péril de la tranquillité, au péril parfois de la vie. La science rigoureuse n'encourt que des risques limités ; le totalisme romantique a pour enjeu le savant lui-même, dont le salut spirituel est engagé dans sa recherche.

Telle est sans doute la raison pour laquelle les savants romantiques écrivent volontiers le récit de leur vie, comme si la dimension autobiographique répondait seule à leur exigence profonde, horizon de regroupement de toutes les œuvres particulières dans le Grand Œuvre d'une vie, *Gesamtkunstwerk.* La série de volumes publiés par Henrich Steffens sous le titre *Expérience de ma vie (Was ich erlebte,* 10 volumes, Breslau, 1840 sqq.) est une somme du romantisme. Karl Friedrich Burdach, inlassable théoricien de la physiologie romantique, rédige à la fin de son existence des *Blicke ins Leben (Aperçus sur la Vie)* dont le quatrième volume est une autobiographie, intitulée *Rückblick auf mein Leben, Selbstbiographie (Rétrospective de ma vie),* parue peu après sa mort en 1848, à Leipzig. Carl Gustav Carus a laissé des *Souvenirs de ma vie et pensées (Lebenserrinerungen und Denkwürdigkeiten,* 4 volumes, Leipzig, 1865-1866, complétés par un cinquième publié en 1931). G. H. v. Schubert a rédigé aussi une *Autobiographie* en 3 volumes (Erlangen, 1854-1856) et le médecin bavarois Johann Nepomuk Ringseis a laissé des *Souvenirs* publiés après sa mort, en trois volumes (1886-1889). L'accent mis sur le vécu existentiel caractérise le romantisme en général ; sa propre vie est pour chacun un instrument de connaissance, elle propose ou impose à l'individu le cheminement obligé vers la part de vérité dont il est capable. Nous n'avons pas l'habitude de considérer l'activité scientifique comme une aventure ; la science faite est un masque, elle fait écran à la science se faisant. Les historiens laissent dans l'ombre les entreprises qui n'ont pas abouti, les essais, les erreurs et les échecs, pour mettre en honneur les réussites du savoir, avenue royale de l'esprit pur, qui progresse de vérité en vérité, selon les voies et moyens exclusifs de la raison. Or la quête du vrai ne va pas sans errances qui parfois, souvent, n'aboutissent à aucun résultat, ou à des résultats sans rapport avec les questions initiales. L'autobiographie restitue l'historicité de la connaissance, selon la perspective propre à l'homme de savoir, qui cherche autre chose que ce qu'il cherche, qui, en cherchant, se cherche lui-même.

Le savant classique s'efface dans sa science. L'histoire des connaissances dit tout ce qu'il y a à dire ; aucun surplus ne subsiste, à propos duquel l'homme aurait à porter témoignage. Ce qui ne s'écrit pas dans le langage des expériences et des équations, des procès verbaux du laboratoire, ne mérite pas d'être dit. Les œuvres complètes de Lavoisier sont complètes sans Lavoisier. Tout au plus peut-on faire figurer en tête un *curriculum vitae*, une liste des honneurs obtenus et une chronologie des publications. La mort de Lavoisier sur l'échafaud n'est qu'un accident incongru, auquel on imagine que l'intéressé lui-même n'accordait qu'un médiocre intérêt ; tout au plus était-il regrettable que soient interrompues net de cette façon les recherches en cours. La rédaction d'une autobiographie atteste que le savant romantique accorde de l'intérêt à sa vie et à sa mort. Ses recherches et travaux s'inscrivent au long du parcours d'une existence qui possède en elle-même une réserve de sens indépendante des résultats scientifiques obtenus à tel ou tel moment. L'œuvre scientifique de Henrich Steffens apparaît fort mince ; il n'en reste rien sans doute qui ait une certaine validité aujourd'hui. Mais l'autobiographie de Steffens demeure un document irremplaçable, parce qu'elle donne à voir l'état d'esprit d'un *Naturphilosoph* original, parce qu'elle évoque la *Naturphilosophie* en tant que doctrine reçue d'une époque de la pensée, mais aussi parce qu'elle propose une vaste fresque du mouvement romantique en Allemagne pendant près de cinquante années, menée à bien par un témoin direct de l'événement, lié d'amitié avec les héros de l'aventure, et ensemble un acteur qui apportait sa contribution personnelle à l'histoire en devenir.

L'ouverture du champ intellectuel et spirituel, l'illimitation de l'intérêt, attestent la présence de l'esprit total au réel total, en complète opposition avec la restriction mentale systématique du savant spécialisé, aveugle à tout ce qui n'est pas sa spécialité. La richesse de cette présence au monde s'affirme en particulier dans les *Fragments tirés des papiers posthumes d'un jeune physicien (Fragmente aus dem Nachlasse eines jungen Physikers*, Heidelberg 1810), curieux recueil où l'auteur, qui va bientôt mourir, se présente lui-même à titre posthume, dans une préface où il fait le récit de sa vie. Le livre entier évoque une autobiographie éclatée en 700 fragments, qui ne concernent pas seulement les domaines scientifiques où s'exerçait la curiosité du jeune physicien, mais le champ entier de l'encyclopédie, et, davantage, la nature humaine, la sexualité, la musique, la théologie, sous le regard d'un *uomo universale* qui transfigure tout ce qu'il touche, dans le contexte global d'une poésie cosmique. La présence de Dieu, le sens de l'amour, le mythe de l'androgyne figurent autant de jalons dans une démarche qui met en question la connaissance du monde et, indissociablement, la connaissance de soi. Les essais scientifiques de Ritter apparaissent comme des morceaux choisis dont le sens fait basculer le conglomérat d'idées et d'émotions, d'intentions au sein duquel ils figuraient à l'état naissant.

Ainsi en est-il pour l'œuvre de Novalis, masse confuse d'écritures en tous genres, dont seule une petite partie a été mise au net pour la publication en forme de poèmes ou d'essais. Le reste présente un journal, intime et externe à la fois, englobant la totalité des efforts d'une vie pour s'écrire en forme de notes hâtives, de brouillons, de correspondances, d'indications fugitives. Novalis, comme son ami Ritter, a vécu la brève durée de sa vie sous le régime d'une génialité effervescente, quête du sens, quête du monde, quête de soi et quête de Dieu ; l'écriture ici gravite autour d'une intention claire et distincte, qui saurait ce qu'elle veut et se donnerait les moyens d'y parvenir ; elle est le reflet indirect, non pas le sens, mais une luminescence, une phosphorescence issue du sens caché dans les profondeurs obscures de la réalité. Le savant, le poète, parce qu'ils demandent trop, parce qu'ils demandent tout, ne sont pas les maîtres du jeu, mais les médiateurs incertains d'une impossible vérité. Le message qu'ils transcrivent, selon leur propre dire, évoque les sons de la harpe éolienne suspendue à un arbre et qui se laisse animer par le vent ; elle n'en retient qu'une faible partie et traduit en son langage des souffles capricieux dont la nature lui échappe.

Il y a plus d'ordre et d'équilibre dans les autobiographies de Steffens, de Carus, de Schubert ou de Ringseis que dans les papiers de Ritter et de Novalis ; les premiers nommés ont eu le temps de vieillir ; ils écrivent en leur âge avancé la relation nostalgique d'une vie perdue, recomposée en esprit selon la sagesse des années. Le bouillonnement de l'existence immédiate s'est clarifié avec le recul du temps, mais les vieillards qui racontent leur expérience de vie (*Was ich erlebte*) sont portés par le même désir d'une connaissance plénière, qui retentit encore en eux sur le mode de la rétrospection, puisque le temps de leur vie est désormais derrière eux. Leur sagesse tard venue a tempéré leur folie sans l'éteindre ; ils demeurent fidèles, à l'époque de la réaction positiviste et scientiste, au vœu de démesure fait en leurs jeunes années.

L'autobiographie illustre le caractère totalitaire de la vérité en jeu dans la *Naturphilosophie*, vérité sans restriction, sans neutralisation ni dissociation du sujet ni de l'objet. La connaissance est l'affrontement de l'individu avec la réalité globale, en un combat inégal, et d'avance perdu, car le chercheur demande l'impossible. Les savants romantiques parlent très souvent la langue du fragment ; Ritter et Novalis, Oken, Troxler, Ennemoser, comme Schelling lui-même dans ses *Aphorismes sur la philosophie de la nature* de 1805 et 1806, utilisent cette langue éclatée, comme si l'homme ne pouvait accéder qu'à une vérité en miettes, la vérité totale échappant aux prises de la créature. L'ordre discursif par voie démonstrative ne convient pas ; la logique humaine, étalée dans le temps, sépare ce qui était uni dans l'intention créatrice de Dieu. D'où la nécessité, pour forcer les barrières, de chercher l'absolu dans la fulguration de l'instant, au prix d'une tentative désespérée pour surmonter l'insurmontable contradiction. La *Naturphilosophie* se trouve prise dans cette impasse ; peut-être est-ce pour l'avoir compris que Schelling, l'initiateur, a renoncé à poursuivre l'aventure, pour emprunter d'autres cheminements à l'ésotérisme, sans plus d'espoir de parvenir ainsi à bonne fin ; seule demeurait au bout du compte la ressource du silence.

« Dans les années 1808-1809, raconte Steffens, Schelling commença à se consacrer à l'établissement d'une vision plus haute et plus vivante de la philosophie. Il abandonnait à moi seul la poursuite de l'élaboration de la *Naturphilosophie* ; à moi seul, je peux le dire, car l'école fondée par Oken ne pouvait absolument pas être considérée comme relevant de la *Naturphilosophie* au sens propre du terme » [11]. Steffens entend être l'héritier unique, le disciple préféré ; dès 1800, il écrivait à son maître : « Je suis votre élève, absolument votre élève ; tout ce que je produirai vous appartient originellement. Ce n'est pas là un sentiment passager qu'il en est bien ainsi, et l'estime où je me tiens n'en est pas amoindrie » [12]. A cette influence primordiale viendront s'ajouter celle de Spinoza, à l'occasion de la renaissance dont bénéficie le sage hollandais, et aussi l'influence de Werner, le maître vénéré de l'Académie minière de Freiberg. Mais Schelling demeure le grand initiateur, auquel Steffens écrit, après lecture du traité sur l'*Ame du Monde* (1798) : « ce fut comme si vous aviez écrit pour moi, entièrement pour moi » [13].

Steffens reproche à Oken d'avoir été, dans la *Naturphilosophie*, un naturaliste *(Physiologe)* plutôt qu'un philosophe ; Oken aurait aidé la science de la nature à sortir de l'ornière de la connaissance empirique, forçant ses adversaires à s'élever à une vision organiciste de l'univers et des êtres qui le peuplent. La querelle entre les deux théoriciens ne présente qu'un caractère subalterne ; ils se situent tous deux dans le même horizon de la science romantique, avec sans doute plus d'esprit analytique et de rigueur classificatrice chez Oken. Steffens demeure fidèle à la volonté d'une synthèse unitive, teintée d'une coloration religieuse. Les souvenirs de sa vieillesse font remonter jusqu'à l'enfance cette exigence de ressaisir la vie globale de la nature ; « même dans (ses) plus jeunes années, cette impulsion avait des racines religieuses » [14]. La *Naturphilosophie* entend remettre en honneur la présence divine immanente à la nature en sa profondeur,

---

[11] Henrich STEFFENS, *Was ich erlebte*, Bd. VI, Breslau, 1842, p. 36.
[12] STEFFENS à SCHELLING, 1er septembre 1800, cité dans Roger AYRAULT, *La genèse du romantisme allemand*, t. IV, Aubier, 1976, p. 108.
[13] Cité *Ibid.*
[14] *Was ich erlebte*, Bd. VI, pp. 37-38.

que ne manifestent pas suffisamment les généralités édifiantes de la physico-théologie à la mode du xviiie siècle. Il ne s'agit pas ici de panthéisme; l'immanence de Dieu à la vie naturelle n'épuise pas la réalité divine, dont les significations essentielles se dérobent à nous dans les profondeurs abyssales du Néant. Le Créateur ne s'absorbe pas dans sa création, où sa présence hiéroglyphique désigne une absence ontologique, à laquelle la conscience des hommes ne saurait avoir accès [15].

En faisant remonter jusqu'à l'enfance sa vocation de *Naturphilosoph*, Steffens entend montrer que son affiliation à Schelling, hautement proclamée, n'a pas le caractère d'une dépendance; le maître n'a été que le médiateur entre l'élève et une vérité qui lui appartient en propre. Précisant « ce dont je suis redevable à Schelling », Steffens souligne qu'il ne s'agit pas d'un emprunt, mais de quelque chose qui était « un élément originaire qui procédait de ma nature la plus personnelle » [16]. L'influence ne vient pas du dehors, comme une incitation adventice; elle est dévoilement d'une authenticité préétablie, et non pas phénomène de surface. La dette envers Schelling porte sur « une connaissance intuitive de la réalité dans son ensemble *(des ganzen Daseins)* comme une organisation. De même que dans toute structure organique, chaque élément, même le plus petit, ne peut être conçu que dans son unité avec l'ensemble — de même l'univers, même embrassé dans une perspective historique, était devenu pour moi un organisme évolutif *(eine organische Entwickelung)* dont l'accomplissement ne pouvait être obtenu que grâce à sa formation supérieure, grâce à l'homme » [17]. Le dernier terme de l'évolution éclaire rétrospectivement les stades antérieurs; l'ensemble de cette unité vivante, ajoute Steffens, lui apparaissait, dans ses méditations solitaires, comme une « divine révélation », ce qui justifie l'attirance éprouvée pour le monisme spinosien, moyennant la conversion du physicalisme de l'*Ethique* en un biologisme, dans le contexte duquel les pulsations vitales se substituent aux enchaînements physico-mathématiques.

Dans une partie plus tardive de ses mémoires, Steffens évoque l'état de sa pensée à partir de 1814, à l'université de Breslau. « Ma préoccupation la plus immédiate, le noyau de mon existence personnelle, c'était le développement d'une philosophie de la nature indépendante. Une telle discipline hantait mon esprit sous des formes confuses depuis ma prime jeunesse. Toutes mes études dans l'ordre

---

[15] Cf. notre ouvrage *Du Néant à Dieu dans le savoir romantique*, Payot, 1983, pp. 176 sqq.
[16] STEFFENS, *Was ich erlebte*, Bd. VI, Breslau, 1842, p. 38.
[17] *Ibid.*, pp. 38-39.

des sciences naturelles tendaient à s'élever, fût-ce sous forme de fantasme, jusqu'à un point de vue spirituel supérieur, auquel je n'étais pas encore capable de donner un nom. Le contenu précis et la forme scientifique de cette discipline, je les devais à Schelling. Ce serait une question oiseuse que celle de savoir si et comment mes rêves auraient pu prendre forme sans lui » ([18]). Grâce à ces tâtonnements, poursuit Steffens, « je suis parvenu à l'idée que la *Naturphilosophie* constitue en elle-même une science autonome, appelée à se constituer par ses propres moyens, à la fois dépendante et indépendante de toutes les recherches empiriques » ([19]). Ce qui reparaît ici, c'est la nostalgie de cette « physique supérieure » dont rêvaient Novalis et Schelling dans les années 1798-1800. « Mon projet n'était pas de m'absorber dans le détail de la recherche empirique, mais, dans le progrès de la science, de fixer mon attention sur les aspects spirituels qui ne cessaient de s'en dégager et demandaient une compréhension d'ensemble » ([20]).

Cette recherche de la vérité, dans son intention spécifique, a valu à Steffens certaines inimitiés. « Les savants naturalistes ne veulent pas de philosophie ; ils refusent résolument le passage de la recherche à la spéculation » ; ils se retranchent dans le champ clos de leur spécialisation ; de leur côté, les philosophes s'enferment dans leurs concepts abstraits, et ne veulent rien savoir de la science en travail. « Schelling avait bien posé les fondements incontournables désormais de la *Naturphilosophie*, mais il se taisait et s'orientait dans une autre direction, assurément valable et que son puissant esprit pouvait maîtriser... » ([21]). Steffens souhaite reprendre cet héritage épistémologique en déshérence. En 1817, après quatorze ans de séparation, il est allé faire visite à Schelling, établi à Munich, et de plus en plus étranger à la *Naturphilosophie ;* « plus Schelling approfondissait sa recherche, et moins la science de la nature lui paraissait proche de la maturité, en particulier sur le point capital, là où elle opérait le passage de l'inorganique au vivant, là où elle paraissait s'affirmer à égalité avec la spéculation et où la physique aspirait à se métamorphoser en physiologie » ([22]).

Au dire de Steffens, dont les mémoires paraissent du vivant encore de son inspirateur, Schelling n'a pas été capable d'articuler ensemble les domaines de l'inorganique et de l'organique. La pierre d'achoppement qui l'aurait détourné de la *Naturphilosophie* aurait été cette impossibilité de parvenir à la pleine intelligibilité de ce que Steffens

([18]) *Was ich erlebte*, Bd. VIII, Breslau, 1843, p. 189.
([19]) *Ibid.*, p. 191.
([20]) *Ibid.*, p. 192.
([21]) P. 193.
([22]) P. 369.

appelle l'*Urtypus des Totalorganismus* ([23]), le modèle originaire de l'organisme total. Le but dernier de toute philosophie est de rejoindre le décret initial par lequel le Dieu vivant entreprend librement de se manifester ; mais notre raison créée ne nous fournit pas les moyens de connaître l'essence de la raison créatrice, de remonter jusqu'à la source dont nous sommes séparés par le voile même de la création ([24]). Telle serait l'impasse épistémologique dans laquelle se serait enfermé Schelling, multipliant dans son âge avancé les tâtonnements sur les chemins secrets de la gnose, sans parvenir à dire l'indicible, à contraindre le Non-être à être.

Steffens refusant les abîmes de la pensée négative s'est donné pour programme la mise en évidence de l'*Urtypus des Totalorganismus,* horizon dernier de son œuvre. « Nous devons reconnaître, persuadés par la contrainte de notre conscience la plus intime, que la Nature ne se contente pas de nous porter, de prendre soin de nous, mais qu'elle nous pénètre aussi du dedans ; chaque moment de notre existence est régi par elle, y compris le moment le plus haut, le plus pur, le moment souverain mis en œuvre par les hommes supérieurs en leurs heures de plus grand bonheur et qui paraît ensuite dominer l'histoire... » ([25]). La Nature n'est pas un objet devant nous, soumise à la loi de notre regard et de notre entendement, elle n'est aucunement réductible à un contenu de notre pensée, parce qu'elle est l'universel contenant, l'englobant suprême qui nous embrasse du dehors et du dedans. La perspective de la connaissance doit être inversée, à partir du moment où il est admis que nous ne sommes pas les maîtres du sens ; nous ne donnons pas le sens de la nature, ce sens nous est imposé sans que nous puissions même nous l'approprier autrement que d'une manière partielle, en de fugitives échappées, par fragments. L'*Urtypus des Totalorganismus,* intention dernière du savoir, n'est pas à l'échelle humaine, sinon comme un thème eschatologique, dissimulé derrière l'horizon de tout savoir accessible à l'être humain.

Toute intelligibilité baigne dans une immensité qui la traverse et la comprend dans les rythmes de son omnitude. Toutes les prises de l'intelligence, les points fixes à partir desquels nous nous efforçons de reconstituer des circuits de pensée, des axiomatiques génératrices d'un certain confort intellectuel, présentent en seconde lecture un caractère illusoire. Nous nous figurons prendre l'initiative dans tel ou tel domaine, et maîtriser la Nature ; c'est retourner les rôles, puisque nous sommes nous-mêmes nature de part en part, emportés comme

---

([23]) *Ibid.*, p. 369.
([24]) *Ibid.*, 370.
([25]) *Was ich erlebte*, Bd. IV, 1841, p. 296.

une écume superficielle, dans le mouvement d'une vitalité en travail, à partir de nous ne savons quelles origines vers des aboutissements que nous ignorons. « L'organisme total *(Totalorganismus)* de l'époque présente de la Terre n'est pas parvenu à son achèvement : nous ne pouvons pas le concevoir à partir des seuls animaux et des plantes qui s'offrent à nous. Nous savons que, dans l'histoire de l'évolution de la Terre, tous les éléments se sont détachés de la structure de la masse universelle pour se joindre à la vie ; l'air, la mer, la terre sont devenus plus vivants. Pour embrasser la vie dans sa généralité, nous devons considérer les éléments eux-mêmes comme un enveloppement vivant de la vie végétale et animale, comme une vie dans un vivant. (...) Sans cette vie des éléments dans et avec les organisations telles qu'elles nous apparaissent, il n'est pas possible de concevoir la vie de celle-ci dans ceux-là. L'air, la terre, la mer se nourrissent continuellement des organismes qui y apparaissent, tout de même qu'ils leur servent de nourriture » ([26]). Vie et mort au sein de la Nature s'inscrivent dans de perpétuels cycles d'échanges.

Steffens entend par organisme total la réalité globale de l'Univers, au sein de laquelle se trouve résolue et dépassée la difficulté qui paraissait insoluble à Schelling. Il n'y a pas de frontière entre le règne inorganique et le règne organique, sinon par le fait d'une illusion d'optique. « De même que magnétisme, électricité, etc. s'opposent à l'intérieur de leur domaine propre, de même ce qui est doué de vie peut seul se mettre en accord avec la vie. Vouloir comprendre la respiration, par exemple, à partir d'une action chimique de l'air est aussi délirant que de concevoir la production d'un animal à partir d'un processus chimique. Si la vie constitue réellement une unité fermée sur elle-même, alors son essence intime exclut toute approche d'une nature inorganique. En étudiant la végétation, qui est son expression la plus pure, nous développerons avec soin cette vivante implication mutuelle des éléments et des organismes visibles » ([27]).

Le métabolisme des cycles vitaux englobe l'homme, dont la situation correspond à un emplacement particulier dans l'organisation immense du réel, lieu de passage et d'interconnexion au sein du contexte où il se trouve immergé. « L'homme se comporte par rapport à l'Organisme total, enveloppe vivante, comme le cerveau par rapport aux autres organes avec leurs enveloppes extérieures » ([28]). Cet enveloppement mutuel des éléments et des êtres au sein de l'Organisme total fait de celui-ci la matrice de toutes les pensées et

---

([26]) Henrich STEFFENS, *Anthropologie*, Bd. II, Breslau, 1822, p. 17.
([27]) *Ibid.*, pp. 17-18.
([28]) *Ibid.*, p. 17.

significations accessibles à l'homme ; c'est là sans doute ce que Steffens entend par *Urtypus des Totalorganismus*. La formule désigne un modèle de connaissance, un paradigme épistémologique, en rupture avec les théories de la connaissance communément en usage ; idéalisme et réalisme procèdent d'un point central, à partir duquel une pensée en survol négocie dans un sens ou dans l'autre les rapports du sujet et de l'objet ; une formule d'univers est donnée, ou du moins présupposée, concentrant en elle la vérité de l'homme et du monde. Parvenu au bout de ses peines, le philosophe, en droit sinon en fait, dispose d'une pensée homologue ou analogue à la pensée de Dieu. Kant ne doute pas qu'il a fait le plein de la connaissance. Il a réservé la place de la chose en soi, réserve de sens à l'usage de Dieu seul, mais comme le noumène demeure à jamais inaccessible, nul ne peut dépasser le maître des *Critiques*. L'interdit ne résiste pas longtemps : Fichte, Hegel s'approprient la vérité de Dieu, dont leurs systèmes assurent la gestion avec une superbe assurance.

La *Naturphilosophie* se refuse toute facilité de ce genre. La vérité dont elle se préoccupe fait corps avec la réalité de l'univers ; mais elle ne se propose pas comme une équation d'univers, réduction intellectualiste et mathématique de l'infinie diversité du réel à l'unité illusoire d'une formule. La vérité du savoir romantique fait corps avec le corps et avec la conscience du monde ; elle est l'âme incarnée de la chair du monde, en laquelle, immergée, elle a son centre partout et sa circonférence nulle part. Elle ne concerne pas la nature seulement, l'ordre des choses, mais ensemble l'ordre solidaire des êtres, qui font corps avec la nature, y compris l'humanité elle-même ; individus et communautés figurent des organes dans l'organisme universel. L'opposition entre philosophie de l'esprit et philosophie de la nature est dépourvue de réalité, puisque l'esprit est lui-même nature et ne peut parvenir à la conscience de soi qu'en état d'incarnation. D'où la thèse de Steffens : « La *Naturphilosophie* n'est pas une partie de la philosophie ; elle est elle-même l'ensemble du savoir, en sa puissance formelle. La *Naturphilosophie* possède dans l'ordre de la connaissance un droit de priorité, en tant que connaissance de la connaissance (*das Erkennen des Erkennens),* connaissance à la seconde puissance (*das potenzirte Erkennen).* » On retrouve dans ces formules l'idée de la « physique supérieure », projetée par Schelling à ses débuts. Steffens ajoute que « la Nature ne requiert, pour être connue, l'application d'aucun principe qui lui soit étranger ; elle a son fondement en elle-même, c'est-à-dire qu'elle est absolue ». Autrement dit, le domaine naturel ne peut être inscrit dans des coordonnées extrinsèques, commué en une vue de l'esprit ; il possède en lui-même les principes de son intelligibilité authentique, et c'est à cette intelligibilité immanente que doit se rallier la conscience du savant, par approfondissement et explication de la réalité, et non par des procédures réductrices.

La Nature ici n'est pas dispersée sous nos yeux, dans l'espace et dans le temps. « Ce que nous appelons Nature n'est pas celle qui s'offre à l'intuition sensible, prisonnière de la finitude, mais la Nature éternelle, en son identité immuable. L'intuition sensible n'est qu'une modification de cette Nature supérieure ; tout ce qui s'offre à elle se trouve éparpillé sous les formes relatives de son existence particulière ; comme cette intuition elle-même, il s'agit de quelque chose de fini et de passager. Mais si la Nature authentique est absolue, la connaissance que nous en avons équivaut à une éternelle conscience de soi ; elle se pose comme absolument identique au système de la Nature » ([29]). Philosophie de l'identité, fidèle à l'inspiration de Schelling : l'unité originaire de la Nature et de l'esprit confère à la connaissance en son authenticité le caractère d'un retour aux sources ontologiques de la réalité.

Ainsi esquissée, la *Naturphilosophie* romantique ne revêt pas le caractère d'une philosophie de la science, analysant et codifiant les procédures de la connaissance objective. Au lieu de se placer à la remorque du travail des savants, en position de subordination, le *Naturphilosoph* affirme sa priorité par rapport à la recherche empirique. Celle-ci fournit des points de départ, des repères et des vérifications utiles. Mais la recherche du penseur ne se développe pas selon la même dimension intellectuelle et spirituelle que celle du savant ; même dans le cas d'une union personnelle entre savant et penseur, on doit admettre que le chercheur empirique et le théoricien opèrent selon deux perspectives différentes. Les biologistes Lorenz Oken et Treviranus, les botanistes Nees von Esenbeck, Franz Unger, les médecins Windischmann, Burdach, Kieser, Röschlaub, Ringseis et leurs confrères, sont des spécialistes dont les travaux font avancer le savoir positif, et aussi des hommes d'intuition, parfois des visionnaires, capables de percevoir à travers les faits qu'ils observent les rythmes du Cosmos. Soutenu par la conscience de la présence divine qui anime la réalité du dedans, le *Naturphilosoph* voit plus profond et plus loin ; les harmonies universelles peuvent transfigurer les faits, éclairer ce qui paraît obscur, justifier des hypothèses qui font progresser la science positive.

Cette alliance entre le savoir objectif et l'intuition visionnaire paraît contre nature à des esprits formés aux disciplines expérimentales.

G. H. Schubert répond à cette objection : « Au principe de la langue de l'Esprit se trouve une mathématique d'ordre supérieur,

---

([29]) Henrich STEFFENS, *Grundzüge der philosophischen Naturwissenschaft*, Berlin, 1806, ch. II, p. 16 pour les diverses citations qui précèdent.

dont notre mathématique ne propose qu'une ombre faible et vague. L'écriture dans laquelle cette langue s'adresse à nous, et dont l'esprit peut pressentir le sens, consiste en chiffres harmoniques significatifs et en indications de symétrie. » Seule la puissance magique du regard que possède l'homme intérieur peut lire en transparence le nom divin inscrit dans l'économie des choses. Le fondement de l'être et de la vie est un amour universel, « son essence est harmonie, ordre immuable », qui s'annonce aux créatures dans les rythmes des couleurs et des sons ([30]). Ainsi le corps de l'homme se trouve proportionné aux dimensions du monde. Schubert estime qu'il existe, entre autres, une corrélation mathématique entre la vitesse de la révolution de la terre autour du soleil, et la vitesse de progression d'un homme adulte marchant à la surface de la planète, d'une allure continue sans interruption, pour en faire le tour : dans les deux cas, on trouve le chiffre de 365 jours un quart ([31]). La loi de Schubert n'a pas eu le même succès que la loi de Weber, mais elle procède d'une intention analogue, et donne à comprendre ce qui se trouvait en question chez le fondateur de la psychologie expérimentale. Schubert insiste sur certains nombres ontologiquement premiers : 7, 19 ; Novalis, Baader, Saint-Martin et bien d'autres spéculent sur la triade, et sur la tetraktys, sacralisation du chiffre 4. Tous ces nombres revêtent des significations cosmiques ; leurs vertus se trouvent à l'œuvre dans l'articulation du monde, non point nombres nombrés, résultats empiriques d'une mesure de la réalité, mais *nombres nombrants* qui président à l'économie interne de l'ordre des êtres, formes et figures d'une mathématique transcendante, hiéroglyphes divins où s'énoncent les secrets de la vie. Ainsi la loi de Weber, bien loin de réaliser une réduction du domaine spirituel à la discipline de l'ordre matériel, accomplit un transfert en sens inverse, du physique au mental ; la corrélation logarithmique est la marque providentielle de Dieu dans son œuvre, qu'il anime du dedans jusque dans le minutieux détail des événements les plus humbles. Ces signatures mathématiques de la divinité se déchiffrent partout dans l'ordre universel, lorsque l'esprit a été initié à ces hautes spéculations.

Il existe une littérature romantique consacrée aux figures et aux nombres, dans un esprit qui perpétue les spéculations de la Cabale. Baader est l'auteur d'un traité *Sur le carré pythagoricien dans la nature* (1798) suscité par les spéculations de Schelling sur l'âme du monde ; Johann Jakob Wagner (1775-1841) a publié une *Philosophie mathéma-*

([30]) G. H. VON SCHUBERT, *Die Geschichte der Seele* (1830), 6ᵉ édition, 1877, p. 326 ; on notera la date tardive de cette réédition, preuve que Schubert trouvait encore des lecteurs.

([31]) *Ibid.*, p. 324.

tique; Wilhelm Butte des *Linéaments fondamentaux d'une arithmétique de la vie humaine* (1811) et Malfatti a développé les mêmes thèmes dans son essai sur *L'anarchie et la hiérarchie du savoir* (1811, réédité en 1845). Au niveau des archétypes se formulent une arithmétique et une géométrie nourries par les traditions retrouvées de l'Orient Moyen et Extrême. Cette arrière-pensée plus ou moins secrète, l'une des clefs de l'occultisme romantique, nourrit en sous-œuvre bon nombre des spéculations des idéologies qui fleurissent au XIXe siècle. En France, Quinet et Pierre Leroux, George Sand, Wronski, Jean Reynaud empruntent certains thèmes essentiels à ce fonds commun, auquel ils se réfèrent soit explicitement, soit implicitement. L'importance des figures symboliques du romantisme que sont le cercle et la spirale se justifie par le fait que ce sont là des archétypes du mathématisme régnant.

La *Naturphilosophie*, en dépit des apparences d'irréalisme imaginatif qu'elle revêt aux yeux de certains, est solidaire d'un panlogisme mathématique dont on retrouve l'affirmation intransigeante dans les propositions initiales du *Lehrbuch der Naturphilosophie* de Lorenz Oken. On peut y lire que « le Tout, c'est-à-dire le monde, est la réalisation des idées mathématiques, ou, absolument, de la mathématique » (§ 2); « la philosophie est la connaissance des idées mathématiques en tant que monde, ou la répétition dans la conscience de la genèse du monde » (§ 3). « L'esprit est le mouvement des idées mathématiques » (§ 4), cependant que « la nature est la manifestation des idées mathématiques » (§ 5) [32]. La biologie romantique, dont Oken est l'un des représentants qualifiés, procède à partir d'une intelligibilité préalable, constituée par le tissu des idées et relations mathématiques. « La *Naturphilosophie* est ensemble l'histoire de l'enfantement du monde, ou l'histoire de la Création du monde », la cosmogenèse, qui a reçu de Moïse le nom de *Genèse* [33]. Cette création, comme celle du démiurge platonicien, s'est faite par la médiation de la mathématique.

Il n'y a de science que mathématique; donc « la *Naturphilosophie* n'est science que si elle est mathématisable, c'est-à-dire identifiable à la mathématique. (...) Mais la mathématique est une science purement formelle, sans contenu » [34]. Seulement ce contenu est identique à la forme. Toutes les propositions des mathématiques ne font que se répéter elles-mêmes; en dépit de leur diversité apparente, les mathématiques n'apportent rien de nouveau; elles se ramènent toutes à l'identité d'un principe premier. « La *Naturphilosophie* doit aussi

[32] Lorenz OKEN, *Lehrbuch der Naturphilosophie* (1810), 3e éd., Zurich, 1843, p. 1.
[33] *Ibid.*, § 11, p. 1.
[34] *Ibid.*, §§ 25-26, p. 3.

montrer que toutes ses propositions, ou que toutes choses ensemble et en dernier ressort, sont identifiables à un premier principe » ([35]). Ce principe premier, Oken le trouve sous la figure du zéro : « L'idée mathématique la plus haute, fondement premier de la mathématique, est le zéro (0). La mathématique tout entière repose sur le zéro », et comme le zéro est la figure du rien, « la mathématique est fondée sur le Néant ; elle tire son origine du Néant ([36]) ». Le zéro est identifié ensuite, en tant que zéro absolu, à l'unité absolue, à la monade. La genèse est passage du Zéro en Quelque Chose, grâce à une dialectique d'où procèdent les chiffres et les figures géométriques (point, ligne, triangle, etc.), en vertu d'un passage à l'acte des potentialités du triangle. Une minutieuse gymnastique abstraite s'emploie à justifier cette déduction *a priori*.

Ricarda Huch résume certaines des vues de Malfatti dans ce domaine : « Devant chaque nombre, désignant le point neutre entre les mathématiques et la physique, se trouve le zéro, qui signifie en réalité tout et rien, forme de l'ellipse pure, dont les chiffres mathématiques sont le développement dans le temps et dans l'espace. Ce que l'on pourrait appeler le contenu métaphysique du symbole des chiffres est la révélation de Dieu, du Brahma, qui apparaît d'abord sous forme d'une trinité, Trimurti, et ensuite sous forme de sept puissances divines ; ainsi est fermé le cercle de la dizaine. Les images-chiffres sont des formes géométriques abrégées, venues des symboles des dieux ou de la vie du monde. Il existe donc deux grandeurs fondamentales, l'une arithmétique, l'autre géométrique, la trinité et l'ellipse. La Trinité, première révélation de Dieu, est « l'évidence métaphysique, la forme générale de l'existence, le cachet de la Divinité ». L'ellipse est le « hiéroglyphe fondamental de la mathésis hiérarchisée, hiéroglyphe non seulement humain, mais mondial », le hiéroglyphe de la Création. « Tout phénomène exprime le mystère de la vie sous forme de trinité ; dans l'existence, le miracle de la vie s'exprime sous forme d'ellipse » ([37]). Ces représentations sont indissociables de la *Naturphilosophie*, qui se nourrit constamment de sous-entendus de cet ordre. « Selon Ennemoser, on peut considérer le corps humain comme un ellipsoïde debout, dont les foyers sont la tête et le bassin. Le naturaliste Cassel remarque que les formes originelles, cercle et ellipse, apparaissent dans tous les organismes, dans tous les organes, et cela d'autant plus qu'ils se trouvent à un stade plus bas de l'évolution » ([38]).

([35]) § 29, p. 3.
([36]) § 31, p. 4 ; cf. aussi § 57, p. 11 : « tout ce qui est réel n'est absolument rien d'autre qu'un nombre », avec référence à Pythagore.
([37]) Ricarda HUCH, *Les romantiques allemands*, t. II, trad. Jean BRÉJOUX, Pandora, Aix-en-Provence, 1979, pp. 76-77.
([38]) *Ibid.*, p. 77.

Cette intelligibilité, à la fois radicale et transcendante, permet d'intégrer la révélation chrétienne dans le patrimoine commun de la révélation universelle, par la médiation du Dieu trinitaire ; elle est le chiffre de la nature divine aussi bien que de la nature humaine ou de l'ordre dans les choses et dans l'histoire. « Malfatti définit la polarité comme un dualisme génétique, né de l'unité. On pourrait dire que c'est là la formule de la philosophie romantique. On pourrait l'exprimer géométriquement par le cercle, signe de l'unité, et l'ellipse, signe de la dualité, forme non absolue destinée à se fondre à nouveau dans le cercle, lequel n'est rien d'autre qu'une ellipse dont les deux foyers se recouvrent. Dans la langue de Jakob Boehme, le troisième terme, en quoi les deux pôles cherchent toujours à se fondre, s'appelle le " ternaire " ; suivant ce vocabulaire, le " ternaire " T, de l'homme et de la femme serait donc l'enfant » (39). Lorenz Oken découvre la forme originaire de la vie dans une vésicule de liquide organique, née de la mer, qui ne cessera de se subdiviser et de se multiplier pour constituer des êtres de plus en plus complexes. Il s'agit là d'une forme primitive de la théorie cellulaire ; on peut considérer Oken comme un précurseur sur la voie de la Science avec un grand S — à condition de ne pas oublier que la forme sphérique et la projection circulaire de la vésicule en question imposent la présence transphysique d'un message symbolique. Des implications de cet ordre ne cessent pas de sous-tendre les développements de la *Naturphilosophie* dans son ensemble.

Le mathématisme sous-jacent permet au savoir romantique de mener à bien le projet d'une intelligibilité totalitaire, modulée selon le paradigme de l'*Urtypus des Totalorganismus*. Nous avons cité (p. 229) le témoignage de Steffens, selon lequel Schelling aurait été arrêté dans le progrès de sa philosophie de la nature par le fossé, la coupure existant entre le domaine inorganique et l'ordre de la vie. Du point de vue des nombres nombrants, archétypes opérateurs de l'intelligibilité universelle, cette discontinuité n'est plus qu'une illusion d'optique, engendrée par une vision grossièrement superficielle de l'ordre des choses. L'autorité des Chiffres arithmétiques ou géométriques s'étend à la nature en sa totalité, dont elle rythme toutes les formes selon les mêmes lois harmoniques ; les éléments qui composent l'univers, l'eau, l'air, la lumière, la terre, les substances chimiques, les métaux enfouis dans les profondeurs, les forces magnétiques, électriques, galvaniques, — tout cela est soumis à la même discipline cosmique à laquelle obéissent les végétaux, les animaux de toute espèce et l'homme lui-même.

On aurait tort de voir dans le mathématisme romantique un aspect

(39) *Ibid.*, p. 73.

secondaire, régressif et pittoresque de la *Naturphilosophie*. La science de Galilée et de Newton a fait régner parmi les phénomènes une coordination rigoureuse, mais superficielle ; les penseurs romantiques transfèrent l'ordre mathématique de l'apparence phénoménale à l'essence même de la réalité en son immanence ontologique. La révolution non galiléenne triomphe de l'intelligibilité galiléenne non pas en la niant, mais en la portant à une puissance supérieure. « Le scalpel et la loupe, écrit Ennemoser, ne saisissent pas les forces de la vie ni le développement des formes. Il faut mesurer et compter ; il faut mettre au jour le nombre, c'est-à-dire l'esprit enfermé dans la forme, le dedans enfermé dans le dehors, et inversement il faut mettre au jour les formes originaires *(Urformen)* à partir du rythme du devenir, à partir du nombre. Dans la Nature entière règne une harmonie régulière de l'espace et du temps ; il a été possible de mesurer et de nombrer les parcours des corps célestes ; la mathématique ne doit-elle pas s'appliquer aussi dans des domaines de la vie plus proches de nous, où le type des formes et le rythme du temps ne se fondent pas sur des lois moins solides ? La mathématique a donc, dans le domaine de la vie, à résoudre le problème de savoir comment s'accordent les formes et les fonctions » ([40]).

Selon Ennemoser, cette mathématique immanente à la nature est mal perceptible dans le règne inorganique, figé dans une confusion statique. Dans le règne végétal, l'ordre quantitatif se mobilise et prend forme qualitative, donnant lieu à une architectonique géométrique, manifestée dans « les lignes et cylindres des vaisseaux, les ellipses des feuilles, les cônes des troncs, les paraboles et hyperboles des rameaux et des fleurs. (...) C'est la différence qualitative de la forme qui justifie ainsi la manifestation du nombre ; car on ne peut mesurer sans compter, et les sages les plus anciens ont considéré les rapports numériques au sein de la nature comme la démonstration de l'harmonie universelle qui régit toutes ses formes » ([41]). A partir du végétal, le langage chiffré de la création se laisse déchiffrer selon un ordre de complexité croissante, pour peu que l'on soit initié à ces spéculations.

La Nature n'agissant jamais dans le désordre doit pouvoir se construire selon des normes exactes et rigoureuses. « La nature, lors de sa première division à partir de l'unité, a procédé à la fixation de la principale opposition spatiale dans les deux pôles, solides pivots des deux hémisphères ; toutes les dérivations postérieures procèdent de

---

([40]) Joseph ENNEMOSER, *Der Geist des Menschen in der Natur, oder die Psychologie in Uebereinstimmung mit der Naturkunde*, Stuttgart und Tübingen, 1849, § 372, pp. 148-149.

([41]) *Ibid.*, p. 149 sq.

là, si bien que 2, la Dyade, apparaît comme le chiffre fondamental de l'espace, avec tous ses produits et puissances dans le domaine de la Nature » ([42]). Le dédoublement de 2, ou son élévation à une puissance supérieure, donne 4, chiffre du quaternaire, qui régit l'espace du Cosmos, ainsi que l'attestent les quatre régions du ciel et de la terre et les quatre saisons. Le passage de 2 à 4 se réalise par la médiation de 3, nombre fondamental du mouvement et du temps ; « tout mouvement, ou tout temps, possède une phase originaire et une phase finale, avec une phase médiane entre les deux ; l'origine ne peut coïncider avec la fin ; les deux sont liés par un moyen terme, la permanence » ([43]). La Nature œuvre dans le temps, elle est une puissance du temps, c'est-à-dire que son nombre est neuf (9), comme 4, puissance de 2, est le nombre de l'espace.

Ainsi 4 et 9 donnent la clef de l'intelligibilité de l'espace-temps de la Nature. « C'est à 9 mois que le fœtus arrive à la lumière du jour pour une nouvelle vie. L'existence humaine a pour segments principaux les âges de 3, 9, 27, 81. Ainsi la Nature ne possède réellement que 4 nombres : 1, 2, 3, 4, dont l'addition donne la Décade complète » ([44]). Toutes sortes de combinaisons de ces chiffres premiers justifient la structure et le devenir du monde et de l'homme. En ce qui concerne la vie sexuelle, par exemple, Ennemoser calcule que la femme arrive à maturité à $3 \times 7 = 21$ ans, âge où elle peut se marier ; cet âge est pour l'homme de $3 \times 9 = 27$ ans, premier tiers d'une existence masculine accomplie. La fécondité féminine s'arrête à $7 \times 7 = 49$ ans, celle de l'homme n'est pas encore achevée : $7 \times 9 = 63$ ans » ([44]).

Ces échantillons donnent une idée des variations auxquelles l'imaginaire romantique se livre sur le thème de cette arithmologie qui propose un fondement d'apparence scientifique au terme de l'harmonie du Cosmos. Le savoir des nombres nombrants fournit le paradigme de la science unitaire et véritablement encyclopédique, capable de remédier au mal de dissociation qui ronge la culture moderne. L'intelligibilité universelle n'est dissociable en ordres séparés que par une abstraction de l'esprit et pour la commodité de la connaissance ; mais cette division du travail intellectuel ne possède aucun fondement ontologique. Une même croissance anime de ses pulsations la vie universelle, depuis la vésicule originaire, le cristal élémentaire, jusqu'à l'homme, couronnement de la création divine. Les lignes de démarcation épistémologiques expriment la finitude de notre esprit, assujetti à la dispersion dans l'espace et dans le temps, et

---

[42] *Op. cit.*, § 53, p. 101.
[43] *Ibid.*, pp. 101-102.
[44] § 54, p. 105.

qui ne peut comprendre tout en même temps ; l'intelligence humaine
ne peut coïncider avec la pensée divine ; mais nos difficultés d'analyse
ne menacent pas l'intégrité de la robe sans couture du Savoir en soi.
Même à l'échelle humaine, aucun cloisonnement ne peut prévaloir
contre la libre expansion des analogies universelles dans l'ensemble
de l'univers.

Dietrich Georg Kieser (1779-1862), qui enseignait la médecine à
Iéna, a exposé dans son *Système du Tellurisme* (*System des Tellurismus*,
1822), une doctrine anthropocosmique inspirée du magnétisme
animal. Selon lui, la polarité majeure de la vie humaine, l'oscillation
entre le conscient et l'inconscient, se trouve évidemment en rapport
direct avec l'alternance du jour et de la nuit. L'accomplissement de la
destinée humaine passe de toute nécessité, par le juste équilibre, dans
chaque vie, entre l'Orient et l'Occident, entre la présence et l'absence
du soleil ; ce qui suffit à· discréditer la philosophie des lumières,
attentive à la seule loi du jour et indifférente aux enseignements de la
nuit. « Le sommeil est le résultat le plus général des influences
telluriques ; à l'opposé se situe l'influence du soleil, dont le résultat
est l'état de veille. Pendant la rotation de la terre sur son axe en
24 heures, la moitié de la terre est tellurique, l'autre moitié solaire ;
pareillement ce rapport se manifeste dans la vie humaine ; il coïncide,
comme s'il était soumis à cette influence, avec l'expression générale
de ce changement dans la vie terrestre. Sur l'hémisphère terrestre
qui, au cours de la rotation journalière de la terre, se trouve exposé à
la présence du Soleil, règne la vie solaire, dont le jour est l'expression
la plus générale et dont l'heure de midi marque le point culminant.
Sur l'hémisphère opposé, privé du soleil, règne la vie antisolaire,
tellurique ; son expression la plus générale est la nuit, dont la minuit
marque le point culminant. La réflexion de la vie du jour dans la vie
humaine se manifeste sous la forme de la veille, celle de la vie
nocturne sous la forme du sommeil. C'est pourquoi tout homme, tout
animal, toute plante, lorsque vient le temps de la nuit, partage le sort
de l'hémisphère obscur de la Terre, menant une vie tellurique de
somnambule naturel, et atteint à la minuit le point culminant de la vie
tellurique » ([45]).

La double polarité du jour et de la nuit, du solaire et du tellurique,
est l'une des dimensions maîtresses de l'intelligibilité romantique.
Depuis la révolution galiléenne la science classique, et la philosophie
à sa suite, se plaçaient sous l'invocation de la seule lumière, ce qui les
vouait à un véritable aveuglement, dont la figure symbolique est
proposée par la cécité de Galilée lui-même ; à force d'observer les
taches solaires, il a perdu l'usage de la vue. Délaissant la monomanie

([45]) D. G. KIESER, *System des Tellurismus*, 1822, p. 296.

des Lumières, l'épistémologie romantique dédouble la perspective de la connaissance ; entre autres trouvailles majeures, elle découvre l'inconscient, où règne la loi de la nuit. Le texte de Kieser atteste que cette bipolarité du savoir se trouve dans la dépendance des rythmes cosmiques. La vie « tellurique » s'oppose à la vie « solaire » comme la « vie du jour » à la « vie de la nuit » ; le langage, dans son insistance, fait voir qu'il ne s'agit pas d'une astronomie physique, ni d'une « physique » du globe, au sens matériel et mécaniste du terme, mais bien d'une biologie universelle, soumettant à ses influences les phénomènes cosmiques dans leur totalité.

Cette discipline globale de la vie universelle réduit l'importance de l'opposition entre le domaine « inorganique » et le domaine « organique » ; seule demeure une distinction subalterne entre deux règnes de l'organisme universel (*Urtypus des Totalorganismus*) au sein duquel rien n'est proprement privé de vie. Il existe seulement des degrés dans la vitalité unitaire de l'univers, que certains phénomènes manifestent dans un état de latence ou d'endormissement, tandis que d'autres la font apparaître dans un état d'exaltation. Nombreuses sont d'ailleurs les formes intermédiaires reliant les différents ordres, et prophétisant de l'un à l'autre les accomplissements à venir. Telle l'annonce de la végétalité dans l'ordre minéral, selon Carl Gustav Carus : « En ce qui concerne les passages depuis les formes géométriques originaires, accumulées dans l'ordre minéral, vers l'ordre organique, observez seulement les formes cristallines de la glace dans la diversité qu'elles nous proposent contre les fenêtres gelées ; dans leur détail, elles se ramènent toutes à des aiguilles et petites figures triangulaires, et pourtant y apparaissent des tendances qui ne peuvent s'interpréter autrement que comme des pressentiments de phénomènes vitaux individuels spécifiques » [46]. Aux confins du minéral et du végétal se situe également l'intuition, déjà mise en œuvre par la philosophie de la nature du Moyen Age et de la Renaissance, qui interprète les filons métallifères, dans les entrailles de la terre, comme un système de veines dans l'organisme de la planète, ou encore comme une efflorescence figée dans son développement. Depuis les époques les plus anciennes, les fossiles découverts dans les carrières, coquilles en tous genres, feuilles et plantes, poissons inscrits dans le calcaire, fournissent toutes les évidences désirables d'une germination des minéraux. La terre, qui donne naissance aux plantes à la surface du sol et les nourrit de ses sucs, donne également vie dans son sein à des vivants de toute espèce.

Le maître de la « géognosie » romantique avait été Werner (1750-1817), fondateur de l'Ecole de Freiberg et qui compta parmi ses

[46] C. G. CARUS, *Natur und Idee*, Wien, 1861, p. 45.

élèves Alexandre de Humboldt, Novalis et Henrich Steffens. Observateur génial des phénomènes minéralogiques, Werner s'efforce de mettre en lumière les analogies universelles dont le rayonnement s'étend depuis l'ordre de la géologie, archéologie de la planète Terre, jusqu'à la linguistique, « minéralogie du langage » et archéologie de l'esprit humain. Les disciples seront plus audacieux encore que le maître dans la détermination de l'intelligibilité universelle. Steffens, au temps même où il étudie à la Bergakademie de Freiberg, publie en 1800 des *Contributions à l'histoire naturelle intérieure de la Terre* (*Beiträge zur inneren Naturgeschichte der Erde*), où sa pensée apparaît prise entre les polarités de Werner et de Schelling. L'intériorisation de l'histoire naturelle atteste que le voyage géologique au centre de la Terre est indissociable d'un voyage spirituel aux profondeurs de l'esprit. Steffens dira beaucoup plus tard que cet essai exposait « le thème fondamental de toute (sa) vie » [47]. La nature cache en ses profondeurs le secret des processus de l'esprit. L'*Histoire naturelle intérieure* esquisse une dialectique de la constitution terrestre, combinant les éléments chimiques et les métaux avec les éléments cosmiques, en des opérations qui relèvent de la magie plutôt que de la science exacte [48]. La puissance des symboles impose sa loi à l'imagination pour mener à bien une physiologie des entrailles de la Terre, préliminaire aux enfantements de la vie. Oxygène, hydrogène, carbone et azote fournissent les préalables de la vie universelle ; le carbone prédomine dans la vie végétale, l'azote dans la vie animale, leurs combinaisons trouvant dans l'hydrogène le principe médiateur. Le magnétisme terrestre, dans l'opposition de ses pôles attractif et répulsif, fournit le dynamisme moteur de l'économie interne de la planète ; roches et métaux, dans leurs spécificités particulières, proposent les personnages du drame géognosique. Les docteurs de la *Naturphilosophie* ne cesseront pas de jouer sur certaines entités qui auront leurs préférences, ingrédients d'une alchimie poétique de la Création : basalte, granit, schistes, mercure ou métaux précieux, chargés de valences significatives sans commune mesure avec la minéralogie puérile et honnête.

Steffens n'est aucunement un isolé dans son aventure géognosique. En 1811, C. G. Carus publie, sous le titre *Specimen biologiae generalis, Projet d'une biologie (Lebenslehre) générale*, le programme d'une série de leçons qu'il se propose de donner. « Le mouvement des corps célestes, le circuit des planètes, des comètes et de la lune était la manifestation d'une vie propre, dans la même mesure que les

---

[47] H. S. STEFFENS, *Was ich erlebte*, Bd. IV, Breslau, 1841, p. 286.
[48] Sur tout ceci, cf. R. AYRAULT, *La genèse du romantisme allemand*, t. IV, Aubier, 1976, pp. 107 sqq.

transformations des plantes et la circulation des corpuscules sanguins dans les humeurs animales ; — dans cette connaissance j'avais trouvé depuis longtemps la libération de mon esprit, hors des représentations étroites et obscures d'un mécanisme mort. J'étais poussé avant tout par le désir de déclarer publiquement le triomphe de cette connaissance et de le faire accepter » ([49]). Le thème exposé par Carus dans ses mémoires est le sujet de ses *Lettres sur la vie de la Terre (Briefe ueber das Erdleben*, 1841) : « dans tout organisme formé par un ensemble de membres, il faut reconnaître le même développement continu d'une individualité vivante, qu'il s'agisse du devenir des systèmes solaires ou du devenir d'une plante. On ne doit pas considérer comme moins organique, c'est-à-dire comme moins intégré à un organisme de taille supérieure, le rocher, avec sa composition cristalline, ou la source avec son écoulement rythmé par la totalité terrestre, que le squelette, avec ses fibres à base de cristal, ou la circulation sanguine dont la pulsation est rythmée par la vie de l'animal » ([50]).

L'organicisme romantique assure ainsi l'unité entre tous les aspects du réel ; une même intelligibilité doit prévaloir à tous les niveaux de lecture. La catégorie de la vie s'affirme dans une perspective évolutive, produisant dans son sillage des formes de plus en plus riches et complexes. L'inorganique est mal nommé ; il ne désigne pas l'absence de vie, mais une forme fruste de vie, appelée à s'épanouir à des stades ultérieurs de croissance ; cette réserve de signification doit être gardée en mémoire chaque fois que le mot « inorganique » est employé par les *Naturphilosophen*. Selon Lorenz Oken (1779-1851), dont la vision du monde est condensée dans les 3 653 aphorismes de son *Lehrbuch der Naturphilosophie* (1re édition 1810-1811, 3e édition 1843), la vie peut être définie comme « le mouvement des choses finies, tel qu'il résulte de la polarité ; car la vie est un mouvement cyclique. La polarité est un perpétuel retour sur soi. Sans vie il n'y a pas d'être. Rien n'existe par le seul fait de son existence, par exemple par sa seule présence ; mais tout ce à quoi on peut attribuer l'être n'existe ou ne se manifeste que par son mouvement polaire, autrement dit par la vie. Etre et vie sont des concepts indissociables. Dans la mesure où Dieu agit, il crée de la vie » ([51]). La vie n'est donc pas apparue au sein d'une réalité préexistante. « La vie n'est pas un fait nouveau, survenu dans le monde après la création ; elle est

---

([49]) Carl Gustav CARUS, *Lebenserrinerungen und Denkwürdigkeiten*, Bd. I, Leipzig, 1855, p. 94.
([50]) C. G. CARUS, *Briefe ueber das Erdleben*, Stuttgart, 1841, p. 19.
([51]) OKEN, *Lehrbuch der Naturphilosophie* (je cite la troisième édition, Zürich, 1843, la première édition compte un nombre d'aphorismes sensiblement inférieur), § 87, p. 19.

quelque chose d'originaire, une idée, une pensée divine en mouvement, l'acte originaire lui-même avec toutes ses suites » [52]. La force vitale *(Lebenskraft)*, c'est le souffle de Dieu qui est la cause de toute existence.

Ce panvitalisme animé par Dieu correspond à la vision du monde romantique. « Dans le monde, tout est vivant; le monde même est vivant et ne demeure, ne se conserve que parce qu'il est vivant, de même qu'un corps organique ne se conserve que parce qu'il se produit sans cesse de nouveau par le processus vital » [53]. L'omniprésence de la vie domine l'univers; « il n'y a rien de mort dans le monde; cela seul est mort qui n'existe pas, le néant » [54]. Quant à l'individu, il est « la totalité dans le particulier »; son existence est finie, car le mouvement qui l'anime ne peut se prolonger indéfiniment, sinon sa présence absorberait la totalité du réel; il deviendrait lui-même le tout; quand s'interrompt la polarité qui entretient le mouvement d'un être particulier, cet être doit faire retour à l'absolu lorsqu'il cesse de vivre.

Oken, dans la section de son traité consacrée à la « Géologie », définit cette discipline dans un vocabulaire vitaliste. « La géologie est l'histoire de la formation de la planète. Elle est la doctrine de la constitution de la planète, de sa forme, de ses organes ou de ses membres, si nous voulons la comparer avec un organisme vivant *(mit einem organischen Leibe)* » [55]. C'est un processus de cristallisation qui a donné naissance à la planète Terre; « la vie de la Terre consiste en la production de cristaux » [56]; la terre ferme est le produit d'une accumulation de cristaux en quantité innombrable. Lorsque Oken évoque le corps vivant de la planète, il ne s'agit pas pour lui d'une analogie rhétorique, mais bien d'une affirmation physique, poursuivie jusque dans le détail. « La masse principale de la planète, son corps, est constituée par les terres proprement dites, en tant que manifestations de l'élément terre. Les autres catégories, par exemple les métaux, les combustibles, les sels, doivent être considérées comme les entrailles de ce corps » [57]. Quant aux espèces géologiques particulières, concrétions et filons, pierres précieuses enkystées dans la masse terrestre, on peut les considérer comme des glandes; les montagnes sont les organes de la planète [58]. La face de la terre, telle que nous la connaissons aujourd'hui, est le résultat d'une

---

[52] *Ibid.*, § 88, p. 19.
[53] *Ibid.*, § 90, p. 19.
[54] *Ibid.*
[55] *Op. cit.*, § 545, p. 101.
[56] § 546, *ibid.*
[57] *Ibid.*, § 570, p. 104.
[58] § 571, p. 105.

croissance par métamorphoses successives. « Toute la série des métaux procède à partir d'une seule racine. Ce que l'élément terre originaire *(Urerde)* est pour la métamorphose des terres, le fer l'est pour les métaux... » ([59]).

La *Naturphilosophie* romantique reprend à son compte l'animisme archaïque, dont des traces nombreuses subsistent dans le vocabulaire moderne, sans que nous y prenions garde. La montagne s'offre à nous sous une forme humaine, mise en évidence par son « pied », ses « flancs » et « gorges », ses « côtes » et « coteaux », ses « mamelons », ses « cols », sa « tête », etc. Le romantisme redonne vie à l'intuition fossilisée, en vertu d'une consonance anthropo-cosmomorphique, dont la règle a été formulée par Johann Wilhelm Ritter : « La Nature entière s'accorde avec l'homme *(auf den Menschen reimt sich die ganze Welt)* » ([60]). Un tel propos est conforme à la révélation biblique ; mais il se trouve aussi en concordance avec l'évolutionnisme romantique, selon lequel la forme humaine est le couronnement, au moins provisoire, de la création évolutive. « La terre existe en vue de l'homme, dit Ritter. Elle n'est que son organe, son corps physique. La terre elle-même est homme *(Die Erde selbst ist Mensch)*. La description physique, chimique ou autre de la terre, tourne à la description de l'homme, l'histoire de la terre devient l'histoire de l'homme. Le schéma physiologique de l'individu est le schéma physiologique de la terre. Le monde entier doit se retrouver dans l'homme *en miniature*. Son anatomie ne fait qu'un avec celle du corps de la terre ou celle de l'humanité entière *(des grossen Menschenkörpers)* » ([61]).

Avant de protester contre cet anthropomorphisme, il convient de souligner que Ritter et Oken sont de véritables savants, dont les travaux attestent qu'ils ne sont nullement dépourvus d'esprit scientifique. Le vrai problème, qui peut être retourné ici contre les tenants de la science objective, serait de savoir si l'asepsie positiviste de l'espace mental ne joue pas contre les intérêts même de la connaissance. On ne va pas toujours à la science par la science ; il arrive que le chemin fasse des détours. Les récurrences de l'imagination ne sont pas d'ordre pathologique. Sans doute les résultats de la recherche doivent être soumis au contrôle expérimental rigoureux, mais les voies d'approche mettent en œuvre, presque toujours, des hypothèses, suppositions et pressentiments en eux-mêmes invérifia-

---

([59]) § 570, p. 129.
([60]) J. W. RITTER, *Fragmente aus dem Nachlasse eines jungen Physikers*, Heidelberg, 1810, Bd. II, § 670, p. 215.
([61]) *Ibid.*, § 420, p. 37 ; cf. § 502, p. 117, où Ritter appelle *coitus* un processus organico-chimique, distingué du processus organico-électrique constitutif du magnétisme animal.

bles, et que seul justifiera, le cas échéant, un éventuel succès des investigations. La pensée scientifique inscrit ses développements au sein de cette communauté des significations qui constituent le domaine humain ; le savoir le plus abstrait porte la marque de son inventeur, l'ombre portée de la forme humaine.

L'originalité de la géognosie romantique allemande apparaît mieux lorsqu'on la situe dans le contexte de la géologie européenne du XIXe siècle. Le thème dominant de l'Evolution, selon la voie royale qui va de la *Philiosphie zoologique* de Lamarck (1809) à l'*Origine des Espèces* de Darwin (1859), est la mise en perspective historique de la planète Terre ; le devenir des formes vivantes se trouve associé à la transformation des structures constitutives du globe terrestre. L'étude des fossiles occupe une place privilégiée dans cette archéologie de la vie. En France, Georges Cuvier (1769-1832) et Etienne Geoffroy Saint-Hilaire (1772-1849) s'illustrent en des recherches et débats d'où l'audace spéculative n'est pas absente ; Cuvier, lié par ses origines montbéliardaises à la culture germanique, est informé de l'actualité scientifique dans les Allemagnes. L'autodidacte William Smith (1769-1839) publie en 1815 la première carte géologique de l'Angleterre et du Pays de Galles, en utilisant les fossiles comme moyen privilégié d'identification des strates géologiques ([62]). Après lui, Charles Lyell (1797-1875) publiera de 1830 à 1833 les trois volumes de ses *Principles of Geology*, premier monument de la science géologique moderne. Comme Smith, Lyell est un observateur de génie, plus soucieux de la collecte et de l'interprétation des faits que ses confrères allemands. Néanmoins l'inspiration romantique se manifeste dans la priorité donnée aux catégories du temps et de la vie ; le siècle romantique est le siècle de l'histoire ; la vérité, solitaire du devenir terrestre, est fille du temps pour les uns et les autres, même si les savants britanniques et français refusent, dans la mesure du possible, de céder aux entraînements de l'imagination et de la divination.

Gottfried Heinrich Schubert (1780-1860) a publié en 1808 un traité intitulé *Aperçus sur le côté nocturne de la science de la nature*, un des textes majeurs de l'épistémologie romantique, qui reprend des thèmes déjà développés dans ses *Ahndungen einer allgemeinen Geschichte des Seeles* (1806-1807). L'histoire de la vie se confond avec l'histoire de l'âme, animatrice du Cosmos en évolution progressive. Un chapitre des *Aperçus*, consacré à « ce qu'on est convenu d'appeler la nature inorganique », montre que la nature prétendument sans vie

---

([62]) Cf. Karl KROEBER, *The relevance and Irrelevance of Romanticism*, vol. IX, 1970, p. 298 sq. ; Stephen TOULMIN and June GOODFIELD, *The Discovery of Time*, New York, 1966.

est travaillée du dedans par un devenir qui bientôt s'accomplira dans les formes végétales ou animales. Werner a montré que les couches sédimentaires récentes sont formées en grande partie par des calcaires, résidus d'animaux fossiles ; ce même calcaire est l'un des éléments constituants des vivants actuels. « Le feldspath est, dans le granit, le représentant de l'hiéroglyphe prophétique des animaux récents » ([63]). Les minéraux sont étroitement associés à l'histoire de la vie, et Schubert caractérise à plusieurs reprises le granit de roche « romantique ». Les formes du relief, en particulier dans les montagnes, annoncent les configurations des êtres vivants ; les piliers rocheux soumis à la loi de la pesanteur symbolisent le magnétisme universel et la loi de polarité ; « ainsi trouvons-nous dans les structures les plus massives l'annonciation des approches du monde organique, la colonnade des troncs d'arbres et les premières formes par lesquelles s'exprime l'animalité (...) En général, le passage de l'ordre minéral dans l'ordre végétal et animal doit être cherché dans les métaux » ([64]). La cristallisation du grenat, du rubis, du phosphore, du soufre annonce déjà la structure cellulaire des tissus vivants. « Le règne des métaux dans son ensemble paraît se situer à la frontière des deux mondes ; né de la décadence, corruption et destruction de l'inorganique, il paraît porter en soi le germe de la nouvelle ère organique. La Nature renaît de sa tombe et d'un état qui ressemble à la putréfaction sous les espèces du monde organique ; la cause de son renouveau est celle même qui a suscité la déchéance du monde inorganique. Ainsi se dresse joyeusement une ère nouvelle sur les décombres de l'ancienne ! » ([65]).

La géologie, convertie en géognosie ou en géosophie, se présente comme une étape initiale dans l'odyssée de la vie, qui progresse par aspiration de l'inférieur par le supérieur. Le domaine minéral se définit comme l'une des inscriptions premières de la vie universelle. Dès avant s'affirme la priorité de l'esprit, qui suscite l'initiative vitale de la lumière, fondement de la vie organique, conjointement avec les forces cosmiques de l'électricité, du magnétisme terrestre et de la gravitation. Un même processus global se trouve à l'œuvre « depuis les mouvements vitaux (*Lebensbewegungen*) de l'aimant jusqu'à ceux de l'animal » ([66]). Schubert estime, comme Oken, que la vie est sortie de la mer, sous la forme d'organismes élémentaires, disparus par la suite. Les premières décennies du XIXᵉ siècle voient affluer les informations relatives aux fossiles ; les *Naturphilosophen* utilisent les

---

([63]) G. H. VON SCHUBERT, *Ansichten von der Nachtseite der Naturwissenschaft*, VII (1808) ; 3ᵉ éd., Dresde, 1827, p. 151.
([64]) *Ibid.*, p. 166.
([65]) P. 167.
([66]) *Op. cit.*, ch. VIII, p. 171.

données de la paléontologie, en voie de constitution, en particulier grâce aux efforts de Cuvier (1769-1832), qui prolonge vers les origines de l'histoire de la vie sur la terre les méthodes de l'anatomie comparée. Le savoir romantique, dans une période de transition, ne néglige pas, bien au contraire, les progrès de la connaissance.

On pourrait être tenté de considérer avec quelque pitié les interprétations des maîtres romantiques, en les attribuant à la poésie ou au délire. Elles ne sont pas plus méprisables que les spéculations contemporaines du grand Lamarck, lui aussi, il est vrai, injustement oublié. Un siècle après l'âge romantique, alors que sont intervenus le positivisme, le scientisme et la théorie darwinienne de l'évolution, on retrouvera des tentatives de reconstitution de l'histoire de la vie dans le spiritualisme biologique du Bergson de l'*Evolution créatrice* (1907) et de son disciple Edouard Le Roy (1870-1954), dont les ouvrages comme *L'Exigence idéaliste et le fait de l'évolution* (1927) et *Les origines humaines et l'évolution de l'intelligence* (1928), attestent une forme de pensée qui, compte tenu des nouvelles acquisitions de la science, s'apparente à la *Naturphilosophie* romantique, et retrouve, sans le savoir probablement, certaines de ses intuitions fondamentales. Il en est de même pour la pensée de Teilhard de Chardin (1881-1955), authentique savant, géologue et paléontologiste, qui propose une géognosie et une biosophie fortement inspirées par la théologie chrétienne. Le positivisme strict, s'il refuse de s'avancer au-delà des faits établis en toute rigueur, se condamne à un agnosticisme intenable à la longue. Les horizons de la cosmologie ne peuvent être évoqués que par la voie des suppositions plus ou moins incontrôlables, mais l'hypothèse, faute de mieux, est aussi un moyen de connaissance, à condition de ne pas confondre la conviction subjective et la certitude objective. L'idée qu'un « savant », d'aussi grande envergure qu'on voudra, pourrait se donner par les seuls moyens de la « Science » proprement dite une vision du monde cohérente constitue l'un des mythes du positivisme militant; mais lorsqu'un Einstein, ou tout autre héros éponyme du savoir contemporain, propose à ses lecteurs l'image du monde tel qu'il le conçoit, le résultat, généralement décevant, atteste que la croyance doit toujours combler les lacunes de l'information sûre, sous la forme de généralités vagues et d'extrapolations abusives. Les spéculations des *Naturphilosophen* choquent les hommes d'aujourd'hui parce que leur langage est démodé; mais le vocabulaire à référence scientifique actuellement employé dissimule une rhétorique imaginative, aussi peu convaincante que celle des docteurs romantiques. La physique de l'atome, la chimie des molécules, la biologie génétique, les investigations expérimentales de l'univers en expansion proposent sans cesse des thèmes nouveaux et des perspectives explicatives dont nos devanciers ne disposaient pas. La tâche de la synthèse n'en est pas facilitée pour autant ; la multiplication des données semble multiplier conjointement les ignorances et les incertitudes. Les spécialistes arrivent parfois à assurer la liaison entre deux maillons voisins dans la chaîne des connaissances, mais le nombre des maillons ne cesse de s'accroître, en sorte que la réalisation de l'intelligibilité intégrale recule à mesure que la science progresse.

CHAPITRE IV

CANTIQUE DES DEGRÉS

L'épistémologie romantique propose d'abord son caractère unitaire. La biologie cosmique, enracinée dans le domaine de la géognosie, progresse sans rupture des roches et métaux jusqu'à la forme humaine ; la chaîne de l'intelligibilité se trouve commandée, à ses deux extrémités, par le minimum vital des conditions cosmiques d'apparition de la vie, et le maximum vital de l'accomplissement humain. Entre les deux bouts de la chaîne s'étend le parcours de la nature, donné en son intégralité dans l'acte originaire de la création divine, mais que notre intelligence limitée ne peut déchiffrer que pas à pas. D'emblée s'impose la disproportion entre la finitude humaine et l'infinité du cosmos, qui semble vouer à l'échec toute entreprise pour embrasser la Totalité.

L'*Histoire de l'Ame*, somme de la pensée de G. H. von Schubert, commence par l'évocation du « monde corporel », tel qu'il s'offre à nos prises ; ce monde pour nous n'est pas le monde en soi. « Ce que les appareils sensoriels de notre corps saisissent et connaissent, est de nature corporelle ; c'est dans un monde en perpétuel changement et mouvement que l'homme a sa demeure aussi longtemps qu'il vit dans son corps (*so lange er im Leibe lebt*). » Le caractère humain de la connaissance humaine s'impose à notre savoir pour le relativiser. « Avec quelle mesure humaine peut-on mesurer les étendues de l'espace et du temps ? Qu'est-ce que la longueur et la largeur de ma main par rapport à la longueur et à la largeur de la surface terrestre, sur laquelle se déplace mon pied, ou par rapport à la profondeur des mers ? Qu'est-ce que cette terre, avec ses hautes montagnes et ses mers par rapport au système solaire », et qu'est-ce que le système solaire dans l'univers ? Le monde de la connaissance ne peut être pour nous qu'un monde de l'incarnation ; « ce monde, impossible à mesurer, des choses proportionnées à notre corps, n'est qu'une image dans le miroir, où l'esprit de l'homme se reconnaît lui-même, en même temps qu'il y voit le Créateur qui l'a fait ce qu'il est. Sans mesure et sans limites, comme pour ma compréhension la puissance du Créateur, sont pour moi les œuvres de sa main » ([1]).

Ainsi l'anthropomorphisme est la condition au départ, inéliminable, de toute connaissance. Pour Schubert et les *Naturphilosophen* en général, l'histoire de la Nature cosmique est ensemble l'histoire de l'âme humaine, elle porte en chacun de ses moments la marque de la vie humaine en son incarnation organique. Nous sommes au monde, et ensemble nous sommes du monde. « A chaque pas, à chaque mouvement de ses membres, mon corps se trouve maintenu par un lien qui, en tant que pesanteur, l'unit d'abord à la totalité de la terre, et par son intermédiaire à la totalité des autres mondes. A chaque regard dans la joie de la nuit, mon sens visuel se sent soumis à une puissance qui, sous les espèces de la lumière, le transporte jusqu'aux lointains les plus éloignés du ciel étoilé » ([2]). Lumière et pesanteur, forces fondatrices du domaine humain, sont ensemble des dimensions de la présence divine au sein de la création. Les puissances cosmiques, en tant qu'agents producteurs de toute réalité, énoncent la présence du Dieu vivant, du haut en bas de la hiérarchie des créatures.

Cette théologie naturelle forme l'arrière-plan commun des exposés des biologistes romantiques. Oken, dans son *Lehrbuch der Naturphilosophie*, descendra jusque dans les détails de la classification botanique ou zoologique ; mais il commence lui aussi par une profession de foi théosophique. « La *Naturphilosophie* est une histoire de la Création ; mais la Création est la langue de Dieu. Le système de la langue a son fondement dans le système de la pensée. La science des lois de la pensée porte le nom de Logique. La *Naturphilosophie* est donc une linguistique divine ou une divine logique » ([3]). La logique de Dieu est corrélative d'une physique, laquelle régit la dialectique de la Création par la vertu des nombres, Oken étant un tenant résolu de l'arithmosophie romantique. Il montre longuement le caractère trinitaire de l'actualisation physique de Dieu dans l'univers. Dieu se montre d'abord sous la forme de la Monade, à laquelle correspondent la pesanteur, l'éther, la ténèbre, le froid, le chaos. Puis, sous les espèces de la Dyade, Dieu se montre dans la tension de l'éther, qui donne la lumière ; enfin, comme Triade, Dieu se fait chaleur. « Dieu,

---

([1]) G. H. VON SCHUBERT, *Die Geschichte der Seele* (1830), 1re partie, ch. I : *Die Welt des Leiblichen*, § 1 ; 6e édition, Stuttgart, 1878, p. 4 ; remarquer la date tardive de cette réédition.
([2]) *Ibid.*, p. 5.
([3]) Lorenz OKEN, *Lehrbuch der Naturphilosophie* (1810), 3e éd., Zürich, 1843, § 66, p. 14.

reposant en soi, est pesanteur ; sortant de soi et agissant, Lumière ; unissant les deux, ou rentrant en soi, chaleur ». L'ensemble donne cette manifestation de la Trinité qu'est le feu ([4]). Ce ne sont pas là des affirmations gratuites ; Oken établit longuement ces différentes propositions, qui ne doivent pas être considérées comme l'expression d'un matérialisme divin ou d'un panthéisme. La révélation de Dieu à l'homme n'épuise pas l'essence divine ; le Créateur n'est pas absorbé dans sa création. L'En Soi de Dieu, en deçà de sa manifestation à l'humanité, échappe à nos prises, dans les ténèbres du Non-Etre. D'ailleurs les éléments constituants de la physique originaire, l'Ether, la Pesanteur, la Chaleur, le Feu ne sont pas les réalités concrètes qui s'offrent à notre perception, mais des entités ontologiques, à nous proposées dans un recul transempirique. Un sens allégorique se profile derrière les affirmations de cette méta-physique ou de cette méta-biologie, qui requiert très fréquemment la mise en œuvre d'une double lecture. La matérialisation de l'esprit va de pair avec la spiritualisation de la matière. Oken, lorsqu'il met en correspondance la Trinité et le feu, doit avoir présentes à l'esprit les langues de feu descendues sur les disciples du Christ au jour de la Pentecôte.

De cette signification transréelle des entités physiques ou chimiques, Oken donne un exemple en ce qui concerne l'Ether. « J'appelle Ether, écrit-il, matière originaire, matière du monde, matière cosmique, la matière qui est la position immédiate de Dieu, qui emplit la totalité de l'univers, constituant la tension et le mouvement du temps, l'essence originaire de la pesanteur. L'Ether est la première réalisation de Dieu, sa position éternelle. Il est la première matière de la création ; tout a procédé de lui ; il est l'élément divin, le plus haut, le corps de Dieu (der göttliche Leib), la substance originaire (die Ursubstanz) dont le chiffre est 0 + − » ([5]). Texte assurément obscur, et facile à interpréter, soit dans le sens d'une réprobation positiviste d'affirmations vides de contenu réel, soit dans le sens d'une réprobation et inquisition pour hérésie panthéiste. Teilhard de Chardin, jésuite, s'est attiré des suspicions du même ordre pour avoir évoqué un « Christ cosmique », consommation d'une sacralisation évolutive de l'univers. Sans doute faut-il voir dans cette orientation de la Naturphilosophie une radicalisation du thème de l'incarnation. On trouverait chez Novalis, chez Zacharias Werner et certains de leurs amis une interprétation cosmique de la présence eucharistique. Si le pain et le vin, les espèces sacramentelles, peuvent être, dans l'accomplissement de la liturgie, transmuées en corps et sang du Christ, pourquoi la même mutation ne pourrait-elle pas s'étendre de

[4] Ibid., § 208,. p. 39.
[5] Ibid., § 169, p. 32.

proche en proche à la totalité de l'univers, en tant que participant de la même grâce, dont l'efficacité ne se limite sans doute pas à ces seuls êtres naturels que sont la vigne et le blé ? D'ailleurs les nourritures de la liturgie, lorsqu'elles sont consommées par les fidèles, entrent dans les circuits naturels de l'existence organique et communiquent ainsi leur vertu au reste de l'univers. Pour des savants imbus d'une religiosité profonde, la doctrine romantique de la nature offre la possibilité de retrouver dans la réalité des choses et des êtres la présence divine du Créateur dans la création.

L'homme, enseigne la révélation biblique, a été créé à l'image de Dieu ; mais si l'homme est le point culminant, l'accomplissement de la création, les êtres qui lui sont inférieurs doivent bénéficier aussi de cette analogie de la divinité, à proportion de leur élévation dans l'échelle hiérarchique de la nature. Selon Oken, l'homme serait « le Dieu fini, le Dieu devenu chair. Dieu est la *Monade indéterminée ;* la plus haute créature est la *Monade déterminée*, le *Totum determinatum*. Nous appelons homme une conscience de soi finie. L'homme est une idée de Dieu, celle en laquelle Dieu se fait objet complètement, dans chacun de ses actes... » ([6]). Propos significatifs de certains aspects extrêmes de l'idéologie romantique. « L'homme est la manifestation totale de Dieu *(Der Mensch ist das ganz erschienene Gott)*. Dieu est devenu homme. (...) L'homme est un complexe de tout ce qui l'entoure, élément minéral, plante et animal » ([7]). Cette dernière formule autorise la sacralisation de l'univers dans son ensemble, par la vertu communicative de la divinité de l'homme, qui assume avec lui dans son élévation tous les signes de la Nature. Oken a posé, dès le début de son ouvrage, que « l'homme se trouve au sommet, au couronnement du développement de la Nature ; il doit embrasser tout ce qui se trouvait là, avant lui, comme le fruit comprend en soi toutes les parties antécédentes de la plante. L'homme doit exposer en réduction la totalité du monde » ([8]).

La continuité reconnue entre l'homme et Dieu, qui fait de l'homme-microcosme l'exposant de la création dans son ensemble, relativise les ruptures d'intelligibilité entre les divers ordres de la réalité. L'ordre minéral, par exemple, au lieu d'être séparé, dans les règnes de la nature, par un véritable hiatus de l'ordre végétal, en devient la première assise, condition de possibilité pour l'émergence des êtres vivants. La Terre dans son ensemble est un grand organisme, dont les rythmes embrassent et entretiennent les cycles naturels ; les origines, le maintien et l'expansion de la vie sont

([6]) § 97, p. 20.
([7]) § 98 ; *ibid.*
([8]) § 12, p. 2.

étroitement dépendants des conditions cosmiques du milieu (eau, air, lumière, chaleur) ; la fertilité de la terre est déterminante pour l'apparition de la vie organique et pour le développement même de l'humanité. Les entités géologiques fournissent les premiers degrés d'une dialectique indispensable à la mise en place de la création dans son ensemble. « Les métaux, enseigne Steffens, sont l'image de la masse à l'état le plus pur, c'est-à-dire l'approximation la plus intensive qui soit de la matière dans l'ordre phénoménal » ([9]). Les différences de cohérence et de pesanteur d'une planète à l'autre permettent de les considérer comme l'individualisation des différents métaux. « Les métaux mettent en évidence cette époque infiniment lointaine où pesanteur et lumière se trouvaient au maximum de leur éloignement réciproque. Le noyau de la Terre est métallique » ([10]).

De tels aphorismes ont une signification directement matérielle ; mais ils évoquent aussi des significations métaphoriques, des valeurs symboliques, d'où procède une phénoménologie de l'ordre métallique, en rapport avec la phénoménologie des éléments et des forces, exposée par Steffens, dès 1800, dans ses *Contributions à l'histoire naturelle de la Terre*. La géologie est un exposant de la conscience tellurique, foyer rayonnant de la cosmobiologie romantique. Si les rochers, récifs et falaises, si les massifs montagneux, si les cavernes et grottes, si les mines et souterrains creusés de main d'homme sont des lieux d'élection de l'imaginaire romantique, ce n'est pas pour le pittoresque extérieur du décor ; c'est parce que ce domaine mythique évoque, par la vertu d'une réminiscence ontologique, les enracinements premiers, l'alliance de l'homme avec l'univers. Les sciences de la Terre sont ensemble une mythique, une poétique ; elles s'étendent à travers un espace mental dont les confins opposés pourraient être l'Académie minière de Freiberg et le géologue Werner d'un côté, et de l'autre le domaine souterrain de *Heinrich von Ofterdingen*, illuminé par la sagesse de l'initiateur Werner.

Il va sans dire, mais peut-être il va mieux en le disant, que cette géognosie romantique de l'imaginaire a retrouvé sa force persuasive et son actualité dans l'œuvre de Gaston Bachelard. Sa poétique, sa mythique des éléments propose aux contemporains une récurrence des intuitions romantiques selon l'ordre des solidarités élémentaires entre l'homme et le cosmos. Bachelard, formé à l'école des sciences rigoureuses, avait d'abord conçu le projet d'une « psychanalyse » destinée à libérer l'esprit des emprises et fascinations exercées sur lui par les éléments traditionnels. Mais les images archaïques du terroir

---

[9] Henrich STEFFENS, *Grundzüge der philosophischen Naturwissenschaft*, Berlin, 1806, p. 88.
[10] *Ibid.*, p. 89.

humain, reprises et orchestrées par les poètes, résistaient à toutes les tentatives de conjuration rationnelle. Le philosophe se résigna ; ou plutôt, il se résolut à admettre que les images élémentaires, bien loin d'être gratuites et vides de sens, manifestaient la présence d'un sens plus profond, plus humainement vrai que les réductions positivistes. La vérité des poètes va plus profond que celle des savants.

Quoi qu'il en soit de ces prolongements, le passage du domaine tellurique, où règnent les puissances de la pesanteur et du magnétisme, au domaine de la vie a attiré l'attention des savants romantiques, soucieux d'identifier les formes intermédiaires dans lesquelles la vie paraît sourdre du roc ou de la pierre. Tel est l'un des aspects originaux et méconnus de la *Naturphilosophie;* les présupposés romantiques ont suscité des recherches positives concernant la vie élémentaire, naissant du minéral, auquel elle adhère de toute son énergie, comme le lichen collé au rocher. Les mousses, les moisissures, les champignons aux variétés innombrables, avaient été jusque-là négligés par les savants, cédant à un préjugé axiologique, sous la pression duquel ils préféraient se consacrer à l'étude des êtres « supérieurs ». Les romantiques s'efforcent de ressaisir dans la nature l'émergence de la force vitale (*Lebenskraft)* et de l'instinct de croissance (*Bildungstrieb),* qui prennent appui sur la terre pour susciter l'odyssée de la vie à travers les espèces. Comme Lamarck l'avait compris de son côté, dans un contexte épistémologique différent, les premiers stades de la croissance sont plus significatifs que les stades ultérieurs, où toutes sortes d'éléments annexes viennent surcharger l'unique nécessaire. Le minimum vital est plus caractéristique, plus décisif pour la science, que le maximum, observable dans des êtres dont la structure est très différenciée. La nouvelle orientation épistémologique provoque une surcharge d'intérêt qui produira des résultats considérables. Un domaine jusque-là négligé se trouve mis en valeur, et suscite un fructueux enrichissement du savoir.

L'étude des confins entre le minéral et le vital met en œuvre d'une manière privilégiée la notion de métamorphose ; tout se passe comme si la terre-mère engendrait des produits encore plus ou moins informes, proches de son sein nourricier. Les *Naturphilosophen* retrouvent des intuitions transmises d'Aristote et de Pline à l'histoire naturelle des scolastiques, en vertu desquelles les champignons étaient le produit d'un excès de suc de la terre et des arbres. Ces exsudations pouvaient prendre des formes variées, liées en particulier à la surabondance de l'humidité dans certaines périodes de l'année. Le phénomène de la fermentation fournissait une imagerie correspondant à une germination spontanée des forces telluriques, s'étalant à l'air libre sous forme d'excroissances, dont on hésite parfois à préciser la nature végétale ou animale. Lorenz Oken, Nees von Esenbeck, Schleiden se sont attachés à décrire les formes granuloïdes où s'extériorise une vie primitive, réduite à de petites boules d'un liquide visqueux. Cette masse gélatineuse peut croître et se subdiviser en petites cellules, au sein desquelles apparaissent des germes vivants. Ce serait là, estime Treviranus, dans sa *Biologie oder Philosophie der lebenden Natur* (1802-1814), la matière vivante élémentaire, encore informe et réduite à sa plus simple expression, mais porteuse déjà de la force vitale; sous l'influence des conditions du milieu, elle pourra évoluer vers le règne végétal ou le règne animal ([11]).

La théorie des molécules organiques, premiers germes de la vie, proposait, dès le XVIIIe siècle, cette désignation romantique des infusoires comme premiers porteurs de la vie. Leur existence était attestée par des phénomènes d'un caractère banal : moisissures, fermentation acétique ou alcoolique; la puissance vitale opère sous nos yeux de prodigieuses métamorphoses dont la valeur explicative s'impose à l'esprit. La doctrine romantique de la polarité donne à penser que le lieu d'élection de ces métamorphoses se situe au contact de l'eau et de la lumière, au bord des eaux dormantes ou des océans; Vénus jaillit de l'onde. L'humus terrestre est aussi une matrice originaire qui engendre la vie. Franz Unger évoque dans les années 1840 l'existence d'un *mucus matricalis*, produisant par voie de génération la matière originaire (*Urmaterie*). Selon Nees von Esenbeck (1776-1858), professeur de botanique à Bonn, les champignons issus de cette matrice sont nourris par le lait de la terre qui leur permet de se développer avec une surprenante rapidité. Cette intuition, en se diversifiant, permet d'expliquer toutes sortes de phénomènes; les champignons qui se forment sur les vieux arbres, signes de leur dégénérescence, marquent le déclin de la force vitale, une sorte de régression vers les origines, car les formes régressives de la vie expriment un mouvement symétrique de celui des formes progressives.

Médecin et botaniste, Franz Unger est l'auteur d'un grand traité sur *Les exanthèmes des plantes et certaines maladies de la végétation qui leur sont apparentées* (Vienne, 1833), ouvrage qui serait, au dire de Wehnelt, le chef-d'œuvre de la botanique romantique, systématisant pour la première fois la pathologie et la nosologie des plantes. L'exanthème est une efflorescence, une effusion des sucs vitaux, symptôme non pas d'une maladie superficielle, épidermique, mais d'un déséquilibre humoral. L'anomalie du processus vital se déplace du dedans vers le dehors. Mais Unger ne se contente pas d'une

([11]) Cf. B. WEHNELT, *Die Pflanzenpathologie der deutschen Romantik*, Bonn, 1943, p. 114; ce livre est une mine d'informations suggestives.

symptomatologie, qui engloberait le domaine végétal et le domaine animal dans un même système biologique ; il s'élève jusqu'à une pathologie générale des organismes. Dans le domaine botanique, il voit les champignons comme des exanthèmes de la terre, résultant d'une fermentation par métamorphose ; le champignon serait une cellule normale, unique, aux proportions devenues monstrueuses. L'étude des exanthèmes des plantes conduit à un renouvellement de leur physiologie ; les feuilles doivent être considérées comme l'équivalent de la peau et des poumons des animaux ([12]).

La doctrine des métamorphoses donne à penser que la plante est constituée par un champignon élevé à une puissance supérieure par la lumière ; un mouvement régressif, en sens inverse, peut, sous l'influence de facteurs pathologiques, faire régresser la plante jusqu'à l'état de champignon. Dans cette perspective évolutive, certaines espèces jouent un rôle privilégié, comme des articulations de la croissance. Certaines algues peuvent, selon Unger, se transformer en animaux ; elles sont comme des embryons de la vie animale. Nees von Esenbeck rapproche les éponges des champignons dans une étude de morphologie comparée. Ces diverses tentatives illustrent la constitution d'un nouveau domaine épistémologique, où des données du savoir, jusque-là indépendantes les unes des autres, s'éclairent par leur rapprochement, qui ouvre des perspectives neuves, non seulement dans l'ordre de la botanique, mais aussi pour la biologie générale, la parasitologie et la pathologie générale. Les influences romantiques demeurent présentes, au titre de suggestions religieuses ou même poétiques. Pour Nees von Esenbeck, les champignons et les éponges sont des plantes de rêve (*Traumpflanzen*), fruits de la nuit. « Avec les champignons s'annonce le déclin de l'automne ; les feuilles tombent. Le monde végétal se met à rêver de son printemps... » ([13]). Les puissances telluriques s'incarnent à la faveur de la nuit ; le rêve, la vie nocturne autorisent le retour à l'origine ; les champignons sont les messagers d'une réminiscence de la vie originaire.

En fait, cette région des confins représente l'un des lieux d'élection pour « les aspects nocturnes de la science de la nature », auxquels G. H. von Schubert consacrait en 1808 un ouvrage célèbre. Les intelligibilités conjointes du jour et de la nuit définissent, dans leur entrelacement, un ordre de connaissance où l'imaginaire coexiste avec l'objectivité. « La lumière et l'air, écrivait Unger, ont trouvé leur expression symbolique dans la partie supérieure de l'organisme végétal ; le processus chimique et la force de cohésion, doivent avec

---

([12]) Cf. WEHNELT, *op. cit.*, p. 142-148.
([13]) Nees VON ESENBECK, *Das System der Pilzen und Schwämme*, Introduction, 1816-1817, dans WEHNELT, *op. cit.*, p. 51.

une pareille nécessité chercher leur organe dans la tige souterraine de la plante, puisque ces forces appartiennent à l'eau et à la terre. La première mutation organique de l'eau (*das Organischwerden des Wassers*) s'appelle assimilation, processus chimique ; elle est propre à la racine, lorsque la tige souterraine en sa mystérieuse sensibilité remue la terre ; sa croissance organique, axe du magnétisme terrestre, constitue la première figure sonore, merveilleusement exposée en forme d'accord parfait dans la disposition de ses parties constituantes » ([14]). La morphologie végétale rejoint ainsi la métamathématique immanente au monde ; elle énonce dans son ordre les harmonies musicales qui formulent la structure providentielle de la création.

On aurait tort de retenir des recherches et travaux des botanistes romantiques certaines spéculations aventureuses, extraites de leur contexte, ou certaines affirmations reconnues erronées par la suite. Si Lamarck a donné en France des lettres de noblesse à l'étude des Invertébrés, les savants allemands, affiliés plus ou moins directement à la *Naturphilosophie,* ont annexé au territoire de la science le domaine des mousses, celui des champignons, celui des éponges, d'autres encore. Leurs travaux, ceux de leurs élèves, ont ouvert des cheminements, fertiles en découvertes réelles. L'organicisme romantique a rendu possible la constitution d'une biologie générale, science des caractères généraux de la vie sous toutes ses formes, appelée à un grand avenir. L'avènement d'une discipline présuppose la définition d'un espace épistémologique, propre à servir de théâtre d'opérations à la nouvelle recherche. L'initiative première, avant que devienne possible le travail positif, revêt nécessairement un caractère prophétique ; les fondateurs doivent avoir l'intuition de ce qui n'existe pas encore ; ils inventent ce qui deviendra, pour leurs héritiers, le réel. Cette fonction a été assumée en bien des points par les *Naturphilosophen,* lesquels avaient eux-mêmes reçu la révélation initiale de Herder, de Goethe et de Schelling, premiers à ouvrir des voies où il ne leur était pas possible de s'engager. Le néologisme *Biologie* reflète cette nécessité d'un terme nouveau pour désigner une nouvelle recherche. Et si les Romantiques, aussi bien que Lamarck, ont commis des erreurs, dénoncées par d'acerbes successeurs, il est juste de se souvenir que les successeurs en question devaient à leurs prédécesseurs leur orientation scientifique, et la possibilité même qu'ils mettaient en œuvre de corriger leurs travaux.

De cette biologie générale, champ d'opération des savants romantiques, on trouve une esquisse d'ensemble dans le traité de Adam Karl Eschenmayer (1768-1852), professeur de médecine à Tübingen,

---

([14]) Franz UNGER, dans un article de la revue de botanique *Flora* de Ratisbonne, 1832 ; dans WEHNELT, p. 54.

paru en 1832 sous le titre : *Esquisse de la philosophie de la Nature* (*Grundriss der Naturphilosophie*). Disciple de Schelling, Eschenmayer expose une conception ternaire des puissances constitutives de la réalité ; trois puissances régissent chacun des trois degrés de l'être. Le règne de l'esprit est constitué par la pensée, le sentiment et la volonté ; le règne de la nature matérielle met en œuvre la pesanteur, la chaleur et la lumière ; le règne de la vie mobilise la force reproductive, l'irritabilité et la sensibilité ([15]). Les moments de cette dialectique avaient été énoncés par Schelling une trentaine d'années auparavant, ce qui atteste de leur part une bonne résistance à l'usure. Le domaine organique forme un règne intermédiaire entre l'ordre physique et l'ordre moral. Le principe vital (*Lebensprinzip*) réalise un équilibre entre les trois puissances qui le constituent ; « toutes les trois sont constitutives de chaque être organique, mais moyennant une telle prépondérance de l'un ou de l'autre qu'il s'ensuit une innombrable variété de degrés. La force de reproduction est la puissance inférieure. Plus un être organique est proche du bas de l'échelle, plus s'affirme en lui la faculté reproductive, et moindres sont les traces des deux autres puissances qu'on peut trouver en lui. L'irritabilité est la faculté intermédiaire. Plus elle domine, plus les autres lui sont subordonnées. La sensibilité est la puissance supérieure. Sa prépondérance ne s'affirme que dans les organisations les plus nobles, et à proprement parler seulement dans l'homme » ([16]).

L'analytique ternaire justifie une dialectique, poursuivie jusque dans le détail des structures anatomiques et des fonctions physiologiques. « Les trois puissances fondamentales sont les exposants (*Exponenten*) de la nature organique dans son ensemble, chacune s'appropriant un domaine propre. La puissance reproductive, passée à l'état de substance et se subordonnant les deux autres, produit le règne végétal. L'irritabilité, substantifiée et dominante, suscite la nature humaine » ([17]). Cette conception pyramidale situe l'homme au sommet d'une création, dont Eschenmayer ordonne les articulations selon les rythmes de l'arithmologie pythagoricienne : « toute chose dans le monde est constituée par le nombre qu'elle incarne, et tout produit des choses résulte de la combinaison de leurs nombres. Si l'homme était capable de découvrir les nombres des choses, il connaîtrait aussi leurs propriétés, et la Nature se dévoilerait à lui dans son essence la plus intime » ([18]).

([15]) K. A. ESCHENMAYER, *Grundriss der Naturphilosophie*, Tübingen, 1832, § 8 ; dans Theodor BALLAUFF, *Die Wissenschaft vom Leben*, Freiburg-München, Verlag Karl Alber, Bd. I, 1954, p. 385.
([16]) *Op. cit.*, § 185 ; BALLAUFF, pp. 386-387.
([17]) *Ibid.*, § 190, p. 387.
([18]) § 7, p. 384.

Les recherches récentes sur la structure de la matière mettent en œuvre, selon des échelles de lecture beaucoup plus raffinées que l'arithmologie pythagoricienne, des spéculations mathématiques. C'est à travers des schémas de mathématique et de géométrie subtils que les savants établissent ce qui peut être connu de la réalité cosmique, de la matière et de la vie. Les références à l'ordre de la perception ayant perdu à ce niveau d'analyse toute espèce de signification, il ne subsiste sous le regard de l'esprit qu'un nuage d'expressions mathématiques, dernière instance d'un savoir qui institue un nouvel hermétisme bien plutôt qu'il ne manifeste une nouvelle intelligibilité.

L'homme garde la situation de primogéniture qui lui est assignée dans le schéma biblique de la création. « L'homme se situe au sommet de l'échelle des êtres organiques ; en lui se révèle la forme la plus haute de la sensibilité, alliée à un ennoblissement des deux puissances inférieures de la vie. En lui se trouve atteinte la juste proportion des trois composantes, telle qu'elle est réalisable sur la sphère terrestre. Tous les autres organismes sont des approximations positives ou négatives de cette même unique proportion fondamentale » ([19]). En l'être humain s'accomplit l'unité de la totalité ; d'où la thèse selon laquelle « le monde organique ne serait qu'un être humain mis en pièces ou déchu, puisqu'il unit en lui, en tant que prototype (*Prototyp*), le Tout en sa parfaite harmonie, mais sans exclure pour autant la possibilité de divergences par rapport à l'essentiel » ([20]). Suit un schéma ternaire d'anatomie et physiologie générales, où la forme humaine joue effectivement le rôle de modèle épistémologique, de paradigme, pour l'étude de l'ensemble des êtres, ordonnés selon la mesure où transparaît en eux, plus ou moins explicitement, l'intelligibilité de la forme humaine.

La pensée synthétique d'Eschenmayer, en dépit des présupposés ontologiques et théologiques dont elle s'inspire, organise d'une manière simple une masse impressionnante de données. L'organicisme romantique met en œuvre un évolutionnisme entraînant la totalité des êtres dans une dynamique ascensionnelle. Le déterminisme des conditions du milieu physique entre en composition avec l'autonomie propre aux êtres vivants, selon la mesure de leur situation dans l'échelle des êtres. La totalité des êtres doivent obéissance à la pesanteur ; « de même toute vie est soumise aux lois et influences d'ordre mécanique et chimique du monde extérieur ; une relation continue avec l'eau, l'air, la chaleur, la lumière est absolument indispensable ; ces influences sont d'ordinaire bienfaisantes,

([19]) § 191, p. 387.
([20]) *Ibid.*

parfois aussi défavorables. Mais cette dépendance extérieure va pourtant de pair avec une indépendance intérieure ; car le principe vital, dans son économie intime, s'élève au-dessus de toutes les lois de la pesanteur, du mécanisme et de la chimie ; c'est selon ses lois et schémas propres qu'il crée, ordonne et conserve toutes choses, à des degrés divers néanmoins, et selon la dignité de son organisation. La plante se dresse, dans une plus grande dépendance de la gravité terrestre, profondément enracinée dans le sol, sans pouvoir changer de place. Elle tire sa nourriture de la terre, de l'eau et de l'air. Chaleur et lumière lui sont indispensables. Sa diffusion géographique, en général, n'excède pas un domaine restreint, et toute influence extérieure un peu puissante porte atteinte à sa vie ». L'animal bénéficie de la liberté de mouvements ; il échappe à la captivité de l'espace. L'homme est l'être le moins soumis à la pesanteur, dont il arrive à triompher par la technique ; il habite la planète entière ([21]).

Un demi-siècle auparavant, Herder, dans ses *Ideen*, avait proposé des vues analogues, avec plus d'éloquence et de poésie. Le progrès de la pensée, de Herder à Eschenmayer, consiste en ce que le premier, théologien de formation, se contente d'exposer des idées générales, tandis que le second, professeur de médecine, après cette entrée en matière, développe une vue d'ensemble des êtres naturels, en accord avec les acquisitions récentes de la connaissance. Les *Naturphiloso-phen* ne sont pas des philosophes qui parlent de la science, mais des savants qui s'efforcent de donner à leur science une constitution philosophique. On ne leur rend pas justice lorsqu'on les juge sur les préambules et conclusions de leurs travaux, séparés du considérable contexte de faits objectifs qu'ils encadrent. Ces philosophes sont ensemble des naturalistes, botanistes, zoologistes, psychologues, médecins, engagés dans l'actualité scientifique de leur époque ; la *Naturphilosophie* leur fournit des filières d'intelligibilité pour la conduite des investigations auxquelles ils consacrent l'essentiel de leur vie.

La meilleure perspective pour aborder la *Naturphilosophie* serait sans doute une étude de l'imaginaire scientifique, de sa nature et de sa fonction dans la recherche. La science romantique de la nature est fondée sur l'intime alliance du réel et du fantastique ; et c'est parfois en suivant ses fantasmes que le savant découvre le réel. Le savant positif ne parvient à sa positivité qu'en instituant son discours scientifique dans un vide préalable, artificiellement réalisé, qui exclut les récurrences du sentiment, les tenants et les aboutissants du regard actuel, qui, de proche en proche, relie chaque fait à la totalité. Celui qui fait œuvre de science positive a oublié son statut de créature, sa

vie et sa mort, sa condition humaine et les thèmes secrets qui
motivent tous ses comportements, y compris ses démarches épistémologiques. L'homme de science, réduit à la science, bien loin
d'incarner, comme certains voudraient nous en persuader, la forme
supérieure de l'humanité, ne serait plus guère un homme, mais le
fantôme d'un individu réduit à la raison.

L'histoire des sciences dans leur évolution réelle n'est pas une
histoire de la Vérité — ce qui n'aurait aucun sens — ni même une
histoire des vérités. La vérité, du fait qu'elle est la vérité, ne devrait
pas avoir d'histoire, étant par définition vraie de tout temps.
L'histoire de l'acquisition des connaissances enseignerait plutôt la
lenteur de cette progression, la multiplicité des pièges, des chemins
où s'égare la recherche, les longues stagnations, les reprises soudaines
et les brillants succès après de multiples échecs. Si la connaissance
scientifique était le fruit de l'étude objective, si la raison humaine
progressait de vérité en vérité selon le droit chemin de la logique
positive, rien n'aurait empêché le système de la science parfaite de
s'offrir dans sa rigueur axiomatique au premier savant de génie. Nous
sommes loin de compte; l'histoire des sciences est inachevée,
davantage encore, elle paraît décidément inachevable; et le profil de
son cheminement, bien loin d'évoquer le plus court chemin d'un
point à un autre, adopte un tracé en zigzag, où les hasards, les
rencontres fortuites, les contaminations et fascinations abusives,
jouent un rôle déterminant. Il est des erreurs fécondes et des vérités
qui stérilisent la pensée, points d'arrêt dans une fausse sécurité, qui
interdit pour longtemps toute remise en question.

Il paraît impossible, dans la *Naturphilosophie*, de discerner la part
du vrai et la part du faux; l'essentiel de ces spéculations se situe dans
l'entre-deux. Sans doute ce clair-obscur est-il stimulant pour la
pensée, qui peut se donner libre carrière en dehors du domaine
délimité de l'univers du discours rationnel. La réhabilitation du clair-
obscur, après l'ère du physicalisme des lumières, a été propice à la
soudaine expansion des sciences de la vie au XIXe siècle. Le primat de
la physique mathématique consacre la supériorité des formes fixes et
des équations rigoureuses; le modèle épistémologique du mécanisme
impose une intelligibilité à prédominance spatiale et statique. Le
romantisme redécouvre les valeurs telluriques, la continuité nocturne
où les formes se fondent les unes dans les autres dans une communion
féconde. La connaissance se liquéfie, comme la réalité elle-même,
dont les origines se perdent dans les eaux de la mer ou dans les
profondeurs informes du chaos. Selon Schubert, « nous voyons dans
la Nature entière, autant que nous la connaissons, les origines de
toutes choses procéder à partir d'une sorte de liquidité sans forme; et
un processus de constitution continu leur permet de passer d'un état

plus liquide à un état toujours plus solide. La masse entière de la terre, comme chaque cristal en particulier, le monde organique, depuis les fruits des plantes en s'élevant jusqu'à l'homme, est issu de cette fluidité ; le monde organique nous révèle si clairement la loi générale de l'avènement de la terre que nous pouvons la découvrir ensuite également dans le monde inorganique » ([22]). A l'échelle de l'univers, les comètes illustrent cet état mou et fluide, informe, de la matière première, appelée à se stabiliser dans les formes planétaires ([23]).

Le processus vital des commencements ne cesse de se reproduire ; nous sommes témoins, à notre échelle, de la naissance de la vie. « Les premiers débuts de la vie organique apparaissent à nos yeux, presque partout où des matières combustibles ou sujettes à la fermentation, dissoutes dans l'eau, entrent en contact avec l'atmosphère. Ces petits êtres organiques apparaissent dès le début doués d'une capacité animale de mouvement. » Ils se présentent sous la forme de boules, de bâtonnets ou de toute autre catégorie d'infusoires. « On trouve ainsi, au tout début de l'organisation, un univers animal très rudimentaire, avant que se développent les premiers germes du monde végétal. La nature en grand semble aussi, au moins partiellement, avoir emprunté un chemin similaire ; en divers endroits, certaines espèces de vers et de zoophytes semblent avoir peuplé la masse des eaux, avant de produire des plantes » ([24]).

Schubert imagine une odyssée originaire de la vie, aux frontières des différents règnes, les limites pouvant être franchies dans un sens ou dans l'autre. Le feldspath peut dégénérer en lichen ; la mer abrite des êtres inférieurs, mi-animaux, mi-plantes, comme les coraux. Certaines espèces de mimosas qui se rétractent quand on les touche sont doués d'une irritabilité animale ; d'autres plantes sont dans le même cas et se montrent capables de mouvements instinctifs, qui laissent pressentir l'avènement de l'animalité. Les savants romantiques s'intéressent de préférence à ces moments où la force vitale esquisse les ébauches d'une morphologie qui se cherche, inventant des formes intermédiaires ; les vers, les mollusques, les poissons préparent peu à peu l'avènement des espèces supérieures. Le chemin de la création est celui des métamorphoses, selon une formule proposée par Schubert dans son *Histoire de l'âme* ([25]). De là l'importance accordée par les théoriciens, et en particulier Oken, au mucus

([22]) G. H. VON SCHUBERT, *Ansichten von der Nachtseite der Naturwissenschaft*, V., 1808, 3e éd., Dresde, 1827, p. 99.
([23]) *Ibid.*, p. 125.
([24]) *Ibid.*, ch. X, p. 199.
([25]) G. H. VON SCHUBERT, *Die Geschichte der Seele*, 1830, 6e éd., Stuttgart, 1878, Bd. I, p. 66.

originaire, aux vésicules de protoplasme, où le germe de la vie s'expose dans un état indifférencié, embryonnaire, riche de tous les avenirs. Ce sont les *Naturphilosophen* qui ont les premiers développé la théorie cellulaire, selon laquelle tous les êtres vivants sont constitués par des tissus composés de cellules ([26]); cette hypothèse est commune au domaine végétal et au domaine animal; elle fournit un point de départ expérimentalement vérifiable à une biologie générale. Par là, l'identité de tous les vivants se trouve assurée dès le départ; la recherche de l'analogie des fonctions dans la plante et dans l'animal s'appuie sur l'analyse des tissus.

Le corpuscule vital initial concentre dans sa forme granulaire, réduite au minimum, le maximum de force vitale polyvalente; toutes les promesses d'avenir se condensent en lui, puisqu'il représente le dénominateur commun des structures, aussi bien végétales qu'animales, de l'avenir. En ce sens, les espèces supérieures que sont, dans l'ordre des plantes, le palmier et le bananier, ou l'éléphant parmi les animaux, sont moins riches de force plastique. Pour les mêmes raisons, la vésicule ou cellule initiale porte en soi le secret des analogies morphologiques entre tous les êtres vivants, dont les origines remontent au même germe, commun à toute affirmation d'une structure vitale. Sans doute faut-il voir dans ces intuitions le point de départ de certaines thèses de la biologie orthodoxe du xixe siècle, en particulier le principe selon lequel l'ontogénèse reproduit la phylogénèse, chaque individu, dans son évolution propre, récapitulant, depuis le stade embryonnaire, tous les stades de l'évolution de la vie.

La biologie du xxe siècle, en reportant son attention vers la dimension microscopique de la réalité, et en explorant, grâce à de puissants moyens techniques, le domaine intracellulaire, a complètement transformé la problématique; la génétique contemporaine n'a plus rien à voir avec la morphologie du siècle dernier. Mais aussi longtemps que la biologie garde le contact avec une phénoménologie du réel, la *Naturphilosophie,* en dépit de ses présupposés non scientifiques, parfois à cause de ces présupposés, a pu contribuer efficacement à orienter et enrichir la recherche positive. L'intuition de l'Organisme total (*Totalorganismus*), schéma régulateur pour la compréhension de la vie, s'applique non seulement à la Nature dans son ensemble, mais aussi à l'unité vitale élémentaire; celle-ci contient en puissance déjà cette intelligibilité totale dont le déploiement soustendra l'ordre naturel. Le développement de la vie pose le problème de la différenciation des espèces; mais l'apparente opposition des

---

([26]) L'expression « système cellulaire » est employée par STEFFENS en 1806 dans ses *Grundzüge der philosophischen Naturwissenschaft,* p. 178.

formes et des propriétés ne résiste pas à l'analyse, qui met partout en lumière des solidarités et affinités, conditions premières des divergences entre les espèces. En dépit d'oppositions de détail, Steffens, Schubert, Oken, Carus et leurs confrères élaborent une doctrine commune qui tend à rassembler dans un schéma progressif l'odyssée des formes vivantes. La morphologie de Goethe est une source privilégiée, à propos de laquelle il y avait un accord de principe entre Goethe et Carus. Le botaniste Franz Unger, s'engageant sur leurs traces, publie même en 1832 une étude sur *La Plante comme structure vertébrale* (*Die Pflanze als Wirbelgebilde betrachtet*), audacieuse extrapolation des thèmes goethéens, dont Unger lui-même souligne le caractère aventureux.

Les savants d'observance positiviste se cramponnent aux disciplines restrictives qui interdisent toute récurrence de la poésie dans le champ théorique. La science doit obéissance à une stricte hygiène mentale; l'hypothèse elle-même doit être limitée au plus proche horizon. Les romantiques au contraire célèbrent l'alliance de la science et de la poésie; une vérité indemne de toute poésie leur paraîtrait sinon morte, du moins suspecte. De là cette bonne conscience épistémologique capable de mêler, dans une même recherche, des éléments de science sagace et des thèmes dont l'audace imaginative surprend le lecteur non prévenu. Le savant positif se résigne à ses ignorances; il se contente d'un savoir fragmentaire, en attendant mieux; le savant romantique refuse cet agnosticisme. Le modèle directeur, l'*Urtypus des Totalorganismus*, évoque un territoire de la connaissance, organisé selon le schéma d'une croissance vitale. Le *Naturphilosoph* a horreur du vide; il meuble les taches blanches où les observations font défaut, où les données positives sont insuffisantes, par des spéculations que règlent les lois générales d'analogie et d'harmonie. Le romantique ne se fait pas d'illusion sur le caractère hasardeux de ce qu'il avance; il remédie, par le recours à des certitudes ontologiques, aux lacunes de l'information. Au critère de l'exactitude rigoureuse se substitue le critère d'une plénitude trans-empirique, à la fois poétique et religieuse en même temps qu'esthétique. Attitude inadmissible pour un esprit qui pratique le culte du fait, et sent la nécessité d'appuyer à chaque pas sa démarche sur des contrôles et des vérifications sans fin. Le savant romantique, à l'inverse, s'il se trouve démenti par l'expérience, n'accordera pas une importance excessive à cette objection subalterne. Sa préoccupation majeure est de tendre à travers la totalité de l'espace mental le réseau spéculatif d'une pensée qui ne se résigne pas à demeurer incomplète. Dans la mesure même où les spéculations mises en œuvre sont hasardeuses et reconnues comme telles, il est possible de les supprimer et de les remplacer par d'autres, en attendant mieux, sans que le théoricien en soit affecté de mauvaise conscience. Les traités des *Naturphilosophen* associent d'une part des données objectives, vraies ou fausses, d'ailleurs souvent exactes, parfois neuves, et d'autre part des systèmes spéculatifs, dont la modalité épistémologique relève de l'ordre de la supposition, du pressentiment ; la pensée s'y abandonne à des motivations non réductibles au savoir proprement dit.

La philosophie de la Nature ne saurait donc être identifiée à la science de la Nature ; il y a un écart entre *Naturphilosophie* et *Naturwissenschaft,* écart souligné par Schelling et ses disciples, lorsqu'ils opposent à la « physique » usuelle proprement dite à leur « physique supérieure ». Telle est la doctrine exposée, avec quelques différences secondaires, dans les *Grundzüge der philosophischen Naturwissenschaft* de Steffens (1806), et reprise dans son *Anthropologie* (1822), dans les *Ahndungen eines allgemeinen Geschichte des Lebens* de G. H. v. Schubert (1806-1807), ou encore dans le *Lehrbuch der Naturphilosophie* de Lorenz Oken (1810-1811) et dans bien d'autres essais et traités de leurs confrères. La synthèse proposée par Oken dans les aphorismes de son *Lehrbuch* se distingue par sa clarté et sa précision parmi les épopées de la création évolutive, légende poétique des formes de la Nature. Au commencement de la vie est le Carbone en lequel se concentrent les trois processus engendrés par les planètes : la puissance formatrice, la puissance chimique, opératrice de fluidité, et la puissance électrique, agent d'oxygénation ; ces trois puissances sont présentes en chaque atome d'un corps organique. Elles sont inhérentes à la masse carbonique et lorsque le carbone s'unit à l'eau et à l'air en proportions égales, il produit un fluide visqueux, une mucosité *(Schleim),* qui se trouve à l'origine de tous les processus vitaux ([27]). Ce liquide réalise la synthèse des minéraux et des éléments, terre, sel, eau, air et minerais de toute espèce. « Toute réalité organique procède de cette mucosité ; elle n'est pas autre chose que cette mucosité façonnée en structures diverses » ([28]), et, lors de sa dissolution, l'organisme fera retour à cette matière première organique. « Le liquide nourricier originaire *(Urschleim)* à partir duquel toute réalité organique a été créée est le mucus marin » ([28bis]). Le mucus marin a été produit par l'action de la lumière sur les matières en suspension dans les eaux, libérant le carbone par dissociation.

Cette gelée protoplasmique est déjà vivante ; la mer dans son

---

([27]) Lorenz OKEN, *Lehrbuch der Naturphilosophie* (1810-1811), 3ᵉ éd., Zürich, 1843, § 899, p. 151.
([28]) *Ibid.,* § 901, *ibid.*
([28 bis]) § 902, *ibid.*

ensemble est déjà un vivant. L'amour est né de l'écume marine, de même les premières formes organiques sont apparues sur les rochers émergés, en bordure des eaux. Les premières formes vivantes, sphériques, se transformeront peu à peu, prenant forme végétale ou animale, à partir d'un état d'indécision première. L'imagination se plaît à négocier les rapports entre la plante et la bête, entre lesquelles il n'existe de différence que relative. Selon Oken, le grain de pollen, atome de vie à l'état pur, a perdu sa nature végétale, parce qu'il s'abandonne tout entier à l'air et à la lumière, alors que la plante enracinée dans la terre appartient pour moitié au règne tellurique de l'obscurité ; le pollen est un transfuge de l'ordre végétal dans l'ordre animal. « L'essence de l'animal consiste dans le maintien du processus vital galvanique, grâce à l'autonomie du mouvement » [29]. L'animal n'est pas fixé au sol ; il porte en lui le secret de sa vie.

Du point de vue morphologique aussi, plante et animal présentent des différences spécifiques. Du fait de son implantation dans le sol, la figure cosmique du végétal est celle d'un rayon, qui s'enfonce vers le centre de la terre ; il n'a donc pas de centre en lui-même. La végétation qui couvre la terre forme une sphère dont les racines seraient des rayons. Au contraire chaque animal constitue, dans son autonomie, une sphère à lui tout seul, et donc « il a autant de valeur à lui tout seul que toutes les plantes ensemble » [30]. Les animaux font ainsi figure de satellites ou de lunes de la planète terre ; « un animal est une infinité de plantes » [31] ; mais la plante cherche à se libérer de sa dépendance terrestre en donnant naissance au grain de pollen, grain de vie indépendant, qui retrouve la vertu de la vésicule originaire. « La plante est un animal dont l'obscurité a retardé la croissance ; l'animal est une plante fleurissant directement, libérée de ses racines par la grâce de la lumière [32]. (...) L'animal à lui seul est un système solaire, la plante n'est qu'une planète. C'est pourquoi l'animal est un univers entier à lui seul, la plante n'en constitue qu'une moitié ; le premier est un microcosme, la seconde une microplanète » [33].

Ces conceptions donnent un exemple des cheminements d'une pensée, et de ses modes de fonctionnement, en dehors des sentiers battus de la logique galiléenne. L'usage emblématique du langage, comme dans les formulaires alchimiques, renvoie à des significations allégoriques. Ce dédoublement du sens risque d'induire le lecteur en erreur. Steffens pose en principe que l'élément *air* est prédominant

---

[29] § 1773, p. 268.
[30] § 1051, p. 169.
[31] *Ibid.*
[32] *Ibid.*, § 1779, p. 269.
[33] § 1781, *loc. cit.*

chez l'animal, que l'élément *terre* prédomine dans la plante caractérisée par le carbone. Cette chimie particulière, où s'affirment des représentations prélavoisiennes, mêlées à des éléments plus modernes, ne peut pas être prise à la lettre. « L'élément de l'air, prononce Steffens, est le même que l'élément de l'animal. Evidemment, l'azote des chimistes ne désigne que d'une manière approximative l'azote qui se trouve en question ici » [34]. Ensuite de quoi on apprend que cet « élément » joue un rôle important dans la dialectique cosmique du fini et de l'infini. Il est difficile de donner un sens rigoureux à des affirmations de ce genre ; il ne s'agit pas là d'un discours scientifique au sens moderne du terme.

La biologie romantique pratique l'implication mutuelle des forces. « Chaque animal est ensemble végétal, de même que chaque plante est aussi animal » [35]. La végétation est produite par l'hydrogénation du carbone ; l'élément eau est l'infini en dissolution, le carbone est le fini, qui dissocie et spécifie la réalité ; il donne à l'ordre végétal sa fixité, sa stabilité, estime Steffens ; tandis que l'animal, doté de volonté, est capable d'autonomie de mouvement. La plante, selon Schubert, est animée par les forces de lumière et de vie qui l'embrassent, mais elle ne peut les reconnaître comme telles ; l'animal au contraire, par la médiation de ses sens, s'élève au-dessus de l'environnement, dont il prend la mesure. Plus profondément encore, la différence entre la plante et l'animal se trouve en corrélation avec les polarités fondamentales du cosmos, avec les tensions magnétiques et géographiques qui animent la totalité de l'univers. La *Naturphilosophie* revêt la forme d'exposés hermétiques, fondés sur une légitimité intrinsèque, dont le lecteur ne parvient pas toujours à percer le mystère. La vérité en question n'est pas une expression abstraite, cautionnée par quelques manipulations mathématiques ou un tour de prestidigitation réalisé dans le recoin d'un laboratoire. Quel sens précis donner à des textes comme celui que proposait Steffens, en 1806, en manière d'introduction à une série de conférences : « La végétation apparaît lorsque le Carbone, originairement oxydé selon une déclinaison orientale, intègre sa tension intime sous la puissance de l'hydrogénation, ou déclinaison occidentale. Les plantes manifestent une opposition fixe entre le Carbone dominant et l'Azote récessif, et une opposition variable entre l'hydrogénation dominante (*hervortretende*) et l'oxydation récessive (*zurückgedrängte*). L'organisation végétale expose les épousailles (*die Vermählung*) entre la terre ferme et l'air » [36].

---

[34] Henrich STEFFENS, *Anthropologie*, Bd. I, Breslau, 1822, p. 213.
[35] *Ibid.*, p. 214.
[36] Henrich STEFFENS, *Grundzüge der philosophischen Naturwissenschaft, zum Behuf seiner Vorlesungen*, Berlin, 1806, p. 113.

Ces aphorismes concernant l'ordre végétal sont suivis par une série symétrique de propositions concernant l'ordre animal, qui reprennent les mêmes formules en les inversant. « L'animalisation apparaît lorsque l'Azote, originairement hydrogéné selon une déclinaison occidentale, intègre sa tension intime sous la puissance de l'oxydation, ou déclinaison orientale. Les animaux manifestent une opposition fixe entre l'oxydation dominante et l'hydrogénation récessive. L'organisation animale expose les épousailles de l'air avec la terre ferme » ([37]). Ces formules renvoient à une herméneutique symbolique, évoquant de proche en proche un univers du discours où s'entrecroisent des intelligibilités plus ou moins compatibles entre elles. Par exemple les deux formules quasi-identiques évoquant le mariage du ciel et de la terre, suggèrent une interversion des rôles masculin et féminin, consacrant la prédominance de l'élément mâle dans les deux cas.

Le symbolisme de l'union des sexes évoque une saisie mythique du cosmos, reprise de la tradition alchimique. La sexualité fournit à la *Naturphilosophie* un réservoir d'interprétations figuratives dotées d'un pouvoir explicatif certain. Johann Wilhelm Ritter accorde une valeur épistémologique privilégiée au paradigme de l'union des sexes. « Si le contact (*Berührung*) organique (c'est-à-dire le magnétisme animal) est un processus organico-électrique et le coït un processus organico-chimique, alors on peut transférer sans difficulté toutes les lois de la chaîne électro-galvanique aux organismes. » Le thème de l'acte sexuel devient ainsi le principe d'une chimie organique ou plutôt d'une électro-chimie organique avant la lettre. Ritter rêve de multiplier les anneaux de la chaîne en question, de manière à produire une « batterie galvano-organique » ([38]), au seul contact de laquelle une femme pourrait devenir enceinte. Expériences mentales de l'ordre du fantasme, bien entendu sans vérification possible ; mais l'imaginaire romantique se plaît à l'évocation de ces possibilités ; il n'éprouve pas le besoin d'un quelconque contrôle, et donne le droit à l'*intellectus sibi permissus* d'opérer selon l'ordre d'une dimension épistémologique intermédiaire, distincte à la fois de la vérité et de l'erreur. De telles perspectives ne s'accordant plus avec notre mentalité ; ces conceptions se heurtent à l'incompréhension des modernes, qui se scandalisent de ces outrages aux bonnes mœurs scientifiques ; le constat de manquement à un idéal de vérité objective empêche de percevoir des significations qui ne seraient peut-être pas exemptes de toute valeur.

([37]) *Ibid.*, p. 114.
([38]) J. W. RITTER, *Fragmente aus dem Nachlasse eines jungen Physikers*, Heidelberg, 1810, Bd. II, § 502, p. 117.

G. H. von Schubert reprend le symbolisme évoqué par Steffens et Ritter. « L'essence de la plante se trouve pénétrée et enveloppée par l'attrait vivifiant d'un monde supérieur de lumière et de vie, sans qu'elle puisse le reconnaître et le contempler. Le domaine animal a échappé à cette dépendance et à cet enveloppement. » L'animal s'élève au-dessus de l'environnement ; il pressent la vie supérieure dans ses perceptions sensorielles ; il entre en rapport avec les êtres qui l'environnent, pour les fuir ou pour se les approprier. Et Schubert évoque, à propos des rapports entre les vivants infra-humains, le mythe antique de Psyché et de l'Amour. L'héroïne de la fable est condamnée à ignorer à jamais la forme et le visage de son amant nocturne, sous peine de le perdre s'il lui arrive de faire sur lui la lumière. Ainsi tous les êtres, du termite à l'oiseau qui chante ou à l'albatros pêcheur, sont animés par le pressentiment de la vie cosmique, à laquelle chacun rend hommage selon le mode qui lui est propre. Mais cette célébration de la vie exclut la connaissance et reconnaissance de la divinité de ce mouvement animant chaque être du dedans. « Comme les planètes dans leur mouvement incessant reçoivent du soleil immobile au milieu d'elles la puissance commune du monde lumineux supérieur, de même au milieu du monde animal, c'est l'homme qui réverbère sur les autres vivants la lumière d'un monde divin. Car l'animal ne reconnaît pas Dieu, (...) mais il pressent dans l'homme l'image de Dieu, une flamme qui réchauffe et vivifie, qui s'élance tout droit vers Dieu. (...) Ainsi le règne animal, dans sa quête et son mouvement, propose une extériorisation figurative de l'activité de l'esprit (*Geist*) dans l'homme, de même que la plante reflète l'activité de l'âme (*Seele*) » ([39]). Une même vérité, diversement répercutée au miroir des êtres, enseigne aux hommes le sens de la création. « Car le règne animal est un livre, (...) qui raconte d'une manière exemplaire l'histoire du développement de l'esprit dans l'homme » ([40]) ; malheureusement l'homme, égaré par la raison raisonnante et la pseudo-science des savants de laboratoire, a perdu la clef de cette langue hiéroglyphique, où s'énonce pourtant le sens du sens, la vérité eschatologique de la condition humaine.

Ainsi se trouve justifiée l'intégration de la *Naturphilosophie*, en tant que théorie scientifique, dans la gnoséologie romantique. Les affirmations particulières, les théorèmes d'apparence conformes aux canons de l'épistémologie rigoureuse, présupposent aussi bien que les formules aventureuses, l'élargissement hiéroglyphique du sens. Le savoir romantique exclut toute axiomatique localisée ; le sens ne se

---

([39]) G. H. VON SCHUBERT, *Die Geschichte der Seele*, 6ᵉ éd., Stuttgart, 1878, Bd. I, § 7, pp. 59-61.
([40]) *Ibid.*, p. 62.

referme pas sur lui-même, dans un îlot d'intelligibilité autonome; il met en jeu de proche en proche la création totale, révélation de la divinité. L'Azote, l'Hydrogène, l'Oxygène, le Carbone ne sont pas seulement des éléments chimiques; ils figurent des personnages dans le drame sacré, dans la divine comédie de la Création. L'économie naturelle obéit à des lois de compensation providentielles dont les romantiques ont tiré des conséquences dans l'histoire des destinées individuelles et collectives; on en trouverait un curieux exemple dans l'œuvre de Pierre Hyacinthe Azaïs (1766-1845), auteur d'un monumental traité *Des Compensations dans les destinées humaines* (1808). Ces compensations, résultant des harmonies mathématiques immanentes à l'univers, sont vraies également de la nature vivante et du cosmos matériel. La loi de symétrie, au dire de Steffens, permet une relative affirmation du processus végétatif lorsque prédomine l'animalisation, et uné persistance, à l'état récessif, du processus d'animalisation, au cours du développement de la végétation [41].

La dualité des caractères dominants et récessifs, ou encore l'opposition entre composantes visibles et non visibles de l'être, exprime dans son ordre la polarité du jour et de la nuit, du solaire et du tellurique. Aucune créature ne peut manifester l'ensemble des caractères vitaux présents en elle; une expression totale serait contradictoire. D'où la persistance d'une face cachée de chaque être. « Le rapport de la conscience avec le sentiment, dans lequel la réflexion encourt une relative disparition, est égal au rapport de l'animalisation avec la végétation » [42], écrit Steffens. La réalité de chaque être comprend tous les caractères de la vie, en dépit de leur dissociation polaire; la plénitude du sens ne peut être exposée dans un individu isolé, quel qu'il soit. « L'organisation corporelle visible contient en soi toutes les puisssances de l'invisible; elle est entièrement végétative et tout ensemble entièrement animale. Même les plantes sont animales, mais pas dans l'intel-ligibilité de la manifestation (*in der Trennung des Erscheinens*). La puissance de l'animalisation (l'animalisation en puissance) se trouve, en ce qui concerne les plantes, dans la tension animale du jour » [43]. L'idée d'Organisme intervient à tous les échelons du savoir; la totalité du sens se trouve présente à l'état latent dans le moindre fragment. D'où un régime d'inclusion mutuelle de la connaissance; jusque dans la vésicule originaire, s'annonce l'avenir de la vie. « Tous les systèmes sont présents en chacun de leurs organes jusqu'à l'infini » [44]. Cette

---

[41] H. STEFFENS, *Grundzüge der philosophischen Naturwissenschaft, op. cit.*, p. 115.
[42] *Ibid.*, p. 175.
[43] *Ibid.*
[44] P. 176.

analogie du macrocosme doit être déchiffrée dans le détail de chaque cellule. Anatomie et physiologie ont ainsi un principe commun. « Toutes les fonctions communient les unes avec les autres dans l'Organisme universel. Les organes particuliers dissocient les fonctions les unes d'avec les autres » [45].

L'unité de structure des vivants acquiert ainsi une validité ontologique, majorée par une vision moniste de l'univers, qui ne sépare pas l'esprit du corps. La morphologie externe a pour contrepartie le postulat de l'unité spirituelle de toute vie. Anatomie et physiologie se fondent sur l'interprétation d'un même modèle ; « les feuilles sont les ailes des plantes » [46] ; le fil conducteur de l'intelligibilité ne s'applique pas seulement à réduire la diversité des formes ; il concerne également les fonctions sensitives, intellectuelles et spirituelles dont le mouvement ascendant se développe à travers la hiérarchie des espèces, jusqu'à leur culmination dans la forme humaine. L'histoire naturelle, selon les degrés de la hiérarchie des vivants, met en lumière l'épanouissement progressif, la libération du sens. L'être humain intervient dans cette ascension au moment où s'annonce la conscience de soi, qui regroupe dans un même esprit l'ensemble des significations du monde. Mais cette conscience de soi est encore un moment du monde ; bien loin de s'opposer au monde, elle est une émergence du monde à un niveau supérieur d'existence. La forme humaine, étape décisive dans le devenir de l'univers, n'est qu'une préfiguration encore lointaine de cette libération totale qui s'accomplit dans la pensée divine.

L'histoire naturelle énonce un lent et long accomplissement de la vie ; elle est « la voie de la vie en sa généralité depuis un degré rudimentaire de perfection jusqu'à des formes toujours plus hautes. La vie du règne animal dans son ensemble paraît tendre vers la réalité humaine, à laquelle elle aspire, d'un effort continu » [47]. Mais l'homme lui-même ne possède qu'un pressentiment confus de la destination finale du mouvement qui le porte vers une plénitude encore à venir ; la vocation humaine conserve un caractère eschatologique. Seule la religion révèle en dernière analyse le sens de la marche. « Chaque nouveau pas ne peut mener que dans le sens ascendant, non dans le sens descendant » [48]. Car l'œuvre divine de la Création ne sera achevée qu'à la fin des temps, lorsque sera révélée la plénitude du sens.

---

[45] P. 177.
[46] P. 179.
[47] G. H. VON SCHUBERT, *Ansichten von der Nachtseite der Naturwissenschaft*, X, 3ᵉ éd., Dresde, 1827, p. 221.
[48] SCHUBERT, *Ahndungen einer allgemeinen Geschichte des Lebens* (1806-7), dans *Romantische Naturwissenschaft*, hgg. v. N. BIETAK, Leipzig, 1940, p. 252.

Doctrine commune, à quelques détails près, qui justifient parfois des polémiques subalternes. Mais Schelling, Steffens, Baader, Oken, Schubert et leurs amis sont d'accord sur l'essentiel, sur le champ axiologique ou ontologique au sein duquel s'établissent les filières de l'intelligibilité ; les séries causales des déterminismes physiques, les entités morphologiques des sciences descriptives s'inscrivent dans un domaine unitaire, surchargé de motivations eschatologiques conformes aux thèmes dominants de la révélation chrétienne. La recherche scientifique n'est pas réellement libre ; elle ne possède pas en elle-même sa propre fin ; elle doit obéissance à des justifications d'un ordre transcendant, dont le respect s'impose, par ordre de préséance, d'une manière absolue. Cet étagement des critères est inadmissible pour des esprits positifs, enfermés dans le cadre étroit de leurs méthodologies respectives. La *Naturphilosophie* est une méta-science.

Cette connaissance abolit les limites entre l'esprit et le corps, la science et la foi, la nature et la culture, au sein d'une appréhension directe de l'unité transcendante de l'univers. La visée unitive, supprimant toute différence, fait régner dans la vie personnelle la même harmonie qui régit la Nature. « La moralité authentique ne reconnaît aucune opposition ; elle n'est contrainte ou déterminée par aucune influence extérieure ; concentrée sur elle-même, elle reconnaît dans son essence propre l'essence divine ; elle est libre dans sa forme, nécessitée dans son essence ; elle reconnaît dans sa forme sa seule essence, c'est-à-dire qu'elle identifie forme et essence, moralité et harmonie, Histoire et Nature. La Nature authentique est celle qui, sans opposition, vivant de sa vie propre, nécessitée dans sa forme, reconnaît son unité éternellement libre avec l'essence de Dieu, c'est-à-dire l'identité de la forme et de l'essence, de la moralité et de l'harmonie, de la Nature et de l'Histoire » [49]. Steffens, dans ce dernier fragment des *Fondements philosophiques de la science de la nature,* évoque le point de départ, qui est ensemble le point d'arrivée de la *Biologie* romantique, de la *Biosophie,* selon la formule de Troxler.

« Ce mystère de la vie des individus est le mystère révélé qui, procédant à partir du principe de l'identité de l'intention et de la connaissance, ne veut considérer dans l'histoire que la paix éternelle et la communion des saints, et dans la nature que la perpétuelle harmonie et l'éternelle clarté. La connaissance originaire de ce mystère n'est pas une connaissance médiate, fruit d'une démonstration, fondée sur des données extérieures, mais bien plutôt une

---

[49] Henrich STEFFENS, *Grundzüge der philosophischen Naturwissenschaft,* Berlin, 1806, pp. 233-234.

intuition *immédiate*, qui peut être énoncée dans l'acte de sa présence, mais aussi ne peut être comprise que dans sa présence actuelle » [50]. Ces dernières lignes d'un précis de sciences naturelles donnent une idée de l'écart entre le savoir romantique et la science proprement dite. La biosophie romantique est ensemble une théosophie ; seule la lumière de la Révélation permet de déchiffrer l'ordonnancement de la nature, et de mener la science à la bonne fin qui lui est prédestinée par la Sagesse éternelle. Dans l'ordre du savoir comme dans l'ordre de la pensée, les romantiques se rallient à une théocratie de la science *(wissenschaftliche Theokratie)*, ainsi que disait, à la fin de sa vie, Frédéric Schlegel [51].

---

[50] *Ibid.*, p. 234 in fine.
[51] Fr. SCHLEGEL, *Philosophie des Lebens*, XV, 1828 ; *Werke*, Kritische Ausgabe, Bd. X, 1969, p. 298.

TROISIÈME PARTIE

LES ÉPIGONES

CHAPITRE I

MICHELET ET LA BIOLOGIE ROMANTIQUE

Gnose, théosophie théocratie, ces formules n'ont rien à voir avec la science exacte des savants puérils et honnêtes. Pour les initiés, le savoir romantique se lit en transparence à travers le discours de la connaissance constitué peu à peu par le labeur des spécialistes, chacun exploitant au jour le jour l'espace étroit dans lequel il se trouve confiné, sans se soucier d'extrapolations ni d'eschatologie. La *Naturphilosophie* n'est pourtant pas œuvre de pure imagination. Les interprétations doivent procéder à partir d'une information au courant de l'actualité scientifique. La « physique supérieure », en dépit des grands airs qu'elle se donne, se trouve en réalité sous la dépendance de la physique « inférieure », dont elle ne doit pas contredire les résultats duement vérifiés. Plutôt que de souligner la discordance entre les deux discours, de la physique et de la méta-physique romantique, il faudrait mettre en évidence leur concor-dance. Les philosophes, qui ont parfois compétence de naturalistes, tirent argument du devenir de la connaissance entre les mains des experts. Ils ne cessent, dans leur impatience, de transgresser les faits acquis, mais leurs lumières transcendantes ne peuvent prévaloir contre les faits.

Au XIXᵉ siècle s'affirme une biologie scientifique ; l'observation et l'expérimentation, solidaires de techniques et de méthodes nouvelles, accumulent des données, suscitant un renouvellement des théories en vigueur. La polémique scientiste occupe trop souvent le devant de la scène et séduit un certain public, à force de certitudes sommaires, fascinantes pour des esprits frustes. Mais ces débats subalternes ne traduisent que des réactions secondes à un état de la connaissance où s'impose la nécessité de constituer un nouvel espace mental pour le classement de faits qui font craquer de toutes parts les cadres du

savoir antérieurement constitué. Lamarck et Darwin, biologistes de
génie, sans rapport aucun avec la *Naturphilosophie* germanique, ont
formulé des synthèses spéculatives grandioses, rassemblant une
multitude de faits, mais dépassant de beaucoup, dans leurs interprétations, les données sur lesquelles ils s'appuient. Leurs doctrines ont
trouvé et trouvent encore des adversaires irréductibles, appuyés sur
des connaissances que les théories de ces savants ne parviennent pas à
intégrer. Il faudrait, à chaque étape, faire la part du vrai et la part du
faux dans un moment donné de la connaissance. Et cela est
impossible ; la connaissance vivante se dépasse elle-même, le meilleur
de ce qu'elle apporte se trouvant dans l'élan créateur, par-delà les
formes et formules dans lesquelles il s'est incarné. Le génie scientifique change la figure du champ de la connaissance et ne saurait être
jugé, en bien ou en mal, sur de simples détails.

En Allemagne même, patrie de la *Naturphilosophie,* la spéculation
romantique, fortement établie dans les universités, n'a pas stérilisé la
recherche scientifique proprement dite. La science germanique du
XIXe siècle s'honore d'un bon nombre de biologistes, de physiologistes
attachés à étudier les phénomènes vitaux sous leurs aspects les plus
divers, et dont la renommée s'est étendue au-delà des frontières de
leur pays. Entre autres grands noms, Johannes Müller (1801-1858) et
Hermann von Helmholtz (1821-1894), pionniers de la physiologie
nerveuse ; les fondateurs de la chimie organique, Friedrich Woehler
(1800-1882) et Justus von Liebig (1803-1873) ; le médecin Robert
Mayer (1814-1878) est lié à la mise en évidence de la conservation de
l'énergie ; le savant germano-russe Karl von Baer (1792-1876) se
trouve à l'origine de l'embryologie moderne ; on peut nommer encore
Du Bois Reymond (1818-1896) et, plus tard, Ernst Haeckel (1834-
1919). La *Naturphilosophie* n'a pas fait obstacle au développement du
savoir scientifique ; les deux mouvements sont parallèles ou plutôt
corrélatifs ; ils appartiennent à un même milieu culturel et donc ne
pouvaient s'ignorer. Par la force des choses, ils se trouvaient en
situation de s'emprunter des données et des idées, des inspirations.
C'est le botaniste Hugo von Mohl (1805-1872) qui créa en 1843 le mot
protoplasme, appelé à un bel avenir, pour désigner la substance
vivante dans sa forme élémentaire ; Haeckel proposa un autre
néologisme, *écologie,* catégorie maîtresse de notre époque. Ces termes
neufs sont révélateurs de nouveaux territoires spéculatifs. En 1838, le
botaniste Schleiden (1804-1881), de Berlin, dans ses *Beiträge zur
Phytogenesis,* continuateur d'une longue lignée de chercheurs, met au
point la doctrine de la constitution cellulaire des végétaux, que son
collègue Schwann (1810-1882) étend ensuite au règne animal.
Haeckel, en 1866, donne la formulation définitive de la loi biogénétique, selon laquelle l'ontogenèse répète la phylogenèse : le développe-

ment de l'individu depuis le stade embryonnaire récapitule les diverses phases du développement de l'espèce.

Dans le domaine français où, si l'on en croit la plupart des historiens, l'exigence de positivité aurait prévalu contre les tentations et fantasmes de la spéculation romantique, le progrès des connaissances n'exclut pas les grandes théories, les perspectives de synthèses sur le devenir de la vie. Membre obscur de l'école idéologique française, le grand Lamarck (1744-1829), avec l'audace du génie, esquisse une épopée de la vie dans les espèces, dont l'inspiration générale demeure jusqu'à nos jours l'un des axes de la réflexion biologique. Georges Cuvier (1769-1832), natif de Montbéliard, alors terre de souveraineté germanique, est lié par ses origines, par ses études, au domaine allemand ; il établit en sa personne une communication culturelle assez rare entre les deux rives du Rhin ; son œuvre scientifique lui vaut une renommée européenne dans le domaine de l'anatomie comparée ; il ajoute à la genèse des formes vivantes un vaste supplément archéologique en montrant l'importance capitale de la paléontologie. Son esprit de synthèse mobilise les ressources d'une imagination puissante au service d'une raison organisatrice, créatrice a priori de formes que l'observation est appelée à vérifier après coup ([1]). Contemporain, ami et rival de Cuvier, Etienne Geoffroy Saint-Hilaire (1772-1844), lui aussi passionné par le problème de l'unité de composition du règne animal, résume ses vues dans sa *Philosophie anatomique* (1818-1822), qui sans avoir le souffle prophétique de la *Philosophie zoologique* de Lamarck (1809), n'en est pas moins un monument de l'histoire des espèces. L'esprit de synthèse prend les devants par rapport aux connaissances positives, en vue de fonder une « physique supérieure », non dépourvue d'analogie avec celle que réclamaient les romantiques allemands, mais avec une réserve plus grande dans l'ordre des implications théologiques. Goethe, en son âge avancé, devait prononcer que la controverse fameuse, en 1830, entre Cuvier et Geoffroy, à l'Académie des Sciences, était, dans l'ordre culturel, un événement plus important que la contemporaine révolution de Juillet dans les rues de Paris.

Le débat opposait l'esprit plus rigide de Cuvier, attaché à la fixité des formes, au dynamisme transformiste de Geoffroy Saint-Hilaire, proche de l'évolutionnisme romantique. Biologiste lui-même, sympathisant de la *Naturphilosophie* depuis les origines, Goethe estime que « nous avons maintenant en Geoffroy de Saint-Hilaire un allié puissant pour l'avenir (...). La méthode synthétique introduite en

---

([1]) Cf. Henri DAUDIN, *Cuvier et Lamarck, Les classes zoologiques et l'idée de série animale, 1790-1830*, 2 vol., Alcan, 1926 ; Erik NORDENSKIOLD, *Geschichte der Biologie*, trad. G. SCHNEIDER, Iena, Gustav Fischer, 1926, pp. 338 sqq.

France par Geoffroy ne sera plus désormais repoussée. (...) A partir de maintenant, même en France, dans les recherches naturelles, c'est l'esprit qui dominera et sera maître de la matière. On jettera un regard sur les grandes lois de la création, dans le laboratoire mystérieux de Dieu !... Qu'est-ce donc au fond que tous les rapports avec la nature, si par la méthode analytique, nous n'avons affaire qu'à des parties isolées et ne sentons pas le souffle de Dieu, qui prescrit sa direction à chacune de ces parties, réprime ou sanctionne toute déviation par une loi immanente ? Depuis cinquante ans, je m'acharne à cette grande tâche, (...) mais ensuite je me gagnai des adhérents en Sömmering, Oken, d'Alton, Carus et autres hommes également de valeur. A présent Geoffroy de Saint-Hilaire s'est mis résolument de notre côté, et avec lui tous ses élèves et adeptes qui comptent en France. Cet événement est pour moi d'une valeur incroyable... » ([2]). Quoi qu'il en soit, historiquement parlant, de cette reconnaissance de paternité, Goethe atteste une indéniable parenté d'esprit entre le savant français et la biologie germanique dans la hardiesse même de son projet.

Le souffle romantique s'est donc fait sentir en France aussi dans le domaine de la connaissance de la Nature. Davantage, il y a eu dans le romantisme français au moins un *Naturphilosoph* au sens germanique du terme, dont on s'accorde à reconnaître qu'il fut, à d'autres titres, un très grand esprit, sans donner à ses livres de nature la considération qu'ils méritent. Jules Michelet (1798-1874) passe, depuis une époque relativement récente, grâce à l'entremise de Lucien Febvre, pour un génie historique. L'*Histoire de France* est la Légende des Siècles du peuple de France, culminant en apothéose dans l'*Histoire de la Révolution*. Or Michelet, en son âge mûr, s'est plu à composer et à publier une série de livres de nature constituant une histoire naturelle, lyrique plutôt que scientifique, domaine douteux et peu fréquenté de son œuvre, qui pourrait bien être le résultat de l'influence dominatrice et suspecte de sa seconde épouse, compagne trop jeune d'un maître parvenu au troisième âge.

La liste est pourtant longue de ces livres, trop nombreux pour ne pas constituer un ensemble non négligeable. En 1846 avait paru *Le Peuple*, éloge de la communauté des humbles, des misérables, source et ressource du sentiment national et populaire, exalté en Allemagne par Jacob Grimm et ses amis, sorte de terreau social exprimant dans son ordre déjà une communion cosmique. Les livres de nature commencent en 1856 avec *L'Oiseau*, suivi en 1857 par *L'Insecte ;* puis vient en 1858 *L'Amour,* complété en 1859 par *La Femme*. En 1861

([2]) J. P. ECKERMANN, *Conversations avec* GOETHE, trad. J. CHUZEVILLE, 2 août 1830 ; éd. H. Jonquières, t. II, 1930, pp. 448-449.

paraît *La Mer;* en 1862, *La Sorcière;* en 1864, *La Bible de l'Humanité;* enfin vient *La Montagne,* puis clôturant la série, *Nos fils* (1869), sorte de testament tourné vers l'avenir. Il va de soi que ces publications, qui se complètent, renvoient les unes aux autres, forment un ensemble qu'il est impossible de considérer comme un hors-d'œuvre ou un hors-texte, *marginalia* de l'œuvre historique majeure. Ce qui pourrait être vrai d'un livre ne l'est assurément pas de dix. Se pose alors la question de l'intégration de ces titres dans l'œuvre de Michelet, en tant que somme d'une vision du monde qui englobe conjointement l'humanité et la nature. Les études récentes sur Michelet permettent de poser cette question et d'esquisser une réponse.

L'envergure mentale de Michelet historien, sa prodigieuse culture, sa capacité d'organiser un ensemble immense de données, ne fait aucun doute. Du même coup, il paraît difficile d'imaginer, en dehors d'un massif central historique, un chapelet d'îlots périphériques, rebuts ou rejets, accidents de parcours d'une pensée qui s'amuse à des objets subalternes, en manière de cadeaux offerts aux caprices d'une épouse jalouse de ses prérogatives. Les livres de nature s'inscrivent dans le projet fondamental de Michelet. L'*Histoire de France,* évangile historique et populaire, trouve son extension et sa consommation dans la *Bible de l'Humanité,* laquelle se prolongerait en une *Bible de la Nature,* son corollaire ou plutôt son support et son fondement. Le thème du Livre, du Grand Livre, de la Bible est une des hantises majeures du romantisme, en quête de l'Œuvre totale en laquelle s'accomplirait le Grand Œuvre du génie humain.

La conscience romantique de la genèse temporelle s'applique conjointement à l'histoire de la nature et à l'histoire des hommes, prises dans le mouvement d'un devenir unitaire, avec cette différence seulement que l'espèce humaine, initiatrice d'une culture qui lui est propre, a divergé, à partir d'un certain moment, du tronc commun de l'historicité naturelle. Mais il reste une continuité intelligible de la paléontologie à la préhistoire, puis de la préhistoire à l'histoire, selon un mouvement qui s'esquissait déjà dans le manifeste anthropocosmologique de Herder, les *Idées pour une philosophie de l'histoire de l'humanité.* Michelet, historien, ne dédaigne pas les sciences de la nature, auxquelles il reconnaît une valeur métaphysique et quasi-sacrale. Selon son biographe, Gabriel Monod, il voit dans les sciences de la nature de véritables « sciences de Dieu », en vertu d'une inspiration qui rejoint celles des *Naturphilosophen* allemands. Michelet fréquente les milieux scientifiques, et se lie avec les grands noms de la biologie de son temps : Milne Edwards, Cuvier et Geoffroy Saint-Hilaire. « Il avait même, en 1825, ébauché le projet d'une étude religieuse des sciences naturelles, projet qui devait être réalisé trente ans plus tard, quand il écrivit *L'Oiseau*, *L'Insecte*, *La Mer* et *La Montagne* » ([3]). L'intention apologétique inspire un vitalisme, un néo-finalisme, à la lumière duquel la Création dans son ensemble apparaît comme le grand Œuvre de ce Dieu humanitaire, dont Michelet s'efforce de déchiffrer la révélation. Dès le début de sa carrière d'historien, Michelet a refusé de s'enfermer dans le domaine clos de l'histoire événementielle et chronologique ; son projet s'inscrit dans l'espace ouvert d'une vision du monde globale, où les hommes vivent et agissent en habitants de la planète Terre. Il donne à son *Histoire de France*, en guise d'ouverture somptueuse, le fameux *Tableau géographique*, déployant pour l'enchantement du lecteur des paysages qui ne sont pas des cadres passifs pour la localisation des événements, mais préparent l'action des hommes à laquelle ils apportent des justifications et comme une coopération symbolique. Aux temps où mûrit le génie de Michelet, Edgar Quinet, l'un de ses compagnons de route et de combat de l'historien, élabore sa traduction des *Idées* de Herder, l'une des inspirations de l'idéologie romantique (1825-1827). Vico et Herder sont des références constantes pour l'anthropocosmologie de Michelet.

Or la science française, dans le premier tiers du XIXᵉ siècle, subit fortement l'influence rémanente du mécanisme et du matérialisme des Lumières. L'Institut National organisé par la Convention finissante, comme un lieu d'élection pour la pensée révolutionnaire, regroupe les survivants de l'école idéologique dans le domaine des sciences exactes aussi bien que dans l'ordre médical ou dans les sciences morales et politiques. L'esprit de positivité prédomine dans la haute intelligentsia française, même après la fin de la période révolutionnaire et impériale, aussi bien dans l'Académie des sciences reconstituée que dans la brillante école médicale de Paris, où se perpétuent les traditions anti-métaphysiques des Lumières. La tentation romantique se heurte, dans ces milieux, à une fin de non recevoir obstinée. Le saint-simonisme, le positivisme d'Auguste Comte reflètent, en leurs inspirations premières, l'état des esprits prédominant dans les enclos de l'Académie des Sciences et de l'Ecole Polytechnique, citadelles de la connaissance exacte et de l'espérance rationnelle. Le fait est d'importance, en ce qui concerne la situation culturelle du romantisme français à ses débuts ; il s'agira d'un mouvement essentiellement littéraire, présentant quelques prolongements religieux, mais la réaction contre les Lumières ne rencontre guère de faveur dans le monde scientifique. L'idéologie romantique française, celle de Michelet, Quinet, Pierre Leroux, Victor Hugo,

---

([3]) Gabriel MONOD, *La Vie et la Pensée de Jules Michelet*, 1798-1852, Champion, t. I, 1923, p. 217.

Fourier, entre autres, lorsqu'elle se hasardera dans le domaine des spéculations cosmiques, aura de la peine à trouver les justifications nécessaires.

En 1838 meurt Broussais, fougueux porte-parole du réalisme matérialiste de l'Ecole de Médecine, par ailleurs libéral convaincu en matière de politique, ce qui lui vaut la sympathie de Michelet, qui estime l'homme de gauche et réprouve le théoricien. Les notes consignées dans le *Journal* de l'historien donnent à cette occasion un bon procès-verbal de la situation épistémologique. « J'étais entre Blanqui, Lucas, Chateauneuf, Villemain, près de Geoffroy Saint-Hilaire. En face, un vrai conciliabule de matérialistes, toute la Faculté de Médecine. Aux pieds du catafalque, la figure sinistre d'Orfila et la figure bonasse de Larrey. (...) J'avais en perspective, par dédommagement, M. Dumas, le chimiste. Il me semblait voir mourir le *mécanisme* médical, commencer, par suite de la chimie, dans l'avenir, la médecine organique. Broussais quoiqu'il ait recommandé l'observation physiologique, s'est cependant contenté d'une médecine mécanique et négative, renonçant à interroger les *vires* médicatrices de la nature. Broussais fut un héros. Sa médecine ou plutôt chirurgie, celle d'un âge héroïque, vraiment français... » ([4]).

Cette page curieuse est, à sa date, d'un grand intérêt. Elle atteste l'importance accordée par Michelet à la physiologie et à la médecine, une vingtaine d'années avant le début de la série des livres de nature. Dès ce moment Michelet a choisi son camp, ce qui suppose un intérêt certain et une non moins certaine culture. Le qualificatif de « héros » s'adresse sans doute à Broussais citoyen ; mais on peut penser aussi à une allusion à la pensée de Vico ; le doctrinaire napolitain, cher à Michelet, définit un âge des héros, intermédiaire entre l'âge des dieux et l'âge des hommes. En ce sens, l'âge héroïque n'est pas encore celui de la maturité humaine ; il demeure marqué d'archaïsme. Quoi qu'il en soit, l'oraison funèbre de Broussais atteste que l'interdisciplinarité, slogan dont se pare aujourd'hui l'obscurantisme à la mode, n'est pas un vain mot pour Michelet. Sa volonté de culture embrasse la totalité du champ épistémologique.

Paul Viallaneix a publié des documents manifestant la vigilance de ce souci encyclopédique dans la carrière de l'historien. Une note tardive, qui daterait de 1870, atteste : « Nature dès 1830. Retenu par l'absorbante spécialité hors des sciences naturelles, j'étais heureux par moments d'y jeter au moins un regard. J'y puisais de vives lueurs. J'allais, ému et dévot, souvent au Jardin des Plantes, j'y voyais le grand Geoffroy, un innocent de génie, d'admirable et sublime

---

([4]) MICHELET, Journal, 21 novembre 1838, p.p. Paul VIALLANEIX, N.R.F., t. I, p. 288.

enfance (...) En 1842, j'y connus M. Serres, je suivais parfois ses cours. Son livre, l'*Embryogénie*, me souleva le voile d'Isis, me fit entrevoir l'énorme portée morale de ce qu'on croit physique. Cela couva longtemps en moi jusqu'à la révélation que j'eus du génie de Pouchet, des belles recherches de Coste, Gerber, etc., sur le point si grave où se croisent les sciences de l'homme et de la nature, de la vie matérielle et sociale ; c'est notre naissance, le mystère de notre origine, de notre vivant berceau... » (⁵).

Les références scientifiques de Michelet aident à préciser son parcours mental. Archimède Pouchet (1800-1872) est resté dans l'histoire en sa qualité d'adversaire malheureux de Pasteur dans une polémique passionnée et fameuse, où il défendit contre les nouvelles théories microbiennes la thèse de la génération spontanée de la vie (*L'Hétérogénie*, 1859) ; l'enjeu du débat est la spécificité de la vie, invention irréductible qui s'apparente à l'idée de création, chère au vitalisme romantique. Dans ce débat, Pasteur, le « génie » authentique, peut apparaître comme un tenant du mécanisme matérialiste contre les inspirations vitalistes. Le nom de Victor Coste (1807-1873) est lié au développement de l'embryologie, discipline en rapide expansion dans les laboratoires européens de l'époque. En 1834, il observe le noyau de l'œuf, en lequel il reconnaît, dans le contexte de la théorie cellulaire qui envahit alors le champ de la biologie générale, la première cellule de l'organisme, celle d'où procèdent toutes les autres. L'œuf apparaît comme le point initial pour l'épopée de la vie dans les individus et les espèces. Coste est par ailleurs le fondateur de la première station de biologie marine, en France, à Concarneau, en 1860 — date qui doit être mise en rapport avec celle du livre de Michelet sur *La mer* (1861). Le lyrisme naturaliste de Michelet, aux yeux duquel l'Océan est l'immense laboratoire de la vie sur la planète Terre, réserve infinie où grouillent les énergies vitales, se trouve en synchronisme avec l'entreprise de la recherche scientifique attachée à explorer les ressources du milieu marin.

Non moins significative, la référence à Etienne Auguste Serres (1786-1868), élève de Geoffroy Saint-Hilaire, l'un des pionniers français de l'embryologie, qu'il aborde à partir de l'anatomie comparée. Serres est, depuis 1839, professeur d'anatomie et d'histoire naturelle de l'homme au Museum ; il donnera à sa chaire, à la veille de la retraite, en 1855, la dénomination d'*Anthropologie*, ainsi inscrite pour la première fois sur les contrôles de l'institution universitaire française. Serres est mêlé à ce courant de pensée qui s'efforce de préciser l'analogie entre le développement embryonnaire

---

(⁵) Document inédit cité dans Paul VIALLANEIX, *La Voie royale, Essai sur l'idée de Peuple dans l'œuvre de Michelet*, nouvelle éd. Flammarion, 1971, p. 434.

et le développement de l'espèce ; l'aboutissement de ces essais et recherches sera la loi biogénétique formulée en 1866 par Haeckel. La pensée romantique s'est beaucoup intéressée à ces analogies et homologies qui jouent un rôle décisif dans la morphologie de Goethe et de ses disciples. L'embryologie, domaine des essais et des erreurs où s'esquissent les formes vitales, est un lieu privilégié pour l'évolutionnisme et le transformisme romantiques. D'où l'intérêt de Michelet pour les travaux de Serres : 1824 : *Anatomie comparée du cerveau ;* 1842 : *Précis d'anatomie transcendante appliquée à la physiologie,* où l'on peut lire que « l'organogénie humaine est une anatomie comparée transitoire, comme à son tour l'anatomie comparée est l'état fixe et permanent de l'organogénie de l'homme » ([6]).

La méditation biologique de Michelet connaît un moment de cristallisation à l'occasion d'un douloureux événement intime, le décès, le 31 mai 1842, de madame Dumesnil, amie très chère de l'historien. La confrontation avec le scandale de la mort intervient comme un obstacle épistémologique, posant avec une insistance dramatique la question du sens de la vie, ouverte sur la perspective d'une eschatologie ; la mort n'est pas la fin, elle n'est pas une fin dans l'histoire de la vie, mais une étape transitoire. Michelet, dans son Journal, note que, au chevet de la mourante, il lit les *Principes d'Organogénie* de Serres et, de Geoffroy Saint-Hilaire, les *Notions de Philosophie naturelle,* ainsi que les articles *Animal* et *Cétacés* de l'*Encyclopédie nouvelle,* publiée par les soins des idéologues romantiques, Pierre Leroux et Jean Reynaud. Lectures édifiantes d'un nouveau genre, susceptibles de fournir à un esprit affligé les consolations dont il a besoin, en conférant au seuil redoutable de la mort une signification positive.

Michelet, face au deuil imminent, médite la doctrine organogénétique de Serres : « L'animal, embryon permanent de l'homme. J'avais été renversé de la grandeur d'une science qui m'arrivait ainsi à la fin, mais aussi remué profondément de la fatalité de génération, de son influence sur notre liberté, sur la destinée de l'être libre. Hélas ! la génération a lieu si souvent sans l'amour » ([7]). Quelques jours plus tard, Michelet relate un entretien avec le fils de son amie agonisante : « nous discutions les chances de la vie à venir, ou plutôt nous établissions la certitude que toutes les analogies du présent et du passé donnent au progrès futur (...) Notre progrès sera certainement double ; d'une part, nous serons plus haut dans l'échelle des êtres, c'est-à-dire plus individualisés ; mais en même temps plus interprétatifs, c'est-à-dire que, voyant tout ce qu'il y a de différences, nous

---

([6]) Cf. *Histoire générale des Sciences,* p.p. René TATON, t. III, P.U.F., 1961, p. 494.
([7]) MICHELET, *Journal,* 16 mai 1842, dans Gabriel MONOD, *op. cit.,* p. 69.

verrons aussi qu'elles sont généralement extérieures. Plus on voit au fond de la vie et plus on voit de ressemblances. La différence est à la peau ; l'organisation intérieure est fort analogue » ([8]).

Ce qui enchante Michelet, dans ses lectures de biologie générale, c'est la mise en honneur du « génie de la vie », artisan infatigable de métamorphoses toujours renouvelées, essais et erreurs jalonnant une démarche ascendante de la nature, accordée à un progrès selon l'ordre des valeurs. L'histoire naturelle est une histoire orientée, comme l'histoire de l'humanité, elle aussi soumise à la norme du progrès. Michelet, commente Gabriel Monod, découvre « la loi d'évolution, qui est le fond même de la vie de l'humanité, la nécessité d'une transformation perpétuelle, où le passé, tout en transmettant à l'avenir l'essentiel de son être par l'hérédité, meurt cependant sous sa forme présente, pour renaître sous une forme nouvelle » ([9]). Ainsi la biologie générale apporte son soutien à la doctrine de la palingénésie, en faveur chez les doctrinaires romantiques, Ballanche, Quinet, Leroux, etc. Le parcours de l'histoire des hommes et des sociétés obéit à la loi même qui suscite et organise la vie des espèces et des individus.

Le thème de la palingénésie, dans la pensée de Michelet, ne propose pas seulement une perspective eschatologique sur les destinées individuelles et sociales, ainsi qu'il arrive chez Ballanche et ses émules ; il fait alliance avec les thèmes embryologiques et biogénétiques, et s'inscrit dans les soubassements organiques de l'être, sans attendre pour s'affirmer la succession des générations : « A mesure que j'ai vécu, j'ai remarqué que chaque jour je mourais et je naissais ; j'ai subi des mues pénibles, des transformations laborieuses (...). J'ai passé maintes et maintes fois de la larve à la chrysalide et à un état plus complet, lequel, au bout de quelque temps, incomplet sous d'autres rapports, me mettait en voie d'accomplir un cercle nouveau de métamorphoses... » ([10]). L'embryologie physiologique se conjugue avec une embryologie spirituelle pour élargir indéfiniment l'horizon de chaque destinée, au sein de laquelle s'opèrent des remises en jeu à partir de germes préexistants ; une destinée comporte dans ses soubassements plus de possibilités qu'elle ne peut en mettre en œuvre. « Je sais, je sens qu'outre le fonds que je tenais de mon père, de mes pères et maîtres, outre l'héritage d'artiste historien que d'autres prendront de moi, des germes existaient chez moi qui ne furent point développés. Un autre homme, et meilleur peut-être, fut en moi, qui n'a pas surgi. Pourquoi des germes supérieurs qui

([8]) *Journal*, 28 mai 1842, cité *ibid. ;* Madame Dumesnil devait mourir le 31 mai.
([9]) *Ibid.*, pp. 71-72.
([10]) MICHELET, *L'Insecte* (1857), pp. 74-75.

m'auraient fait grand, pourquoi des ailes puissantes, que parfois je me suis senties, ne se sont-ils pas déployés dans la vie et l'action ? Ces germes ajournés me restent. Tard pour cette vie peut-être ; mais pour une autre ? qui sait ? » (¹¹).

Les métamorphoses de l'insecte évoquent les métamorphoses de l'homme ; l'évolution des germes, les transfigurations de la chrysalide concernent le domaine humain, en vertu d'une loi d'analogie ontologique dont il est clair qu'elle s'applique non seulement aux individus, mais aux sociétés, aux communautés restreintes, aux peuples et nations, mais aussi à l'humanité dans son ensemble. Partout s'affirme la même surabondance du sens, débordant toutes les formes passagères en lesquelles il fait un moment résidence, dans sa marche vers la plénitude eschatologique à laquelle il est appelé. L'extension du sens historique au réel total prend ainsi tout son effet, une seule intelligibilité régit la création dans son ensemble. La légende des siècles devient légende des millénaires, légende des millions d'années au cours desquelles s'est épanouie et renouvelée l'organogénie du monde.

« Notre Museum d'Histoire naturelle, dans sa trop étroite enceinte, est un palais de féerie. Le génie des métamorphoses, de Lamarck et de Geoffroy, semble y résider partout. Dans la sombre salle d'en bas, les madrépores fondent le monde de plus en plus vivant qui s'élève au-dessus d'eux. Plus haut, le peuple des mers, ayant atteint sa complète énergie d'organisation dans ses animaux supérieurs, prépare les vies de la terre. Au sommet, les mammifères sur lesquels la tribu divine des oiseaux déploie ses ailes et semble chanter encore » (¹²). Puis le visiteur médite sur le nom de Lamarck, ancien habitant de ces lieux, déchiffré sur une étiquette. « Grand nom et déjà antique ! C'est comme si, aux tombeaux de Saint-Denis, on voyait le nom de Clovis. La gloire de ses successeurs, leur royauté, leurs débats, ont obscurci, reculé dans le temps celui par lequel pourtant on passa d'un siècle à l'autre. C'est lui, cet aveugle Homère du Museum, qui, par l'instinct du génie, créa, organisa, nomma ce qu'on ne savait guère encore, la classe des Invertébrés. Une classe, mais c'est un monde, c'est l'abîme de la vie molle et demi-organisée à qui manque encore la vertèbre, la centralisation osseuse, le soutien essentiel de la personnalité. (...) Ils attendirent jusqu'à Lamarck, ces grands peuples obscurs, confus, ces exilés de la science, qui pourtant remplissent tout, avaient tout préparé... » (¹³).

L'hommage, parfaitement justifié, de Michelet au grand Lamarck

(¹¹) *Ibid.*, p. 75.
(¹²) MICHELET, *La Mer*, livre II, ch. V (1861), Calmann-Lévy, 1926, p. 149.
(¹³) *Ibid.*, pp. 150-151.

si tenacement méconnu par l'ignorante postérité, est d'autant plus remarquable que le Maître du Museum, affilié à l'école idéologique, s'est efforcé de faire prévaloir partout l'interprétation mécaniste de l'évolution des êtres, à l'opposé du vitalisme romantique. Mais Michelet honore en Lamarck « le génie des métamorphoses », celui qui a contribué plus que tout autre à établir la généalogie des formes vivantes au sein de la création naturelle. « Grand effort révolutionnaire contre la matière inerte, et qui irait jusqu'à supprimer l'inorganique. Rien ne serait mort tout à fait. Ce qui a vécu peut dormir et garder la vie latente, une aptitude à revivre. Qui est vraiment mort ? Personne » ([14]). C'est ainsi que l'Idéologue Lamarck répond aux interrogations angoissées de Michelet, au chevet de Madame Dumesnil agonisante. L'histoire naturelle de Lamarck autorise le cri triomphant : « Mort, où est ta victoire ? » Le panvitalisme romantique trouve sa justification dans le transformisme universel. « L'animalité est partout. Elle emplit tout et peuple tout. On en trouve les restes ou l'empreinte jusque dans ces minéraux comme le marbre statuaire, l'albâtre, qui ont passé par le creuset des feux les plus destructeurs (...). Le dur silex du tripoli est une masse d'animalcules, l'éponge un silex animé. Nos calcaires tout animaux. Paris est bâti d'infusoires. Une partie de l'Allemagne repose sur une mer de corail... » ([15]).

L'*Histoire de France*, l'histoire universelle proposent à Michelet des aspects et des moments d'une histoire plus totale encore, dont l'inspiration donne vie au réel entier dans l'expansion de sa plénitude. L'intuition dernière du penseur suscite un monisme de l'intelligibilité, irradiant l'ensemble des compartiments du savoir, qui se prêtent mutuellement leurs lumières. Michelet, note Viallaneix, met à contribution les sciences naturelles ; « il tire partie de leurs découvertes pour mener à bien l'universelle réhabilitation des êtres simples, dont son expérience d'historien lui a révélé l'opportunité » ([16]). Ce qui lui vaut une curieuse lettre de gratitude d'un zoologiste, charmé par les prolongements axiologiques de sa discipline : « c'est un bonheur pour moi, Monsieur, de me sentir ému comme vous à l'aspect de ces êtres inférieurs que nous ne traitons avec tant de mépris et de dureté que parce que nous sommes si orgueilleux ou, ce qui est à peu près la même chose, si ignorants (...). Les sciences naturelles, la botanique et la zoologie, si propres à rendre évidentes la sagesse et la puissance de Dieu, et à nous inspirer une douce

---

([14]) *Ibid.*, pp. 151-152.
([15]) *Ibid.*, p. 153.
([16]) Paul VIALLANEIX, *La Voie royale, op.cit.*, nouvelle éd. Flammarion, 1971, p. 435.

sympathie pour tous les degrés de cette hiérarchie vivante dont nous sommes la tête, font à peine partie de notre éducation. Et pourtant, si je ne me trompe, elles devraient tout naturellement en être la base » ([17]).

Viallaneix a mis en lumière l'interconnexion entre l'intelligence historienne de Michelet et ses travaux de naturaliste ; dans les profondeurs de la pensée s'opère un entrelacement des intuitions fondamentales. « Chaque fois qu'il évoque les mérites de quelque maître de l'histoire naturelle, il les présente comme illustrant l'idée qu'il se fait de l'homme et de ses rapports avec les autres créatures. Dans le même esprit, il les identifie encore aux vertus démocratiques qu'enseigne la Révolution française. C'est ainsi que dans l'*Histoire du XIXᵉ siècle*, l'auteur du *Peuple*, l'auteur de *L'Oiseau* et l'auteur de *L'Histoire de la Révolution* unissent leurs vœux pour célébrer l'essor moderne des sciences de la nature » ([18]). L'échec de la Révolution après la Terreur est atténué par la survie du souffle révolutionnaire dans l'œuvre de Lamarck et de Geoffroy. « Les moindres animaux et les plus dédaignés, observe Michelet, ceux que le roi Buffon, de si haut, n'eût pu voir, devinrent désirables. Le peuple de l'abîme, la démocratie basse des êtres encore flottants aux confins des trois règnes, eut son 89... » ([19]).

Michelet ne se contente pas d'établir une corrélation rhétorique entre deux domaines différents, sous la poussée d'une poésie transcendante. La catégorie romantique de l'identité s'impose à lui, comme une clef pour le déchiffrement des phénomènes ; une même vérité de vie anime tous les ordres de l'univers. Des notes inédites destinées à la Préface de 1869 à *l'Histoire de France*, esquissant une autobiographie intellectuelle et spirituelle, soulignent l'importance dans sa formation des savants naturalistes, promoteurs en lui d'une véritable initiation à la réalité humaine. « Je perdis ce qui me restait de subtilité littéraire, systématique ou sophistique. (...) Plus d'orgueil. (...) L'unité de l'âme des simples, de l'animal, de l'ignorant, du barbare, de l'illettré, tout cela se résuma pour moi dans le mot touchant : enfance. L'histoire naturelle et l'histoire se fondirent sous mon regard. L'enfantement progressif des espèces, des races et des classes humaines, des tribus plus ou moins barbares, des cités, des sociétés plus ou moins humanisées, se déroulait devant moi » ([20]).

([17]) Lettre de BAZIN, professeur à la Faculté des Sciences de Bordeaux, 17 mars 1846 ; dans VIALLANEIX, p. 435.

([18]) VIALLANEIX, *op. cit.*, p. 435.

([19]) *Histoire du XIXᵉ siècle*, t. I, 2ᵉ partie, ch. I, p. 153, dans VIALLANEIX, p. 436.

([20]) *Ibid.*, p. 431 ; cf. la formule de VIALLANEIX, p. 436 : « on ne sait plus ici où commence l'histoire naturelle et où finit la science ».

Ces textes, bien mieux que les envolées lyriques sur Jeanne d'Arc ou sur les grandes heures de la Révolution, permettent de reconnaître en Michelet l'un des rares romantiques de plein exercice dans le domaine français, avec Nerval et le Hugo de la maturité et de la vieillesse. Peut-être le romantique le plus complet, dans la mesure où Nerval demeure cantonné dans l'ordre littéraire et religieux et où Hugo, en dépit de ses intuitions cosmiques, n'est pas un *Naturphilosoph* à proprement parler, initié à la science naturelle... La pensée de Michelet pousse aux limites extrêmes le don d'une sympathie ontologique, exaltée jusqu'à l'identification du moi et du monde. L'*Histoire de France*, il la concevait, il la vivait au plus profond de lui comme sa propre histoire ; mais il en était de même pour l'histoire naturelle, pour l'histoire du monde en laquelle il retrouvait le sens de sa propre destinée. Le primat de la subjectivité se projette sous les espèces d'un idéalisme magique, apte à transfigurer la relation du moi et du monde en un dialogue où la connaissance revêt la valeur initiatique d'une médiation réciproque, génératrice de révélations transcendantes.

Le livre sur *La Montagne* propose de beaux exemples de ce colloque anthropocosmologique ; « elle est une initiation », professe Michelet, non pas seulement dans l'existence de l'individu, mais dans celle aussi de la communauté humaine : « peu avant le réveil de 89, le grand XVIIIe siècle reprit dans la Nature même le sentiment héroïque » [21] ; l'alpinisme à ses débuts paraît une prémonition symbolique de la haute montée révolutionnaire, moment ascendant de l'humanité historique. La montagne, médiatrice de l'anthropogénèse, évoque à sa manière la gloire de l'homme. « Dans le livre de *La Montagne*, j'ai fait de chapitre en chapitre, surgir les puissances héroïques que nous puisons dans la Nature. Et maintenant, comme en voyage, derrière l'Alpe, on voit se dresser encore une Alpe supérieure, je vois au-delà de mon livre, un autre qui commence ici : *Régénération de l'espèce humaine* » [22]. La montagne s'inscrit dans l'autobiographie de Michelet, confondue avec celle de la Nature et de l'Humanité. « Ce petit livre, quel qu'il soit, a droit à ma reconnaissance. (...) Dans le long combat de la vie, de l'art (toujours inquiet), dans un temps de sombre attente, il m'empêcha de descendre et me retint à mi-côte. Par une heureuse alternance entre l'histoire et la nature, j'ai pu garder ma hauteur. Si j'avais suivi l'homme seul, la sauvage histoire de l'homme, j'aurais faibli de tristesse. Si j'avais suivi sans partage la nature, je serais tombé (comme plus d'un aujourd'hui) dans l'insouciance du droit. J'échangeai souvent les deux mondes.

---

[21] MICHELET, *La Montagne* (1867), Calmann-Lévy, 1925, p. 353.
[22] *Ibid.*, p. 364.

Lorsque, dans l'étude humaine, l'haleine allait me manquer, je touchais *Terra mater,* et reprenais mon essor... » ([23]).

Michelet dans la triste solitude où le confine son opposition au Second Empire, a trouvé consolation dans la méditation lyrique de la montagne, dont les sublimes escarpements offrent un recours contre la déchéance des hommes, résignés à la servitude. « L'heureuse alternance entre l'histoire et la nature » atteste que les deux moments cosmiques, s'ils ne se conjuguent pas toujours, peuvent du moins se compenser. Du coup la biographie de Michelet, dans ses fortunes et ses infortunes, définit le grand axe de l'histoire universelle, d'une histoire qui d'ailleurs paraît s'égarer hors du droit chemin du progrès, de cet hymne à la joie qui constitue la révélation de la Bible de l'humanité... Sens et non-sens s'entrelacent, sans que Michelet semble se soucier des contradictions subalternes engendrées par son subjectivisme ; la magie du verbe ne permet pas, à elle seule, de remédier aux égarements de l'intelligibilité universelle. Exilé à l'intérieur de son propre pays, Michelet s'efforce de trouver dans les solitudes alpestres un paysage moins désolé que son paysage intérieur.

Ce faisant, il retrouve, au plus profond de son expérience existentielle, l'ancienne analogie entre le microcosme et le macrocosme, harmonie cachée et dernier recours de ses livres de nature, l'un des présupposés constants de la *Naturphilosophie.* La forme humaine se projette dans l'intelligibilité immanente au paysage. Un curieux chapitre de *La Mer* évoque l'animation de l'Océan, flux et reflux, marées et courants, sous le titre « le pouls de la mer » : « est-ce à dire que ces courants, assez distincts et peu mêlés, puissent se comparer, comme on l'a fait quelquefois, aux vaisseaux, veines et artères des animaux supérieurs ? Non pas sans doute à la rigueur. Mais ils ont quelque ressemblance avec la circulation moins déterminée que les naturalistes ont trouvée récemment chez quelques êtres inférieurs, mollusques, annélides. Cette circulation *lacunaire* supplée, prépare la *vasculaire ;* le sang s'épanche en courants avant de se faire des canaux précis. Telle est la mer. Elle semble un grand animal arrêté à ce premier degré d'organisation » ([24]). Et l'analogie vitaliste sera reprise un peu plus loin, sur le thème de la « fécondité » : « Telle est la mer. Elle est, ce semble, la grande femelle du globe, dont l'infatigable désir, la conception permanente, l'enfantement ne finit jamais... » ([25]).

Seul un poète, enseignait Novalis, peut comprendre le sens de la

([23]) *Ibid.,* pp. 364-365 ; c'est la fin du livre.
([24]) *La Mer* (1861), livre I, ch. V ; éd. Calmann-Lévy, 1926, p. 49.
([25]) *Ibid.,* livre II, ch. I, p. 110.

science. Michelet est un poète de l'histoire naturelle ; son imagination déchiffre à travers l'enchaînement des phénomènes les configurations d'une vie en travail de perpétuelle genèse. Si la mer ne propose pas la forme humaine dans sa perfection achevée, elle expose du moins le prototype d'un vivant inférieur, réduit à l'essentiel, mais portant en germe tous les perfectionnements à venir. Quant à la montagne, elle a été perçue toujours, en vertu d'archaïques perceptions animistes, comme un géant endormi. Michelet va plus loin, et passe résolument de l'anatomie à la physiologie : « La Terre a-t-elle un cœur ? un tout-puissant organe, où ses énergies se révèlent, où elle aspire, respire, palpite de ses transformations ? Si cet organe existe, on doit moins le chercher aux foyers ténébreux de son noyau central, où elle est comprimée de sa masse elle-même. Il doit être plutôt là où son effort intérieur arrive enfin à la surface, à la libre expansion, là où son âme de désir rencontre la grande âme d'amour et de fécondation. Admirable mystère ! mais point du tout caché. La terre, par ses deux faces, dans ses deux océans, librement le met au grand jour, au plus brillant soleil et sur la mer étincelante, dans l'illumination sublime du grand cercle de ses volcans. Ce souverain organe de vie, d'amour, d'aspiration, se manifeste d'un côté, dans la mer des Indes, au brûlant soleil d'îles, où domine Java, — de l'autre, dans la brillante cuve d'Haïti, de Cuba. C'est un cœur en deux lobes. L'écartement n'est qu'apparent. Ils ont leur unité dans le grand courant galvanique de la Ligne qui relie la Terre. Pour l'électricité, qu'est l'espace ou le temps ? Leur grand signe commun, c'est la superbe artère dont chacun est pourvu, le grand torrent d'eaux chaudes qui jaillissent vivantes de ce double foyer... » [26].

Cette page étonnante n'est pas seulement le produit d'une rhétori-que de l'imaginaire appliquée à la cosmologie, dont on trouve de prodigieux exemples dans l'œuvre surréaliste de Bernardin de Saint-Pierre. La montagne magique de Michelet ne déploie pas les fantasmes d'une spéculation déliée de toute fidélité au réel ; l'histo-rien a fait retraite dans les bibliothèques d'histoire naturelle ; il s'est initié aux sciences de la Terre, ainsi que l'attestent des références bibliographiques parmi lesquelles figurent les grands noms de la science allemande : Georg Forster, Carl Ritter (1779-1859) et Alexan-dre de Humboldt (1769-1859), initiateurs d'une discipline embras-sant les divers aspects de la planète, dans sa structure interne et son économie externe, y compris les rapports qu'elle entretient avec la végétation, avec la vie animale et avec l'homme, en tant qu'utilisateur privilégié des possibilités offertes par le milieu sous ses aspects géologiques et biologiques. Le thème du magnétisme terrestre,

[26] *La Montagne* (1867), livre I, ch. XIII ; Calmann-Lévy, 1927, pp. 163-164.

considéré comme le système nerveux de la planète, interprète les acquisitions récentes du savoir.

Isolée dans le domaine français, la pensée de Michelet perd beaucoup de son étrangeté si on la confronte avec les spéculations des *Naturphilosophen* d'Allemagne. Par exemple, l'œuvre de Henrich Steffens (1773-1845), jeune Norvégien d'appartenance romantique venu étudier à l'école minière de Freiberg sous l'inspiration du maître Abraham Gottlob Werner (1750-1817), l'un des génies scientifiques dont s'enchantent les jeunes initiés du cercle de l'*Athenaeum*. L'un des premiers travaux de Steffens se présente sous le titre *Contributions à l'histoire intime de la Terre (Beiträge zur inneren Naturgeschichte der Erde*, 1800); le titre même, évocateur d'une intériorité cachée, annonce une géobiologie évolutive où le globe terrestre constitue une partie intégrante du *Totalorganismus*, de l'organisme global du réel dans son mouvement d'évolution. L'humanité elle-même intervient dans le contexte d'un moment de cette évolution progressive dont elle est étroitement solidaire. La Nature dans son ensemble, y compris les éléments, l'air et l'eau, les rochers, les métaux, est un grand Vivant, non pas seulement transparente à la pensée, mais pensée elle-même, endormie dans la matière, dont le sens s'éveille sous la sollicitation de l'esprit humain, en son cheminement vers l'accomplissement dans la plénitude de l'universelle révélation et libération. La géognosie selon l'esprit des romantiques serait une anthropologie géologique ([27]), où la vie et l'esprit retrouveraient leurs droits parfois occultés par l'immobilité de la matière. Steffens résumant dans ses mémoires cet écrit de jeunesse disait qu'il s'agissait de « relier l'ensemble des phénomènes vitaux dans l'unité de la Nature et de l'Histoire; puis, à partir de ce présupposé de l'unité des deux domaines, il fallait suivre les traces d'un projet divin dans le grandiose développement du Tout » ([28]). La fonction de l'homme dans le *Totalorganismus* cosmique correspond à celle du cerveau dans l'être humain, responsabilité majeure dans cette création évolutive du cosmos, grand axe d'un devenir encore loin de son achèvement.

Aucune filiation directe entre Michelet et Henrich Steffens, dont les travaux ne semblent pas avoir eu d'écho en France. Mais l'apparentement spirituel est certain; dès le début du XIXᵉ siècle, Steffens a entrevu cette « unité de la nature et de l'histoire » (*Einheit der Natur und Geschichte*), qui sera pour Michelet l'archétype eschatologique de sa recherche d'intelligibilité. Personne déplacée

---

([27]) Cf. Henrich STEFFENS, *Anthropologie*, Bd. I, Breslau, 1822, pp. 21 sqq.
([28]) STEFFENS, *Was ich erlebte*, Bd. IV, Breslau, 1841, p. 289; cf. p. 288 : « il fallait que l'histoire devienne tout entière Nature (*Die Geschichte selbst musste ganz Natur werden*) ».

dans la culture française, Michelet trouverait sa place dans le contexte germanique de la biologie romantique. La Préface de *La Montagne*, en 1867, évoque l'épistémologie de la communion sympathique, de l'*empathie* avec le réel total, qui a suscité la série des livres de nature, évocateurs de la co-naissance au monde. « Ces petits livres (...) n'essayaient pas de donner leur esprit à la nature, mais de pénétrer le sien. Ils l'aimaient, l'interrogeaient ; ils demandaient à chaque être le secret de sa petite âme. Cela eut d'heureux effets. Pour la première fois, on sut le mystère propre à l'oiseau, le mystère propre à l'insecte. (...) L'oiseau est une personne. Cela s'accepte assez bien. Mais l'insecte ! la difficulté semblait ici bien plus grande. Chez les enfants de la mer, la personnalité fuyante paraît moins saisissable encore. La tentative était hardie de fixer, de rétablir ces âmes obscures et confuses, dédaignées jusque-là, niées, de leur rendre la dignité d'âmes, de les replacer dans le droit fraternel et dans la grande Cité » [29]. Tout est plein d'âme ; ce panpsychisme s'étend aux végétaux ; « on verra à quel degré d'intimité nous admirent les patriarches des Alpes, les arbres antiques qu'à tort on a cru muets » ; la montagne elle-même s'anime pour faire accueil au pèlerin de la connaissance ; « nous sommes reconnaissants de la faveur paternelle de ces augustes géants, ces monts sublimes, au sein desquels nous trouvâmes de si doux abris, qui, qi généreusement, avec leurs fleuves nourriciers qui sont la vie de l'Europe, nous versaient aussi leur âme, sereine, pacifique et profonde » [30].

Il ne s'agit pas ici d'un langage allégorique, selon le mode aimable du poète qui « donne son esprit à la nature » ; l'anthropomorphisme naïf projette à tort et à travers la forme humaine dans l'environnement. L'homme n'est pas la mesure de toutes choses ; il incarne un moment dans l'histoire de la vie ; il découvre sous lui des formes inférieures, mais il se sait voué à être dépassé par des formes supérieures. Seule la référence à l'idéologie sous-jacente permet de rétablir la plénitude du sens. La fréquentation des biologistes de son temps fournit à Michelet le thème directeur de ce transformisme évolutif, grand axe de son épistémologie dans tous les domaines. « Pour Michelet, le monde, le " grand animal ", repose sur une énergie spirituelle incarnée dans la force vitale, appelée " la circulation de l'esprit ". La nature est l'expression matérielle, le véhicule de la vie divine : c'est la " forme " de la circulation de l'esprit. Il s'ensuit que les transformations de règne en règne, d'espèce en espèce, devraient indiquer l'intention de Dieu. Le transformisme zoologique

---

[29] *La Montagne* (1867), Préface, Calmann-Lévy, 1925, pp. 18-19.
[30] *Ibid.*, pp. 19-20.

de Michelet correspond à la philosophie de l'histoire énoncée dans l'*Introduction à l'histoire universelle* (1831) et développée à travers toute l'œuvre postérieure » ([31]).

Dans la pensée de Michelet comme dans la *Naturphilosophie*, la téléologie évolutive se déploie entre une archéologie des origines vitales et une eschatologie des accomplissements, guidée par le sens sacral de la divinité de la vie. La biologie moniste du romantisme justifie une théologie de l'immanence où le projet créateur de la divinité revêt la forme de l'amour, ou plutôt celle d'une sexualité en travail dans le devenir cosmique. Les textes intimes de Michelet ont choqué ou ravi certains interprètes par le déploiement d'une sensualité sans fard, affirmée en particulier dans ses expériences féminines. Gabriel Monod avait reculé devant la révélation de cet érotisme ingénu dont s'enchantait Roland Barthes, et où la psychanalyse découvrait sans peine une ample matière à ses voltiges intellectuelles. L'érotisme de Michelet est de même nature que celui de Novalis ; la sexualité humaine s'y déploie, sans complaisance morbide, comme un mode existentiel de la divinité de la Nature, phase transitoire dans l'incessante mutation des énergies sacrées qui travaillent du dedans le devenir universel.

Une page du *Journal* évoque la « singulière sensualité de la solitude. C'est un tête-à-tête avec la toute aimable et toute féconde, la dangereuse aussi, la résistante, l'homicide..., la mère tout à la fois et l'amante, la mère incestueuse qui nous fait et nous propose la séduction, nous fait jouir d'elle, nous caresse, nous saoule et nous tue : la Nature (...) Je voudrais la voir pure et divine. Mais je la souille de mes désirs, ou elle moi de ses caresses. Divine, elle est certainement. Et quoi ! y a-t-il donc adultère et inceste avec Dieu ? Oui, mais si elle est divine, ce n'est pas dans son étoffe, dans la matière qui la compose, dans le particulier, l'individuel, dans le détail de son existence, mais dans sa généralité, dans sa relation harmonique, dans sa concordance rythmique » ([31bis]). Il serait absurde de ne voir ici que la confidence d'un tempérament voluptueux à la recherche d'une excuse pour ses débordements. La sensualité individuelle est révélation d'une sensualité cosmique, participation directe aux rythmes immanents qui manifestent l'incessante progression de l'univers.

Une autre confidence atteste la continuité entre l'expérience de la

([31]) Edward K. KAPLAN, *Michelet évolutionniste*, dans *Michelet cent ans après*, Colloque publié par P. VIALLANEIX, Presses universitaires de Grenoble, 1975, p. 112 ; cf. du même auteur : *Le Symbolisme de la Nature chez Michelet*, 19th Century French Studies, Fredonia, N.Y., 1976.
([31bis]) *Journal*, 13 juillet 1834 ; dans MARCEL RAYMOND, *Romantisme et Rêverie*, Corti, 1978, p. 229.

sensualité humaine et la biologie universelle esquissée dans les livres de nature. Michelet vient d'avoir avec sa femme un moment d'intimité sexuelle ; il note : « L'épanchement, surabondant même, du plaisir, est compensé par un flot intérieur d'émotion nerveuse et cérébrale qui est comme une continuation de l'union corporelle. C'est le coït de l'esprit. Au vrai, en sortant, j'y reste. » L'âme rêve « dans la tiède mer de lait. Elle n'en veut que mieux le monde, la nature, la vraie mer du vaste infini. Ainsi, ce matin, sous cette bienheureuse impression, vibrant d'elle encore, je notai avec plaisir la doctrine si simple de Stahl, de Johannes Müller, l'épigenèse, ou *La vie fait la vie*. Et la doctrine de Schwann sur la cellulose végétale et animale, formation identique, profonde fraternité des êtres. Ce procédé si simple de la gelée indécise qui se cellulose, s'organise et fait de toutes choses la mucosité féminine de la nature universelle, d'où glisse la vie, tout cela m'attendrissait d'amour, de piété indienne, d'une sorte de dévotion » ([32]).

Ecrite en juin 1860, cette page évoque certains des thèmes saisissants du livre sur *La Mer*, paru en 1861, et que Michelet devait rédiger à cette époque ; elle en approfondit certaines thèses scientifiques. L'expression « la mer de lait » sert de titre à un chapitre du deuxième livre de *La Mer*. Michelet se réfère à la doctrine de la mucosité universelle, fermentation marine d'où naît, selon les biologistes romantiques, la procession des formes vitales, telle Vénus sortant de l'onde. L'ontogénèse de la conception dans la femme répète la phylogénèse, l'odyssée des espèces, la femme prêtant sa forme emblématique à la Nature dans son ensemble, figure de la fécondité dont les eaux de la mer et les eaux de la femme définissent également les lieux prédestinés. La mer, pour Michelet comme pour Oken, est la matrice universelle, dont le « protoplasme » fécond engendre les premiers essais de la puissance vitale dans le travail de ses enfantements.

Le livre de *La Mer* propose un poème en prose, célébration de la « fécondité », comme le proclame un titre de Michelet (livre II, chapitre 1), qui sera le titre de l'un des « évangiles » de Zola. « Dans la nuit de la Saint-Jean (du 24 au 25 juin) cinq minutes après minuit, la grande pêche du hareng s'ouvre dans les mers du Nord. Des lueurs phosphorescentes ondulent ou dansent sur les flots. (...) Des profondeurs à la surface un monde vivant vient de monter. » Il s'agit des bancs de harengs qui remontent vers la surface pour y célébrer « leur grande fête d'amour. (...) Ensemble ils viennent au printemps prendre leur petite part au bonheur universel, voir le jour, jouir et mourir (...) Entre l'Ecosse, la Hollande et la Norvège, il semble

---

([32]) MICHELET, *Journal*, 26 juin 1860 ; éd. Viallaneix, t. II, N.R.F., 1962, p. 535.

qu'une île immense se soit soulevée, et qu'un continent soit prêt d'émerger. (...) Millions de millions, milliards de milliards, qui osera hasarder de deviner le nombre de ces légions ? (...) A deux ou trois brasses d'épaisseur, l'eau disparaît sous l'abondance incroyable du flux maternel où nagent les œufs des harengs. C'est un spectacle, au lever du soleil, de voir aussi loin qu'on peut voir, à plusieurs lieues, la mer blanche de la laitance des mâles. Epaisses, grasses et visqueuses ondes, où la vie fermente dans le levain de la vie. Sur des centaines de lieues, en long et en large, c'est comme un volcan de lait, et de lait fécond, qui a fait son éruption et qui a noyé la mer. (...) Qu'on songe que chaque hareng a quarante, cinquante, jusqu'à soixante-dix mille œufs ! » [33].

L'imagination cosmique de Michelet s'exalte à l'idée de l'universelle éclosion de cette faune harengère qui suffirait à elle seule, « en fort peu de générations à combler, solidifier l'Océan, ou à le putréfier, à supprimer toute race et à faire du globe un désert. La vie, impérieusement, réclame ici l'assistance, l'indispensable secours de sa sœur, la mort » [34]. A cette œuvre de mort contribuent, en dehors même de l'espèce humaine, les grands carnassiers de la mer, qui profitent du festin offert dans la surabondance d'une vie prodigieusement gaspillée. La mer se propose à nous comme « la grande femelle du globe dont l'infatigable désir, la conception permanente, l'enfantement ne tarit jamais » [35].

Le thème de la « mer de lait », titre du chapitre qui suit celui sur la « fécondité », n'évoque pas seulement la « laitance » du hareng fécondant les œufs épars dans la mer. Ce sont les eaux de la mer elles-mêmes, indépendamment de toute addition étrangère, qui possèdent une fécondité intrinsèque. Ces eaux ne sont pas des eaux neutres chimiquement pures et indifférentes à la vie des êtres qu'elles hébergent ; elles sont plus qu'un réceptacle passif ; elles constituent un fluide vital, un premier degré d'organisation, d'animalisation, estime Michelet, qui se réfère aux idées de Geoffroy Saint-Hilaire sur « le *mucus* général, où il semble que la nature puise sa vie » [36]. La biologie romantique a accordé un intérêt privilégié au milieu marin ; la recherche scientifique met en œuvre dans ce domaine une curiosité nouvelle, symbolisée dans le domaine français, comme nous l'avons indiqué, par la création du premier laboratoire marin à Concarneau en 1860, au moment même où Michelet rédige son livre. « L'eau de mer, même la plus pure, prise au large, loin de tout mélange, est

[33] *La Mer* (1861), livre II, ch. I, passim.
[34] *Ibid.*
[35] *Ibid.*
[36] Livre II, ch. II, *La Mer de lait.*

légèrement blanchâtre et un peu visqueuse. Retenue entre les doigts, elle *file* et passe lentement. Les analyses chimiques n'expliquent pas ce caractère. Il y a là une substance organique qu'elles n'atteignent qu'en la détruisant, lui ôtant ce qu'elle a de spécial, et la ramenant violemment aux éléments généraux. Les plantes, les animaux marins, sont vêtus de cette substance, dont la mucosité, consolidée autour d'eux, a un effet de gélatine, parfois fixe et parfois tremblante. Ils apparaissent à travers comme sous un habit diaphane... » ([37]). Cette « matière à demi organisée et déjà tout organisable » est mieux connue depuis la découverte du plancton, fait de micro-organismes en suspension dans le milieu marin, et les études sur les aspects physiques, chimiques et électriques de ce milieu.

Michelet, comme les biologistes romantiques allemands, voit dans la substance liquide le point de départ du dynamisme ascensionnel de la vie, générateur de formes de plus en plus complexes. L'invention de la vie, à chacun de ses moments, est le fruit de l'amour. « Elle aime, la grande Âme d'harmonie qui est l'unité du monde. Elle aime et par l'alternative de plaisir et de douleur, elle cultive tous les êtres et les oblige à monter. Mais pour monter, pour passer à un degré supérieur, il faut qu'ils aient épuisé tout ce que l'inférieur contient d'épreuves plus ou moins pénibles, de stimulants d'invention et d'art instinctif. Il faut même qu'ils aient exagéré leur genre, en aient rencontré l'excès qui, par contraste, fait sentir le besoin d'un genre opposé. Le progrès se fait ainsi par une succession d'oscillations entre les qualités contraires qui tour à tour se dégagent et s'incarnent dans la vie » ([38]). Le transformisme évolutif qui justifie la procession des formes vivantes obéit à la dialectique de la vie immanente aux formes qu'elle dépose tout au long de son mouvement. Michelet évoque, à partir de la méduse, masse gélatineuse passive et désarmée, où s'offre à nous la matière vivante à l'état brut, la genèse de l'oursin, protégé par ses piquants et capable de faire varier sa résidence en fonction des conditions de l'environnement.

A défaut de conscience à proprement parler, Michelet attribue aux formes élémentaires de la vitalité une intentionalité sourde, un désir ascensionnel qui enfante de proche en proche, de génération en génération, des formes plus achevées, depuis la méduse et l'oursin jusqu'aux cétacés géants, honorés par l'auteur de *La Mer* d'une dévotion particulière. La baleine, honneur des Océans et victime de la cruauté des hommes, mérite admiration et pitié. « Le lait de la mer, son huile surabondaient ; sa chaude graisse, animalisée, fermentait dans une puissance inouïe, voulait vivre. Elle gonfla, s'organisa

---

([37]) *La Mer de lait*, début.
([38]) *Op. cit.*, livre II, ch. VII ; éd. Calmann-Lévy, 1926, p. 177.

en ces colosses, enfants gâtés de la nature, qu'elle doua de force incomparable et de ce qui vaut plus, du beau sang rouge ardent. Il parut pour la première fois. Ceci est la vraie fleur du monde. (...) La force du monde supérieur, son charme, sa beauté, c'est le sang. Par lui commence une jeunesse toute nouvelle dans la nature, par lui une flamme de désir, l'amour et l'amour de famille, de race, qui, étendu par l'homme, donnera le couronnement de la vie, la Pitié » ([39]).

Toutes les valeurs romantiques se trouvent convoquées au rendez-vous de l'histoire naturelle. Michelet le méconnu est sans doute, parmi les rares romantiques français, le plus complet, aux côtés du seul Victor Hugo, lui aussi capable de conjuguer la grande fresque historique des *Misérables* et la grande fresque naturaliste des *Travailleurs de la Mer*. Michelet poète lyrique, se distingue des *Naturphilosophen* d'Allemagne par le génie du style, qui généralement leur fait défaut. Historien du premier rang, il est parvenu à conjoindre dans l'unité d'une même intuition le règne de l'histoire et le règne de la nature. Seul à cet égard pourrait être rapproché de lui le Rhénan Josef Görres (1776-1848), passé des études physiologiques et d'une théorie des métamorphoses organiques à des travaux d'histoire, de mythologie et de mystique, selon l'inspiration d'une même nécessité intime, avec cette différence que la biologie a été pour Görres un point de départ, alors qu'elle fut pour Michelet un aboutissement et ensemble un approfondissement. Hippolyte Taine, rendant compte en 1856 du livre sur *L'Oiseau,* observait : « L'historien que vous connaissez paraît à travers le naturaliste que vous découvrez. Le livre de *L'Oiseau* n'est qu'un chapitre ajouté au livre du *Peuple.* L'auteur ne sort pas de sa carrière, il élargit sa carrière. Il avait plaidé pour les petits, pour les simples, pour les enfants, pour le peuple. Il plaide pour les bêtes et pour les oiseaux ([40]).

Cette remarque pénétrante met en lumière, au plus profond des intuitions de Michelet, l'exigence d'une charité cosmique. Les contemporains ont inventé, pour désigner ce rapport de l'homme avec la nature, les formules du « respect de la vie » et la revendication de l'écologie. Michelet, il y a plus d'un siècle, proteste contre l'extermination des baleines et des phoques, y compris les nouveau-nés. « Ces carnages sont une école détestable de férocité qui déprave indignement l'homme. Les plus hideux instincts éclatent dans cette ivresse de bouchers » ([41]). La disparition de certaines espèces représente un appauvrissement de la Terre ; « il faut que la France,

---

([39]) *La Mer*, livre II, ch. XII, p. 137.
([40]) TAINE, *Essais de critique et d'histoire*, Hachette, p. 134 ; cité dans VIALLANEIX, *La Voie royale*, p. 429.
([41]) *La Mer*, 1861, livre III, ch. VI : *Le Droit de la Mer*, éd. citée, p. 329.

l'Angleterre, les Etats-Unis proposent aux autres nations et les décident à promulguer toutes ensemble, un *Droit de la Mer* (...). Il faut un code commun des nations, applicable à toutes les mers, un code qui régularise non seulement les rapports de l'homme à l'homme, mais ceux de l'homme aux animaux... » [42]. On est parvenu à réglementer la chasse terrestre ; il importe de réglementer la pêche, pour sauvegarder les espèces vivantes, l'une des richesses que l'homme n'a pas le droit de détruire dans l'aveuglement de sa férocité.

Dans la pensée de Michelet ces propositions ne s'inspirent pas d'un humanitarisme de la bonne volonté ou d'un désir économique de ménager les ressources de la planète. Le respect de la vie procède d'une exigence ontologique, qui étend à la création dans son ensemble la validité des impératifs moraux et spirituels ; l'homme porte la responsabilité de la création non pas parce qu'il est extérieur à la création, et maître d'en disposer à son gré, mais parce qu'il est lui-même un moment de la création, sur la voie d'accomplissements à venir qui, passant à travers lui, sont appelés à le dépasser. Respecter la vie, c'est se respecter soi-même, c'est honorer la vocation divine qui doit transfigurer à nos yeux toutes les formes animées. Un seul amour se manifeste à travers les degrés de la création. A propos des procédures de la fécondation chez les fleurs de haute montagne, soumises au renouvellement hâtif des saisons dans ce rude climat, Michelet observe : « Elles doivent aimer, produire sur-le-champ, sinon jamais. L'instinct, la nécessité ont précipité les choses. La fleur n'attend pas son amant. Elle lance à l'encontre de lui un dard innocent, miellé, qui le prend, qui se retire en l'emmenant avec lui. (...) Que ferait de plus l'instinct animal ? ou pour parler plus franchement, que ferait de plus la pensée de l'homme ? Des circonstances nouvelles ont fait naître chez les fleurs une prévoyance maternelle inouïe et un nouvel art d'aimer. Cela est beau, cela est grand, disons-le, divin, sublime. Ainsi l'amour, c'est l'amour, l'universelle égalité entre les êtres et les espèces. Plus d'orgueil. Il est le même au plus haut et au plus bas, chez la fleur et chez l'étoile. Il n'y a ni haut ni bas, — ni dans le ciel ni dans l'amour, — qui est aussi le ciel même » [43].

Ainsi le devoir envers la nature est ensemble devoir envers soi-même, et aussi devoir envers Dieu. Lorsque Michelet réclame, en faveur des baleines et des phoques, une « trêve de Dieu », il faut entendre la formule en la plénitude de son sens. La pensée de Michelet est une pensée de l'unité et de l'identité par la médiation de l'amour universel, générateur des harmonies du monde. De là le rôle central de la sexualité et le ministère de la femme, prêtresse des enfantements, en laquelle se répète et s'accomplit l'analogie universelle de la création. Michelet est un gnostique de l'amour. « Je ne puis me passer de Dieu. L'éclipse momentanée de la haute Idée centrale assombrit ce merveilleux monde moderne des sciences et des découvertes. Tout est progrès, tout est force et tout manque de grandeur. (...) Les conceptions faiblissent, isolées, dispersées ; il y a certes poésie ; mais l'ensemble, l'harmonie, le poème, où sont-ils ? Je ne les vois pas. Je ne puis me passer de Dieu. La centralisation rigoureuse tuerait toute vie individuelle. Mais l'aimante unité du monde, bien loin de la tuer, la suscite : c'est par cela que cette unité est l'Amour. Une telle centralisation, qui ne la veut ? Qui ne la sent, d'ici-bas jusqu'aux étoiles ? » [45].

Les adversaires de Michelet ont vu dans cette divinisation de la vie une forme de panthéisme, accusation fréquemment encourue par les penseurs romantiques. L'inspiration romantique s'oppose au matérialisme, qui désenchante la nature et la transforme en un désert de sens ; elle refuse aussi le dualisme spiritualiste de la matière et de l'esprit, démenti par les évidences les plus constantes de l'existence humaine. Michelet est moniste, mais il ne nie pas pour autant toute forme de transcendance ; le sens du divin, qui anime la création et la justifie du dedans, n'est qu'un moment et un aspect de la réalité totale, dont les significations dernières se dérobent sous le voile de l'eschatologie. Michelet n'est pas chrétien ; le christianisme historique est pour ses aspirations un vêtement trop étroit. Mais Michelet est un esprit profondément religieux ; chez lui, comme chez les biologistes romantiques, la philosophie de la nature n'est pas une religion naturelle, au sens un peu plat que la formule revêtait au XVIIIe siècle ; elle revêt la forme d'une participation à l'harmonie providentielle du réel total ; célébration de la mystérieuse présence divine, justification première et dernière de la réalité humaine. Grâce à Michelet, la France n'est pas absente du vaste domaine de la biologie romantique. La Nature, célébrée par les poètes, pressentie par les écrivains, n'est pas chez l'auteur de *La Mer*, de *L'Oiseau* et de *La Montagne* une clause de style, une figure mythologique ; elle est la Nature des savants, en sa densité mystérieuse, support et organe d'une poésie transcendante, insoupçonnée de ceux qui se contentent de faire œuvre de littérature, comme aussi de la plupart de ceux qui font œuvre de science.

CHAPITRE II

LA BIOLOGIE ROMANTIQUE
APRÈS LE ROMANTISME

Dans le deuxième tiers du XIXᵉ siècle, le *Zeitgeist* des Allemagnes a cessé de s'inspirer des valeurs romantiques, désormais démodées en ce qui concerne le domaine littéraire et politique, où les thèmes en faveur du début du siècle font figure de survivances. La Jeune Allemagne offre à l'actualité culturelle des suggestions et sollicitations nouvelles. Les laboratoires se multiplient; le progrès des techniques expérimentales donne à la recherche un nouvel essor dans le domaine de la physique, de la chimie minérale et organique, de la biologie, de la neuro-physiologie. La spéculation recule devant la mise en œuvre de méthodologies neuves pour l'investigation précise des faits. La science, le savant répondent désormais à un signalement différent de celui du mage romantique, livré à tous les vents d'une inspiration peu soucieuse de rigueur calculée.

Enhardis par les succès obtenus et escomptant les succès à venir, les savants se font une métaphysique de l'anti-métaphysique; ils n'hésitent pas à extrapoler leur agnosticisme en gnosticisme d'un nouveau genre. Ainsi se réalise la transition de la positivité au positivisme et du positivisme au scientisme. Ce cours de la pensée est jalonné par l'apparition de néologismes qui ont valeur de slogans. *Agnosticisme* apparaît en 1869 sous la plume du biologiste britannique Thomas Huxley ([1]); *scientisme* est revendiqué par le biologiste français Le Dantec en 1911 ([2]). Comme il arrive souvent, les dénominations n'interviennent que postérieurement aux attitudes mentales qu'elles désignent. Les positivistes du XIXᵉ siècle, héritiers d'une tradition séculaire, professent que la science se suffit à elle-

---

[1] Cf. Th. H. Huxley, *Agnosticism*, in *Collected Essays*, vol. V, 1894.
[2] Cf. l'article *Pragmatisme et Scientisme*, in « Grande Revue », XII, 1911; reproduit dans *Contre la métaphysique*, Alcan, 1912, p. 51.

même, en dehors de toute référence à un arrière-plan métaphysique ; l'idéalisme, le spiritualisme, le rationalisme même font un usage illégitime de présupposés aberrants, survivances d'illusions religieuses périmées. La science s'annonce comme le seul discours de vérité dont l'homme soit susceptible, la réalité matérielle s'analyse en séries de données brutes enchaînées selon les lois du déterminisme scientifique. Ainsi se trouvent démenties les prétentions de l'homme à être dans le sein de la nature autre chose que nature. La pensée, la réflexion, la conscience, l'idéal, etc., sont directement conditionnés par le jeu des lois chimiques et biologiques, en dehors de toute exception de juridiction en faveur du phénomène humain. Les synthèses des composés organiques, la neuro-physiologie, les applications de l'électricité dans le domaine biologique permettent une approche de plus en plus poussée du fonctionnement global du vivant. Le temps n'est pas loin où la psychologie se réduira à une biologie appliquée, au grand dam des spiritualistes et animistes de toute espèce, parmi lesquels les adeptes de la *Naturphilosophie*, discrédités par les tenants de la science rigoureuse.

Le débat, ouvert à l'âge post-romantique dans les années 1830, tourne à la polémique véhémente au milieu du siècle et se poursuit jusqu'à la première guerre mondiale, sur le thème de l'incompatibilité entre science et religion. La parole de Comte, selon laquelle le matérialisme serait la réduction du supérieur à l'inférieur est illustrée par des formules qui ont la valeur de slogans. Le chimiste Jacob Moleschott (1822-1893), disciple de Feuerbach, prononce, dans sa *Doctrine des Aliments pour le peuple* (1850) : « sans phosphore, pas de pensée. » Feuerbach lui-même, gagné aux vues de Moleschott, illustre cette doctrine par un jeu de mots fameux : « *Der Mensch ist was er isst* (L'homme est ce qu'il mange) ». Un peu plus tard, le naturaliste Karl Vogt (1824-1899) énonce un autre des dogmes du savoir moderne, souvent repris au cours des débats entre partisans et adversaires de la spécificité de la pensée : « les idées sont au cerveau ce que la bile est au foie et ce que l'urine est au rein » ([3]). Ces cris de guerre, qui ont enchanté ou scandalisé les partisans des deux camps, portent la marque d'une époque passionnée par les révélations du savoir ; le destin de l'humanité paraît désormais se confondre avec l'avenir de la science. Dans ce contexte, la divulgation de la doctrine darwinienne en 1859 produit un effet de choc renforçant les positions des tenants de l'anti-finalisme.

([3]) Paroles prononcées par Vogt au congrès de médecine de Goettingen en 1854 ; cf. VOGT, *Physiologische Briefe für Gebildete aller Stände*, Giessen, 1847, p. 206. Sur la polémique matérialiste en Allemagne, cf. F. A. LANGE, *Geschichte des Materialismus und Kritik seiner Bedeutung in der Gegenwart*, 2e éd. augmentée, 1875.

Mais les polémiques à l'usage du grand public, et l'effacement apparent de la *Naturphilosophie*, discréditée par ses excès et son inefficacité en matière de recherche positive, ne doivent pas donner à penser que l'animisme et le finalisme romantiques ont disparu sans laisser de traces devant l'avènement du matérialisme moderne. La biologie romantique est caractérisée par le sens de l'irréductibilité de la vie en tant que phénomène global, hors d'atteinte des réductions analytiques, sous les formes variées qu'elles peuvent revêtir. L'erreur avait été de conférer à la vie un caractère substantiel, transcendant aux réalités organiques, du fait d'une régression aux spéculations d'un Paracelse ou d'un Van Helmont ; dissociée de l'organisme, l'âme paraissait susceptible d'une destinée indépendante dans les marges de la réalité mondaine. Ces extravagances ne résistent pas à la critique positive. La prudence épistémologique commande de ne pas s'aventurer hors des limites du domaine de l'observation et de l'expérimentation. Le positivisme suscite un repli de la spéculation gratuite ; il oblige à répudier les fantasmes, à respecter les lois des déterminismes naturels comme une censure préalable opposée aux divagations de l'imagination. Kant déjà, dans la *Critique du Jugement,* avait articulé mécanisme et finalité comme deux instances hiérarchiques de la connaissance, les jugements de finalité n'étant valables que sous réserve du respect des droits du déterminisme scientifique.

Moyennant cette très importante restriction, le principe vital garde ses droits dans l'ordre biologique, transféré de la transcendance dans l'immanence, comme un guide pour la pensée et la recherche au niveau des faits. Dans l'ordre des valeurs s'affirmera corrélativement une éthique du respect de la vie, soucieuse d'honorer les configurations axiologiques perceptibles, comme en filigrane, à travers le tissu des déterminismes matériels. Sous cette forme modeste et réservée, l'inspiration romantique demeure présente à l'arrière-plan de l'histoire du savoir, où ne cessent de s'affirmer des néo-vitalismes récurrents, souvent ignorants de leurs origines réelles. Les *Naturphilosophen* occupaient de fortes positions dans les universités allemandes ; leurs étudiants se trouvaient soumis à un enseignement qui devait exercer une influence durable, même dans le cas, parfaitement normal, où ils prenaient parti contre les idées de leurs professeurs. Aussi bien, les tenants du mécanisme scientiste, qui figuraient sur le devant de la scène en tant que militants radicaux, n'étaient pas les plus grands savants ni les meilleurs esprits.

Le physiologiste Johannes Müller (1801-1858) étudie à l'université de Bonn de 1819 à 1823, où il subit en particulier l'influence du botaniste romantique Nees von Eesenbeck (1776-1858). Müller, qui sera lui-même le maître, à Berlin, du grand neurologiste Hermann Helmholtz (1821-1894), est l'un des pionniers, en Allemagne, de la médecine expérimentale, fondée sur l'observation et l'expérimentation rigoureuse des faits. S'il réagit contre les outrances de la *Naturphilosophie*, il ne se laisse pas embrigader parmi les militants du réalisme matérialiste à courte vue ; il s'efforce de cerner la spécificité de l'ordre vital, manifestée dans les phénomènes organiques. Il précise dans son *Manuel de physiologie humaine* (1833) : « La puissance organique de la totalité, qui conditionne l'existence des parties, possède aussi la propriété de créer à partir de la matière organique les organes nécessaires à l'ensemble. Cette puissance créatrice rationnelle (*vernünftige Schöpfungskraft*) se manifeste dans chaque animal selon des lois rigoureuses, requises par la nature de l'animal en question. Elle est déjà présente dans le germe avant que les parties à venir de l'ensemble se présentent séparément ; c'est elle qui produit réellement les membres, qui relèvent du concept de la totalité. » La notion d'organisme résiste donc à la critique ; la finalité de la vie n'est pas démentie par l'épreuve des faits. « Les corps organiques, écrit encore Johannes Müller, ne se distinguent pas seulement des corps inorganiques par le caractère particulier de leur mode d'assemblage à partir d'éléments simples ; ils présentent aussi une activité permanente, à l'œuvre dans la matière vivante, qui crée selon les normes d'un plan finalisé. Les parties sont ordonnées en vue de la totalité, et c'est justement cela qui caractérise l'organisme » ([4]).

Les animaux, les plantes sont tributaires, pour leur nourriture, des matières inorganiques, mais cette utilisation en vue d'une finalité spécifique ne saurait être assimilée à une réduction. Johannes Müller laisse même apercevoir la possibilité d'un rapport de l'ordre organique à l'ordre psychologique, analogue à la relation entre le domaine inorganique et le domaine organique. Lorsque mourut Müller, en 1858, Rudolf Virchow qui, avec Helmholtz et Ernst Haeckel, avait été l'élève du maître, prononça un discours funèbre où il était dit : « C'est ainsi que lui-même devint aussi, comme il l'avait dit d'un de ses grands prédécesseurs, un prêtre de la Nature à titre permanent. Le culte auquel il était attaché liait aussi à lui ses élèves comme d'un lien religieux ; le caractère sérieux et clérical de son langage et de son comportement parachevait l'impression de crainte révérentielle qu'il inspirait à ceux qui l'approchaient... » ([5]). Savant lui-même du premier rang, Virchow (1821-1902) retrouve le langage du romantisme pour évoquer la mémoire du disparu.

La chaîne des inspirations n'est pas interrompue. La rigueur expérimentale, la longue patience de la recherche au laboratoire n'est

---

([4]) Johannes MULLER, *Handbuch der Physiologie des Menschen*, Bd I, 1883 ; dans Gottfried KOLLER, *Das Leben des Biologen Johannes Müller*, Stuttgart, 1958, p. 129.
([5]) Cité *ibid.*, p. 210.

nullement incompatible avec la divination sympathique des forces vitales à l'œuvre dans les organismes vivants. Johannes Müller s'est illustré, en 1826, par la formulation du principe de l'énergie spécifique des nerfs. Cette loi fondamentale de la neurobiologie est une application du principe de l'autonomie du vivant qui, bien loin d'être soumis passivement au déterminisme des excitations extérieures, réagit dans chaque cas en fonction de sa propre structure et des énergies particulières qu'elle met en œuvre.

On peut établir une relation entre le domaine germanique et le domaine français en la personne de Claude Bernard (1813-1878), l'illustre auteur de l'*Introduction à l'étude de la médecine expérimentale* (1865), manifeste de positivité, sinon de positivisme, en matière de recherche médicale. Claude Bernard, tout en reconnaissant l'importance de l'observation, de la clinique et de l'attitude expectante, souhaite que, dans la mesure du possible, la science adopte une attitude militante, en faisant varier les conditions des phénomènes ; ainsi pourra-t-on agir au lieu de contempler les évolutions morbides ; le but de la recherche est de « conquérir la nature vivante ; agir sur les phénomènes de la vie, les régler, les modifier » ([6]). La contemplation, la spéculation se trouvent supplantées par l'action sur les faits qui s'offrent à nous ; d'où le refus, de tradition newtonienne, de toute référence aux causes premières, inaccessibles à l'expérience. La médecine physiologique des temps modernes se contente d'intervenir au niveau des causes secondes, seules présentes dans le champ expérimental.

Une telle réserve épistémologique ne permet pas de ranger Claude Bernard dans le camp du matérialisme scientiste. Il reproche à certains de ses confrères allemands, tel Du Bois Reymond, d'avoir « trop considéré le côté purement physique des actions nerveuses et des actions musculaires. Ils n'ont pas distingué nettement le côté physiologique ou vital de la question. Les phénomènes physico-chimiques sont les conditions des manifestations vitales, mais les propriétés vitales n'en sont pas que la conséquence. Il y a le fanatisme de l'exactitude physico-chimique, qui est très nuisible à la physiologie et à la médecine. Cela n'est utile qu'en physique et en mathématique, où les expériences doivent servir de point de départ à des calculs impossibles en biologie » ([7]). Il convient donc de respecter l'autonomie de la spontanéité vitale en maintenant la priorité de l'étude clinique, grâce à laquelle se réalise la connaissance de la vie par le vivant. « Je ne veux pas substituer la médecine de laboratoire à la

---

([6]) Claude BERNARD, *Principes de médecine expérimentale*, p.p. le Dr. DELHOUME, P.U.F., 1947, p. 285.
([7]) *Ibid.*, pp. 17-18.

médecine d'hôpital, comme on me le fait dire. Je veux au contraire que la médecine d'hôpital précède, car le problème en définitive, c'est le malade » ([8]).

Claude Bernard professe un vitalisme inductif, qui refuse les facilités et les aventures des systèmes prématurés. Le savant français tente de définir avec le plus de rigueur possible l'autonomie de l'être vivant, dans les conditions normales et pathologiques de son fonctionnement. De là l'insistance sur la notion de l'organisme comme *milieu intérieur* opposé au conditionnement du milieu extérieur ([9]). La vie du vivant est un centre d'initiative, qui s'efforce de surimposer aux déterminismes matériels la loi de son organisation propre. Le passage obligé par l'analyse rigoureuse des phénomènes, bien loin d'entraîner une négation de l'intention vitale en sa spécificité, permet de cerner de plus près les modalités de sa manifestation. « Ce qui caractérise la machine vivante, ce n'est pas la nature de ses propriétés physico-chimiques, si complexes qu'elles soient, mais bien la création de cette machine qui se développe sous nos yeux, dans les conditions qui lui sont propres et d'après une idée définie, qui exprime la nature de l'être vivant et l'essence même de la vie » ([10]).

Bien loin d'opposer la science et la philosophie, Claude Bernard plaide pour leurs retrouvailles et leur intime association, chacune bénéficiant des lumières de l'autre. « La métaphysique paraît aujourd'hui étouffée, mais plus tard elle se réveillera avec les arguments scientifiques eux-mêmes, et elle sera la dernière science, parce qu'elle est la plus complexe, comme elle a été la première notion, et ainsi on aura fait le cercle pour revenir au même point » ([11]). Il y a donc compatibilité, complémentarité entre l'exigence du savoir rigoureux et l'affirmation de la finalité immanente au devenir organique. L'agnosticisme du savant expérimentateur dans le cours de sa recherche n'est qu'un présupposé de méthode ; mais le champ épistémologique de l'expérimentation objective s'inscrit dans l'horizon plus vaste, et toujours sous-entendu, de la connaissance de la vie. Les intelligibilités concurrentes peuvent entrer en conflit, mais elles ne s'excluent pas en fin de compte. La vie utilise les conditionnements physico-chimiques dont elle oriente les enchaînements selon

([8]) *Ibid.*, p. 18 (1865).
([9]) Cl. BERNARD, *Rapport sur les progrès et la marche de la physiologie générale en France*, Hachette, 1867, p. 5 : « La vie ne se conçoit que par le conflit des propriétés physico-chimiques du milieu extérieur et des propriétés vitales de l'organisme réagissant les unes sur les autres » ; c'est pourquoi « la physiologie générale doit considérer à la fois dans l'organisme les propriétés vitales ou physiologiques des tissus vivants et les propriétés physico-chimiques des milieux sous l'influence desquelles la vitalité des tissus se manifeste ».
([10]) *Introduction à l'étude de la médecine expérimentale*, 2ᵉ partie, ch. II, § 1, 1865.
([11]) *Principes de médecine expérimentale*, éd. citée, p. 31.

ses propres fins. Contre les matérialismes de son temps, Claude
Bernard ne se lasse pas d'affirmer l'irréductibilité de la vie à ses
conditions d'apparition. « Si les forces que l'être vivant met en jeu
dans ses manifestations vitales ne lui appartiennent pas, et rentrent
toutes dans les lois de la physico-chimie générale, les instruments et
les procédés à l'aide desquels il les fait apparaître lui sont certainement spéciaux. En effet l'organisme manifeste ses phénomènes
physico-chimiques ou mécaniques à l'aide des éléments histologiques
cellulaires, épithéliaux, musculaires, nerveux etc. Il emploie donc des
procédés, c'est-à-dire des outils organiques, qui n'appartiennent qu'à
lui... » ([12]).

Le passage obligé par l'analyse des mécanismes physico-chimiques
ne permet pas d'exclure l'existence de régulations immanentes
manifestant l'autonomie du milieu intérieur. « Si je devais définir la
vie d'un seul mot, écrivait Claude Bernard, je dirais : la vie c'est la
création » ; et pour préciser sa pensée, il n'hésite pas à se référer à la
tradition animiste : « La vie a son essence dans la force ou plutôt dans
l'idée directrice du développement organique ; c'est la force vitale
ainsi comprise qui constituait la force médicatrice d'Hippocrate, la
force séminale et l'*archeus faber* de van Helmont » ([13]). Mais on doit
reculer devant la tentation mythologique de donner à cette force
vitale une consistance substantielle ; « il ne faudrait pas, comme les
vitalistes, croire qu'il s'agisse là d'une force dont l'essence merveilleuse et extraordinaire doive nous empêcher à jamais de saisir la
nature des phénomènes de la vie » ([14]). Ce qui est seulement un
principe directeur de l'intelligibilité ne doit pas se figer en un obstacle
épistémologique, devenu un asile d'ignorance.

En dépit de sa prudence, Claude Bernard présente donc des
affinités avec les adeptes allemands de la *Naturphilosophie*, dont il
n'ignorait pas complètement les orientations. « Tout lecteur attentif
de Claude Bernard, écrivait Marc Klein, sait que le nom de Goethe
est évoqué à plusieurs reprises par le fondateur de la médecine
expérimentale. Plus rarement sont nommés certains auteurs ayant
appartenu, de près ou de loin, au mouvement de la Philosophie de la
Nature de la fin du XVIIIe et du début du XIXe siècle » ([15]). Schelling,
Oken et Carus sont mentionnés dans les écrits de Cl. Bernard, sans

([12]) *Rapport sur les progrès* (...) *de la physiologie générale, op. cit.*, p. 135.
([13]) *Du progrès dans les sciences physiologiques*, 1865 ; dans *La Science expérimentale*,
J. B. Baillère, 1872, p. 52.
([14]) *Rapport* de 1867, pp. 137-138.
([15]) Marc KLEIN, *Claude Bernard et la philosophie de la nature*, actes du XIe congrès
international d'histoire des Sciences, p. 309 ; cf. du même auteur : *Sur les résonances de
la philosophie de la nature en biologie moderne et contemporaine*, Revue philosophique,
1954.

que l'on puisse savoir s'il s'agit d'une connaissance autre que par ouï-
dire, les œuvres de ces auteurs n'étant pas accessibles en langue
française. Mais la biologie goethéenne et sa morphologie avaient fait
l'objet d'études et de traductions dont Claude Bernard avait profité ;
il lui arrive de se référer à son autorité. « On pourrait trouver, dans
l'étude expérimentale des phénomènes d'histogenèse et d'organisation, la justification des paroles de Goethe, qui compare la nature à un
grand artiste. C'est qu'en effet la nature et l'artiste semblent procéder
de même dans la manifestation de l'idée créatrice de leur œuvre » ([16]).
Marc Klein souligne d'ailleurs l'ambivalence de l'attitude du savant
français à l'égard des spéculations allemandes. Les principaux textes
de Claude Bernard ont été rédigés dans les années 1860-1875, à une
époque où le savoir positif relègue dans un passé démodé les
présupposés rudimentaires de Schelling et de ses élèves. La doctrine
ne correspond plus au nouvel état de la science ; ce qui demeure, en
dépit des imprudences et des synthèses prématurées, c'est une
inspiration permanente, dont le foyer serait le respect de la vie en son
authenticité.

On peut confronter les vues de Claude Bernard, dans une
conférence intitulée *Définition de la vie, les théories anciennes et la
science moderne* (15 mai 1875), avec un texte bien antérieur de
Hermann Lotze (1817-1881) qui a enseigné d'abord la médecine, puis
la philosophie moderne et l'anthropologie philosophique, aujourd'hui
trop oublié. Il a rédigé en 1843 une substantielle étude pour un
Dictionnaire de physiologie sur le thème : *Vie, Force vitale*, qui
critique et prolonge l'importante littérature romantique consacrée à
ce sujet ([17]). Agé à l'époque de 25 ans, le jeune Lotze, comme après
lui Claude Bernard, réagit contre l'excès romantique de la spéculation, tout en maintenant la spécificité irréductible de l'ordre vital par
rapport à l'ordre physico-chimique.

Le vitalisme de Lotze a pour corollaire le rejet de tout animisme ; la
finalité organique n'ajoute rien aux déterminismes, qu'elle se contente
d'ordonner ou plutôt de coordonner, sans pouvoir interrompre ou
dénaturer leur cours. « L'organisme n'est pour nous rien d'autre
qu'une certaine direction, une combinaison de processus purement
mécaniques correspondant à une fin naturelle. L'étude de la réalité
organique ne peut consister qu'à montrer selon quel principe de
sélection, selon quelles régularités bien déterminées la nature
combine ces processus » ([18]). Il ne peut y avoir d'infractions au

---

([16]) Claude BERNARD, *Rapport sur les progrès...*, *op. cit.*, 1867, p. 177.
([17]) Hermann LOTZE, S.V. *Leben, Lebenskraft, Handwörterbuch der Physiologie* hgg
Rudolph WAGNER, Bd. I, Braunschweig, 1842 ; dans H. LOTZE, *Kleine Schriften*,
Bd. I, Leipzig, 1885.
([18]) *Op. cit.*, p. 161.

mécanisme dans le devenir de la nature ; mais le domaine organique conserve sa spécificité ; il n'est pas seulement une partie du champ physico-chimique ; « beaucoup de substances chimiques simples ne se présentent jamais dans la réalité naturelle ». Pareillement, les lois du levier qui jouent un grand rôle dans nos machines ne sont réellement appliquées dans la constitution des êtres vivants que dans la structure des membres ([19]). La notion d'organisme, fondamentale dans le romantisme, voit donc sa spécificité ainsi préservée, sans que soit mise en question la validité de la connaissance rigoureuse.

La notion de vie désigne « la totalité des processus que développe le corps en son ensemble ; car aucune de ses parties ne peut vivre, dans le sens au moins où la totalité vit ». La même désignation ne saurait s'appliquer à des réalités différentes ; « des parties du corps nous pouvons seulement dire qu'elles existent *(dass sie existieren)* et qu'elles produisent par le mode d'association de leurs forces la vie de la totalité, avec laquelle elles ne possèdent pas l'ombre d'une analogie » ([20]). Chacune des parties de la totalité possède, à titre individuel, des propriétés de caractère mécanique, qui tiennent à sa constitution ; d'autres propriétés, de caractère dynamique, découlent de la situation des parties dans l'agencement du tout ; ces dernières propriétés, sans pouvoir contrevenir aux exigences mécaniques, ont un caractère « vital ». Ni le sang ni les nerfs ne sont proprement vivants *(belebt)* mais la vie appartient à l'ensemble ; elle est, au sens strict, une combinaison *(Zusammenfassung)* de processus non vivants ([21]). Lotze énonce ici la même idée que Claude Bernard lorsqu'il dira : « la vie, c'est la création ».

Dans les êtres non vivants, le tout est conditionné par les parties, alors que chez les vivants, ce sont les parties qui sont conditionnées par le tout. Mais cela n'autorise pas à personnifier le tout en lui donnant une réalité substantielle, comme faisait Stahl. « Tout au plus s'agit-il là d'une sorte de patron, de modèle idéal *(Muster)*, qui peut se trouver préformé *(präformirt)* dans un petit nombre des parties, comme le résultat nécessaire de leur interaction » ([22]). La parabole existe en projet dans son ensemble dès le moment où l'on a repéré une petite partie de sa configuration ; de même la totalité, à partir du germe appelé à se développer jusqu'à la réalisation de sa forme plénière, sans violation pour autant des lois physico-chimiques. Lotze souligne aussi que le phénomène de l'excitation d'un corps vivant n'est pas une simple réaction mécanique à une influence extérieure ;

([19]) *Op. cit.*, p. 161.
([20]) *Ibid.*, p. 167.
([21]) *Ibid.*
([22]) P. 171.

le déterminisme de l'agent physique ou chimique se trouve interprété par la structure de l'organisme qui, en chaque occurrence, répond selon les modalités préformées dans sa constitution [23].

´ Lotze, comme Claude Bernard, consacre donc, au milieu du siècle, un repli par rapport à la mythobiologie des *Naturphilosophen* romantiques. Ce repli n'équivaut pas à un renoncement à l'idée, à une capitulation devant l'empirisme positiviste ; la non-philosophie représente la plus mauvaise des philosophies, une philosophie qui n'ose pas dire son nom. Lotze conclut son étude en ces termes : « L'empirisme de notre temps empêche tout progrès pour une double raison ; d'abord parce qu'il s'en faut de beaucoup qu'il soit assez exact pour fonder une science de la nature au sens mécaniste du terme ; et d'autre part en ce que, du fait de cette insuffisance, il ne peut fournir les éléments pour la constitution d'une physiologie véritablement philosophique (*einer wahrhaft naturphilosophischen Physiologie*) » [24]. La situation épistémologique se caractérise donc par une grande confusion ; l'insuffisance des données de fait va de pair avec l'inadéquation des interprétations téléologiques prématurées et aventureuses. Il ne faut pas se hâter de conclure ; Lotze, en 1842, se rallie à une attitude de réserve méthodologique, en attendant des temps meilleurs pour l'usage de la pensée. Une vingtaine d'années plus tard, Claude Bernard retrouvera la même prudente expectative, le même souci de soumission à la réalité des faits sans renoncer aux prérogatives de la raison.

L'âge venant, Hermann Lotze devait changer d'attitude, non pas pour se rallier au scientisme alors dominant, mais en opérant un retour aux sources du romantisme. De 1856 à 1864, il publie les trois volumes d'une synthèse de sa pensée scientifique et philosophique, sous le titre éminemment romantique *Mikrokosmus, Ideen zur Naturgeschichte der Menschheit, Versuch einer Anthropologie (Idées pour une histoire de la nature et pour une histoire de l'humanité, essai d'anthropologie)*. Ce titre est volontairement repris, à deux tiers de siècle de distance, des *Ideen zur Philosophie der Geschichte der Menschheit*, le grand œuvre herdérien, l'une des inspirations originaires de la *Naturphilosophie*. Lotze lui-même souligne cette fidélité : « nous renouvelons, dans la nouvelle situation épistémologique du présent, l'entreprise brillamment commencée dans les *Idées* de Herder *pour une histoire de l'humanité...* » [25]. Biologie romantique pas morte, les acquisitions des sciences exactes ne se suffisent pas à elles-mêmes ;

[23] P. 166.
[24] P. 220.
[25] LOTZE, *Mikrokosmus..., op. cit.* (1856), 3e éd., Leipzig, 1876, Bd. I, Vorwort, p. 16.

ceux qui s'en contentent s'enferment dans le cercle vicieux de la positivité, sans prendre garde que les résultats des recherches scientifiques ne sont valables que sous réserve de leur relation à l'humanité de l'homme.

Selon Lotze, le déterminisme causal qui assemble les phénomènes du monde ne suffit pas à en assurer la cohérence essentielle ; les faits constitutifs de la réalité finie ne trouvent leur justification dernière que dans l'âme du monde, dont ils sont l'incarnation. La *Weltseele* ici en question est un thème repris de Schelling ; les lois du mécanisme sont l'expression de la volonté de l'âme du monde, grâce à laquelle l'ordre naturel ne fait qu'un avec l'ordre moral. Cette conciliation n'est pas possible pour ceux qui substituent à l'âme du monde une simple âme de la nature (*Naturseele*). Une telle âme de la nature « n'est pas capable de mener à bien l'unification des deux grands opposés dont la parfaite unité seule mène le monde à son achèvement, la Nature est le règne de la moralité » ([26]). Un dualisme de la réalité et de la valeur est inadmissible ; sous prétexte de rigueur scientifique, il aboutit à faire de la réalité humaine un mystère incompréhensible. « Une coupure impossible à combler, ou du moins jamais comblée jusqu'à présent sépare pour notre humaine raison le monde des valeurs du monde des formes naturelles » ([27]). Notre pensée a beau faire, elle ne parvient pas à trouver le passage entre les phénomènes naturels et leur signification morale ; elle ne découvre pas davantage le lien qui doit exister entre la conscience des valeurs les plus hautes et son incarnation dans les formes de la nature. « A nous tous, dit encore Lotze, le monde des formes réelles paraît trop souvent dissimuler le monde des valeurs ; le règne des moyens paraît dissimuler le monde des fins. » L'aspiration à l'unité, à la réconciliation eschatologique du fait et du droit demeure le fondement dernier de l'usage de notre raison. « C'est dans la vigilance d'une liberté qui refuse de se perdre dans l'indéterminé, avec la prétention de jouir des fruits sans respecter la lente croissance de la plante ; c'est dans le respect consciencieux des limites fixes que lui impose une sainte nécessité, suivant à la trace le cheminement qu'elle lui prescrit, que l'homme sera enfin ce qu'un ancien pressentiment lui assure qu'il est, avant toute créature : la parfaite image et ressemblance du réel total, un monde en réduction, le *Microcosme* » ([28]).

Ce texte, qui a valeur de manifeste, justifie le titre d'un ouvrage paru en 1856, et dont la troisième édition est de 1876, ce qui atteste qu'il n'est pas passé inaperçu. Darwin ayant publié *L'Origine des*

---

[26] *Ibid.*, p. 446.
[27] *Ibid.*, p. 447.
[28] *Ibid.*, p. 453.

espèces en 1859, la période est celle où la pensée mécaniste, antifinaliste et matérialiste occupe le devant de la scène. L'inspiration de la biologie romantique demeure vivante en Allemagne, sous la réserve d'une soumission aux résultats de la recherche expérimentale ; mais les *Naturphilosophen* n'avaient jamais fait profession de mépriser les données de la science ; tout au plus réservaient-ils les droits de l'imagination à donner des ailes parfois à la recherche positive, sans la renier. Lotze n'est pas seul, égaré en son temps dans une impasse épistémologique ; l'idée de force vitale résiste à toutes les tentatives de réduction, comme un instrument d'intelligibilité indispensable aux biologistes, aux physiologistes et aux médecins. On se contentera de relever ici, dans une bibliographie importante, le *Handbuch der medizinische Klinik* de Canstatt (1841-1842), où s'affirme la résistance du vitalisme, fondement pour la compréhension du comportement de l'organisme dans l'état de santé comme dans les aberrations pathologiques. L'organisme, centre d'initiative, oppose aux excitations venues du dehors une régulation immanente. Dans la mort seulement, c'est-à-dire dans l'échec définitif, il se soumet aux déterminismes physico-chimiques imposés du dehors ([29]).

La permanence du vitalisme n'est pas la survivance d'un passé périmé ; elle jalonne un axe privilégié de la connaissance. Plutôt que de lire les œuvres originales, les historiens ont la fâcheuse habitude de répéter les affirmations de leurs prédécesseurs, ce qui fait souvent de leurs manuels des asiles d'ignorance. On admet que la psychologie moderne et enfin « scientifique » est née à l'université de Leipzig, où Wilhelm Wundt (1832-1920) crée en 1879 le premier laboratoire de psychologie expérimentale, Wundt ayant été l'élève de Johannes Müller et de Helmholtz, créateurs d'une physiologie nerveuse enfin positive. Wundt n'a jamais pratiqué l'obscurantisme scientiste de certains de ses contemporains ; il n'est pas le seul, ni le premier, psychologue à illustrer Leipzig. Il fut le continuateur respectueux de Gustav Theodor Fechner (1801-1887), contemporain et ami du maître de Goettingen, Hermann Lotze (1817-1881), comme lui tributaire de la *Naturphilosophie*, comme lui passé de l'enseignement scientifique à l'enseignement de la métaphysique, et comme lui encore, fortement intéressé par l'esthétique.

Le nom de Fechner est inscrit dans les annales de la psychologie « scientifique », ou prétendue telle, parce que, associé à E. H. Weber (1795-1878), Fechner a formulé la première loi du fonctionnement psychique. De là à faire de lui un des héros éponymes de la science de l'homme exacte et rigoureuse, il n'y a qu'un pas, que l'ignorance de la

---

([29]) Cf. Max NEUBURGER, *Die Lehre von der Heilkraft der Natur*, Stuttgart, Enke Verlag, 1926, pp. 189 sqq. et *passim*.

situation réelle facilite grandement. Weber enseigne depuis 1818 à la Faculté de médecine de Leipzig l'anatomie comparée ; il s'intéresse à l'investigation des domaines sensoriels, à la recherche de relations quantitatives éventuelles entre la conscience sensible et les diverses excitations possibles, selon l'ordre de la température, de la pression, de la pesanteur, etc. Il s'agit bien là de psychologie expérimentale ; l'exploration du sens tactile grâce au « compas de Weber », à partir de 1834, aboutit à la publication, en 1851, d'un ouvrage sur la relation entre le toucher et le sens commun : *Der Tastsinn und das Gemeingefühl*. Weber établit que la relation entre l'excitation et la réaction n'est pas définie par un nombre fixe, elle varie proportionnellement avec l'importance de l'excitant mis en œuvre. Weber poursuit ses recherches dans le domaine de l'ouïe et de la vue sans parvenir à des résultats décisifs. C'est Fechner qui reprendra les travaux de son collègue de la Faculté de médecine et parviendra à leur conférer la mise en forme mathématique définitive. Rare exemple de générosité confraternelle, il appellera « loi de Weber » une relation que la postérité reconnaissante nomme « loi de Weber-Fechner ». La loi en question sera le principal ornement de la psycho-physique, discipline nouvelle à laquelle Fechner consacrera désormais une partie de ses activités (*Elemente der Psychophysik*, 1860). Fechner a déterminé les seuils différentiels entre excitation et réaction ; il en résulte que la sensation augmente en progression arithmétique lorsque l'excitation suit une progression géométrique.

Ce bref rappel des faits, en son objectivité apparente, évoque imparfaitement la réalité historique. La personnalité fantasque de Fechner ne correspond pas du tout à celle du savant imbu de sa science ; sa vie serait plutôt celle d'un aventurier du savoir qui, sous le masque d'un pseudonyme, tourne en dérision les hommes et les théories qui lui déplaisent. Docteur en médecine dès 1822, il se consacre ensuite à la physique et à la chimie, traduisant des manuels français dans ces domaines. Ses recherches en matière d'électricité lui valent une notoriété méritée, après quoi, dans la tradition de la *Farbenlehre* goethéenne, il s'attache à étudier la perception des couleurs, les phénomènes relatifs aux couleurs complémentaires, et aux images consécutives. Là-dessus, pendant les années 1839-1842, il est victime d'une grave crise de dépression mélancolique. L'orientation spiritualiste de sa pensée va s'en trouver renforcée ; il écrit des poèmes, publiés sous un pseudonyme, et s'absorbe de plus en plus dans des préoccupations religieuses. Contre le matérialisme menaçant, il réaffirme les principes directeurs de la *Naturphilosophie* romantique ; il défendra désormais un monisme animiste, qui identifie l'esprit et la matière. Une vision, dont il a bénéficié en octobre 1850, lui a donné à voir dans l'illumination d'un instant le monde physique et le monde moral mystérieusement unis par la vertu des nombres, selon l'inspiration du mathématisme romantique.

Impossible de procéder dans le cas de Fechner à une dichotomie analogue à celle que l'on a parfois tentée à propos de Pascal ou de Newton. Le créateur de la psychophysique serait un honorable savant, malheureusement sujet à de fâcheux épisodes pathologiques, sur lesquels il convient de jeter le voile protecteur de l'oubli. Les deux Fechner n'en font qu'un, au risque de scandaliser les esprits simplistes, épris de cohérence élémentaire. Dès 1825, bien avant sa crise dépressive, Fechner avait publié sous un pseudonyme une *Anatomie comparée des Anges,* où ces derniers étaient construits spéculativement par extrapolation de l'échelle des êtres, qui s'élève de l'amibe à l'homme. Les anges, par-delà, sont des êtres sphériques qui communiquent entre eux par des signaux lumineux et perçoivent directement l'harmonie universelle sous sa forme musicale. Les études systématiques de Fechner sur la perception visuelle entraînent, aux environs de 1840, de graves troubles de la vue corrélatifs d'une dépression névrotique. Pendant des années, il vit les yeux bandés, jusqu'au jour où une amie voit en rêve la thérapeutique appropriée à son mal : il doit manger du jambon fortement épicé, cuit dans du vin du Rhin agrémenté de jus de citron. Fechner lui-même, voyant dans son sommeil le nombre 77, en conclut qu'il sera guéri au 77e jour de la cure, ce qui se produit en effet. Toutes ces tribulations attestent que le savant a été choisi par Dieu pour manifester au monde le sens de la Création ([30]).

C'est dans cette atmosphère de prophétisme que va se développer la psychophysique de Fechner, exposée dans les *Elemente der Psychophysik* (Leipzig, 1860). La loi de Weber-Fechner, qui revêt toutes les apparences d'une relation mathématique de stricte observance, s'inscrit dans la perspective d'une mystique des nombres, relevant d'un géométrisme morbide que le premier psychiatre venu jugerait éminemment suspect. Lorsque, après trois ans de cécité psychosomatique, les yeux de Fechner se sont ouverts pour la première fois à la lumière, la beauté joyeuse des fleurs l'a frappé d'une illumination nouvelle concernant la spiritualité d'un monde fait pour le bonheur des hommes. Les fleurs ont une âme qui s'adresse à la nôtre, en vertu d'une communauté de destin. Cette révélation fait l'objet du traité *Nanna oder ueber das Seelenleben der Pflanzen* (1848) ; *La vie spirituelle des plantes* est symbolisée par Nanna, déesse nordique de la végétation. Mais le domaine végétal n'est lui-même qu'une partie de la réalité cosmique, laquelle bénéficie dans son

---

([30]) J'emprunte ces détails à H. F. ELLENBERGER, *The discovery of the unconscious,* New York, Basic Books, 2nd printing, 1970, pp. 215 sqq.

ensemble de l'animation universelle. Tel est l'enseignement d'un autre manifeste, paru en 1851, sous le titre *Zend Avesta oder ueber die Dinge des Himmels und des Jenseits (Sur les choses du Ciel et de l'au-delà)*. Le vieux rêve romantique, celui de Frédéric Schlegel et de Novalis, le rêve d'une Bible à l'usage des temps nouveaux, trouve ici son accomplissement, ainsi que le manifeste la référence au livre sacré de Zoroastre. « *Zend Avesta* signifie selon l'interprétation la plus courante, bien que contestable, " parole de vie ". Je voudrais que cet écrit aussi soit une parole vivante, une parole qui donne vie à la Nature. L'ancien *Zend Avesta* contient, avec des éléments historiques et géographiques, la matière, parvenue jusqu'à notre temps à l'état de fragments, d'une très ancienne religion de la Nature (*Naturreligion*), presque effacée, et que Zoroastre s'est contenté de réformer à neuf. Mon livre aussi contient, avec un certain nombre d'éléments profanes, les fragments d'une religion de la nature très ancienne et presque effacée, semblable dans son principe sinon dans son dévelop-pement à celle qui est contenue dans le *Zend Avesta*. » Le texte saint de Zoroastre, si éloigné qu'il paraisse de la religion chrétienne, présente néanmoins, pour l'essentiel, bien des rapports avec elle ; « de ce point de vue, mon livre n'est encore qu'un nouveau *Zend Avesta ;* au reste, ajoute Fechner, je sais fort bien que, dans leur réalisation, mes écritures n'ont pas grand-chose de commun avec l'antique *Zend Avesta* » [31].

La Bible des temps nouveaux, tout comme celle dont rêvaient Schlegel et Novalis, cinquante ans auparavant, doit intégrer les résultats de la science moderne, sans pour autant tomber dans les complaisances positivistes et anti-métaphysiques des philosophies récentes. La rigueur et la précision scientifiques ne sont pas incompatibles avec le nouveau spiritualisme. « Je voudrais attirer l'attention des psychologues et des physiologistes qui sont ensemble des mathématiciens sur le nouveau principe mathématique de la psychologie, qui procure en même temps un traitement mathémati-que de l'ensemble des rapports entre l'âme et le corps... » [32]. La loi de Weber-Fechner se situe dans son contexte véritable, comme la cellule germinative d'une conception de l'unité et de l'identité métaphysique du réel total. La nature visible n'est que la manifesta-tion extérieure d'une nature intérieure et invisible. Le savant se contente d'ordinaire d'errer à la surface des phénomènes extrinsè-ques ; Fechner se propose d'examiner la face intérieure de la nature, révélée de manière immédiate à l'observation de soi. La vitalité supérieure reconnue par Fechner à la nature ne remet nullement en

---

[31] G. Th. FECHNER, *Zend Avesta oder ueber die Dinge des Himmels und des Jenseits* (1851), 4ᵉ éd., Leipzig, 1919, Bd. I, Vorrede, p. 7.
[32] *Ibid.*, p. 13.

question les droits de la science rigoureuse « ainsi que cela arrivait dans les spéculations de la *Naturphilosophie* issue de Schelling et de Hegel, au moins dans une certaine mesure. Il ne s'agit ici que d'une utilisation des résultats de la science et non d'une falsification. (...) La nécessité de l'ordre naturel subsiste partout, selon les modalités définies par les exigences possibles et réelles des savants. Mais la liberté aussi se voit accorder son domaine ; je crois avoir exposé la compatibilité entre une légalité sans faille et la liberté, avec plus de clarté que l'on n'en trouve d'ordinaire » [33].

En dépit des apparences, la référence à la *Naturphilosophie* est plutôt positive que négative ; il ne s'agit que d'une clause de style, car jamais Schelling ni Hegel ne se sont proposés de « falsifier » les données des sciences. Fechner formule un animisme universel de stricte obédience romantique, malgré ses précautions oratoires. « La marche suivie dans cet écrit est d'emblée différente de celle que suit la spéculation des *Naturphilosophen*. On se propose de montrer que le domaine de l'animation *(Beseelung)* individuelle s'étend plus loin, et singulièrement plus haut que l'on ne l'admet d'ordinaire ; ainsi s'ouvre une voie jusqu'à la reconnaissance d'une âme du Tout » [34]. Le *Zend Avesta* développe ce projet avec une audace intrépide, qui ne se laisse nullement impressionner par les contradictions possibles. « J'ai affirmé dans un précédent ouvrage, contrairement à l'opinion commune, que les plantes sont des êtres animés. J'affirme maintenant que les astres le sont aussi, à cette différence près que les astres sont des êtres animés d'une espèce supérieure à nous, alors que les plantes sont des êtres inférieurs » [35]. A travers le monde désert et glacé de la connaissance positive s'ouvre ainsi une fenêtre sur le monde des âmes, ce qui permet d'assurer l'unification de la philosophie, de la science et de la religion, même si cela doit paraître « absurde » aux tenants du sens commun.

Si nous refusons de reconnaître une âme aux plantes et aux corps sidéraux, c'est seulement par superstition ; nous nous en tenons à des analogies superficielles qui nous empêchent de voir les signes d'animation propres à tous les êtres de la nature ; il ne suffit même pas de mettre en évidence l'existence d'une biologie générale, commune aux végétaux et aux animaux, dans la germination, la croissance cellulaire et la reproduction. « La terre entière avec l'ensemble de ses phénomènes procède à partir de ce que nous considérons d'habitude comme un processus organique, caractéristique de la vie et de l'âme ; mais si la terre et les autres astres doivent

---

[33] P. 3.
[34] P. 10.
[35] *Op. cit.*, t. II, p. 159.

posséder âme et vie, la propriété d'animation et de vie doit pénétrer beaucoup plus loin et plus profond que ces modes d'affirmation phénoménale. C'est bien ainsi qu'il en est » ([36]). Il faut savoir résister aux sollicitations du sens commun, aux yeux duquel les cieux sont occupés seulement par des masses de matière morte, de sorte qu'on ne sait plus « où chercher Dieu et les anges ». Nos instincts naturels nous orientaient plus sûrement dans le sens d'une vérité, qui nous est innée : « la vision de la nature la plus populaire est que les astres possèdent une âme, une âme supérieure à la nôtre ». Il faut retrouver cette intuition primitive, estime Fechner, au risque de passer pour un enfant ou un fou ; « car il y a bien des fois parmi les fous et les enfants plus de vérité que chez les sages et les vieillards » ([37]).

Ainsi se trouve réaffirmée la tradition de l'animisme, dans la perspective non galiléenne de la biologie romantique. Aux ratiocinations de l'intellect, il faut opposer les évidences issues des profondeurs de l'être ; elles nous enseignent que l'âme, en laquelle nous voyons une exception au sein de la nature, y est bien plutôt la règle. A la lumière de cette omniprésence, nous découvrirons partout l'activité créatrice de la force vitale. Fechner, comme ses prédécesseurs un demi-siècle auparavant, se heurte à l'objection du panthéisme ; objection qu'il reconnaît valable ; mais « il y a deux conceptions du panthéisme, qui s'opposent comme le jour et la nuit », et l'entreprise de Fechner vise seulement à réaliser l'alliance supérieure de l'humain et du divin. Il ne s'agit pas de substituer au christianisme une sorte de paganisme, mais de montrer la possibilité de concilier le christianisme avec une vision religieuse du monde naturel ; « les fondements même du christianisme s'en trouveront fortifiés, et susceptibles de nouveaux développements » ([38]). La nouvelle spiritualité, par-delà les limites étriquées de la religion traditionnelle, offrira à l'humanité les moyens d'un christianisme régénéré, sans porter préjudice à la libre expansion de la science. On peut admettre, avec les matérialistes, que la juridiction de la science s'étend à la totalité du réel ; « seulement, si la science de la nature nous livre bien la totalité, elle ne la donne que d'un seul côté, d'un certain point de vue ; ce qu'elle laisse de côté n'est pas perdu, mais ne s'en retrouve que mieux de l'autre côté, selon l'autre point de vue » ([39]). Le domaine de l'esprit et le domaine de la matière forment des ensembles cohérents, qui recouvrent la totalité ; il n'y a pas de ligne de partage entre les deux perspectives ([40]), qui affirment dans un langage différent le même contenu.

[36] Pp. 2-3.
[37] P. 3.
[38] P. 10.
[39] *Op. cit.*, t. II, p. 159.
[40] P. 160.

La mathématisation du spirituel par la loi de Weber-Fechner équivaut ainsi à une spiritualisation du matériel.

Dans l'œuvre considérable de Fechner, ce qui frappe, c'est la similitude de son immense parcours scientifique et spirituel avec celui des *Naturphilosophen* romantiques. L'intelligibilité biologique ne se propose pas comme un simple regard promené sur le monde ; elle est la manifestation de l'essence même du monde en sa divine réalité. En 1879 encore, Fechner âgé de 78 ans publie un essai, *Die Tagenansicht gegenüber der Nachtansicht,* où il oppose à l'obscure vision du monde selon le matérialisme la claire transparence de l'univers en sa divinité. Cette même année 1879 est celle où Wilhelm Wundt fonde le laboratoire de psychologie de Leipzig, dans la fidélité aux enseignements de son maître. Wundt souligne, dans ses souvenirs, les tendances mystiques de Fechner, il évoque la figure de Jacob Boehme, inspirateur du mouvement romantique. Fechner, selon lui, est « le penseur le plus original de notre époque dans son ensemble » ([41]).

Le propos mérite d'être retenu, puisque Wundt (1832-1920) est généralement reconnu par les psychologues de positive observance comme l'initiateur de leur discipline, émergeant enfin des limbes de la mythologie et de la métaphysique. A en croire Wundt, Weber et Fechner ont été, dans le milieu de Leipzig, ceux qui « par leurs travaux ont exercé une influence sur mes recherches psychologiques (...). Le créateur de la psychophysique est, en tout cas, Fechner lui-même. De Weber, je dirais plutôt qu'il a été le père de la psychologie expérimentale » ([42]). La méthodologie de la connaissance rigoureuse en ce qui concerne l'investigation de la conscience humaine a été définie et mise en œuvre pour la première fois par Fechner ; mais celui-ci n'accordait à ce genre de recherches qu'un intérêt limité. Apprenant de Wundt le projet d'établissement de l'Institut de psychologie, il se contenta d'observer : « Dans ces conditions, il vous suffira de quelques années pour venir à bout de la psychologie dans sa totalité » ([43]).

Le propos peut sembler inconsidéré. Il signifie que la psychologie ne présentait aux yeux de Fechner qu'un intérêt secondaire, dans le cadre de son grand projet d'un panvitalisme, d'un spiritualisme totalitaire selon le mode du gnosticisme romantique. A la fin du XIXe siècle, le romantisme était passé de mode ; pis que discrédité, il était oublié, ainsi que Wundt le relève avec quelque mélancolie : « En

---

([41]) Wilhelm WUNDT, *Erlebtes und Erkanntes,* Stuttgart, Kröner Verlag, 1920, p. 337.
([42]) *Ibid,* p. 301.
([43]) *Ibid.,* p. 336.

un temps où l'on estimait que le crédit public et l'influence de la philosophie en général se trouvaient en décadence, Fechner ne suscita guère d'intérêt. Pour ses confrères, les savants, son œuvre si riche de pensée demeura à peu près inconnue ; et les philosophes s'opposèrent à lui sans le comprendre » ([44]). L'hommage de Wundt à son vieux maître se situe au début du xxᵉ siècle ; la psychologie de ce temps-là n'a pas besoin de métaphysiciens ; du moins, c'est là l'opinion des psychologues conscients et organisés. Il faut néanmoins corriger ce jugement en relevant que le *Zend Avesta* de Fechner (1851) fait l'objet d'une troisième édition en 1906 et d'une quatrième en 1919 ; signes d'une permanence qui permet de rejeter l'idée d'un oubli total.

Selon un historien de la psychologie positive, Wundt aurait été « le premier en date à pouvoir être appelé proprement et sans réserve un psychologue. Avant lui, il y avait eu pas mal de psychologie, mais pas de psychologues » ([45]). A Wundt reviendrait l'honneur, si c'en est un, d'avoir franchi le pas qui sépare la préhistoire de l'histoire de la psychologie, en coupant le cordon ombilical qui reliait la psychologie à la métaphysique. Le témoignage de Wundt, qu'il ait été ou non le premier des psychologues à part entière, atteste qu'il n'ignorait pas les implications de sa discipline. L'empirisme méthodologique n'était pas, dans son cas, un asile d'ignorance ; il ne s'est pas laissé enfermer dans l'enclos du laboratoire, ni dans le cercle vicieux de l'agnosticisme positiviste qui, fasciné par les appareillages techniques et l'observation minutieuse de phénomènes hallucinatoires fabriqués de toutes pièces, oublie l'essentiel, c'est-à-dire l'humanité de l'homme, arrière-plan métaphysique de toute recherche concernant la réalité humaine. Wundt ne correspond aucunement au signalement du psychologue fier d'une « scientificité » qui l'aveugle. Le maître de Leipzig ne se borne pas à rattacher la vie psychique à ses conditions matérielles, anatomiques et physiologiques. Le psychisme met en jeu une intelligibilité qui lui appartient en propre, bien qu'elle soit soumise à un déterminisme aussi rigoureux que celui des sciences de la nature.

La méthodologie expérimentale, appliquée au phénomène humain total, étudie la sensation, la perception, le raisonnement, le sentiment, l'imagination, etc., en vue de constituer une science de l'homme privilégiée entre toutes, parce qu'elle occupe une position centrale dont les autres sont tributaires. Wundt maintient la primauté d'une préoccupation anthropologique, bien résolue à ne pas se laisser obnubiler par les routines du laboratoire. La psychologie indivi-

---

([44]) *Ibid.*, p. 337.
([45]) Edwin G. BORING, *A history of experimental Psychology*, New York, Appleton Century Crofts, 2ᵉ éd., 1950, p. 317.

duelle, consacrée à l'étude de la structure et du développement des fonctions psychiques, est complétée par une *Völkerpsychologie*, ou psychologie collective, dont l'instrument essentiel sera la méthode comparative, et qui s'attachera à l'étude du langage, des mythes et religions, des institutions. Publiée en dix gros volumes de 1900 à 1920, la *Völkerpsychologie* de Wundt sera la grande œuvre de la fin de sa vie, manifestant que la psychologie expérimentale, chez son promoteur, s'inscrit dans la vue d'ensemble encyclopédique d'une investigation totalitaire de la réalité humaine.

Or, sur ce point aussi, Wundt développe un thème proposé par son maître Fechner, dans un chapitre du *Zend Avesta* où il étudie l'ordonnance hiérarchique des instances qui animent l'univers vivant. « La question se pose de savoir s'il existe des degrés intermédiaires entre l'esprit de l'homme et l'esprit de la Terre *(Geist der Erde)*. On parle, en fait, d'esprit supérieurs à celui de l'homme isolé et inférieurs à celui de la Terre entière. Dans chaque famille, chaque corporation, chaque association, chaque communauté, chaque peuple, s'affirme, comme on dit, un esprit particulier, et audessus de tous ces esprits particuliers l'esprit de l'humanité » [46]. Ces esprits intermédiaires n'ont pas autant d'unité et de consistance que l'esprit de l'homme et l'esprit de la Terre, parce qu'ils ne correspondent pas à une individualité organique aussi nettement déterminée, mais ils méritent d'être considérés comme des composantes de l'animisme social global.

Les catégories de la communauté, en particulier celle du peuple, sont par excellence des catégories propres au romantisme occidental, inventeur du thème des nationalités. *Volkgeist* et *Zeitgeist* proposent des lieux communs de l'intelligibilité romantique. La *Völkerpsychologie* de Wundt est une œuvre pionnière de l'étude des mentalités ; dans cette même perspectives épistémologique s'inscrivent le petit livre de Tönnies, *Communauté et Société (Gemeinschaft und Gesellschaft)* et le grand ouvrage de Cassirer, *Philosophie des formes symboliques* (1923-1929), et même la *Philosophie des conceptions du monde (Philosophie der Weltanschauungen,* 1919) de Karl Jaspers. Ramené du ciel sur la terre, de la transcendance à l'immanence, le projet romantique d'une compréhension du *Zeitgeist,* tel qu'il se manifeste dans la vie des peuples et communautés humaines, se retrouve ici sous une forme atténuée, dépouillée des présupposés ontologiques si puissants encore dans les spéculations de Lotze et de Fechner.

Les travaux de Wundt préservent l'envergure intellectuelle et spirituelle qui fait si cruellement défaut chez ses continuateurs, psychologues scientifiques en état d'errance dans un désert de

[46] *Op. cit.*, 1851, Bd. I, p. 197.

significations. La biologie romantique, en dépit de son intempérance spéculative, imposait à toute recherche de fait la condition préalable d'une insertion dans la totalité cosmique et dans l'horizon de l'humanité. Ce rapport à la réalité globale comporte tous les risques de la synthèse prématurée, auxquels succombe aisément l'esprit d'aventure. L'erreur est de croire que l'analyse se suffise à elle-même, sans se guider sur une synthèse préalable ; l'analyse ne procède jamais dans le vide ; elle s'inscrit dans un espace mental correspondant à un environnement préétabli. Il ne suffit pas de fermer les yeux pour faire le vide autour de soi, le présupposé de l'absence de présupposé correspond à une attitude infantile de refus du réel.

L'inspiration de la biologie romantique ne s'est pas perdue dans les sables du désert scientiste. Elle se retrouve, sous des formes diverses, et parfois sans que les auteurs eux-mêmes en aient conscience, chez ceux qui sont soucieux d'une anthropologie de plein exercice corrélative d'une cosmologie. Tel, dans une époque récente, un Teilhard de Chardin, dont la présence au monde, nourrie de science positive, s'articule avec une théologie épanouie en une gnose de type moderne. Dans une perspective différente, l'œuvre de Husserl, avec son souci de rétablir la présence de l'esprit humain aux « choses mêmes », retrouve l'exigence d'une conscience totale, qui ne succombe pas à la tentation de la positivité scientiste. Héritiers de Husserl, un Max Scheler et un Maurice Merleau-Ponty ont à leur tour retrouvé les chemins de la connaissance au monde romantique. L'établissement de l'homme dans un univers à sa mesure implique, pour la conscience, l'arrière-plan d'une anthropologie située dans l'horizon d'une cosmologie. La catégorie de la finalité organique a résisté aux tentatives de réduction mécanistes ; la biologie, la neurologie, la psychiatrie, la médecine psycho-somatique attestent que le sillage du savoir romantique est encore perceptible dans la culture scientifique de notre temps, pour ceux du moins qui sont capables de discerner sa présence. L'anthropologie de C. G. Jung est pétrie de romantisme, et celle de Freud n'en est pas exempte. Parmi les biologistes proprement dits on se contentera de citer les noms du neurologue Kurt Goldstein (1878-1965) et son traité *La structure de l'organisme* (*Der Aufbau des Organismus*, 1934), du savant suisse Adolf Portmann (*Biologie und Geist*, 1956) ou encore du Néerlandais F. J. J. Buytendijk (*Prolegomena einer anthropologischen Physiologie*, 1967).

La biologie romantique fut une réaction contre les excès du mécanisme galiléen, triomphant au XVIIIe siècle, le retour du sens de la vie et de l'exigence des valeurs, refoulé par l'intempérance physico-mathématique. Mais le romantisme aussi a eu ses excès et ses erreurs ; tributaire du savoir de son temps, il avait le tort de donner son aval à des théories prématurées. Ses audaces et ses extravagances lui ont valu la méfiance et la réprobation des savants positifs qui, à leur tour, murés dans leurs certitudes étriquées, se sont égarés dans les voies sans issue du positivisme scientiste. Le néo-vitalisme contemporain consacre le retour du romantisme, non dans ses dogmes et doctrines invalidés par le temps, mais dans son exigence, attachée à maintenir les droits du phénomène humain total, irréductible aux déterminismes, auxquels il ne saurait se soumettre puisqu'il les a lui-même instaurés.

ÉPILOGUE

APOLOGIE POUR LA NATURPHILOSOPHIE

L'histoire des historiens n'a pas fait bon accueil à la *Naturphilosophie* romantique. Elle n'a jamais été reçue en Angleterre et dans le domaine anglo-saxon, acquis à une vision du monde empiriste et utilitaire. En France, la pensée traditionnelle inclinait plutôt vers l'idéalisme bien tempéré de la philosophie de l'esprit. La renaissance thomiste, dans la première partie du xxᵉ siècle, patronna quelque temps un retour à la source aristotélicienne, attesté par l'ouvrage de Jacques Maritain, publié en 1935, *La philosophie de la nature*. Mais l'euthanasie présente de la théologie, conjuguée avec celle de la philosophie, a rejeté dans le néant cette inspiration. La pensée germanique de la nature ne peut d'ailleurs, sauf, partiellement, les écrits de Schelling, être abordée qu'en langue allemande. L'absence de traductions décourage les lecteurs éventuels. L'insuffisance de l'information donne à penser qu'il s'agit d'une forme de savoir aberrante, incapable d'assurer les conditions de validité du discours scientifique. Ce savoir qui n'en est pas un figurera au compte de profits et pertes de l'histoire de la connaissance, cimetière, ou sottisier, des illusions perdues.

Parmi la bibliographie française des derniers temps figurent plusieurs études consacrée par Michel Ambacher à cette philosophie de la nature, dont il tente de justifier l'entreprise. Ayant défini la *philosophie naturelle* comme une « connaissance globale et objective des diverses catégories de phénomènes qui composent le monde », c'est-à-dire une épistémologie, il en distingue « un savoir romantique du genre de la *Natur-Philosophie*, qui prétendit empiéter sur le domaine réservé à la physique, à la biologie ou aux sciences naturelles » ([1]). Premiers noms cités pour illustrer ce savoir « romantique », Hegel et Engels, pour sa *Dialectique de la nature*, ce qui paraît

([1]) Michel AMBACHER, *Les Philosophies de la Nature*, P.U.F., 1974, p. 7.

audacieux. Schelling lui-même est allégué un peu plus loin, après une nouvelle référence à Hegel, antiromantique bon teint : « Un peu plus tôt avait surgi, en Allemagne également, la *Natur-Philosophie* de Schelling, qui n'est pas sans préfigurer de quelque façon le bergsonisme, en ce sens qu'elle envisage la Philosophie de la nature comme une « physique spéculative » destinée à évoquer la « productivité de la Nature... » ([2]).

Selon cet auteur, la philosophie de la nature définit une tradition qui se développe d'Aristote à Bergson et à Teilhard de Chardin. En dehors de la traduction des premiers essais de Schelling, on ne trouve dans ces livres aucune mention des noms des maîtres de la pensée romantique dans ce domaine, non plus que des nombreux ouvrages où ils ont développé des vues originales sur l'odyssée de la vie dans les espèces. Après avoir constaté que « la philosophie de la nature, qui a connu un passé glorieux, paraît tombée de nos jours dans la désuétude et l'oubli », Michel Ambacher se réjouit de constater « un renouveau d'intérêt pour cette discipline ». Malheureusement, il découvre l'attestation de ce renouveau dans « l'existentialisme de Kierkegaard et de Jaspers » et dans la phénoménologie, ce qui donne à penser que les courants d'idées en question ne lui sont guère plus familiers que les *Naturphilosophen* germaniques. On attribue à Jean Wahl, siégeant dans le jury d'une thèse consacrée à Jules Lequier, un mot cruel à l'adresse du futur docteur : « J'ai toujours pensé, monsieur, que Jules Lequier était un philosophe qui n'avait pas eu de chance. J'ai lu votre thèse et je n'ai pas changé d'avis... » On pourrait en dire autant de cette présentation de la *Naturphilosophie*.

La philosophie de la nature n'est pas la science de la nature ; elle ne prétend pas se substituer à elle, elle ne se situe pas au même niveau. Le philosophe, compagnon de route du savant, ne doit pas interférer avec lui sur les chemins de la recherche. La philosophie vient avant la recherche, pour l'orienter, ou après, pour en apprécier les résultats ; son intervention ne se situe pas dans le domaine de l'expérience en cours, selon les normes théoriques et expérimentales de la science en progrès. D'où l'affirmation qu'il s'agit d'une science « supérieure », d'une seconde lecture de la connaissance première, selon la perspective d'une reprise du sens, décalée par rapport au premier déchiffrement des phénomènes. La *Naturphilosophie* est un savoir selon l'esprit et non selon la lettre ; elle utilise l'état contemporain des acquisitions scientifiques sans y rien ajouter de son propre fonds. Le philosophe en tant que tel n'a pas capacité ni mission de combler les lacunes de l'information.

([2]) *Ibid.*, pp. 8-9 ; cf., du même auteur, *Méthode de la philosophie de la nature*, P.U.F., 1961.

Il paraît donc vain d'opposer la philosophie romantique de la nature à la science contemporaine de la nature, à la manière dont on pourrait opposer la vérité et l'erreur. La science de ce temps est largement périmée ; si l'on considère seulement le domaine de l'histoire naturelle, le bilan des connaissances disponibles au début du XIXᵉ siècle paraît aujourd'hui fort modeste, une fois fait le partage entre les données exactes et celles qui devaient être reconnues caduques par la suite. Pour s'en tenir à un grand nom contemporain et français, Lamarck est un génie scientifique universellement reconnu ; ses intuitions ont fondé une nouvelle province dans la classification des vivants, celle des Invertébrés. En même temps, Lamarck est un théoricien, d'une prodigieuse ampleur de vues ; il a esquissé une histoire de la vie dans les espèces en regroupant un immense ensemble de faits dans la perspective d'une intelligibilité renouvelée. La doctrine lamarckienne de l'évolution propose des interprétations qui n'ont pas cessé d'être reprises et utilisées, discutées jusqu'à nos jours. Cette théorie n'est qu'une hypothèse parmi d'autres ; elle ne s'impose pas comme une vérité scientifique, elle esquisse une philosophie de la nature, dont l'inspiration n'a rien de commun avec la pensée romantique ; son mécanisme s'oppose à l'organicisme des *Naturphilosophen*. Personne ne songerait à refuser à Lamarck le plus haut mérite scientifique, sous prétexte qu'il s'est beaucoup trompé, et que bon nombre de ses interprétations allaient bien au-delà des faits dont il disposait, par exemple dans le domaine de la météorologie. Les annuaires qu'il publiait chaque année, prévoyant le temps qu'il ferait jour après jour, lui valurent l'inimitié de Napoléon, incapable de prendre au sérieux un faiseur d'almanachs, coupable d'abuser sans vergogne de la crédulité des braves gens.

Les prévisions de Lamarck se fondaient sur des conceptions abusives et arbitraires. Ces absurdités attestaient pourtant à leur manière le génie de Lamarck ; il pressentit que la météorologie ne se réduisait pas à une divination empirique, mais s'appuyait sur l'intelligibilité intrinsèque des phénomènes cosmiques. Lamarck annonçait l'avènement de la météorologie comme science positive en un temps où cette science n'était pas possible ; une intuition prophétique s'exprimait dans un langage inadéquat, dérapant dans la fantasmagorie. Il en est à peu près de même pour la philosophie de la nature, qui pourrait bien avoir raison contre ses détracteurs comme Lamarck avait raison contre Napoléon. Un positivisme à courte vue se voile la face devant l'envol des idées ; mais il arrive que l'avenir donne raison aux audacieux.

Une pensée non prévenue a tendance à admettre qu'il existe une ligne précise de démarcation entre le vrai et le faux, entre la science et la non-science, ce qui permettrait pour un temps donné de départager les savants proprement dits et les aventuriers de la connaissance, qui spéculent à tort et à travers, extrapolant du vrai dans le vraisemblable, puis dérapant dans l'imaginaire. Il n'est pas si aisé de faire la part de la vérité dans l'amas des connaissances disponibles en un moment donné. Les « vérités » vieillissent ; les « faits » peuvent être démentis ou relativisés de génération en génération. La physique, la chimie, la biologie de 1820, de 1850 ou de 1890 évoquent aujourd'hui un moyen âge de la connaissance, tout juste bon à susciter une curiosité rétrospective. Les images du monde actuellement en faveur développent des fantasmagories abstraites auprès desquelles la cosmologie de Laplace paraît un jouet d'enfant. Les échelles du Grand et du Petit se sont étendues et multipliées à tel point que l'imagination ne peut plus accompagner la démarche du calcul. Du même coup prospèrent les points d'interrogation et s'accroissent les lacunes, les trous d'un savoir qui semble passer la mesure de l'esprit humain. Un seul individu est incapable de récapituler les données de l'astrophysique et de la microphysique, et d'inscrire la présence humaine d'une manière intelligible au sein de ces horizons indéfiniment élargis, et qui d'ailleurs ne cessent de s'élargir encore, au fur et à mesure de la publication de recherches nouvelles.

Les spéculations les plus hardies des *Naturphilosophen* demeurent très loin du compte ; elles ne sont pas à l'échelle des ordres de grandeur imposés par les informations et les calculs dont disposent les savants d'aujourd'hui. Ils ont développé une vision du monde anthropocosmomorphique, à leurs risques et périls — entreprise désormais irréalisable. Depuis la révolution galiléenne, le progrès de la connaissance du réel tend à dépasser la capacité de la pensée. Pascal évoque le thème des deux infinis, révélés par le télescope et le microscope. Jonathan Swift, en 1726, met en scène la relativité des échelles de mesure dans ses *Voyages de Gulliver* chez les nains et chez les géants, échelles quantitatives liées à la taille de l'homme, mais aussi échelles de valeurs, variables d'un peuple à l'autre.

Les unités de mesure traditionnelles comme la coudée, le pied, le pouce, la brasse, le yard évoquent des références au corps humain. Galilée et Newton encore habitent un univers à la taille de l'homme. Même inapparent, l'anthropomorphisme est sous-entendu. Le monde n'est pas assez grand pour décourager l'imagination ; la destinée de l'individu et de l'espèce peuvent figurer en bonne place dans l'espace-temps cosmique et géologique. La philosophie romantique de la nature met en scène encore cette conscience d'un monde transparent à la pensée, parce qu'il développe un programme compatible avec la portée de l'esprit humain. La notion romantique de vision du monde (*Weltansicht, Weltanschauung*) suppose que l'être humain est capable de se donner une perspective sur le monde, d'embrasser le monde. La légende des siècles, la légende des espèces est à la portée d'un esprit individuel. Le moment n'est pas venu de la démesure du Cosmos, engendrant la disproportion radicale entre l'imagination humaine et les dimensions réelles de l'univers, évaluées en années-lumière.

On peut donc être tenté de reprocher à la philosophie romantique de la Nature cette audace excessive d'une synthèse prématurée. Encore faut-il se garder de l'erreur qui consisterait à condamner les hommes de 1800-1820 parce qu'ils construisent leurs théories avec les matériaux disponibles de leur temps et non en fonction des découvertes de 1980. Ils parlent le langage de leur temps, et non celui du nôtre, ce qui ne nous autorise nullement à les considérer comme des débiles mentaux. La tentation de l'anachronisme est difficile à surmonter. Une fois admise la clause corrective de la différence des temps, ce qui demeure, c'est l'audace romantique capable d'affronter l'univers, de concevoir une pensée à l'échelle de l'univers, contrastant avec l'agnosticisme positiviste, la restriction mentale et morale qui refuse à la conscience humaine le droit de regard sur la totalité. Les penseurs du romantisme reconnaissent encore à l'homme un emplacement privilégié dans l'univers. Pour eux, selon la formule de Hegel, si la Terre n'est plus le centre du monde physique, elle demeure le centre du monde métaphysique. Le grand Vivant, le *Totalorganismus* de l'univers, exprime un devenir orienté selon l'évolution des espèces, dont l'être humain représente le point culminant sinon définitif, du moins provisoire. Ainsi se trouve maintenu le schéma cosmique de l'échelle des êtres, antidote contre les dangers d'une désorientation ontologique. Porteuse du sens du monde, l'espèce humaine est garante de l'espérance par la vertu de laquelle l'univers, sous la garde de la Providence, doit être mené à bonne fin.

Espérance caduque, aux yeux du positivisme, qui refuse ces perspectives considérées comme superstitieuses et infondées, si l'on s'en tient aux assurances que fournissent les sciences positives. Les ouvrages romantiques abondent en délires d'interprétations en tous genres ; les concepts mal définis se fondent les uns dans les autres, en vertu de la prolifération des sens figurés polymorphes. N'importe quoi, en vertu d'assonances symboliques, peut communiquer avec n'importe quoi, en dehors de tout contrôle rationnel. La *Naturphilosophie* correspond à un retour offensif de la pensée préscientifique, dont la floraison ténébreuse avait été brutalement interrompue par la révolution galiléenne. L'hermétisme, l'occultisme, le gnosticisme et autres formes traditionnelles des illusions humaines avaient été refoulés par l'avènement de la vérité scientifique sous sa forme rigoureuse. Le savoir romantique met en scène le retour en force du refoulé, qui fascine une intelligence paresseuse, lassée par les disciplines trop restrictives ; elle échappe aux contrôles et censures et se livre sans pudeur aux enchantements de l'imaginaire.

Une telle rechute était intervenue dans l'histoire de la pensée hellénique après la splendide floraison de l'intellectualisme classique. La synthèse admirable de l'encyclopédie aristotélicienne est suivie de peu par la rechute dans l'esprit de miracle, et dans le merveilleux de l'occultisme qui s'accomplit à Alexandrie. La *Naturphilosophie* reprendra à son compte les éléments du symbolisme cosmique, et leur expression dans ces pseudo-sciences que sont l'astrologie et l'alchimie. Eternel retour des vicissitudes du savoir ; il faut reprendre toujours le combat de la raison contre les fantômes et les fantasmes, des lumières de l'intellect, contre l'illuminisme de la déraison ; il faut écraser l'infâme, et c'est ce qui suscite parfois chez les tenants de la vérité un fanatisme passionnel peu compatible avec le sens de l'objectivité dont ils se réclament.

Il ne saurait être question de réhabiliter purement et simplement les conceptions de la philosophie de la nature, démenties par les progrès du savoir. Du moins doit-on reconnaître que toutes les théories scientifiques, soumises à l'usure du temps, doivent être corrigées, remises à jour, ou remplacées par d'autres. Aucune doctrine ne saurait être valable de tout temps à jamais ; l'historicité de la connaissance relativise non seulement les idées des philosophes de la nature, mais celles aussi des savants positifs. Galilée, Newton Darwin, Pasteur, Einstein ont eu des intuitions justes, mais leurs conceptions ne sont pas inconditionnellement valables, canonisées pour l'éternité, dans la forme que leur ont donnée leurs auteurs. Il convient de distinguer, dans l'affirmation scientifique, entre la lettre et l'esprit. La lettre, ce seraient les faits, les constatations, observations et expériences exactes ou non, les conséquences que le savant en tire, plus ou moins justifiées et parfois aberrantes. L'esprit correspondrait aux intentions de la connaissance, au projet qu'elle affirme à la face du monde. La volonté globale peut avoir une valeur positive, même si la réalisation est incomplète ou fautive, par maladresse, ou manque de moyens à la mesure des ambitions du penseur. Dans le cas de la *Naturphilosophie*, on peut passer condamnation sur le discours scientifique, ou prétendu tel, sans pour autant considérer que l'entreprise était dans son ensemble un non-sens, un tissu d'absurdités. De ce que la philosophie romantique de la nature est inexacte, inadmissible, on ne saurait conclure à l'impossibilité, à la nocivité de toute philosophie de la nature.

Par ailleurs, il ne convient pas, pour juger de la pensée romantique de la nature, de la situer dans la seule perspective des sciences du réel. La philosophie, en tant que vision du monde, n'est pas une simple récapitulation des données de la connaissance exacte et rigoureuse. La rechute de l'intellectualisme des lumières dans l'illuminisme et les sciences occultes s'inscrit dans une mutation d'ensemble de la culture européenne, insatisfaite du rapport au monde établi par les générations précédentes. Les grandes idées en vigueur au XVIIIe siècle n'ont pas résisté à l'épreuve des événements de l'âge révolutionnaire. Il faut renégocier le contrat d'établissement de la société humaine dans l'univers où elle fait résidence. La philosophie de la nature exprime un aspect de cette nouvelle mise en place, selon l'ordre de l'épistémologie, solidaire des autres aspects de la révolution culturelle. La Vérité, les vérités de la science ne sont pas seules en question, mais aussi les valeurs esthétiques et morales. Il existe une mutualité des significations, qui sympathisent les unes avec les autres. La *Naturphilosophie* séparée du contexte de son espace mental peut paraître extravagante, elle le paraît moins si on prend la peine de la situer dans l'ensemble d'une mentalité qui s'est imposée à travers l'Europe comme un climat spirituel.

Les savants romantiques semblent avoir élu domicile dans la seule Allemagne ; mais leur activité consacre l'efflorescence d'une sensibilité intellectuelle répandue aussi en France, en Angleterre et ailleurs dans le domaine culturel occidental. S'il n'existe pas de science romantique à proprement parler, un bon nombre de mages et d'inspirés portent témoignage en faveur d'un savoir universel de caractère gnostique. Saint-Martin, Ballanche, Fabre d'Olivet, Pierre Leroux, le Balzac de *Seraphita*, de *Louis Lambert* et de la *Recherche de l'Absolu*, parmi d'autres, même s'ils ne se prétendent pas physiciens, chimistes, biologistes de stricte observance, mettent en œuvre une vision de la nature apparentée à celle des docteurs germaniques, en particulier dans l'ordre de la science transcendante des nombres. William Blake, Coleridge, Byron lui-même par certains aspects, et les poètes romantiques anglais présupposent dans leurs écrits des représentations et interprétations fondées sur la connaissance des harmonies intrinsèques de la nature. Le renouveau swedenborgien étend à travers l'Europe le réseau d'une intelligibilité mystique, dont témoignent aussi à leur manière le messianisme polonais et le messianisme russe.

Ainsi replacées dans le contexte de la vision romantique du monde, les idées scientifiques, ou prétendues telles, des *Naturphilosophen* ne peuvent être jugées seulement à l'épreuve des faits, qui vérifient ou infirment sur tel point précis de détail les affirmations aventureuses de tel ou tel théoricien. Il est des gagne-petit de la connaissance qui établissent la fiche d'identité d'un composé chimique, ajouté à l'immense liste des composés déjà existants, qui inscrivent au catalogue des espèces naturelles un coléoptère jusque-là inconnu d'Amazonie ou une variété de mousse découverte aux îles Kerguelen. Ces braves gens font progresser la connaissance exacte et leur nom figurera, entre parenthèses, à la suite de leur modeste découverte, dans les dénombrements spécialisés des acquisitions de telle ou telle discipline. La philosophie de la nature ne se situe pas dans l'ordre de cette vérité ramasse-miettes de l'objectivité ; elle propose une intelligibilité d'ensemble assurant l'insertion harmonieuse de l'homme dans l'univers. La question n'est pas seulement de savoir si cette vision du monde est contredite par tel fait, telle expérience sur tel point particulier. Plutôt, il faudrait s'interroger sur la question de savoir si la seule accumulation de vérités scientifiques dûment contrôlées assure à l'être humain une assiette suffisante au sein de l'univers. Le besoin de connaissances exactes est l'une des exigences de notre esprit ; mais il est d'autres urgences, qui viennent compléter ou même surcharger celle-là. Les activités scientifiques sont nécessaires, mais l'erreur ou l'illusion commence avec l'idée qu'elles seraient suffisantes pour cautionner la présence des hommes sur la terre. Le capital de connaissances exactes et rigoureuses dont dispose l'humanité d'aujourd'hui est prodigieux, et ne cesse de s'accroître. Mais ce patrimoine scientifique en constante inflation va de pair avec l'anarchie mentale et morale de sociétés désemparées dans un univers en proie à d'incurables contradictions sans cesse renaissantes.

Force est donc d'admettre l'existence d'un décalage, d'un hiatus béant entre les vérités de la science et une autre vérité, qui serait la vérité de la condition humaine dans son ensemble. Les vérités scientifiques, rangées selon l'ordre de leurs disciplines respectives, sont des vérités au détail, non cohérentes entre elles, dispersées à tous les vents de l'épistémologie, vérités en état de désintégration et qui peuvent se contredire d'un compartiment à l'autre de la classification du savoir, car elles s'inscrivent dans des perspectives différentes et à des échelles de lecture non compatibles. L'amoncellement énorme des données, de loin, et pour les ignorants, peut faire illusion ; de près, il évoquerait ces entassements de cailloux en tous genres et de toutes dimensions laissés après eux par les glaciers disparus des antiques périodes géologiques.

Le scientisme à la mode du xixe siècle prétendait interpréter l'amas inconsistant de ces vérités pulvérulentes, et tirer de leur accumulation un principe de jugement, une norme universelle. Pur trompe-l'œil et trompe-l'esprit. Il y aurait eu une « morale de la science », une « religion de la science », comme si une collection de faits, récoltés dans toutes sortes de champs épistémologiques étrangers les uns aux autres, pouvait sécréter un système de valeurs, susceptible d'orienter les comportements et jugements des hommes. Une telle doctrine ne résiste pas à l'évidence des contradictions internes de l'état présent de la connaissance; l'idéal scientiste ne trouve plus de défenseurs aujourd'hui. Les informations disponibles dans les différents domaines du savoir ne s'additionnent pas; elles ne forment pas une totalité intelligible; elles sont ce qu'elles sont, chacune pour sa part; il ne saurait être question de leur faire dire davantage, ou autre chose, que ce qu'elles disent. Le positivisme, aujourd'hui, limite ses prétentions à l'affirmation pure et simple des certitudes qu'il détient, dûment vérifiées par le contrôle des procédures expérimentales. Là où nous ne savons pas de science sûre, nous n'avons rien à dire. Ainsi le réseau du savoir valide ne recouvre qu'une petite partie de l'espace vital humain; nos comportements, nos jugements, nos affirmations vont bien au-delà de notre science, qui ne nous apprend pas grand-chose sur nos options premières et dernières, nos raisons d'être et de sentir. La majeure partie de l'existence échappe aux lumières de l'entendement rationnel; elle obéit à des influences non justifiables, à des pulsions personnelles ou sociales, à des préjugés sans fondement. Les positivistes du xxᵉ siècle professent un agnosticisme résolu; ils se cantonnent volontairement dans un territoire fort exigu au sein de la réalité totale, abandonnant le reste à des influences de toutes sortes, étrangères à la juridiction de la vérité rigoureuse.

Ainsi la vérité déserte les terrains de parcours de l'humanité; les êtres humains en sont réduits à vivre en dehors de la vérité. Situation paradoxale aux limites de l'absurde. Si la vérité scientifique n'est pas compatible avec l'existence des hommes, la seule ressource est de se mettre en quête d'une vérité humaine, étrangère aux réquisitions d'un savoir inhumain.

Les procédures de la méthodologie scientifique, limitées à l'investigation des phénomènes selon les exigences du déterminisme, aboutissent à établir des enchaînements de surface entre des faits dûment établis. La psychologie, par exemple, met à son programme l'étude positive des « faits de conscience », pour autant qu'ils se conforment à l'intelligibilité exacte et rigoureuse. Kant, dans ses *Premiers principes métaphysiques de la science de la nature* (1786), avait soutenu que la psychologie ne serait jamais une science, parce qu'il était impossible de la soumettre à la juridiction des mathématiques. Mais l'un de ses successeurs dans sa chaire de Koenigsberg, Johann Friedrich Herbart (1776-1841), devait affirmer la possibilité pour cette discipline de répondre aux exigences kantiennes, dans sa *Psychologie comme science, nouvellement fondée sur l'expérience, la métaphysique et les mathématiques* (1824-1825); il est possible d'établir des lois rigoureuses concernant les relations entre les sensations, les idées, les représentations, en dehors de toute référence à l'intériorité vécue, ou à une quelconque essence de l'âme. Les éléments de la vie mentale, quantités intensives, peuvent être chiffrés, et donc soumis au calcul, qui permettra de mettre en lumière les lois de leurs transformations. Les schémas abstraits de Herbart, assez simplistes, évoquent une reprise revue et corrigée des lois de l'association des idées, proposées jadis par Hume. La psychologie scientifique devait faire un pas de plus avec les travaux de deux savants allemands, E. H. Weber (1795-1878) et son disciple à Leipzig, Gustav Theodor Fechner (1801-1887). Les recherches de Weber, mises au point par Fechner, aboutirent à la formulation de la première loi de la psychophysique, discipline dont Weber était l'initiateur. La loi de Weber-Fechner énonce en termes mathématiques la correspondance entre l'excitation et la sensation, au fur et à mesure de la croissance de l'excitation.

Cette loi scientifique devait cautionner pendant un siècle et davantage le développement de la psychologie expérimentale, dont le premier siège social fut le laboratoire fondé à cet usage par Wilhelm Wundt à Leipzig, en 1879. La psychologie cultivée en laboratoire à grand renfort d'appareillages de plus en plus compliqués et d'instruments de mesure ultra-sensibles, avec aujourd'hui le renfort de l'électronique, se complait dans les délices de la psychophysique et de la psychomathématique. Discipline quantitative, elle fleurit en schémas et diagrammes, courbes plus ou moins harmonieuses, interprétées par l'ordinateur et condensées en formules algébriques du plus bel aspect. Les mesures sont d'une très grande précision, et c'est cela qui importe, même si on ne sait plus très bien ce qu'elles concernent. Le grand psychologue français Binet avait mis au point une procédure, toujours en vigueur, pour mesurer l'intelligence des enfants des écoles. A un enquêteur qui lui demandait une définition de cette intelligence sur laquelle portaient ses travaux, question indiscrète, il répondit superbement : « l'intelligence, — mais c'est ce que je mesure avec mes tests... »

La psychologie expérimentale scientifique rend d'incontestables services pour le recrutement de certaines catégories professionnelles, lorsqu'il s'agit de mesurer l'acuité visuelle d'un sujet, ou sa capacité de réaction dans une situation donnée. Pour le reste, les immenses et mystérieux travaux qui se poursuivent dans les laboratoires de psychologie ne semblent pas avoir apporté des révélations sensationnelles sur l'esprit humain. On oublie trop souvent, par ailleurs, que Weber et Fechner n'étaient nullement des esprits positifs orientés vers un physicalisme à la mode de notre temps. Ils s'inscrivent tous deux dans la mouvance du savoir romantique, y compris l'animisme spiritualiste le plus intempérant, en lutte contre la menace du matérialisme. Fechner consacre un ouvrage à la vie spirituelle des plantes ; à ses yeux, la loi fondamentale de la psychophysique traduit l'efflorescence du mathématisme inhérent à la nature. Le romantisme développe un néopythagorisme ; la nature est animée du dedans par des nombres mystiques dont les articulations et relations sous-tendent les phénomènes constatés dans la réalité. La loi de Weber-Fechner expose le déchiffrement d'un aspect de ces chiffres ontologiques à l'œuvre dans les profondeurs de la nature et de l'homme ; elle s'inspire donc de l'illuminisme le plus irréductible.

Bien entendu, les opérateurs modernes des laboratoires de psychologie scientifique n'ont que faire de ces suspectes profondeurs, dont ils n'ont jamais entendu parler. Le physicalisme de notre temps limite ses investigations à une vérité de surface, étalée comme le beurre sur la tartine ; il s'agit de relier entre elles des apparences, à la manière de Hume mettant en évidence les principes de l'association entre les idées. Phénomènes sans noumène, apparences régulières sans qu'on sache ce qui se montre, ou plutôt se dissimule, sous ces apparences. La conscience humaine, attirée hors d'elle-même, plaquée contre les objets, est prise à leur piège. Le sujet du discours, puisqu'il en faut bien un, se trouve victime d'une distraction ontologique ; excentré, il oublie son centre ; il s'oublie lui-même. Ce qui concorde avec la mort du sujet, célébrée par certains philosophes contemporains. Le sujet, on n'a même pas besoin de lui, sinon comme sujet grammatical, support fictif d'un discours ; le sujet n'est pas incorporé aux circuits modernes de la vérité scientifique pure et dure, dont il risquerait de troubler les arrangements. Il est de trop.

Le physicalisme contemporain, professé par le mouvement néo-positiviste, prélève, au sein de la réalité totale, un territoire fort exigu, refuge de toute vérité digne de ce nom, le reste étant abandonné aux divagations d'une opinion infondée. Tandis que la psychologie scientifique poursuit ses travaux mystérieux dans l'enceinte des places fortes de ses laboratoires, on voit pulluler aujourd'hui les *parapsychologies*, où fleurit le retour de ce qui est refoulé par les mécaniciens et opérateurs scientistes. Il ne suffit pas de prononcer que tout ce qui n'est pas quantifiable, mesurable et dénombrable, n'existe pas, comme si c'était à l'appareil de mesure de décréter la réalité du phénomène. Le phénomène peut être réel tout en échappant aux appareils, et d'autant plus réel qu'il leur fait défaut. La parapsychologie, de par sa dénomination, prétend se situer dans les marges de la psychologie ; mais c'est plutôt que la psychologie en question est définie d'une manière par trop restrictive, de manière à mettre hors la loi certaines catégories de phénomènes. Une telle sélection est absurde et contre nature ; le champ de la psychologie embrasse en droit et en fait la totalité des états de conscience sans discrimination entre certains, qui seraient validés, et d'autres jugés non conformes en vertu de critères arbitraires. Les penseurs romantiques avaient admis la plus grande expansion du champ psychologique au mépris des restrictions et cantonnements imposés par un intellectualisme rémanent.

En dehors même de cette opposition fort suspecte entre psychologie et parapsychologie, il est indéniable que la vie consciente des hommes, dans son développement le plus usuel, échappe à la juridiction du laboratoire, dont le cahier des charges laisse en dehors de sa compétence la majeure partie des attitudes et comportements complexes de l'être humain concret. D'où le découpage de la sphère mentale entre des domaines étrangers les uns aux autres, déterminés essentiellement par la méthode d'approche utilisée; on évoque par exemple une psychologie affective, une psychologie pathologique, des psychologies cliniques, des psychologies des profondeurs, une psychologie sociale, une psychologie linguistique, etc. Ces disciplines, plus ou moins clairement définies, paraissent d'ailleurs empiéter les unes sur les autres dans un enchevêtrement qui ne facilite pas le progrès de l'intelligibilité. A l'inverse de la psychologie de laboratoire, la méthode phénoménologique se propose d'explorer l'intimité vécue de la conscience humaine selon l'ordre de la qualité et non de la quantité, en dehors de toute référence aux présupposés du rationalisme et du scientisme.

L'opposition est complète entre un phénoménisme de survol, qui se contente de jalonner les apparences et d'établir des relations mathématiques en forme de toile d'araignée entre des repères arbitrairement définis, et le souci de ressaisir les configurations profondes de la vie, telle qu'elle est éprouvée par le vivant humain lui-même. Le découpage de l'espace vital entre sphères d'influence dissociées aboutit à une désintégration de la réalité humaine, contraire à l'expérience commune. La psychologie proprement dite ne peut prendre sens que comme la face mentale de l'anthropologie, au sein de laquelle doit s'établir la mutualité des significations entre l'ordre biologique et somatique, l'ordre psychique et la dimension sociale de l'existence. La part du mesurable et du quantifiable, selon les techniques du laboratoire, dans cet ensemble paraît extrêmement restreinte, au cœur de la réciprocité entre les mouvements affectifs et passionnels au sein de laquelle s'affirment les valeurs morales et les valeurs esthétiques. Lorsque se trouvent en cause les enjeux essentiels de la destinée humaine, les spécialistes de la « psychologie expérimentale », acharnés à creuser le sillon de leur science exacte, font figure de pauvres diables, qui ne savent même pas ce qu'ils savent, faute d'être capables de situer leur savoir dans la totalité d'un domaine qu'ils ne peuvent appréhender tel qu'il est.

La connaissance élaborée par les soins des spécialistes, quelle que soit l'approche utilisée, ne prend sens qu'en fonction du phénomène humain total, dont elle met en lumière l'une des dimensions. Elle doit donc assumer, au départ et à l'arrivée, une connaissance globale de la réalité humaine ; ce savoir total ne peut être atteint par la seule addition des savoirs partiels qui le concernent ou sont censés le concerner. Les développements de la prétendue psychologie scientifique positive mettent en œuvre un savoir sans sujet, puisque les axiomatiques utilisées ne font pas mention de l'initiateur de la recherche. Mais aussi savoir sans objet, puisque la connaissance rigoureuse ne propose jamais que des échappées de vue sur la masse inconnue de l'univers. La question est de décider si l'on peut se contenter de cette énorme restriction mentale, à la faveur de laquelle on entrera en possession d'une connaissance prétendue, qui n'est connaissance de rien ni de personne, suspendue en porte-à-faux sur un vide immense d'inconnaissance. La psychologie expérimentale apparaît en fin de compte comme une science du non-sens. Il en est de même pour la sociologie scientifique, dont les enquêtes et sondages en tous sens aboutissent à des graphiques, diagrammes et statistiques agréables à l'œil, mais dont la portée réelle demeure problématique, personne ne se souciant de définir de manière globale et compréhensive la réalité sociale dont on prétend rendre raison dans le style de la rationalité mathématique. Henri Lefebvre proposait naguère l'entreprise d'une *sociologie de la vie quotidienne ;* ce projet signifiait que les théoriciens avaient négligé ce qui est en question dans les sciences sociales, la réalité concrète de l'existence collective au jour le jour. Les savants et les philosophes en tout genre auraient intérêt à faire pour leur compte cette même découverte, car ils ont toujours cédé à la tentation de déserter le vécu concret, la présence au monde dans sa confusion et son opacité, sa non-transparence aux normes de l'esprit.

Ici, le fondement de la fin de non-recevoir qui doit être opposée au positivisme et au scientisme sous toutes leurs formes. Refusant de prendre en considération les présupposés de l'existence, ils font de l'être humain un étranger au sein d'une réalité réduite à un univers du discours fait de normes abstraites. Or le problème de la connaissance est de retrouver l'unité du sens ; chaque science doit être capable de faire sens, de restituer l'image d'un vivant humain en situation dans un monde où il fait résidence. Ce à quoi les seules coordonnées des axiomatiques positives ne peuvent parvenir, en l'absence de toute référence aux coordonnées mentales et spirituelles qui sous-tendent le domaine humain ; les dimensions existentielles du monde et les dimensions de l'homme ne sont pas réductibles au mode d'intelligibilité mis en œuvre par les sciences exactes.

Au savoir qui désintègre doit donc être opposé un savoir d'intégration, se proposant de sauvegarder la figure humaine, mise en péril par les procédures d'une science qui, sous la pression de sa fatalité intrinsèque, menace de détruire à la fois son objet et son sujet. Il ne s'agit pas là seulement d'un problème épistémologique, mais d'un drame de notre civilisation, victime de ses contradictions internes, ainsi que l'atteste la réaction du mouvement écologique, choc en retour ou signal de détresse, marquant le reflux de l'intelligibilité scientifique et technique. Le positivisme faisait confiance au progrès de la vérité pour conduire l'humanité à bonne fin ; or ce progrès, dans ses applications techniques, met en cause le séjour des hommes et la survivance de l'espèce. Les réactions atomiques, et les explosifs dont elles autorisent la fabrication, exposent des vérités irréprochables et de remarquables avancées du génie humain. Mais toute vérité n'est pas bonne à dire ni à faire, et celle-là peut s'avérer particulièrement meurtrière. Une vérité scientifique peut être remise en question en fonction de considérations en relation avec le salut de la communauté humaine. La revendication écologique appelle à une surcompensation de certaines vérités et de certains déterminismes du point de vue du bien commun et du bien-être de l'humanité. Il faut imposer une régulation de l'expansion scientifique, économique et technique en fonction d'exigences supérieures. Intervenant à tort et à travers, les initiatives des savants risquent de fausser le cours de la nature et de dérégler l'équilibre spontané des conditions d'existence. Quelques catastrophes, ici et là, attestent cette redoutable possibilité dans le monde de notre temps. Le monde où nous vivons est fragile ; les sciences ne sont pas fiables, nous ne sommes pas à l'abri du pire.

La civilisation technologique d'aujourd'hui exprime la montée en puissance d'une humanité capable, par l'inflation de son savoir, de domestiquer les énergies naturelles. Mais, du coup, l'humanité s'est placée hors du droit commun de la Nature qui, jusqu'à présent, l'avait fait bénéficier de sa sagesse immanente. Une Providence intrinsèque se prononçait dans les rythmes des saisons, les cycles de la vie et l'ordre régulier des phénomènes ; l'existence des hommes s'était nichée dans le devenir bien réglé des êtres et des choses, qui bénéficiait ainsi d'une sorte de sécurité. La prodigieuse inflation des sciences et des techniques a permis à l'espèce humaine de sortir du rang et de manipuler arbitrairement l'ordre du monde, au risque de dérégler le fonctionnement de l'univers, avec les conséquences qui peuvent en résulter pour les habitants de la terre.

Tel pourrait être le point de départ d'une apologie pour la *Naturphilosophie*. Lorsque celle-ci affirme la nécessité d'une « science supérieure », elle veut dire que les sciences ne peuvent être abandonnées à l'initiative de spécialistes sans envergure mentale et morale. Le savoir de surface est insuffisant et parfois dangereux, s'il ne s'accompagne pas d'un savoir à la seconde puissance, susceptible d'assurer la synthèse des connaissances dans la perspective de l'intégration de l'humanité et de son alliance avec l'ordre du monde. Les vérités théoriques et les procédures techniques doivent être compatibles avec les valeurs garantes de la réalité humaine, ce qui commande l'exclusion des variables aberrantes. Les spécialistes accumulent des vérités sans l'homme, des vérités inhumaines ; mais le moment vient, en seconde lecture, où s'impose la nécessité de mettre en place une vérité à hauteur d'homme, avec inclusion de la figure humaine. Après quoi, il faudra négocier les rapports de cette vérité globale du domaine humain avec les diverses axiomatiques scientifiques.

La faiblesse de l'empirisme logique est qu'il prétend se constituer en dehors du domaine humain, laissant à découvert la destinée des individus, considérée comme étrangère à la vérité proprement dite. Or il est impossible de faire l'économie d'une vérité à visage humain, plus fondamentale et décisive pour nous que les vérités sans visage des équations mathématiques, instance suprême d'une sagesse pour le bon usage du monde et de soi-même, à laquelle il faudra bien revenir en fin de compte. Les sciences de la nature ne permettent pas de faire l'économie d'une philosophie de la nature. C'était l'espérance du scientisme, les sciences pouvant s'imposer en vertu de leur intelligibilité transcendante comme révélatrices d'une vérité supérieure ; espérance déçue, les diverses sciences ne disent que ce qu'elles disent, et rien au-delà. Il est absurde de prétendre les forcer à signifier quoi que ce soit d'autre, ainsi que le maintient le positivisme logique contemporain, sur une bonne partie du territoire occidental. D'où une forme de nihilisme caractéristique de notre époque. Les propositions des sciences exactes, selon les tenants de ce néo-positivisme, s'alignent dans un vide de valeurs. Les êtres humains, qui ne sont pas des vérités scientifiques, font figure de hors-la-loi par rapport au domaine exigu de l'unique nécessaire. Une vérité sans humanité se trouve ainsi confrontée avec une humanité sans vérité. Cette épistémologie rigoriste et glacée explique sans doute le désastre contemporain de la philosophie.

Face à l'option suicidaire du nihilisme, partisan du non-sens, la *Naturphilosophie* demeure la seule issue pour une civilisation prise au piège de ses contradictions. Il ne s'agit pas de reprendre mot pour mot les professions de foi des romantiques, mais de réhabiliter leur intention, d'affirmer à nouveau la nécessité d'une profession de foi et d'un ensemble de valeurs pour garantir l'habitation de l'homme dans le monde, reconstituer un sens de la terre et un sens de l'humanité. Le désarroi contemporain de la pensée, de l'action et plus généralement de la politique mondiale impose le devoir de rapatrier la philosophie sur la terre des hommes et ensemble de rapatrier les hommes dans une philosophie à leurs mesures.

La philosophie romantique, synthèse d'un savoir aujourd'hui périmé, avec ses constructions théoriques à base de « chimisme », de magnétisme et d'électricité, rhétorique pseudo-scientifique à base de concepts, se réduit pour nous à des jongleries intellectuelles sans portée. Mais cette condamnation inévitable doit tenir compte du caractère propre de l'histoire du savoir ; nous n'avons pas le droit de juger la science médiévale, ou la chimie prélavoisienne, ou la *Naturphilosophie* romantique par défaut, en fonction des connaissances que nous possédons aujourd'hui, et comme s'il suffisait de dresser un constat de carence rejetant dans les poubelles de l'histoire toutes ces générations d'ignorance qui ne savaient pas ce que nous savons.

L'histoire du savoir ne peut être comparée à l'histoire d'une discipline simple comme est par exemple la géographie. La carte du monde terrestre forme un ensemble fermé ; d'âge en âge, les savants, les voyageurs occidentaux occupent la surface de la terre, réduisant les taches blanches des régions inconnues ; peu à peu les vides ont été comblés ; les atlas de notre époque sont complets, à l'exception peut-être de certains petits coins de l'Antarctique ou de quelques vallées perdues de la Nouvelle-Guinée. On pourrait imaginer qu'il en serait de même pour la science encyclopédique dans sa totalité, en sorte que l'humanité pourrait entrer en possession, progressivement, de la vérité intégrale, les derniers espaces vierges ayant été peu à peu occupés.

Le territoire de la connaissance n'est pas un domaine fini, un ensemble de données dont les savants pourraient s'assurer la propriété petit à petit, en vertu d'une progression arithmétique. Un jour viendrait, de plus en plus proche, où la Science, parvenue au bout de ses peines, n'aurait plus qu'à gérer le patrimoine gagné à la sueur de son front. Cette vision quantitative et totalitaire du savoir permettrait de dissocier, pour une époque donnée, la part de vérités qu'elle détient, et la part d'erreurs. Conception absurde, car le jugement rétrospectif, départageant le vrai et le faux, se fonde sur un anachronisme permanent ; il désarticule l'image du monde telle que la mettaient en œuvre les hommes d'une génération. La science d'une époque ne se partage pas ; elle forme corps et occupe la totalité solidaire de l'espace mental. L'ensemble des connaissances disponibles ne se propose pas comme un système d'informations objectives, dont chacune pourrait être validée ou invalidée selon les critères de la science rigoureuse.

Cela n'a pas grand sens de juger la science classique grecque, la science médiévale ou la *Naturphilosophie* en fonction de leur teneur en vérités objectives selon les normes d'aujourd'hui. Les connaissances disponibles se trouvaient intégrées dans une vision du monde qui sous-tendait l'horizon de l'espace mental et vital humain en un moment de son histoire. « Vérités » et « erreurs » ne sont pas dissociables, et ne peuvent être capitalisées à part ; la vision du monde associe les données de fait et les affirmations de valeur dans un ensemble cohérent, image projective de l'être humain, formule développée de sa manière d'être et de vivre, non pas de savoir seulement, mais de sentir et d'agir dans l'unité d'un style d'existence qui assure la cohérence d'un moment historique de l'humanité en telle ou telle région de la terre. Le connaître expose une forme de l'être ; il n'a en lui-même qu'une validité limitée ; il ne prend sa pleine signification qu'une fois incorporé à l'ensemble des représentations et des valeurs régulatrices de la vie communautaire.

L'erreur du positivisme contemporain est de croire que l'on peut constituer un ordre autonome des « vérités scientifiques » et d'admettre que ces vérités constituent le lieu propre de l'humanité, le décor de la vie réelle, toute autre forme de pensée étant illusoire. Si les vérités et leurs applications techniques jouent en effet un rôle considérable dans l'existence des hommes, l'horizon réel et concret de la réalité humaine n'est pas défini par les seules données de l'épistémologie positive. L'homme, disait Cassirer, est un animal symbolique ; les éléments essentiels de sa vie mentale sont des représentations figurées, des options plus ou moins rationnelles, parfois tout à fait irrationnelles, des images nimbées de sentiments, des mythes nourris d'affectivité. La conscience humaine hante les confins de l'imaginaire beaucoup plus que ceux de la positivité scientifique. Il ne saurait être question de refuser la légitimité des activités scientifiques ; l'erreur, l'illusion consistent à donner à cette activité spécialisée une priorité sur les autres modalités de la présence au monde. Science et technique sont des instruments au service de l'humanité ; elles ne sauraient constituer les fins de l'humanité. Le scientisme du siècle dernier, qui prétendait imposer le culte de la Science, n'est pas seulement une illusion absurde, qui détourne l'humanité de la recherche de ses propres fins ; il méconnaît les risques terribles impliqués par le développement incontrôlé des sciences et des techniques. D'ores et déjà, la puissance aveugle du savoir en matière de physique, de chimie, de biologie met en cause la survivance de l'espèce humaine, menacée de distorsions monstrueuses ou de disparition totale, si la sagesse ne l'emporte pas sur la science.

Pendant la majeure partie de l'histoire de l'humanité, le savoir, école d'intégration à la vie du Cosmos, situait l'homme à sa place dans la totalité, selon le schéma global de l'astrobiologie. La révolution galiléenne, qui a donné naissance à la science moderne, en séparant le savoir rigoureux de la foi, a entraîné la désintégration du Cosmos et la dissociation des disciplines. L'image antique et médiévale du Cosmos assurait à l'homme une donation du sens de la vie ; douée d'une vertu régulatrice, elle mettait l'individu à sa place dans le tout. L'homme moderne a perdu cette assurance ontologique ; pour lui, la vérité a cessé d'être *révélation*, elle est devenue *opération*, fruit d'une activité de l'individu, sorti du rang de la nature, une fois rejeté le pacte d'alliance qui le liait à la totalité. D'où les risques d'un savoir éclaté en tous sens, et qui se retourne contre ses audacieux manipulateurs. Les triomphes des sciences positives ont pour contrepartie l'anarchie mentale du monde actuel.

L'alchimie médiévale, ensemble de procédures techniques dérivées de l'astrobiologie traditionnelle, poursuivait le rêve chimérique de la transmutation des métaux en or. La recherche du Grand Œuvre par des générations d'illuminés est considérée par les esprits positifs d'aujourd'hui comme une forme de pathologie de la raison ; tout au plus les historiens des sciences consentent-ils à mentionner l'alchimie comme une forme préhistorique de la chimie, pressentiment mythique dépourvu de toute positivité. Or la technologie de l'alchimie possédait un autre caractère, généralement passé sous silence, celui d'inclure dans la recherche la personnalité du chercheur. La transmutation ne concerne pas seulement les éléments de la nature, mais aussi la réalité de l'homme, en vertu d'un ennoblissement parallèle de la nature et de l'humanité ; les opérations de la science secrète visent à l'édification spirituelle de l'opérateur, dont le progrès va de pair avec la purification des éléments en expérience. Cet aspect méconnu de l'alchimie justifie le regain d'intérêt qu'elle suscite aujourd'hui chez un spécialiste de la psychologie des profondeurs comme C. G. Jung. La science alchimique repose sur la mise en œuvre de symboles ; le progrès spirituel est le Grand Œuvre imposé à celui qui s'engage dans la voie de la sublimation et de la transfiguration de sa propre existence.

La philosophie romantique de la nature, renouant avec la tradition alchimique, recouvrait une intention initiatique. Elle ne prétend pas revêtir la signification d'une connaissance objective et extrinsèque réduite à la surface des phénomènes ; elle s'efforce de mettre à jour la cohérence intrinsèque, l'architecture intelligible du réel ; il s'agit de pénétrer l'intimité de l'essence des choses et des êtres. Une telle connaissance implique le sujet en même temps que l'objet ; l'intention est d'assurer l'intégration de l'individu au monde et du monde à l'individu. La vérité perd le meilleur de son sens si, au lieu d'assurer l'enracinement de l'individu dans l'univers dont il est solidaire, elle aboutit à l'exclure, à le déraciner, en faisant de lui un étranger, un obstacle, îlot d'opacité au sein du système de relations positives et objectives dont il est pourtant l'opérateur. Une vérité distincte du vécu humain, et qui semble reléguer hors de son domaine de validité l'être humain, demeure une vérité insuffisante. Le procès par Goethe de l'optique géométrique de Newton prend ici toute sa valeur : les constructions mathématiques de la perspective visuelle possèdent une vérité théorique et abstraite ; elles évoquent un monde intelligible qui ne saurait être purement et simplement substitué au monde de la vision telle qu'elle est vécue par les vivants humains. L'optique géométrique est concevable par un aveugle-né, qui n'a jamais bénéficié de la vision réelle, et à qui manquera toujours la couleur, le relief des formes et des contours, comme aussi le relief humain, l'intégration à un espace-temps vécu, dans une situation particulière de sensibilité et d'émotion, qui surcharge les schémas géométriques et au besoin les refoule ou les nie. Le réseau des relations physico-mathématiques, dans sa réduction désincarnée, ne peut prendre en charge l'homme réel, le peintre, l'amoureux, le désespéré, dans leur confrontation avec un paysage qui fait partie de la chair de leur vie spirituelle et matérielle tout à la fois. L'expérience visuelle en sa plénitude s'ouvre aux suggestions et sollicitations de la sensibilité, de l'émotion, de l'imagination. Il est vrai, comme disait Amiel, qu'un paysage est un état de l'âme ; les projections de l'âme surchargent les constructions géométriques. Tel est l'enseignement des peintres romantiques, dont la vision du monde récuse les formes objectives, se permet même de les dissoudre au sein d'une perception hallucinatoire de l'alliance entre l'homme et le monde, dans le libre commerce de l'être de l'homme et de l'âme du monde. Turner et les impression-nistes sont les héritiers et mainteneurs de la fin de non-recevoir opposée par Goethe à Newton.

La déficience congénitale du discours scientifique est méconnue par les tenants du positivisme logique, incapables de percevoir le caractère problématique d'affirmations qui ne peuvent prendre en charge l'homme réel, dans la densité de sa nature. L'homme n'est pas fait pour la science, la science est faite par l'homme et pour l'homme. La réalité de l'ordre des choses ne se trouve pas *devant* l'être humain comme un langage chiffré qu'il aurait à déchiffrer à distance, d'un regard survolant son objet. L'être humain est lui-même un aspect et un moment de la nature, qui s'énonce et s'annonce à travers lui et par lui. Les significations du monde sont des traits de la conscience connaissante. La science mécaniste a détruit les articulations vérita-bles du réel, réduites à des séquences objectives, configurations sans substrat, fantasmagories géométriques sans commencement ni fin, sans prise directe sur le monde vécu. La conscience n'est pas seulement un miroir du monde extérieur, à la manière de l'oculaire impassible d'un appareil de prise de vue ; elle propose elle-même une émergence de cette nature vivante que son regard interroge. En faisant abstraction du sujet qui, dans l'acte de la connaissance, vient au monde, le positivisme neutralise la spécificité du vivant humain ; du même coup, il annule la réalité, réduite à des coordonnées géométriques dépourvues de cette densité charnelle en laquelle s'annonce pour nous la présence du monde.

Le positivisme dénonce les fantasmagories de la conscience concrète, parasitée par l'affectivité, les opinions sans fondement et hantée par des rêves irréalistes. Mais une anthropologie conséquente peut à son tour considérer les positivistes comme des hallucinés d'un arrière-monde décharné, squelette d'équations, de mécanismes aberrants, semblable à ces échafaudages de tubulures sans vision d'ensemble, sans visage humain que propose à l'admiration des badauds le musée Beaubourg. Le succès de cette architecture sans projet tient sans doute à ce que les foules inconscientes y vénèrent l'image projective de leur propre inhumanité.

Le prestige de l'objectivité scientifique comme prototype de toute vérité procède sans doute de l'impression de sécurité procurée par le déterminisme inflexible des choses, par opposition aux troubles et incertitudes qui hantent les horizons de la subjectivité. Les voies et moyens du savoir rigoureux cautionnent des certitudes dogmatiques dont l'autorité met en relief l'incohérence, l'inconscience du domaine psychique, en proie à ses doutes, hésitations et contradictions. Les disciplines de la positivité proposent aux esprits inquiets des moyens efficaces pour conjurer la pensée confuse ; celui qui cherche à se fuir lui-même trouve là une échappatoire, un préservatif contre l'anxiété qui le menace ; l'esprit s'oublie dans les choses, dont l'ordonnancement rigoureux lui fournit les assurances qui lui font défaut dans sa confrontation avec lui-même.

Selon cette hypothèse, la vérité habiterait partout dans le monde, mais non dans l'homme ; la vérité serait une vérité sans l'homme. Telle est la tentation de l'empirisme occidental depuis Locke : la vérité ferait mouvement du dehors au dedans, et non du dedans au-dehors. Or il est évident que la connaissance n'est pas seulement une *impression* de l'ordre des choses sur le sujet humain ; elle est ensemble une *expression* de la personnalité, qui se projette dans le monde, se cherche et se trouve dans la réalité des choses. Le lieu propre de la vérité n'est pas l'univers, qui n'est pas conscient de lui-même et ne représente qu'une entité hypothétique, foyer imaginaire, siège social inaccessible d'une réalité qui nous embrasse et nous dépasse. L'unité de compte en matière de vérité n'est pas cette idée abstraite, mais l'individu concret, qui vient au monde à un certain moment et s'absentera du monde à un autre moment, après avoir parcouru les diverses étapes de son cheminement vital. Le monde commence et finit en chaque individu réel. L'idée d'une Vérité universelle perpétue une notion eschatologique, dépourvue de réalité véritable. Chaque individu embrasse pour son compte la totalité du sens, selon la mesure de son envergure personnelle ; le monde commence et finit en chaque individu.

La philosophie romantique de la nature intervient comme un rappel à l'ordre contre les égarements du positivisme, qui se refuse à faire sa part à l'individualité dans la constitution de la vérité. L'esprit humain construit le monde en fonction de ses normes propres d'intelligibilité ; les catégories de la science sont des structures mentales, qui sous-tendent le développement entier de la connaissance. La réalité extérieure ne peut être connue que dans la mesure où elle se prête aux exigences fondamentales de la pensée. La science rend à l'homme ce que celui-ci lui a prêté. Telle est l'affirmation fondamentale de Schelling : les conditions de possibilité de la nature hors de nous se trouvent en nous, en vertu du pacte d'alliance originaire qui nous lie au monde en sa totalité. Toute connaissance est une reconnaissance, une réintégration dans le sein d'un ordre supérieur qui nous englobe en la plénitude de ses significations.

La pensée positive moderne rompt le lien entre l'esprit et la nature, rendus étrangers l'un à l'autre. Le savoir, produit d'une désintégration, se constitue dans sa rigueur comme un ordre étranger à l'humanité, convaincue de manquement aux exigences d'une épistémologie cohérente. La vérité positive suppose la neutralisation des émotions et désirs, sympathies et antipathies qui relient l'homme concret aux êtres et aux choses dans l'unité de son expérience vécue. L'établissement de l'homme dans l'univers, phénomène global, appelle une interprétation d'ensemble, et ne peut être dissocié en vertu de normes arbitrairement définies. Les vérités des sciences exactes ne sont pas dépourvues de validité, mais cette validité demeure subalterne, sous réserve d'une réintégration au sein d'une vérité d'ensemble, à la mesure du phénomène total de l'existence de l'homme dans la nature. Car la réalité humaine ne se réduit pas à un ordre de déterminismes physiques ; elle se déploie comme une réalité mentale et spirituelle. L'homme venant au monde apporte avec lui la transfiguration de la nature en culture ; le savoir romantique a suscité le fait nouveau de l'historialisation de la vérité, philosophie de la culture et philosophie de la nature apparaissant désormais comme indissociables. C'est pourquoi la philosophie de la nature est toujours à refaire, avec les moyens du temps, en vertu de son alliance avec la philosophie de l'histoire et la philosophie de la culture, sans que puisse être prévu le terme, pour l'humanité, de cette création continuée du monde et de soi-même.

On pourrait objecter que les informations scientifiques disponibles aujourd'hui sur l'univers, dans l'ordre de l'immensité cosmique ou de l'infiniment petit des particules, dépassent les moyens de la représentation. Notre conscience, dont l'envergure est limitée, ne peut donner une signification sensible aux calculs précis établis par les savants. La vérité scientifique échappe à l'échelle humaine, ce qui interdirait toute tentative pour mettre au point une vision du monde, la réalité ne se situant pas à la portée de notre regard. Le discours des savants, dans son exactitude physico-mathématique, ne correspond à aucune signification concrète. Ce décalage entre la réalité cosmique et la réalité humaine ne condamne pas la philosophie de la nature. L'être humain a besoin de faire résidence dans un univers de significations à la mesure de sa présence au monde et à l'homme. Nous ne pouvons considérer notre voisin, notre semblable comme un agrégat de particules électriques, même si telle est la vérité scientifique de sa nature. Parmi les diverses échelles de lecture du réel, il nous faut en privilégier une, qui nous permette de faire résidence sur la face de la terre, en accord avec le monde qui nous environne et avec nous-même. Tel est le rôle de la philosophie de la nature, dont aucune échappatoire positiviste ne peut permettre de faire l'économie.

La différence entre l'image du monde proposée par la philosophie romantique de la nature et celle que nous pouvons actuellement mettre au point consiste en ceci que les romantiques pensaient pouvoir totaliser l'ensemble du savoir disponible — espérance aujourd'hui interdite. Un intervalle impossible à franchir sépare la masse du savoir objectif et la portion restreinte de ce savoir dont un individu peut se rendre maître. Schelling et ses disciples pouvaient penser qu'ils maîtrisaient la science de leur temps, ils croyaient dresser le bilan de l'anthropocosmologie en termes objectifs. Les progrès de l'épistémologie au XXe siècle ne permettent plus de former un pareil projet. Toute image du monde est désormais la perspective d'un homme sur le monde, entreprise subjective marquée du sceau d'une personnalité particulière, selon la mesure des significations qu'elle est capable de prélever sur la masse indéfinie des données qui lui sont accessibles. Chaque individu qui vient au monde est appelé à constituer son image du monde comme une conscience cosmique, tout en sachant fort bien que sa conscience privée ne coïncidera pas avec la totalité du réel, le *Gesamtorganismus* de l'univers, comme disaient les Romantiques. Il appartient à chaque être humain de prélever sa part, aussi riche que possible, selon la mesure de ses moyens, sur la masse indéterminée des significations et de créer à partir de ces connaissances de toute espèce un univers à sa mesure.

La réalité humaine propre à chacun de nous n'est pas faite exclusivement d'informations scientifiques ; chaque univers personnel se nourrit d'impressions morales et artistiques, d'options de valeurs, d'expériences de vie occupant et colorant la portion d'espace et de temps accordée à chaque personnalité particulière. La *Naturphilosophie* romantique propose un modèle anthropocosmologique de vérité à l'échelle de l'être humain en sa particularité, évoquant la monadologie de Leibniz. Les thèmes de la connaissance scientifique doivent y trouver place, selon la mesure de l'information propre à chacun, sans pour autant y régner en maîtres. Car les données objectives subissent la loi des dispositions et options personnelles ; elles doivent être mises en perspective selon l'intelligibilité spécifique d'une histoire et d'un destin. Alors, dans cette mutualité des significations, retrouvent leur pleine validité les formules de Schelling, selon lesquelles la nature est l'esprit visible et l'esprit la nature invisible. Au point le plus extrême de la conscience, où s'accomplit le Grand Œuvre romantique, l'esprit se fait monde et le monde se fait esprit.

Achevé d'imprimer le 3 octobre 1985
sur presse CAMERON
dans les ateliers de la S.E.P.C.
à Saint-Amand-Montrond (Cher)

— N° d'impression : 3045-2230. —
Dépôt légal : octobre 1985.
Imprimé en France